LE MOYEN AGE

DU MÊME AUTEUR:

Drouart La Vache, traducteur d'André le Chapelain (1290), Paris, Champion, 1927.

« Li Livres d'Amours » de Drouart La Vache, texte établi d'après le manuscrit unique de l'Arsenal, Paris, Champion, 1927.

« Bérinus », roman en prose du xive *siècle*, Paris, Société des anciens textes français, 2 vol., 1931-1933.

Extraits des chansons de geste publiés, traduits et annotés, Paris, Larousse, 1931.

Traductions françaises des Commentaires de César, à la fin du xve *siècle*, Bibliothèque d'Humanisme et Renaissance, t. IV, 1944.

Manuel bibliographique de la littérature française du moyen âge, Librairie d'Argences, 1951. Supplément, 1955.

Tristan et Iseult, conte du xiie *siècle mis en français moderne*, Paris, Hatier, 1951.

Alain de Lille, Anticlaudianus. Texte critique avec une introduction et des notes, Paris, Vrin, 1955.

En collaboration
avec M. André Bossuat:

Le Livre de la Chasse de Gaston Phoebus, transcrit en français moderne, avec une introduction et des notes, Paris, E. Nourry, 1931.

Deux moralités inédites, composées et représentées en 1427 et 1428, au collège de Navarre, Paris, Librairie d'Argences, 1955.

En collaboration
avec M. G. Raynaud de Lage:

Les Evangiles des domées, Paris, Librairie d'Argences, 1955.

HISTOIRE DE LA LITTÉRATURE FRANÇAISE

publiée sous la direction de

J. CALVET

doyen honoraire de la faculté libre des lettres de Paris

Le Moyen Age

par

Robert BOSSUAT

professeur à l'École des chartes

del DUCA

éditeur - Paris

DES ORIGINES
AU ROMAN DE LA ROSE

CHAPITRE PREMIER

PREMIERS MONUMENTS. RÉCITS HAGIOGRAPHIQUES

La littérature française du moyen âge n'embrasse à la vérité qu'une partie, qui n'est peut-être pas la plus importante, des écrits composés de la fin de l'empire romain à la Renaissance, sur le territoire de notre pays. Jusqu'au IXe siècle, la langue latine est l'unique moyen d'expression et ce n'est guère avant le milieu du XIe qu'on se trouve en présence d'une véritable littérature en français. En même temps la langue romane qui, dans les rares documents conservés, se révèle encore assez homogène, tend à se scinder en deux grands blocs qui auront leur littérature propre, le *français* et le *provençal*, chacun d'eux se ramifiant bientôt en dialectes secondaires reflétant l'évolution particulière du latin parlé sur divers points du pays. Même après l'épanouissement des littératures nationales, le latin demeure la langue des clercs, qui le parlent et l'écrivent. C'est au latin que ressortissent les genres sérieux, théologie, philosophie morale et scientifique, historiographie, tandis que les genres narratifs et la poésie sous toutes ses formes sont cultivés par les jongleurs. Mais peu à peu, dès la fin du XIIe siècle, le français commence à gagner du terrain et le domaine du latin, progressivement réduit, se limite, au XVe siècle, aux spéculations des clercs érudits.

Si l'on conçoit l'histoire de la littérature comme l'histoire des idées, il convient de ne pas dissocier les trois domaines où elles s'expriment, latin, français et provençal, et d'en traiter parallèlement, en faisant ressortir les liens qui les unissent. Sans adopter toutefois ce point de vue très large, mais qui serait en désaccord avec l'ensemble de cette publication, nous nous permettrons, le cas échéant, et chaque fois qu'il y aura lieu d'envisager des rapports ou des influences, soit de signaler les modèles latins, soit, par exemple, à propos de la poésie lyrique, d'établir la comparaison avec les prototypes méridionaux.

Latin littéraire   Tant que le latin classique demeura intelligible
et latin parlé.   à toutes les classes de la société, dans toutes les
parties de l'empire, une seule littérature put suffire à tous les besoins.
Mais dès la fin de l'époque impériale, le désaccord s'accentue entre
la langue littéraire, artificielle et savante et la langue parlée. Le
latin dit vulgaire, où coexistent des formes traditionnelles et des
éléments populaires, n'est pas une langue uniforme; il est dans sa
phonétique, sa morphologie, sa syntaxe et son vocabulaire, un amalgame de faits empruntés, depuis le IIe siècle, à des milieux divers.
Mais, à partir du IVe siècle, quand les invasions germaniques ont
fait disparaître les écoles gallo-romaines, la langue parlée empiète
sur la langue écrite et la dégradation du latin classique se poursuit
à une allure précipitée. Il est assuré qu'en Gaule, à la fin du VIe siècle, il ne subsiste que de rares survivances de la culture romaine,
dans l'ombre des couvents. Formé dans une région où Sidoine Apolli-
naire avait lutté pour la défense de la tradition, Grégoire de Tours
avoue son ignorance, mais, dédaigneux des raffinements du pu-
risme, il ne souffre pas trop de mal écrire. Quant aux notaires et
aux scribes qui rédigent les actes de chancellerie, ils mêlent aux souvenirs d'école plus ou moins estompés, les tendances anarchiques du
parler quotidien. La décadence de la culture, dont la *Chronique du
pseudo-Frédégaire* et le *Liber historiae Francorum* nous apportent
l'affligeant témoignage, exclut désormais la possibilité d'une véritable littérature. Le recours aux modèles antiques est interdit à ceux
qui ne comprennent plus leur langue et l'intelligence de la *Bible* et
des commentaires patristiques échappe au clergé lui-même, dont
l'influence ainsi décroît. C'est alors que les premiers Carolingiens
vont s'efforcer de réagir. Suivant l'exemple de Pépin le Bref qui
préconisait, au milieu du VIIIe siècle, une réforme de l'enseignement
du latin portant surtout sur l'orthographe, Charlemagne, secondé
par des maîtres italiens, espagnols et anglo-saxons, prend l'initiative d'un retour au passé. Sous son impulsion, évêchés et monastères se mettent à l'œuvre et organisent pour les jeunes gens destinés
au sacerdoce un cycle complet d'études où paraissent en gestation
le *trivium* et le *quadrivium* des futures universités. Aux écoles
existantes s'en ajoutent de nouvelles : Angilbert à Saint-Riquier, Loup à Ferrières-en-Gâtinais, Benoît à Aniane en Languedoc,
Gervold à Saint-Wandrille, Théodulfe à Orléans, Alcuin au palais
d'Aix-la-Chapelle, puis à Saint-Martin de Tours sont les exécuteurs
immédiats ou lointains des prescriptions impériales. Le résultat ne
tarde pas : le latin renaît dans sa pureté première, latin savant et
artificiel, paré des grâces d'un Ovide ou d'un Horace, de l'éloquence
d'un Lucain, de l'érudition d'un Suétone. La religion et la philosophie s'expriment désormais dans une langue correcte soumise aux
règles formulées par Donat et Priscien. Mais du même coup se
trouve consacré le divorce entre le latin restitué dans sa dignité pre-

mière et la langue parlée par le peuple, *lingua rustica romana*. Une décision du concile de Tours, en 813, confirme cet état de fait : il faut, déclarent les évêques, que chaque prédicateur s'applique à traduire les homélies en langue romane rustique ou en tudesque, pour que les fidèles puissent facilement comprendre ce qui leur est dit. Les plus anciens textes conservés, de caractère religieux, liturgique ou hagiographique nous fournissent en quelque sorte l'application de ce principe. La littérature en français tire son origine d'une nécessité pratique.

Les Serments de Strasbourg. L'obligation d'établir un pont entre la langue classique utilisée par les savants et le latin couramment parlé, conduit d'abord à la rédaction de *glossaires* donnant l'explication de quelques mots romans à l'aide d'équivalents latins ou germaniques. Mais ces documents précieux que sont les *gloses de Cassel* et de *Reichenau* n'ont qu'un intérêt linguistique. Le premier texte cohérent qui permette de conclure à l'emploi du roman, ce sont les *Serments de Strasbourg* On sait, par l'historien Nithard, qui nous les a transmis, comment Louis le Germanique et Charles le Chauve, ligués contre Lothaire, s'engagèrent l'un envers l'autre, le 14 février 842. Tandis que Charles prêtait serment en langue tudesque, pour être entendu des soldats germains, Louis s'adressait en roman à l'armée de Charles. Puis les deux armées, chacune en sa langue, ajoutaient aux serments des chefs leur propre déclaration.

Prenant le premier la parole, Louis avait juré :

« Pro Deo amur et pro christian poblo et nostro commun salvament, d'ist di in avant, in quant Deus savir et podir me dunat, si salvarai eo cist meon fradre Karlo et in adjudha et in cadhuna cosa, si cum om per dreit son fradra salvar dift, in o quid il mi altresi fazet; et ab Ludher nul plaid nunquam prindrai qui, meon vol, cist meon fradre Karle in damno sit. »

[« *Pour l'amour de Dieu et pour le salut commun du peuple chrétien et de nous-même, à partir de ce jour, autant que Dieu m'en donne le savoir et le pouvoir, je soutiendrai mon frère Charles de mon aide et en toutes choses, comme on doit justement soutenir son frère, à condition qu'il en fasse autant pour moi; et je ne ferai jamais nul accord avec Lothaire qui, par ma volonté, soit au détriment de mondit frère Charles* ».]

Quant à l'armée de Charles, elle avait déclaré :

« Si Lodhuvigs sagrament, que son fradre Karlo jurat, conservat, et Karlus meos sendra de suo part non lo stanit, si jo returnar non l'int pois, ne jo ne neuls cui eo returnar int pois, in nulla adjudha contra Lodhuwig nun li ju er. »

[« *Si Louis tient le serment qu'il a juré à son frère Charles et que Charles, mon seigneur, de son côté ne l'observe pas, si je puis l'en détourner, je ne lui prêterai aucun appui contre Louis, ni moi ni quiconque que j'en puisse détourner. »*

Séquence de sainte Eulalie Les *Serments de Strasbourg* s'ils nous renseignent approximativement sur les caractéristiques essentielles du roman, au milieu du IXe siècle, ne sont, à tout prendre, qu'un texte juridique, sans aucune valeur littéraire. C'est seulement quelques années plus tard, et, sans doute peu après 878, date de l'invention des reliques de l'héroïne, qu'un religieux de l'abbaye de Saint-Amand, près de Valenciennes, s'efforça de noter tant bien que mal un court poème en couplets de deux vers assonancés, la *Séquence de sainte Eulalie*, composée librement sur une prose latine antérieure, copiée dans le même manuscrit. La pièce, destinée à être chantée, offre en raccourci, par une succession de petites scènes précises, une biographie de la sainte. On y apprend comment la vierge Eulalie, belle de corps autant que d'âme, poussée par le démon à trahir sa foi, demeura insensible aux tentations comme aux menaces. Conduite devant Maximin, elle refusa de renier Dieu et fut conduite au bûcher. Comme les flammes s'éloignaient d'elle, en évitant de l'effleurer, l'empereur la fit décapiter. Elle subit le supplice sans protester, car elle voulait quitter le monde, à l'appel du Christ, et son âme s'envola au ciel sous la forme d'une colombe. Le récit terminé, les fidèles, en chœur, invoquent la sainte et implorent son intercession :

> Tuit oram que per nos degnet preier
> Qued auuisset de nos Christus mercit
> Post la mort et a lui nos laist venir
> Par souue clemencia.

[*« Nous la supplions tous de daigner prier pour nous — afin que le Christ ait merci de nous — après la mort et nous laisse venir à lui. — par sa clémence. »*]

Dans sa rude simplicité qui exclut tout commentaire édifiant et tout ornement littéraire, la *Séquence de sainte Eulalie* traduit pourtant l'émoi des foules pieuses et la confiance qu'elles mettaient dans le pouvoir des saints. La douce Eulalie, *buona pulcella*, est un modèle inimitable de vertu chrétienne. L'âme encore barbare du peuple illettré s'adoucit à chanter ses louanges et l'emprise de la religion se fait plus forte sur elle que par la paraphrase abstraite d'un point de dogme ou de morale.

Homélie sur Jonas. Passion de Jésus-Christ Il va de soi que les prédicateurs, dociles aux instructions du concile de Tours, s'efforcent d'agir sur le peuple, en lui parlant sa langue, comme en témoigne un fragment d'une explication parénétique sur le livre de Jonas, contenu dans un manuscrit de Valenciennes de la fin du Xe siècle. Ce sont de simples notes en latin et

en français prises avant de monter en chaire, par quelque desser-
vant. Mais il est bien probable que l'instruction des masses n'était
pas exclusivement réservée au clergé des paroisses. Un enseignement
en quelque sorte ambulant fut donné par de pieux chanteurs qui
colportaient de village en village « leur catéchisme poétique et populaire ». Un morceau destiné sans doute à ce genre de récitation nous
est fourni par la *Passion* composée au Xe siècle dans une langue
hybride où se mêlent les caractères des parlers du Nord et de ceux
du Midi.

Récits   La *Séquence de sainte Eulalie* nous est apparue
hagiographiques comme une biographie sommaire. Mais à mesure
qu'ils s'instruisent, les auditeurs deviennent plus exigeants. Il est
aisé de les satisfaire; les clercs ont à leur disposition tout un répertoire de récits et de contes ayant pour objet l'histoire du Christ,
de la Vierge et des saints, dont la production commence avec les
débuts du christianisme, s'accentue aux temps mérovingiens et carolingiens, et se ralentit au XIe siècle. Les éléments les plus divers,
évangiles apocryphes, vies des apôtres, passions des premiers martyrs
sont utilisés par les anciens rédacteurs qui écrivent surtout en grec.
Bientôt traduites en latin, les légendes hagiographiques initient le
monde chrétien d'Occident aux merveilles et aux étrangetés de la
civilisation orientale. Adaptées en vers français, elles fournissent
d'inépuisables ressources à ceux qui ont la charge d'instruire et
d'édifier. La matière de cette littérature s'accroît d'ailleurs continuellement. Aux saints de la primitive Eglise viennent s'ajouter,
plus près du peuple et plus intimement mêlés à sa vie quotidienne,
les saints locaux et ceux qui doivent à leur rôle historique au moment
des invasions, la plus grande part de leur popularité. Cette forme
séduisante de la propagande religieuse fut sans doute plus largement
exploitée que ne le laissent croire les œuvres conservées. Beaucoup
de textes médiocres ont disparu soit par le fait du hasard, soit parce
qu'aux yeux des contemporains, ils ne méritaient pas d'être recueillis.

« Vie de   Du moins est-il sûr qu'on chantait, dans la
saint Léger ». seconde moitié du Xe siècle, une *Vie de saint Léger*,
abbé de Saint-Maixent, puis évêque d'Autun, composée d'après une
biographie latine due à Ursinus, prieur de Ligugé. Célèbre par ses
démêlés avec le maire du palais Ebroïn, après la mort de Chilpéric,
saint Léger fut assiégé par son ennemi dans sa ville épiscopale :

>   Ad Ostedun, a cilla ciu,
>   Dom sanct Lethgier vai asalir.
>   Ne pot intrer en la ciutat;
>   Defors l'asist, fist i grant miel.
>   Et sancz Lethgiers mul[t] en fud trist
>   Por ciel tiel miel quae defors vid.

[*A Autun, la fameuse cité, il va assaillir monseigneur saint Léger.
Il ne put entrer dans la cité. Il l'assiégea au dehors, y causa de
grands maux. Et saint Léger fut très attristé par tout le mal qu'il
vit dehors.*]

Condamné par le concile de Villeroi, saint Léger, martyr politique, « reçut de bonne heure cette canonisation populaire qui a
fait presque tous les saints mérovingiens ». Le poème de saint Léger,
écrit en Bourgogne, et formé de quarante strophes de six vers asso-
nant deux à deux, offre un intérêt plus philologique que littéraire.
Il vaut pourtant d'être retenu, parce qu'il nous montre la versification française déjà constituée et nous offre un bon exemple des
œuvres qu'on avait coutume de chanter devant le peuple. C'est qu'en
effet tous ces poèmes hagiographiques, y compris *Sainte Eulalie*,
devaient servir de support à la séquence ou à la mélodie et se mode-
laient sur les compositions rythmiques en usage dans la liturgie
latine.

« *Vie de*   Avec le temps, le genre se perfectionne et la
saint Alexis ».   narration pure et simple se substitue à la canti-
lène. La cadre s'élargit, les personnages s'individualisent et leur psychologie devient plus profonde et plus nuancée. Un souci constant
de réalisme préside au choix des détails et parfois un souffle épique
anime la monotonie des strophes. Pourvu d'une technique plus
savante, d'une langue plus riche, d'une versification plus régulière,
le poète est capable d'agir sur son auditoire par le pathétique des
situations et l'analyse des sentiments qui en dérivent. A cet égard,
la *Vie de saint Alexis*, élégante et logiquement construite, où les
données hagiographiques, habilement exploitées. ne sont que le canevas sur lequel se déploie l'effort de création littéraire, marque un
progrès considérable. On connaît le thème de *Saint Alexis*, si souvent repris, adapté naguère à la scène : le comte Euphémien et sa
femme, longtemps privés d'enfant, obtinrent enfin du ciel, à force
de prières, un fils qui reçut le nom d'Alexis. Il fut élevé avec le plus
grand soin et, quand il fut en âge, ses parents le marièrent à une
noble jeune fille. Mais un appel irrésistible arrache le jeune homme à
la vie mondaine. Le soir même de ses noces, il expose à sa jeune
épouse la vanité de l'existence et la nécessité de se consacrer à Dieu :

> « Oz mei, pulcele ? Celui tien ad espus,
> Ki nus raens de sun sanc precius.
> An icés secle nen at parfit amor :
> La vithe est fraile, n'i ad durable honur:
> Cesta lethece revert a grant tristur. »

[« *M'entends-tu, jeune fille ? Tiens celui-là comme époux, qui nous
racheta de son sang précieux. En ce siècle il n'y a pas d'amour parfait : la vie est fragile, il n'y a pas de durable honneur. Cette joie
tourne en grande tristesse.* »]

Et il s'enfuit, laissant dans les larmes sa jeune femme et ses parents.
Dix-sept ans dure son absence. Il s'est réfugié à Laodicée dont les
habitants veulent rendre à sa sainteté les plus grands honneurs. Pour
y échapper, il se décide à revenir à Rome et débarque dans un port
voisin. Il craint d'être reconnu par les siens qui le contraindraient
à reprendre la vie du siècle, pour la perte de son âme. Il pénètre
dans la ville et se met en marche le long des rues, après avoir imploré
Dieu. Des amis qu'il rencontre, son père lui-même, ne le reconnaissent
pas; il se risque alors à l'interpeller :

> « Enfemiiens, bels sire, riches hom,
> Quar me herberges, pur Deu, en tue maison :
> Suz tun degret me fai un grabatum
> Empur tun filz dunt tu as tel dolur;
> Tut soi amferm, sim pais pur sue amur. »

[« *Euphémien, beau seigneur, puissant homme, héberge-moi donc,
pour Dieu, en ta maison. Sous ton escalier, fais-moi un grabat, pour
l'amour de ton fils dont tu as telle douleur. Je suis tout à fait infirme;
nourris-moi donc pour son amour.* »]

Euphémien s'attendrit au nom de son fils et reçoit l'inconnu dans
sa demeure. Alexis, logé sous le perron, mène une vie sainte et misérable. Au bout de dix-sept ans, Dieu le rappelle à lui. Le mourant
demande une plume et du parchemin et il écrit le récit de son
existence. Après sa mort, on lit la « chartre » en présence d'Euphémien, du pape et de l'empereur, et la vérité se dévoile :

> Quant ot li pedre ço que dit ad la cartre,
> Ad ambes mains derumt sa blance barbe :
> « E ! filz, » dist il, « cum dolorus message !
> Jo atendi quet a mei repairasses,
> Par Deu merci que tum reconfortasses. »

[*Quand le père entend ce que la lettre a dit, il arrache à deux
mains sa barbe blanche. « Eh ! fils, dit-il, quel douloureux message !
J'ai attendu que tu revinsses auprès de moi, que par la grâce de Dieu
tu me réconfortasses.* »]

Et le pauvre père exhale ses regrets : que deviendront les biens
de la famille ? Qui héritera des charges d'Euphémien ? Les cris du
père ont attiré la mère; elle voit son fils mort et tombe pâmée.
Puis, ranimée, elle se lamente douloureusement, avec un accent juste,
d'une vérité poignante :

> Plourent sui ueil e si getet granz criz;
> Sempres regretet : « Mar te portai, bels filz !
> E de ta medre que n'aveies mercit ?
> Pur teim vedeies desidrer a morir :
> Ço est grant merveile que pietet ne t'en prist ! »

[*Elle pleure et aussi jette de grands cris; sans cesse elle se lamente*
« *Pour ton malheur, je t'ai porté, beau fils ! Et de ta mère que*
n'avais-tu pitié ? Pour toi tu me voyais désirer mourir. C'est grande
merveille que pitié ne t'en prît. »]

Tous les espoirs de la mère, mués brusquement en éternels regrets,
s'expriment par ce cri déchirant. La légende pieuse, venue d'Orient,
est ici transposée sur le plan de l'humanité courante; le public n'a
plus devant lui des héros conventionnels, mais des êtres de chair et
de sang qui vivent la même vie que lui et souffrent les mêmes
peines. Et voici qu'on dépose le corps d'Alexis dans l'église de
Saint-Boniface. Durant sept jours la foule défile devant lui, puis
on l'enferme dans un cercueil enrichi d'or et de pierres précieuses. A
présent, conclut le narrateur, saint Alexis est au ciel, auprès de Dieu,
parmi les anges, réuni à la jeune fille dont il fut séparé durant sa vie.

> Si li preiuns que de toz mals nos tolget.
> [*Et prions-le de nous délivrer de tous maux.*]

La langue de nos premiers monuments, souvent fruste et maladroite, d'interprétation difficile, trahit l'embarras des auteurs pour
utiliser les maigres ressources de leur idiome familier et l'hésitation
des scribes quand il leur faut noter, à l'aide de l'alphabet latin, les
variétés phonétiques du roman. Déjà pourtant se laissent deviner les
différenciations dialectales favorisées par le morcellement territorial
qu'entraîne avec lui le système féodal. *Eulalie* contient des traits de
ce qui sera le picard-wallon; la langue de *Saint Alexis* postule la
région normande; la *Passion* et le *Saint Léger*, bien que d'origine septentrionale, ont été adaptés par un remanieur à la phonétique provençale.

Il est vrai qu'au sud de la Loire et sans doute parce que la tradition romaine s'y montrait plus résistante aux influences germaniques,
la littérature en roman se manifeste plus tardivement qu'au nord.
Le *Boeci*, qui n'est pas une traduction de la *Consolatio Philosophiae*,
mais un récit biographique, date tout au plus de l'an mille; et le
premier texte important qui nous soit parvenu dans son intégrité
est la *Chanson de sainte Foi d'Agen,* composée comme l'*Alexis* aux
environs de 1050, dans le Languedoc méridional, en laisses inégales
de vers octosyllabiques.

*De
l'hagiographie
à l'épopée.*
L'examen des quelques textes romans dont la
rédaction s'échelonne entre la fin du IXe siècle et
le milieu du XIe, nous a révélé l'existence à cette
époque d'une littérature en langue vulgaire d'un caractère bien défini. Comme nous n'avons là, semble-t-il, que des spécimens heureusement préservés des ravages du temps, nous ne saurions en préciser
l'importance et le volume. En admettant que ces rares vestiges nous

Martyre de Saint-Denis
(Bibliothèque Nationale. Ms. Nouv. acq. fr. 1098)

ont été conservés, parce qu'ils étaient, aux yeux des copistes qui les ont transcrits, les témoignages les plus significatifs, on peut supposer aussi que, dans les mêmes conditions, des œuvres similaires ont vu le jour pendant la même période et que le hasard seul nous en a privés. Du moins apparaît-il nettement que ces compositions primitives, dont la succession marque un progrès constant, procèdent toutes d'une même intention édifiante et didactique et que ces chants destinés à la foule étaient en quelque mesure les auxiliaires de l'enseignement chrétien. Quand, au stade le plus élevé de cette évolution, un poète expérimenté contait la vie de saint Alexis, il entendait bien donner son héros en exemple et présenter son détachement des biens terrestres et sa soumission à la parole de Dieu comme le plus sûr acheminement vers le salut. Séduit par le rythme des vers et l'éclat des images, l'auditoire cédait à l'émotion et s'exaltait à l'évocation des actes merveilleux accomplis par le saint.

A moins de faire intervenir, et l'on n'y a point manqué, des poèmes disparus dont l'existence hypothétique n'a jamais été démontrée, force nous est de convenir que, sous la forme où nous l'avons décrite, l'épopée chrétienne, dotée de son style propre, de ses procédés d'exposition et de cet instrument de choix que fut le vers de dix syllabes, a précédé l'épopée féodale. Et il n'est pas interdit de penser qu'après avoir célébré les martyrs de la foi, par une transition toute naturelle, les poètes du XIe siècle, usant des mêmes moyens techniques, s'avisèrent de glorifier, en les parant de traits légendaires, les princes et les barons qui s'illustrèrent dans les combats contre les ennemis de la chrétienté.

CHAPITRE II

*Le problème des origines. Premières chansons de geste.
Chansons remaniées. Formation des cycles.
L'expansion hors des frontières.*

*Origine
des chansons
de geste.*

Au moment même où les conteurs prenaient pour thème de leurs compositions la vie et les vertus des saints et des saintes, certains d'entre eux chantaient, sur un mode semblable, les exploits des guerriers qui s'étaient exposés sur les champs de bataille où se réglaient les querelles entre souverains et vassaux, où se jouait aussi, face à l'Islam, le sort des royaumes chrétiens. Les rapports de fond et de forme entre ces deux genres poétiques sont parfois si étroits qu'on a pu envisager des influences réciproques. Mais le problème des origines de l'épopée est en réalité beaucoup plus complexe. Il a donné lieu à tant d'hypothèses qu'elles ont fini par se contredire, sans avancer la solution.

Quand la question fut posée, au début du XIXe siècle, nos érudits prêtaient une oreille complaisante aux conceptions de l'Allemagne romantique. Les théories de Herder, de Wolf et des frères Grimm, qui voyaient dans les vieilles épopées comme une émanation de l'âme populaire et une création collective et spontanée, trouvaient en France un écho favorable. Bientôt Gaston Paris allait développer avec talent la thèse des *cantilènes lyrico-épiques*, frustes poèmes improvisés au VIIIe siècle, dans le feu de l'action guerrière et transformés vers la fin du Xe en narrations organisées. Combattu par le savant italien Pio Rajna, qui croyait à l'existence d'une épopée franque, inspiratrice des chansons françaises, ce système ne fut sérieusement ébranlé que le jour où Joseph Bédier, en ayant démontré l'inconsistance, définit en ces termes la genèse des légendes épiques : « Au commencement était la route, jalonnée de sanctuaires. »

C'est qu'en effet, sur le territoire de l'ancienne Gaule, le culte des saints concurrençait, dans l'esprit des populations encore attachées aux superstitions païennes, celui de la divinité. Tandis que les saints locaux, honorés au lieu de leur martyre, de leurs miracles ou de leur sépulture, assuraient à leur ville ou à leur région une protection permanente, d'autres, moins illustres, étaient spécialisés dans le patronage des corps de métier et la guérison des maladies. En tête de la hiérarchie venaient les apôtres et les évangélistes dont les livres saints publiaient la gloire; tout près d'eux se tenaient les martyrs de la primitive église, les vierges et les confesseurs, bientôt rejoints par les saints nationaux de création plus récente. Leurs reliques, souvent disputées, s'offraient à l'adoration des foules, dans les vastes basiliques romanes où affluaient les pèlerins. Les voici à Tours, où saint Martin jouit d'un culte exclusif, à Lyon, à Limoges, à Saint-Denis; ils iront ensuite à Gellone, à Vézelay, à Saint-Riquier. Les plus fervents se risqueront au-delà des frontières, qu'ils franchissent les Alpes pour adorer « le seuil des apôtres Pierre et Paul », ou qu'ils passent les Pyrénées pour s'agenouiller, à Compostelle, devant le tombeau de saint Jacques; d'autres encore, à la fin du XIIᵉ siècle, visiteront la sépulture de saint Thomas Becket.

Sur toutes les routes qui mènent aux sanctuaires, c'est un perpétuel va-et-vient de religieux et de laïques, gens de toute condition, dont les uns voyagent en prenant leurs aises, dont les autres mendient pour vivre. La route interminable est jalonnée d'étapes où l'on se délasse. De célèbres monastères, riches d'histoire et de trésors, détournent à leur profit la générosité des visiteurs. Sur le grand chemin de Saint-Jacques, on n'a que l'embarras du choix : Saint-Julien de Brioude, Saint-Honorat des Aliscamps, Saint-Guilhem du Désert, ouvrent aux voyageurs leurs nefs hospitalières. Au passage des Pyrénées, le couvent de Roncevaux et les églises du voisinage accueillent les pèlerins; et, s'ils se rendent à Vézelay, pour adorer la Madeleine, on fait halte à Pothières, où les tombeaux de Girart de Roussillon et de Berthe, son épouse, offrent un pieux reposoir. Dans toutes les églises ainsi répandues sur les voies de pèlerinage, des légendes locales se sont accrochées à quelque souvenir matériel. Des trouvères, s'en emparant, les ont adaptées, mises en forme; des jongleurs, au son de la vielle, les chantent aux pèlerins qui les retiennent et les diffusent.

Ainsi seraient nées de traditions monastiques, non point spontanément d'ailleurs, mais par la volonté réfléchie et l'effort conscient des poètes, les épopées françaises qui ne doivent rien à de prétendus chants jaillis sur les lèvres des soldats, pour célébrer la victoire ou pleurer les morts, un soir de bataille, moins encore à l'épopée mérovingienne dont on a tenté de prouver l'existence à l'aide de mentions tirées des chroniques ou des vies de saints. Les chansons de geste n'ont en leur essence rien de germanique; conçues et rédigées sur le sol de France, au moment même où nous constatons leur existence, elles tirent leur origine de souvenirs locaux recueillis par l'Eglise et mis en œuvre par des poètes ignorants de l'histoire, capables seulement de combiner des thèmes littéraires. Par là même elles attestent le lien étroit qui unit l'Eglise militante et la féodalité guerrière; l'épée des barons au service de Dieu et de la chrétienté s'est teintée de sang pour la gloire du Christ et le soin des trouvères à chanter leurs exploits rejoint, sur un autre plan, le pieux labeur des constructeurs de cathédrales et l'élan mystique des foules en armes pour écraser les Sarrasins d'Espagne ou arracher le Saint Sépulcre aux mains des Infidèles.

Pourtant, malgré la rigueur de sa dialectique et le poids de ses arguments, J. Bédier ne tarda pas à subir l'assaut des contradicteurs, à l'étranger d'abord où sa théorie ne fut pas acceptée sans réserves, puis en France même, surtout parmi les historiens. Le plus autorisé d'entre eux, Ferdinand Lot, objecta, non sans raison, que les chansons réputées pour les plus anciennes ne font état ni des routes ni des sanctuaires, qu'on ne relève dans le *Roland* aucune allusion à Compostelle, aucune mention de Gellone dans la *Chanson de Guillaume*. D'autre part, les textes narratifs latins composés par les clercs de ces églises ne sont guère antérieurs au XIIe siècle et procèdent plutôt des chansons qu'ils ne les ont suggérées. Enfin, si le travail légendaire a déformé la réalité historique, il en reste pourtant assez de traces pour établir que les poètes n'ignoraient pas totalement cette réalité. L'ingénieuse argumentation de J. Bédier tendait à réduire jusqu'à le nier le substrat historique de l'épopée. Les observations de F. Lot lui restituent toute sa valeur et nombreux sont aujourd'hui les critiques qui, renonçant à appliquer dans tous les cas le système de Bédier, sont tentés d'admettre à nouveau la transmission de siècle en siècle, c'est-à-dire, à quelques nuances près, la théorie des cantilènes. Si l'on fait abstraction d'hypothèses accessoires qu'il est aisé de rejeter ou qui, du moins, n'affectent pas le fond des choses, le conflit demeure entre les deux principes fondamentaux, celui de l'origine lointaine défendu par G. Paris et son école et celui de la création récente soutenu par J. Bédier. A force de scruter les textes, les érudits en ont tiré toutes les conclusions possibles et, se réfutant les uns les autres, n'ont réussi qu'à se neutraliser. Un savant italien, M. Italo Siciliano, s'est avisé récemment de passer en revue tous les systèmes, sans idée préconçue, mais avec une implacable lucidité. A l'issue de son enquête, le problème de l'origine des chansons de geste lui apparaît comme insoluble, parce qu'il a été mal posé. Le plus vraisemblable est que les épopées, comme le veut F. Lot, plongent leurs racines dans le passé, mais qu'elles n'ont acquis la forme littéraire qu'au moment où les circonstances politiques et l'atmosphère spirituelle permirent leur éclosion.

Il serait vain, au demeurant, d'épiloguer sur un problème où tout paraît dit pour l'instant. Sans s'attarder à la poursuite d'une chimère, il convient plutôt d'examiner les textes, d'essayer de les comprendre et d'en pénétrer le charme.

La « *Chanson de Roland* ». — Le champion-type de la chrétienté, celui dont la vie symbolise le mieux l'action triomphante du bras séculier, c'est l'empereur Charlemagne, couronné à Rome par le successeur de saint Pierre et victorieux des païens. Notre plus ancienne chanson de geste, comme aussi la meilleure et la plus émouvante, la *Chanson de Roland*, n'est qu'un épisode de son histoire. Elle nous est parvenue sous des formes diverses dont la plus archaïque est celle que contient le manuscrit Digby 23, de la Bibliothèque Bodléienne d'Oxford. Il n'est pas assuré d'ailleurs que cette version soit la première et que d'autres ne l'aient précédée au cours du XIᵉ siècle, plus ramassées sans doute, moins riches d'éléments psychologiques et simplement limitées au désastre de Roncevaux. Un fragment de seize lignes, en latin barbare, récemment découvert en Espagne, tendrait à prouver l'existence d'un récit en langue vulgaire bien antérieur à cette date. Le texte d'Oxford qui se prolonge, après la mort de Roland, par le combat grandiose entre l'empereur chrétien et l'émir Baligant, offre autre chose que le récit d'un banal fait divers. Car, il faut bien en convenir, le point de départ est, somme toute, assez mince : le rappel par Eginhard, dans sa *Vita Karoli*, d'une embuscade tendue par les Basques à l'arrière-garde des Francs, dans un défilé des Pyrénées, comme Charlemagne s'en revenait, après avoir échoué devant Saragosse. Il est peu vraisemblable que le poète ait tout tiré de cette information sommaire, dont le principal intérêt est de mentionner le nom de Roland, préfet de la marche de Bretagne, parmi les chefs tombés dans le combat; tout porte à croire qu'il disposait en outre de traditions orales qui brodaient sur l'événement. S'il ignorait à peu près tout de l'époque lointaine où les faits se déroulent, il avait fréquenté les écoles et pris contact avec les modèles antiques. Mais sa culture ne comportait que de vagues notions historiques. De Charlemagne, de Roland ou de leurs compagnons il n'avait retenu que les traits légendaires, sur lesquels son imagination pouvait s'exercer à loisir; mais il savait que, de son temps, des barons méridionaux, accourus à l'appel des rois de Barcelone, de Navarre et d'Aragon, franchissaient les Pyrénées et combattaient les Sarrasins sur la terre d'Espagne. De là résulte que le cadre historique, où s'inscrivent les exploits de Roland et des siens, reflète la civilisation et les idées du XIᵉ siècle, de l'époque où le poème fut composé, ce que confirment la substitution des Sarrasins aux Wascones d'Eginhard et le rôle considérable attribué à Thierri d'Anjou dans les derniers épisodes. Que l'auteur soit ou non Guillaume Turold, comme l'a suggéré Boissonnade, c'est ce qui importe le moins. Ce qu'il nous faut retenir, c'est qu'inspiré par son propre génie, il a tiré de traditions confuses et de textes imprécis les éléments d'un poème organisé, solidement charpenté, où les effets savamment calculés du style contribuent à l'expression d'un idéal moral, le plus noble et le plus élevé.

L'histoire est belle et si connue qu'il suffit de la résumer : Le roi sarrasin Marsile tient conseil à Saragosse. Inquiet des succès de Charlemagne, il décide de lui envoyer une ambassade pour conclure la paix; les messagers trouvent l'empereur à Cordoue :

> Li emperere est en un grant vergier,
> Ensembl' od (avec) lui Rollanz et Oliviers.

Après avoir écouté les offres des païens, il interroge les barons de France. La plupart se défient de Marsile dont la volte-face et la soumission semblent suspectes. Le plus sage serait de passer outre et de marcher sur Saragosse. L'empereur est perplexe; Ganelon soutient l'avis contraire et l'emporte avec l'appui du vieux duc Naimes : on enverra des messagers à Saragosse et Ganelon, sur la proposition de Roland, son beau-fils, les conduira. Ganelon ne cache pas son ressentiment. Il voue au jeune homme une haine mortelle; avec celle-ci le drame est noué :

> « Sire, » dist Guenes, « ço ad tut fait Rollanz,
> Ne l'amerai a trestut mon vivant,
> Ne Oliver pur ço qu'est sis cumpainz,
> Les duze Per, pur ço qu'il l'aiment tant;
> Desfi les en, sire, vostre veiant. »

Ganelon transmet son message au roi Marsile qui s'en irrite et menace de le tuer. Mais on finit par s'entendre : Ganelon, par esprit de vengeance, est tout prêt à trahir les siens. Charles est vieux et fatigué; sa force réside surtout dans les jeunes barons qui l'entourent; pour l'atteindre, c'est eux qu'il faut frapper. L'empereur ne cessera pas de guerroyer,

> ... « Tant cum vivet sis niés [neveu] :
> N'ad tel vassal suz la cape del ciel;
> Mult par est pruz sis cumpainz Oliviers;
> Li duze Per, que Carles ad tant chiers,
> Funt les enguardes [avant-gardes] a vint mil chevaliers,
> Soûrs est Carles, que nul hume ne crient. »

Ganelon s'arrangera donc pour que les douze Pairs reçoivent la mission de couvrir les derrières de l'armée. Les Sarrasins les attaqueront dans les défilés des montagnes, quand Charlemagne et le gros de sa troupe auront atteint le Port de Cize.

Le félon, à son tour, rend compte de sa mission et se prépare à réaliser ses projets. Déjà l'empereur chevauche à travers les montagnes que le poète décrit avec une rude sobriété :

> Halt sunt li pui et li val tenebrus,
> Les roches bises, li destreit merveillus !

Les Sarrasins ont tendu l'embuscade et Roland poursuit sa marche sans rien soupçonner. Mais Olivier, du haut d'un tertre, a reconnu la troupe immense des païens; les Français pourtant se préparent à combattre. C'est en vain qu'Olivier le sage conseille à Roland de sonner du cor, pour appeler Charles à leur aide :

> « Ne placet Deu », ço li respunt Rollanz,
> « Que ço seit dit de nul hume vivant
> Que pur paiens ja seie jo cornant !
> Ja n'en avrunt reproece mi parent. »

L'archevêque Turpin bénit les guerriers et la mêlée s'engage dans les conditions les plus défavorables. L'un après l'autre les Français périssent, non sans faire subir de telles pertes à l'adversaire qu'il s'enfuit bientôt vers l'Espagne. Enfin Roland consent à sonner du cor, mais il est trop tard : ils sont tombés l'un après l'autre les preux compagnons de Charlemagne, le duc Samson, Guérin, Gérier, Guyon et tous les autres, et Olivier lui-même ; l'archevêque est grièvement blessé, Roland seul est encore valide. Il va chercher les corps de ses amis et les aligne devant Turpin qui leur donne, avant de mourir, une suprême bénédiction. Roland veut briser son épée, Durendal, pour éviter qu'elle ne tombe entre les mains des Sarrasins ; il s'épuise à frapper le roc qui vole en éclats sous l'acier résistant. Il expire enfin, le visage tourné vers l'Espagne, et après avoir confessé ses péchés.

> Sun destre guant a Dieu en puroffrit [tendit],
> E de sa main seinz Gabriel l'ad pris.
> Desur sun braz teneit le chief enclin :
> Juintes ses mains est alez a sa fin.
> Deus li tramist [envoya] sun angle [ange] cherubin,
> Seint Raphael, seint Michiel del Peril.
> Ensemble od els seinz Gabriel i vint :
> L'anme del cunte portent en pareïs [paradis].

Charlemagne a entendu le cor; il est revenu sur ses pas; il pleure sur les cadavres des siens. Par un miracle, le soleil interrompt sa course et les Francs poursuivent les païens débandés; les uns sont abattus, les autres noyés dans l'Ebre. Cependant l'empereur a fait un rêve; il a compris que Dieu lui réservait de nouvelles épreuves. En effet l'émir Baligant, à la tête d'une puissante armée, accourt à l'appel des Sarrasins d'Espagne. Devant le roi Marsile, qu'il trouve expirant, il jure de vaincre Charlemagne et d'en finir avec lui.

olt funt li pui e mult halt lef arbref·
  Q uatre pi_rinf iad luifant de marbre.
s ur lerbe uerte liquenf Roll se pasmet·
v nf farrazinf rute uele lefguardet·
s ise feinst mort sigist entre lef altref·
A el fanc luat fim corf _ fun uifage·
O et fel en piez _ de cur refallet·
B elf fut _ forz _ de grant uaffelage·
p ar fun orgoill cumencet mortel rage·
Roll faifir _ fun corf _ fef armef·
_ dift un mot uencut eft li mefcarlef·
I cefte efpee porterai en arabe·

_ ncel areref liquenf fapcut alquef·
  o fent Roll que fefpee li tolt·
  v urit lef oilz filiad dit un mot·

O en efcientre ra mief mir def nat·
cient lolifan que unkef pdre ne uolt·
S il fiert en lelme ki gemet fut a or·
fruiffet lacer _ la refte _ lef of·
Amf d ouf lef oilz del chef le ad mif forf·
I uf a fef piez fil ad cresturnee mort·
A pref li dit culuert paien cu fuf unkef fi of·
Q ue mefaifif ne adreit ne a rort·

Chanson de Roland
(Laisses CCXI - CCXIII)
Une page du manuscrit d'Oxford

L'empereur relève le défi et une bataille décisive s'engage entre ces deux forces inconciliables, la barbarie musulmane et la vertu chrétienne. Après une lutte acharnée, terminée par un duel entre les deux chefs, la victoire reste à Charlemagne. Les Francs pénètrent sans coup férir dans Saragosse, dont la reine Bramimonde leur a livré les clés. L'empereur triomphant est revenu dans son palais d'Aix-la-Chapelle. Avec ménagements il apprend à la belle Aude la mort de Roland, son fiancé, et la jeune fille expire de chagrin. Enfin le traître Ganelon, vaincu par Thierri en combat singulier, est condamné par les barons et conduit au supplice :

> Guenes est morz cume fel recreant [lâche].
> Ki traïst altre, nen est dreiz qu'il s'en vant.

Français par ses origines, par la qualité de ses personnages, par la nature des sentiments qui s'y expriment, le poème de *Roland* est plus que tout autre la véritable épopée française. L'honneur chevaleresque, le respect du serment, l'amour de la patrie et la gloire du Seigneur en sont les ressorts essentiels ; on y sent vibrer l'âme ardente d'un peuple jeune, prêt à tous les sacrifices pour accomplir sa destinée. A ceux qu'offusquaient sa forme rude, ses accents parfois barbares et sa psychologie élémentaire, l'un des savants qui ont le plus contribué à répandre la connaissance de la *Chanson de Roland*, Léon Gautier, répliquait en ces termes : « Je les conjure... de vouloir bien se dire que cette poésie est celle de notre race et de nos pères ; qu'elle est saine et vigoureuse, mâle et fière ; qu'elle nous offre des types humains qui dépassent de cent coudées tous ceux de l'antiquité païenne. Les rhéteurs, peut-être, ne consentiront jamais à la donner pour un modèle achevé de ce qu'ils appellent le style ; mais elle agrandit les âmes ; mais elle leur donne je ne sais quel *sursum* ; mais elle est faite enfin pour les dégoûter à jamais des vilenies du réalisme contemporain. Surtout elle fait aimer la France. »

« Chanson de Guillaume ». Si Charlemagne est le héros épique par excellence, quelques grands vassaux jouissent d'une popularité presque égale : témoin ce comte Guillaume, comme Charlemagne, adversaire des Sarrasins, qui se voue à la protection du roi Louis, débile héritier du grand empereur, ce Guillaume en qui se confondent sans doute plusieurs personnages historiques, parmi lesquels Guillaume, comte de Toulouse, en 790. Lassé de ses victoires, il s'était retiré à l'abbaye d'Aniane, pour y vivre cloîtré, et il mourut sous le froc, après avoir fondé non loin de là, à Gellone, une autre maison à laquelle il consacra tous ses biens. Le souvenir de cette pieuse munificence s'était conservé dans les deux abbayes sœurs et les Bénédictins qu'il y avait établis ne manquèrent pas de

célébrer la gloire et la fin édifiante de leur bienfaiteur. Réunissant
les documents de toute nature ayant trait à la vie séculière et au
« moniage » du comte, ils composèrent, à la fin du XIIᵉ siècle, une
Vita Sancti Wilhelmi.

Or il se trouve que la matière des chansons dont Guillaume est
le héros consiste en une série d'événements localisés soit à Aniane
et à Saint-Guilhen, soit à Saint-Julien-de-Brioude, au Puy-en-Velay,
à Nîmes, à Saint-Gilles, aux Aliscamps d'Arles et à Narbonne, dans
les sanctuaires élevés sur la *via Tolosana,* qui menait alors en Espagne.
En tous ces lieux, inlassablement, résonnait l'écho des exploits de
Guillaume et, pour avoir entendu les jongleurs qui s'en inspiraient,
les pèlerins en route vers Compostelle ne manquaient pas de visiter
les monastères où le sort de Guillaume s'était résolu. C'est dans ces
conditions que naquirent les poèmes où ce personnage intervient.
On a constaté cependant que la *Chanson de Guillaume,* où se trouvent
contenus la plupart des thèmes qui alimentent les autres chansons
du cycle, ignore ces localisations. Pour F. Lot, la rédaction du
poème se place dans le premier quart du XIIᵉ siècle, à la rigueur, dans
le dernier du XIᵉ. Contemporain de la *Chanson de Roland,* il échap-
perait comme elle au système de Bédier. Toutefois le dernier éditeur
la rajeunit sensiblement. Pour lui, la chanson de Guillaume, qui a
subi effectivement l'influence du *Roland,* ne serait pas antérieure
au dernier tiers du XIIᵉ siècle. Pendant longtemps, les critiques ont
cru résoudre ce problème de datation en distinguant dans la chanson
deux parties, l'une primitive, l'autre plus récente, consacrée aux
exploits du géant Rainoart. On admet aujourd'hui que le poème,
tel que nous l'a transmis le manuscrit unique, forme un tout cohérent et que rien n'autorise à en dissocier les éléments. Le noyau
principal est formé par le récit d'une bataille livrée par Vivien,
neveu de Guillaume, aux Sarrasins de Déramé, dans la plaine de l'Archamp qu'il n'a pas été possible d'identifier avec certitude. Tandis
que le comte Thibaut de Berri et son neveu Estourmi s'enfuient
lâchement du champ de bataille, Vivien, à la tête de ses chevaliers,
charge les ennemis, avec son cousin Girart. La lutte est chaude et
les Français succombent ; vers le soir, Vivien expédie Girart à Barcelone, pour appeler Guillaume à l'aide. Quant à lui, resté seul,
il avance toujours, car il a fait vœu de ne pas reculer :

> Puis qu'il fu remés od un sul escu,
> Si lur curt sovent sure as turs menuz :
> Od sul sa lance en ad cent abatuz.
> Dïent païen : « Ja nel verrun vencu.
> Tant cum le cheval laissun vif sur lui. »

Blessé, Vivien résiste à ses adversaires, mais leur nombre est infini
et il en surgit toujours de nouveaux. Comme il se désaltère dans
un trou d'eau saumâtre, une rafale de traits s'abat sur lui. Appuyé

sur son épée, il implore l'aide de Dieu, afin de lutter encore, car il
préfère la mort à une fuite ignominieuse :

> « Deus veirs de glorie, qui mains en trinité,
> E en la Virgne fustes regeneré,
> E en treis persones fu tun cors comandé,
> En sainte croiz te laissas, sire, pener :
> Defent mei, pere, par ta sainte bunté,
> Ne seit pur quei al cors me puisse entrer
> Que plein pé fuie de bataille champel ! » [en rase campagne.]

Sa prière est interrompue par un Berbère qui le frappe d'un tel
coup « que la cervele en espant contre val ». Enfin Guillaume arrive
de Barcelone, mais Vivien est mort. Déramé, victorieux, serait déjà
loin, si le vent contraire ne retenait ses nefs au rivage. Comme les
chefs sont revenus sur la terre ferme, Guillaume les attaque, mais
son effort échoue. Après avoir vu périr tous les siens, il s'en retourne tristement, portant en travers de son cheval le corps exsangue
de son neveu Guischart.

Cependant la comtesse Guibourc rassemblait une armée de renfort. La déconfiture de Guillaume ne lui fait pas perdre la tête ;
elle réconforte et enflamme ses soldats par de belles promesses. Le
comte doit venger sa défaite ; sans s'attarder, il repart pour l'Archamp, emmenant avec lui son jeune neveu Gui, frère de Vivien.
Cette fois le sort lui est favorable ; Gui tue Déramé de sa propre
épée et Guillaume lui promet son héritage :

> « Niés », dist Willame, « sagement t'oi parler !
> Cors as d'enfant, e raisun as de ber [baron].
> Aprés ma mort ten tote ma herité. »
> Lores fu mecresdi.
> Ore out vencu sa bataille Willame.

Parcourant le lieu du combat, Guillaume et Gui trouvent Vivien
mortellement blessé. Comme le comte se dispose à emporter le
corps de son neveu, les Sarrasins surviennent et s'emparent de Gui.
Guillaume parvient à s'échapper, après avoir tué le roi Alderufe,
mais quand il arrive à Orange, sa cité, le portier refuse de lui ouvrir
et Guibourc ne le reconnaît pas :

> Ço dist Guibourc : « Vus nus mentez !
> Culvert païen, mult savez cuntrover [mentir] !
> Par tels enseignes çaenz nen enterez,
> Car jo sui sole, od mei n'ad home nez » [vivant].

Mais voici que paraît, en vue des murailles, une troupe de Sarrasins. Guillaume s'élance et délivre à lui seul les prisonniers chrétiens qu'ils emmenaient. Cette fois Guibourc est satisfaite et fait
ouvrir les portes à son époux. Après s'être restauré, Guillaume décide

de se rendre à Laon pour demander l'aide du roi Louis. D'abord assez
mal accueilli, il parvient, sous la menace, à convaincre le roi. C'est
alors qu'un valet de cuisine, nommé Rainoart, vient offrir ses services à Guillaume :

> De la quisine al rei issit un bacheler,
> Deschalcez e en langes [haillons], n'out point de solders;
> Granz out les piez e les trameals [jambes] crevez,
> E de sur sun col portat un tinel [massue];
> N'est ore nuls hom qui tel peüst porter.

Introduit auprès de Guibourc, le curieux personnage lui apprend
qu'il est le fils de Déramé. L'armée de Guillaume retourne à l'Archamp. Une bataille décisive s'engage, au cours de laquelle Rainoart
multiplie les prouesses et massacre avec sa massue un nombre incal-
culable d'ennemis. Les chrétiens victorieux regagnent Orange et
célèbrent par un festin le succès de leurs armes. Furieux de ne pas
y être convié, Rainoart menace de retourner parmi les siens. Guillaume cependant parvient à l'apaiser, le fait baptiser et le comble
de faveurs. Enfin Guibourc lui révèle qu'elle est sa sœur et Rainoart, s'adressant au comte :

> « Estes vus dunc mon serourge [beau-frère], Willame ?
> Se jol seüsse en l'Archamp,
> Bien vus valui, mais plus vus eüsse esté aidant. »

Ainsi finit ce poème de 3.554 vers d'autant plus rudes que
le copiste anglo-normand en a singulièrement altéré la graphie
et le rythme. Sa lecture éveillait chez ceux qui l'écoutaient l'écho
des plus nobles passions : courage militaire de Vivien et de Girart
poussé jusqu'à la démesure ; haine des Sarrasins qu'il faut exterminer comme ennemis de la foi ; viril sang-froid de la comtesse
Guibourc qui sait montrer aux hommes défaillants le chemin du
devoir. On y donne de grands coups d'épée, on y reçoit de mor-
telles blessures et, quand il se sent perdu, le guerrier se tourne
humblement vers Dieu. Mais un autre élément, le comique, apparaît
ici comme une nouveauté. Le trouvère, à l'affût du succès, ne se
contente pas d'émouvoir, il fait rire, et par des procédés à la mesure
de l'auditoire. Le pittoresque Rainoart anime de ses bouffonneries
la seconde partie du poème, mais des traits plaisants ne manquent
pas à la première. On rit aux dépens des traîtres comme Thibaut
et Estourmi qui sont aussi de francs ivrognes :

> Tedbald fu ivre erseir [hier soir] de sun vin cler.

Voici plus tard nos deux compères déchirant leur enseigne blanche
pour n'être pas reconnus. Et tandis que Vivien répète obstinément :

> « N'en turnerai, car a Deu l'ai pramis
> Que ja ne fuierai pur poür de morir. »

Thibaut s'enfuit, entraînant les lâches :

> Li couart s'en vont od Tedbald fuiant.
> Od Vivien remistrent tuit li chevaler vaillant.

A un carrefour, son cheval le jette sur un gibet où pendent quatre larrons qu'il heurte du visage. La peur qu'il en éprouve se manifeste de la façon la plus grossière :

> As premerains colps li quons Tedbald s'en turne,
> Vait s'en fuiant a Burges tote la rute;
> Un grant chemin u quatre veies furchent,
> Quatre larruns i pendirent bouche a boche;
> Bas ert le fest [sommet], curtes erent les furches.
> Li chevals tired, par desuz l'emporte ultre;
> Li uns des penduz li hurte lunc la boche.
> Vit le Tedbald, sin out doel e vergoigne;
> De la poür en ordead [souilla] sa hulce.

Plus loin, dans sa course éperdue, le fuyard bouscule un troupeau de moutons, accroche l'un d'eux avec son étrier, l'entraîne avec lui par monts et par vaux et constate, en arrivant à Bourges, qu'il n'en reste plus que la tête :

> En son estriu se fiert un gris motun.
> Tant le turnad e les vals e les munz,
> Quant Tedbald vint à Burges al punt,
> N'out al estriu quel chef del motun.

Ainsi la chanson de Guillaume, qu'on peut situer jusqu'à nouvel ordre entre le *Roland* qui l'inspire et *Gormond et Isembart* qu'elle semble avoir influencé, tire son incontestable originalité d'un recours aux effets comiques qui, loin de nuire au pathétique, le font mieux ressortir en s'opposant à lui.

Remaniement de la matière épique. Le succès des légendes épiques, dû aux conditions mêmes de leur formation et à leur apparence historique, encouragea les jongleurs à cultiver ce genre rémunérateur, en l'adaptant aux goûts du public en permanente évolution. Dès la fin du XIIᵉ siècle et pendant tout le XIIIᵉ, nous assistons à un véritable remaniement de la matière épique, qui tire sa raison d'être du fait que les lecteurs deviennent plus nombreux que les auditeurs. A cette clientèle plus instruite, qui demande au poète de la divertir, la simple évocation des héros légendaires, dans un nombre restreint d'épisodes consacrés, ne suffit plus. Quand un Adenet le Roi écrit ses *Enfances Ogier*, ses chansons de *Berte aux grands pieds* et de *Beuve de Comarchis*, un Girart d'Amiens son copieux *Charlemagne*, un Bertrand de Bar-sur-Aube son *Girart de Vienne* et son *Aimeri de Narbonne*, s'ils utilisent les uns et les autres, soit des chansons antérieures, soit des textes latins, soit des traditions orales, ils ont avant tout le souci de plaire. Ce sont des gens de lettres qui, pour faire œuvre d'art, soignent la description des lieux et des personnes, multiplient les épisodes, marient, avec plus ou moins de discernement, la réalité et la fiction, écrivent avec l'esprit plus qu'avec le cœur. Si le talent personnel, se donnant parfois libre cours, a pourvu quelques passages, comme la promesse d'Aimeri ou le duel d'Olivier et de Roland, d'un certain mérite littéraire, il faut avouer que ces compositions bâtardes se diluent trop souvent dans une insupportable rhétorique. Les procédés employés par les remanieurs, dans le dessein de transformer des œuvres destinées à l'audition en objets de lecture, ne parviennent le plus souvent qu'à les avilir. Tout d'abord, le couplet épique, ou *laisse*, change d'aspect par la substitution de la rime, qui frappe les yeux, à l'assonance, qui frappait l'oreille. Mais l'adoption de la rime ne va pas toujours sans difficulté, on la tourne en modifiant le rythme du vers, en multipliant les chevilles, en ajoutant des détails postiches et dépourvus d'intérêt. Bientôt les rajeunisseurs abandonnent toute retenue, lâchent la bride à l'imagination, mutilent, interpolent, sans crainte de se répéter et, renonçant aux vers de dix syllabes, adoptent l'alexandrin, voire l'octosyllabe des romans courtois. Alors la métamorphose est complète : la rude sincérité des premiers chants disparaît sous l'amas des artifices littéraires et si des lecteurs éclairés peuvent y trouver leur compte, la foule, assemblée sur les places, ne reconnaît plus ses héros familiers.

Est-ce à dire que les chansons remaniées soient toutes méprisables et qu'il faille les condamner en bloc ? Elles ont d'abord le grand mérite de nous avoir conservé plusieurs poèmes dont l'original a disparu. Qui connaîtrait la légende d'Aimeri de Narbonne et celle de Garin de Monglane sans les ouvrages des XIIIe et XIVe siècles où elles ont survécu ? Qui parlerait aujourd'hui d'Elie de Saint-Gilles sans le roman du XIIIe siècle et la *Saga* scandinave ?

De plus, certaines réfections contiennent, dans le fatras des inévitables péripéties, des morceaux de belle venue où l'auteur a su compléter son modèle par une heureuse inspiration. La fuite émouvante du comte Ernaut de Douai devant Raoul de Cambrai rappelle inévitablement celle d'Hector devant Achille ; le début du *Couronnement de Louis* exprime douloureusement les appréhensions de Charlemagne devant la faiblesse de son héritier ; et si Victor Hugo avait connu le texte même d'*Aimeri de Narbonne* et non la froide analyse de Jubinal, peut-être eût-il traité son *Aymerillot* avec moins d'invraisemblable outrance.

Chanson d'Aimeri de Narbonne.

On sait comment, s'en revenant d'Espagne, Charlemagne, affligé de la mort des douze pairs, chevauchait, la tête basse. Il ne pouvait distraire sa pensée de l'irréparable désastre, pleurait Roland, son beau neveu, et prévoyait les questions qu'on allait lui poser en France :

> Que dira on en France la garnie [riche],
> A Saint Denis, en la maistre abeïe ?
> La troverai la grant chevalerie;
> Demanderont de la grant baronie
> Que en Espaigne menai par aatie [convoitise].

C'est en vain que le duc Naimes essayait de le consoler ; le vieil empereur ne savait que remâcher sa douleur et méditer sa vengeance. Un jour, au débouché des monts, il aperçut, assise au bord d'un golfe, une ville sarrasine, solidement close de murailles, avec vingt tours de liais dressées dans la verdure.

> Virent l'arbroie contre le vent branler,
> D'is [ifs] et d'aubors qu'on i ot fait planter :
> Plus bel deduit ne pot nus regarder.
> Vint tors i ot faites de liois cler,
> Et une en mi [milieu] qui mont fist a loer.

Cette cité riche et splendide, baignée par la mer et l'Aude impétueux où naviguent de grands vaisseaux chargés de marchandises, c'est Narbonne, l'imprenable, où demeurent :

> Rois Baufumé et li rois Desramé,
> Et Agolant et Dromont le barbé,
> Et avuec eus vint mil paien armé,
> Qui Dieu ne croient, le roi de majesté,
> Ne sa mere hautisme.

Charles veut sa revanche ; il l'aura en prenant Narbonne. Naimes voudrait l'en détourner, car il est las de tant de guerres et l'armée démoralisée n'a plus la force de combattre. Mais l'empereur ne l'entend pas ainsi. Les deuils récents qu'il a subis n'ont point diminué son ardeur guerrière ; il n'est pas homme à rester sur un échec. Si le vieux duc a perdu confiance, il s'adressera aux autres barons. L'un après l'autre ils se récusent; Dreux de Montdidier n'aspire qu'au repos, Richard de Normandie souffre du regret de sa belle province, Hoël de Cotentin sent peser sur lui le poids du haubert, Ernaut de Beaulande est trop vieux pour tenter l'entreprise :

> Quant ce voit Charles que tuit li sont failli,
> Ne vuelent estre de Narbone saisi,
> Forment regrete Rollant, son chier ami,
> Et Olivier son compaignon hardi
> Et les barons que Ganelons traï.

Puisque devant la riche proie offerte, aucun des siens n'éprouve l'allégresse guerrière et l'envie de se distinguer, qu'ils rentrent chez eux tous et, dût-il rester seul, il finira bien par prendre Narbonne. Ernaut sent la honte lui monter au front, il n'abandonnera pas son maître. S'il n'a plus la force de vaincre, elle revit en son fils Aimeri « qui est fiers et membruz ». C'est lui qui prendra la

ville, tiendra le pays et le défendra contre les païens. Conduit
devant Charlemagne, le jeune homme se déclare prêt à venger
Roland avec l'aide de Dieu.

> Je croi en lui mout bien veraiement
> Qu'il m'aidera, ce cuit, prochainement.
> Je sui encore bachelers de jovent;
> Si m'aïst Dieus, qui ne faut ne ne ment,
> Se de l'avoir [richesse] ont la paiene gent,
> Nos en avrons, par le mien escient !

Sous son commandement les Français font merveille ; la ville
succombe à leurs assauts. Sur le conseil de ses amis, le jeune
vainqueur se décide à demander en mariage la princesse Hermenjart de Pavie. Ses envoyés, conduits par Girart de Roussillon,
éblouissent les Italiens par leur train magnifique et l'aisance de
leurs prodigalités. Ils enlèvent à n'importe quel prix toutes les
denrées disponibles et, privés de combustible, ils font du feu avec
des noix. Si le roi Boniface est émerveillé, sa sœur Hermenjart
aime déjà le chevalier, dont elle entend vanter la grâce et les
exploits. Agréé sans difficulté, Aimeri emmène sa fiancée. Mais,
quand il arrive à Narbonne, il la trouve assiégée par les païens.
Aimeri lui-même et ses compagnons ont vite fait de les mettre
en fuite. L'heureux époux d'Hermenjart jouira en paix de sa conquête et onze enfants, six fils et cinq filles, assureront sa descendance.

S'ouvrant comme une continuation de la *Chanson de Roland*,
le poème d'*Aimeri de Narbonne* met en scène un Charlemagne
moins hiératique et plus humain. Ce n'est pas qu'il ait rien perdu
de sa gravité impériale, mais il nourrit des sentiments plus variés
et plus vrais. Si sa douleur est immense et l'anéantit par instants,
elle ne fait qu'exciter en lui l'esprit de vengeance. Après la mort
des douze pairs, les survivants, désemparés, étalent sans pudeur leurs
craintes et leurs faiblesses. Inférieurs aux héros tombés, ce n'est
pas d'eux que viendra la revanche, mais d'un jeune homme, un
enfant presque, inconnu la veille, un damoiseau sans importance
qui se révélera soudain. Mais celui-là ne saurait plus intéresser par
le seul déploiement de ses vertus militaires. Le vainqueur de Narbonne apparaît déjà comme un héros courtois, digne de figurer
entre Ivain et Lancelot, car le roman d'amour se mêle à l'épopée.
Les personnages d'*Aimeri de Narbonne* et des chansons contem-
poraines, à la différence de ceux du *Roland*, parlent d'abondance
et leurs discours ne manquent pas de variété. Le souci de se conformer au goût du jour n'étouffe pas chez les poètes le culte
des grands sentiments, courage, patriotisme, dévouement au prince
et à Dieu. S'ils ont l'ambition légitime de plaire à leurs lecteurs,
ils ne dédaignent pas de les instruire et de les édifier par la peinture
des plus hautes vertus.

Formation des cycles. Dans le même temps que les trouvères exécutaient ces remaniements, ils s'avisaient d'une opération de grande envergure. Les chansons qui formaient le répertoire des jongleurs, pour ne point lasser la curiosité du public, devaient être sobres et courtes : l'intérêt condensé, l'effet dramatique asséné d'un seul coup, l'exposé conduit sans digressions inutiles, les personnages caractérisés par quelques traits précis frappaient les imaginations et impressionnaient les mémoires. Mais le jour où, plus raffinées, la noblesse et une fraction de la bourgeoisie voulurent posséder des manuscrits et se les faire lire, on put craindre qu'elles ne se lassent vite de chansons dispersées et sans lien entre elles. C'est pourquoi, dès le XIIᵉ siècle, et surtout pendant les deux siècles suivants, on s'efforça de grouper arbitrairement des poèmes jusque-là distincts, en créant entre les personnages une filiation imaginaire. La plupart des manuscrits qui nous ont conservé les chansons de geste sont des recueils composites où se trouvent, copiés à la file, tous les représentants d'une même légende. La popularité du héros principal sert de réclame et d'étiquette à la compilation. Les personnages secondaires doivent se grouper autour de lui comme les membres d'un même lignage. Certes, un Roland vaut par lui-même et sa gloire a pénétré partout ; mais c'est parce que les chansons en ont fait le neveu de Charlemagne qu'il a acquis l'assurance de survivre autant que lui.

Cycle du roi. La forte personnalité du grand empereur domine fatalement toutes les chansons où il intervient. Pour que sa légende soit complète, on y ajoute les traits les plus fantaisistes et les épisodes les plus inattendus. Le roman de *Berte aux grands pieds* nous apprend qu'il est le fils de cette héritière du roi de Hongrie. Son enfance, longtemps menacée par les intrigues de deux bâtards de Pépin, Hendri et Rainfroi (*Charlemagne*), se déroule en grande partie sur la terre d'Espagne (*Mainet*). Mais le jeune prince finit par triompher des traîtres et demeure seul maître de l'Empire. Sa prodigieuse activité s'emploie aux quatre coins de l'Europe ; avec l'appui d'Ogier de Danemark (*Chevalerie Ogier*), il délivre Rome. Après un court séjour en France, il revient en Italie (*Aspremont*) et soumet le roi Agolant. Plus tard, nous le trouvons à Constantinople et aux Lieux Saints (*Pèlerinage*), en Bretagne (*Aquin*) et, de nouveau, il lutte contre les païens (*Fierabras, Otinel*) ; il les attaque en Espagne, à l'appel de saint Jacques (*Entrée de Spagne, Gui de Bourgogne, Prise de Pampelune, Roland*). Deux chevaliers, héros eux-mêmes de deux chansons (*Gaydon et Anseïs de Carthage*), se font, dans la péninsule, les successeurs de Roland et assurent définitivement les conquêtes de Charlemagne. Il en est temps, car les Barbares s'agitent du côté du Rhin. Guiteclin, roi des *Saisnes*, vient d'entrer à Cologne ; une nouvelle campagne s'achève par la victoire de Charles. D'autres chansons, *Macaire*, *Huon de Bordeaux*, l'évoquent encore, mais ne lui réservent qu'un rôle secondaire. Il est déjà question de sa succession et voici que, sentant venir la mort, « vieuz... et frailes et chenuz et barbez », il renonce à la couronne en faveur de son fils, au début du *Couronnement de Louis*, dont le héros principal est, cette fois, Guillaume d'Orange.

Cycle de Garin de Monglane. Autour de celui-ci s'organise aussi toute une histoire. Et tout d'abord au comte de Toulouse, qui en paraît le prototype, viennent s'ajouter d'autres Guillaume sans réalité historique, comme Guillaume au court nez, ou popularisés par le souvenir de leurs victoires, comme ce comte de Montreuil-sur-Mer qui triompha des Normands et apporta aux derniers Carolingiens l'appui précieux de sa vaillance. A ceux-là viennent s'agréger d'autres vainqueurs des Musulmans dans le Midi et bientôt Guillaume nous apparaît pourvu de six frères, Bernard de Brusbant, Beuve de Comarcis, Ernaud de Gironde, Garin d'Anseüne, Guibert d'Andrenas, Aïmer le Chétif et d'un père, Aimeri de Narbonne, époux d'Hermenjart de Pavie. Le personnage d'Aimeri devient lui-même le centre d'une petite geste enchâssée dans la grande. La chanson d'*Aimeri de Narbonne* lui donne pour père Ernaud de Beaulande que les *Narbonnais* nous montrent entouré de ses trois frères, Renier de Genève, Milon de Pouille et Girard de Vienne, héros lui-même d'une chanson si gracieusement remaniée par Bertrand de Bar-sur-Aube. En remontant dans le passé, les trouvères ont complété l'arbre généalogique de Guillaume, en donnant pour père à Aimeri Garin de Monglane dont le xive siècle se plaisait encore à entendre conter les *Enfances*.

Apparenté à Vivien et à Rainoart auxquels sont consacrées plusieurs chansons fameuses, Guillaume combat les Sarrasins, (*Charroi de Nîmes* et *Prise d'Orange*) et, parvenu à un âge avancé, vivement ému par la mort de son épouse Guibourc, se fait moine à Gellone dans le *Moniage Guillaume*. Ainsi la légende de Guillaume prend figure d'un vaste système où les chansons, unies par des liens assez lâches, constituent les divers épisodes d'une longue histoire familiale, que les lecteurs du moyen âge pouvaient suivre dans son entier développement.

Cycle de Doon de Mayence. Plus artificielle et moins cohérente est la geste qui se déroule autour de Doon de Mayence. Elle a pour lieu d'origine l'abbaye de Saint-Riquier où naquit vraisemblablement la légende de *Gormond et Isembart*. On s'étonne à bon droit de voir réunies dans les mêmes manuscrits, rattachées de force à une même famille, des chansons aussi diverses que *Doon de Mayence*, *Renaud de Montauban*, *Raoul de Cambrai* et *Girart de*

Roussillon. Mais si contestable que soit le système, il faut bien enregistrer la constitution au XIIIᵉ siècle de trois grands cycles épiques : *cycle du Roi, cycle de Garin de Monglane, cycle de Doon de Mayence,* et retenir leurs noms.

Cycle de la Croisade. Quoi qu'on puisse dire sur l'état d'esprit et les arrière-pensées des trouvères qui présidèrent à ces amalgames, on doit convenir que le préjugé cyclique retarda la décadence de l'épopée et suggéra l'invention de chansons nouvelles à une époque où le public avait perdu, en s'instruisant, sa crédulité, où d'autres formes littéraires, récemment nées, imposaient leur concurrence.

Aux trois cycles traditionnels va s'en ajouter un nouveau issu celui-là, non de légendes anciennes, mais de la plus récente actualité. C'est qu'à la fin du XIᵉ siècle, un événement capital a bouleversé la chrétienté, et, fixant un but grandiose aux vertus chevaleresques, attiré l'attention des foules les plus humbles sur des exploits qui renouvelaient ceux des héros de l'épopée. Pour la première fois, peut-être, l'Eglise éprouvait toute l'étendue de sa puissance. Le pape Urbain II, venu en personne à Clermont pour condamner le roi Philippe, vit accourir à son appel des milliers de chevaliers. Il les exhorta à partir en guerre pour servir le Christ contre les Infidèles, et ce fut bientôt une armée entière qui, portant la croix d'étoffe sur l'épaule, s'achemina vers les Lieux Saints. Alors commença la prodigieuse aventure à travers des pays fabuleux, sous la conduite de chefs énergiques et jeunes qui remplaçaient les rois excommuniés. On sut bientôt, par les récits des revenants, les souffrances endurées à travers le désert, l'acharnement des batailles contre des guerriers cruels et fanatiques, l'ivresse du pillage dans les villes conquises, aux richesses accumulées. Ceux qui avaient pris part à la croisade tentèrent de fixer par écrit le récit de leur campagne et de dégager pour eux-mêmes et pour leurs compagnons les impressions qu'ils en avaient gardées. Mais il fallait satisfaire aussi la curiosité de ceux qui, trop âgés ou trop humbles, n'avaient pu que suivre de loin, avec passion, avec angoisse, les péripéties de l'expédition. Les barons méridionaux ayant pris une grande part à la croisade, il ne faut pas s'étonner de voir, vers 1130, un chevalier limousin, Grégoire Bechada, entreprendre la rédaction d'une *Canso d'Antiocha* très véridique dans son ensemble. Elle précède peut-être chronologiquement les *Chansons d'Antioche* et de *Jérusalem* entre lesquelles s'intercale l'épisode des *Chétifs.* La version qui nous est parvenue de ces trois poèmes fut composée, en laisses d'alexandrins monorimes par le trouvère Graindor de Douai qui remaniait l'œuvre sans doute plus fruste d'un certain Richard le Pèlerin, sur lequel nous sommes assez mal informés. De beaucoup la plus intéressante, la *Chanson d'Antioche,* qui affecte

la forme d'une chanson de geste, n'est en réalité qu'un poème
historique utilisant les chroniques latines d'Albert d'Aix et du
moine Robert de Saint-Rémi. Son origine même explique sa froideur et sa monotonie : la croisade s'y déroule depuis la vision de
Pierre l'Ermite, au tombeau du Christ. Nous assistons au concile
de Clermont, à la réunion de l'armée devant Constantinople, à la
bataille de Nicée. Puis, quand les croisés se sont divisés, nous
voyons Tancrède et Baudouin de Boulogne se quereller à Tarse
et ce dernier épouser à Edesse la fille du Vieux de la Montagne.
Parvenus devant Antioche, les croisés de Boémond commencent le
siège de la ville opiniâtrement défendue. L'auteur ne nous fait
grâce d'aucun épisode : capture de Renaud Porquet, cruauté des
Turcs, lâcheté d'Etienne de Blois, audacieuse sortie de Sansadoine.
Les Chrétiens se ruent dans la ville conquise ; ils découvrent la
Sainte-Lance et une heureuse opération contre l'armée turque de
secours assure leur victoire définitive.

On voit par cette brève analyse combien le poème d'*Antioche*,
malgré sa forme épique, se rapproche des narrations historiques
dont il s'inspire. Il n'en renferme pas moins quelques morceaux
d'un puissant effet, comme le récit de la prise d'Antioche et des
combats autour de la ville. A cette matière nouvelle les trouvères
ne manquent pas d'appliquer les procédés qui leur ont si bien réussi
avec les légendes féodales. Au récit véridique des événements enregistrés par les témoins se mêlent des détails fabuleux, le plus souvent tirés de traditions orales. Bien plus, si nous en croyons la
Chronique de Lambert d'Ardres, les auteurs s'assuraient d'appré-
ciables revenus en introduisant dans les poèmes de la croisade des
personnages qui n'y avaient joué aucun rôle, mais qui payaient
pour y figurer. Par une évolution parallèle à celle des poèmes
épiques, le thème initial va s'amplifier et devenir le noyau d'un
cycle. L'épisode d'*Hélias* servira d'introduction à la *Chanson d'Antioche;* celui des *Chétifs,* sans fondement historique, contera les
aventures fabuleuses de quelques barons français capturés par les
Turcs, au cours de la malheureuse expédition de Pierre l'Ermite.
Mais, dès l'origine, le véritable héros de la croisade s'est dégagé :
c'est le duc de Basse-Lorraine, Godefroi de Bouillon. Autour de ce
personnage historique se développe, dès le début du XIIIe siècle, un
réseau de légendes qui fournissent la matière des *Enfances Godefroi*
et surtout du *Chevalier au Cygne,* suivi plus tard de la *Naissance
du Chevalier au Cygne.* Le succès de ces compositions fut tel que le
cycle entier fut, au XIVe siècle, l'objet d'un vaste remaniement.

**Le style
épique.**   Ainsi, pour durer, la littérature épique a dû
s'adapter sans cesse au cours des événements, à
l'évolution politique, sociale, morale, intellectuelle. Si par certains
traits et précisément par l'exploitation intégrale des héros fami-

liers, les chansons du XIIIe et du XIVe siècles s'incorporent à la production antérieure, elles s'en différencient par l'esprit général, le
ton de la narration, l'aménagement des détails et la forme extérieure. « Le style c'est l'homme », dira Buffon, formulant ainsi
une vérité qui convient à son siècle, mais que désavoue le moyen
âge. Le style, aux premiers temps de notre littérature, c'est l'époque
et l'état passager de la culture et de la civilisation. Il offre, pour
un moment donné, une série de traits communs à toute une catégorie d'auteurs. Les éléments qui le caractérisent à l'origine sont
l'impersonnalité, le mépris du réalisme et, par contre-coup, le
goût du symbole. Le mobile et la fin de toutes les actions humaines
résident en Dieu. Les héros épiques se conforment à son image et
n'ont d'autre objet que de concrétiser ses qualités. Par suite, les
personnages de *Roland* ne sont point des individus d'exception
mais des figures abstraites et symboliques, sublime expression de
l'idéal chrétien. Leur physionomie physique et morale est simple
et se définit en quelques mots. Charlemagne nous apparaît pour
la première fois :

> Desuz un pin, delez un eglantier,
> Un faldestoel i out, fait tout d'or mier. [*pur*].
> La siet li reis ki dulce France tient;
> Blanche ad la barbe e tut flurit le chief,
> Gent ad le cors e le cuntenant fier.

Et voilà tout ; nous n'en aurons jamais plus que cette description schématique. Le personnage ainsi dessiné n'est pas un être
vivant ; c'est une figure hiératique telle qu'on en voit sculptées
au portail des églises, trônant immuable dans sa gloire, incarnant
sans doute la puissance temporelle, mais avec tout le mystère
d'une inspiration divine. Quand l'empereur consent à se départir
de son immobilité, ses sentiments se traduisent en notations discrètes qui n'altèrent point sensiblement sa physionomie habituelle :

> Par grant irur chevalchet li reis Charles,
> Desur sa brunie [*cuirasse*] li gist sa barbe blanche.

Cette barbe « fleurie » qui est l'attribut classique de Charlemagne, et déformera dans la littérature sa physionomie réelle de
guerrier franc, il l'étalera aux yeux des païens pour que, de loin,
ils le reconnaissent et tremblent d'effroi :

> Mult gentement l'emperere chevalchet :
> Desur sa brunie fors ad mise sa barbe.

A côté de la personne royale, Roland et Olivier représentent
deux vertus essentielles : le premier, la prouesse, avec tout ce qu'elle
comporte d'abnégation et de témérité ; l'autre, la sagesse, qui n'exclut pas le courage, mais le tempère de mesure et de réflexion.

Rollanz est proz e Olivier est sage,

a dit simplement le poète, et cela doit nous suffire, car les deux compagnons d'armes ne sont pour l'auteur et pour l'auditoire que l'expression symbolique de deux vertus complémentaires.

Les personnages de la *Chanson de Guillaume* offrent des traits encore moins précis. Guillaume est le « fedeil », ou « le bon Franc »‚ ou « li bons marchis » ; Vivien est « li chevaliers onestes », ou tout simplement « li ber ».

Les paysages, et c'est cela qui rend si difficile l'identification des lieux, ne suggèrent aucune peinture réaliste. Ils ne sont ni vus, ni pensés, car ils n'expriment rien par eux-mêmes et le poète est insensible aux aspects variés de la nature. Les deux vers qui, dans le *Roland*, évoquent la hauteur des cimes pyrénéennes ou la profondeur ténébreuse des vallées, s'appliquent, à les bien prendre, à n'importe quel cadre de montagnes et n'impliquent pas de souvenir visuel. L'attaque par mer des Sarrasins, dans la *Chanson de Guillaume*, pourrait justifier une description pittoresque du champ de bataille : nous apprenons tout juste que l'Archamp est « desur la mer a destre », et cela n'engage à rien. Au contraire, les auteurs de chansons de geste, en raison même des sujets qu'ils traitent, s'étendent plus complaisamment sur le harnois des guerriers ; seulement, si l'on y regarde de près, on s'aperçoit qu'il n'y a là qu'une énumération de détails conventionnels, d'après des modèles antiques, et que ces descriptions monotones peuvent s'appliquer à plusieurs chevaliers d'une même chanson et se répéter d'une chanson à l'autre. Quand l'émir Baligant s'arme pour la bataille :

> Vest une brunie dunt li pan sunt safret [*brodés*]
> Lacet sun helme ki ad or est gemmez;
> Puis ceint s'espee al senestre costet...
> Pent a sun col un soen grant escut let [*large*] :
> D'or est la bucle e de cristal listet [*bordé*].
> Tient sun espiet [*épieu*], si l'apelet Maltet...

Thibaut de Bourges, dans la *Chanson de Guillaume*, se fait équiper de la même manière, les éléments du costume sont les mêmes et se succèdent dans le même ordre :

> Dunc li vestirent une broigne mult bele,
> E un vert healme li lacent en la teste;
> Dunc ceint s'espee, le brant burni [*brillant*] vers terre,
> E une grant targe tint par [la] manvele [*poignée*];
> Espié trenchant out en sa main destre,
> E blanche enseigne li lacent tresque a tere.

Ce qui prouve, entre autres arguments, que nos premières chansons de geste ne sont point des créations populaires, mais procèdent d'un effort artistique qui suppose la volonté agissante d'un auteur lettré, c'est qu'on y trouve en gestation les procédés techniques qui, assouplis, perfectionnés, s'affirmeront dans la production poétique ultérieure. C'est d'abord la répétition systématique des sons, des mots et des idées : des sons, par le moyen de l'assonance ; des mots, par l'adoption de formules stéréotypées qui reviennent, comme le *leitmotiv* wagnérien, pour annoncer un personnage ou rappeler un sentiment ; des idées, par l'introduction dans plusieurs laisses successives d'un fait qui passerait d'abord inaperçu, mais qui, à se renouveler et à s'entourer chaque fois d'un contexte différent, finit par s'imposer à la marche de l'action. En pénétrant dans le val de Roncevaux, « Oliviers muntet desur un pin halçur » ; il aperçoit les Sarrasins ; son observation se prolonge ; il en apprécie le nombre et les intentions hostiles : « Oliviers est desur un pin muntez », lisons-nous plus loin ; et l'insistance que met le poète à nous apprendre ce détail nous incite à attacher plus d'importance à ce qu'il voit. Effrayé par la menace d'un ennemi qu'il ne soupçonnait pas, Olivier presse Roland d'en aviser Charlemagne : « Cumpainz Rollanz », s'écrie-t-il, « kar sunez vostre corn. » Roland s'y refuse et Olivier répète : « Cumpainz Rollanz, l'olifant kar sunez. » Et plus Olivier insiste : « Cumpainz Rollanz, sunez vostre olifant », plus Roland s'obstine dans son orgueilleuse fierté, jusqu'au moment où Olivier, vaincu, se résigne à la bataille.

D'autre part, l'intérêt se trouve constamment soutenu et l'intelligence du récit facilitée par le parallélisme des personnages et des motifs. Roland s'oppose à Olivier ; Girart et Guischart se superposent au point d'accomplir les mêmes gestes, de tenir le même langage et de mourir frappés de semblables blessures. On ne saurait voir dans ces répétitions auxquelles se réduit en définitive la technique élémentaire du style épique, ni des interpolations, ni des inadvertances, mais la volonté d'accentuer l'effet dramatique. Avec le temps, d'autres éléments s'ajouteront, à mesure que s'élargira la culture des auteurs et celle de leur public. On appliquera de plus en plus à la poésie en langue vulgaire les règles de la rhétorique cicéronienne enseignée dans les écoles par les théoriciens de *l'Ars versificatoria*, comme Mathieu de Vendôme, Evrard de Béthune et, plus tard, Jean de Garlande.

La majeure partie de cette littérature s'est exécutée dans le Nord de la France, soit en Normandie, soit surtout dans le domaine picard. C'est tout au plus si le Midi peut s'enorgueillir de la *Canso d'Antiocha;* qui n'est pas, à vrai dire, un poème épique, pas plus que la *Chanson de la croisade contre les hérétiques albigeois* ou celle de la *Guerre de Navarre*. Si *Girart de Roussillon*, conservé dans une langue hybride, où se mêlent des éléments français et provençaux, correspond à la définition du genre, il est avéré que ce n'est qu'un remaniement d'une légende de Bourgogne. Il en va de même pour le *Fierabras* provençal, et l'on sait que *Daurel et Beton* emprunte la

plupart de ses thèmes à la poésie septentrionale. Mais il ne faut
pas négliger deux œuvres de réelle valeur récemment découvertes,
Roland à Saragosse et *Ronsasvals*, l'un et l'autre du xive siècle, qui
attestent brillamment la survivance de la tradition rolandienne au
sud de la Loire.

  Expansion Mais si la littérature épique ne paraît pas avoir
  hors de France fleuri dans le pays de langue d'oc, elle a poussé
hors des frontières des rameaux souvent vivaces et dont certains
portent encore des fruits. Si l'on peut citer pour l'Allemagne le
Rolandslied du prêtre bavarois Konrad, fait sur une traduction
latine, le *Willehalm*, de Wolfram von Eschenbach, qui traite le
sujet d'*Aliscans*, et le remaniement du *Chevalier au Cygne*, par
Konrad de Würzbourg, il ne faut pas oublier parmi les compositions
épiques en langue anglaise, *Sir Bewis of Hamton*, *Sir Otuel*, *Sir
Ferumbras*, qui furent suivis de remaniements et de continuations.
Dans les pays scandinaves, le succès de nos chansons fut d'autant
plus considérable qu'on s'efforça de les convertir à des fins édifiantes. Le roi de Norvège, Hakon Magnusson, en fit à la fin du
xiiie siècle un instrument de propagande catholique ; de là naquit
la *Karlamagnussaga*, vaste composition épique en dix livres, dont
les neuf premiers sont tirés du cycle de Charlemagne et des poèmes
consacrés à Garin, tandis que le dernier s'inspire du *Speculum*, de
Vincent de Beauvais ; son succès fut tel qu'elle fut traduite au
xve siècle en danois et en suédois. Les Pays-Bas semblaient tout destinés, par leur situation voisine du domaine picard-wallon, à recueillir les poèmes épiques conçus et remaniés en ces dialectes. Et,
de fait, de nombreux fragments d'étendue variable nous assurent
qu'un remarquable effort d'adaptation fut entrepris dès le xiie siècle
et poursuivi pendant le xiiie. Mais on vit bientôt s'élever des protestations, comme celle de Jean Boendale qui traitait de mensonges
nos fictions poétiques et celle de Jacques de Maerlant qui reprochait
à nos romanciers de calomnier l'empereur. Avec l'imprimerie, cependant, apparurent quelques versions populaires comme le *Strijt
opten berch van der Roncevale in Spaengien*, mais ce nouvel effort
fut vite interrompu par l'autorité ecclésiastique. De la même manière, des considérations politiques ou religieuses paralysèrent l'expansion de nos chansons de geste au-delà des Pyrénées. Nul terrain
n'était pourtant plus favorable ; de bonne heure les pèlerins de
Compostelle introduisirent en Espagne les récits qui les charmaient.
Mais dès le xiie siècle, ce pays a pris conscience de sa nationalité
propre et les milieux savants commencent à s'attaquer à la *Chanson
de Roland* qui, par son sujet même intéressant les deux versants
des Pyrénées, a conquis d'emblée l'affection du public. C'est alors
qu'on voit surgir un nouveau personnage, Bernardo del Carpio,
qui se dresse orgueilleusement sur le socle de Roland. Passé du camp

des Français dans celui des Espagnols, puis allié des Sarrasins, il triomphe à Roncevaux des chrétiens de France en lutte contre ceux d'Espagne. Cette tradition, dont n'a survécu aucun texte, mais qu'on a pu reconstituer à l'aide des chroniques qui l'ont recueillie, fut l'œuvre des milieux cléricaux francophobes dont l'ardeur patriotique ne parvint pas à ruiner la popularité du *Cantar de Roldan.* Vers la fin du XIIIᵉ siècle, le *Cantar* navarrais de *Roncesvalles* renouvelait la matière du poème français et son influence allait s'exercer bientôt sur les « romances ». Le prestige des héros épiques demeurait encore intact au XVᵉ siècle, comme le prouve l'existence d'une *Historia de Carlomagno˙ y de los doce Pares de Francia,* inspirée de *Fierabras.* C'est surtout au-delà des Alpes que nos épopées reçurent le meilleur accueil et l'on a pu dire sans exagération que « Roland, Ogier et Renaud ont trouvé en Italie leur seconde patrie, moins ingrate souvent que la première ».

Les fervents du culte de saint Pierre, se rendant à Rome par la *Via Francigena,* avaient, dès le XIIᵉ siècle, répandu sur tout le parcours, la passionnante histoire des héros carolingiens dont certains, comme Ogier, s'apparentaient à l'Italie. Ils y furent bientôt si populaires qu'on put contempler les traits de Roland et d'Olivier au portail de la cathédrale de Vérone et que, beaucoup plus au sud, à l'endroit même où les Croisés s'embarquaient pour la Terre-Sainte, les morts glorieux de Roncevaux décorèrent une mosaïque dans la cathédrale de Brindisi. L'introduction de nos poèmes dans l'Italie du nord se fit d'abord dans leur langue originale, à peine italianisée ; puis on les transcrivit dans un idiome intermédiaire, où se combinaient avec le français des éléments vénitiens et lombards. Les *Aliscans, Anseïs de Carthage, Aspremont, Foucon de Candie, Renaud de Montauban, Gui de Nanteuil, Roland,* revêtirent ainsi la forme franco-italienne. A la fin du XIVᵉ siècle, la Toscane s'empara de nos chansons de geste et les remania en prose et en octosyllabes. Un écrivain d'une rare fécondité, Andrea dei Magnabotti, de Barberino, produisit une longue série d'œuvres parmi lesquelles on peut distinguer *I reali di Francia, Aspramonte, I Nerbonesi.* Le succès des romans de chevalerie se maintint en Italie au XVᵉ et jusqu'au XVIᵉ siècle où la plupart furent imprimés. Mais tandis que, dans leur ensemble, ces compositions ne s'élevaient pas au-dessus d'une honnête médiocrité, des écrivains de premier plan, Pulci, Bojardo, l'Arioste, prolongèrent avec éclat l'existence des héros français.

Si l'on ajoute à cela les adaptations signalées en Grèce, en Russie, en Hongrie, on peut dire que notre littérature épique a joui dans l'Europe entière d'une incroyable faveur. Après avoir instruit, édifié ou charmé des générations de Français, nos chansons de geste ont trouvé hors de France plus d'un lecteur admiratif et les humbles jongleurs qui les transportèrent se firent, inconsciemment peut-

être, les bons ambassadeurs du prestige national. Ce qui surprend,
c'est qu'en leur pays d'origine la popularité de nos légendes épiques
ne paraît pas s'être maintenue au même niveau. Comme nous l'avons
constaté par son évolution même, dès le milieu du XIIe siècle, le
genre cessa de convenir à une société qui subissait elle-même de
radicales transformations. En même temps que la monarchie capé-
tienne, s'affranchissant de plus en plus des compétitions féodales,
consolidait ses assises et prolongeait sa durée, les conditions de la
vie sociale et intellectuelle se modifiaient sous l'action des circonstances politiques. A la société féodale, tout imprégnée du respect de la force et de l'amour de Dieu, se substituait progressivement une société plus délicate, plus cultivée, plus sceptique aussi
et moins sujette aux enthousiasmes spontanés, la société courtoise.

CHAPITRE III

LE ROMAN COURTOIS

I. — *La Renaissance latine au XIIᵉ siècle.*
La matière de « Rome la Grant ».

La Littérature dans les cloîtres. Au moment même où les trouvères exploitaient avec un succès constant l'inépuisable champ des légendes épiques, s'accomplissait dans le silence des cloîtres un travail obscur et fécond, dont les résultats n'allaient pas tarder à paraître. Dès le début du XIIᵉ siècle, l'Eglise triomphante peut contempler avec orgueil l'œuvre accomplie par elle dans le monde christianisé. Les derniers vestiges du paganisme, les superstitions barbares ont à peu près disparu, et des millions d'hommes, quoique différents d'aspect, de mœurs et de langage et disséminés sur de vastes espaces, ont entendu la parole du Christ. Dans tout le domaine de la chrétienté, des armées surgies à l'appel du pape sont parties, sous la conduite de chefs ardents, à la délivrance des Lieux Saints. Forte d'une autorité qu'elle oppose victorieusement aux prétentions des seigneurs féodaux, l'Eglise étend à la société laïque les règles d'amour et de charité qui procèdent de sa doctrine. La « paix de Dieu », conçue dès le Xᵉ siècle pour garantir contre les entreprises des pillards les biens de l'Eglise et de ses protégés, devient au XIᵉ siècle une institution de plus longue portée ; complétée par la « trêve de Dieu » qui fixait une limite à la durée des guerres, elle apporte une détente aux populations, elle émousse et tempère, par les restrictions qu'elle formule, l'appétit belliqueux des nobles. Et, brochant sur le tout, des mesures parfois sévèrement appliquées, comme l'excommunication et l'interdit, mettent à la raison les barons irréductibles. Ainsi, au milieu des convulsions politiques, dans le désarroi causé par les rébellions incessantes et les querelles des seigneurs féodaux, les populations voyaient poindre, à l'ombre des clochers, la réalisation de leurs vœux immédiats et, sans renoncer aux joies promises de la vie future, pensaient contempler sur la terre un aspect du royaume de Dieu.

Les plus actifs auxiliaires de l'Eglise étaient, en ces conjonctures, les ordres religieux, Cluni surtout qui atteint son apogée au XIe siècle et non seulement couvre de ses filiales la France entière, mais essaime à l'étranger. Comme il y a moins de terres en friche et que le système administratif des évêchés et des paroisses assure avec succès, sur tout le territoire, la surveillance des âmes, l'obligation du travail manuel pouvait subir quelques atténuations. Si le moine clunisien épluche toujours ses légumes, cuit le pain ou sarcle la vigne, c'est maintenant la moins absorbante de ses occupations. Les heures qui échappent à l'oraison et aux offices sont consacrées à l'étude, à la lecture, à la copie des manuscrits ; et si la littérature sacrée tient, comme il est juste, la plus large place sur les rayons des bibliothèques monastiques, elle doit se serrer parfois pour accueillir à ses côtés quelques échantillons de la littérature profane. Jamais, sans doute, on n'a cessé de lire Ovide, mais jamais on ne l'a tant lu ; et non point l'auteur grave et désespéré des *Tristes* et des *Pontiques*, mais le gracieux conteur des *Métamorphoses*, mais le subtil et pervers théoricien de l'*Art d'aimer*. On ne méconnaît point Virgile, mais on n'en goûte qu'à demi l'éloquence et le lyrisme, et l'on préfère à l'*Enéide* les narrations artificielles d'un Stace ou d'un Claudien, d'une imitation plus aisée. Sans doute les commentateurs, faiseurs d'abrégés et de florilèges, prêtent-ils une attention complaisante aux philosophes, aux grammairiens, aux historiens, à tous ceux dont l'œuvre est riche en substance didactique, mais c'est encore aux poètes que va leur prédilection. Dans l'enthousiasme provoqué par la découverte de l'antiquité, le moyen âge se fera du poète une idée qui laisse pressentir celle des compagnons de Ronsard. L'imagination du poète doit s'alimenter aux sources du passé ; c'est monté sur les épaules des géants qui le précédèrent qu'il pourra s'élever plus haut qu'eux.

Pour commencer, une abondante littérature en latin s'applique à retrouver les procédés de la poésie classique ; on compose des imitations des *Métamorphoses* et des *Héroïdes* et, prenant la contrepartie du pamphlet de Claudien contre Rufin, l'universel Alain de Lille écrit l'*Anticlaudianus*. Mais on s'aperçoit bien vite qu'à demeurer l'apanage des clercs qui, seuls, et pas tous encore, entendent le latin, la littérature perdrait toute raison d'être en réduisant ses débouchés. Qu'un clerc, un beau jour, s'avise de communiquer sa science en la traduisant en langue vulgaire, et le public ignorant bénéficiera à son tour des exercices de l'école. Tout le public ? Non pas ; mais ceux-là seulement dont la curiosité est plus affinée et le goût plus délicat, ceux qui savent lire ou ont les moyens de se faire lire, car il n'est plus question de chanter sur la place publique de vastes compositions dont le détail fait l'intérêt.

Ainsi le poète du *Roman de Thèbes*, qui cite Homère, Platon, Cicéron et Virgile comme des auteurs qui lui sont familiers, ne peut se tenir de confier à d'autres « chose digne de remembrer ». Mais il a soin de spécifier que ses vers ne sont pas destinés au premier venu :

> Or s'en voisent [aillent] de tot mestier,
> Se ne sont clerc o chevalier;
> Car aussi pueent escouter
> Come li asnes al harper.

La Littérature dans les châteaux. C'est qu'il existe au XII⁰ siècle, à côté des clercs inférieurs qui n'ont du latin qu'une connaissance imparfaite, un public aristocratique qui demande à la lecture une distraction et un enseignement. La diminution des guerres laisse quelques loisirs aux barons ; la vie intérieure des châteaux se fait plus intime et plus familiale, et pour honorer la mère de Dieu, les rudes guerriers ont appris à honorer leur propre mère et celle de leurs enfants. Sous l'influence des idées chrétiennes, cause essentielle de l'adoucissement des mœurs, le rôle de la femme s'accroît et s'embellit. Mêlée de plus en plus à la vie des hommes, elle impose ses goûts et ses curiosités et c'est souvent à sa demande que le pont-levis s'abaisse pour livrer passage aux jongleurs errants qu'elle se plaît à recevoir. Cette tendance, qu'on peut soupçonner dans le nord de la France, dès le début du XII⁰ siècle, est encore favorisée par l'extension des rapports entre le Nord et le Midi. Les provinces méridionales, plus profondément romanisées, ont échappé dans une large mesure aux bouleversements des invasions. Plus fidèlement attachés à la tradition romaine, les pays de droit écrit n'ont jamais rompu le lien qui les unissait au passé. La connaissance de l'antiquité s'y maintenait plus profonde, la littérature n'a cessé d'y puiser ses inspirations. Des mœurs plus tempérées, un goût plus affiné, une curiosité native pour les choses de l'esprit et sans doute une instruction plus largement répandue ont associé de bonne heure la noblesse méridionale aux obscurs travaux des clercs. Ces derniers n'ont point le privilège de connaître et de conserver les traditions et les monuments de l'âge classique. Les écoles monastiques voient s'asseoir côte à côte, sur les mêmes bancs, les futurs ministres de la religion avec les représentants des couches sociales les plus élevées. Aussi ne faut-il point s'étonner que le plus ancien troubadour connu fût un prince, le duc Guillaume IX d'Aquitaine, mort en 1127.

Les petites cours seigneuriales du Midi furent donc de brillants foyers d'activité littéraire où les femmes jouaient un rôle actif. Le lyrisme provençal est tout entier consacré à la gloire de la femme, non l'épouse ou la mère, mais l'amante, et fait de l'application des règles de l'art d'aimer un divertissement mondain. Le jour où la mode s'en répandra dans le nord de la France, il est clair qu'à cette transformation de la vie domestique et sociale devra correspondre un aspect nouveau de la littérature. L'événement n'est sans doute pas très ancien. L'arrivée dans les équipages de la princesse Constance d'Arles qui s'en venait vers l'an 1000 épouser le pieux roi Robert, de personnages curieusement vêtus, qui parlaient une langue harmonieuse et ressemblaient à des jongleurs, n'eut pas à cet égard une portée si décisive que le mariage d'Aliénor d'Aquitaine avec Louis VII, en 1137. Il est avéré que la petite-fille du chansonnier, en montant sur le trône de France, ne renonça ni à ses goûts ni à ses mœurs. Elle s'efforça au contraire d'y adapter son entourage et l'on soupçonne qu'elle avait gardé l'habitude d'employer son parler natal. Pendant les quinze années qu'elle fut reíne de France, la culture méridionale ne cessa de pénétrer celle du Nord et, lorsqu'en 1152, Louis VII eut rompu son mariage, la future épouse du Plantagenêt laissait sur le continent ses deux filles, Marie et Aélis, qui l'une à Troyes, l'autre à Blois, témoignèrent, par leur influence, de l'éducation qu'elles avaient reçue. Les cours seigneuriales de France, de Champagne, de Normandie, de Picardie accueillirent avec ferveur ces innovations; les trouvères, à l'affût du succès, répondirent au vœu du public et les clercs jugèrent le moment venu de vulgariser une science trop jalousement préservée : ainsi naquit sous des influences politiques, religieuses, sociales et intellectuelles, après une longue et obscure gestation, cette littérature courtoise qui devait, par son éclat, éclipser la littérature épique, à tel point que, pour survivre, il faudra que cette dernière en assimile l'esprit et les procédés.

Le Roman courtois. Vers la fin du XIIᵉ siècle, le poète Jean Bodel écrivait dans sa chanson des *Saisnes :*

> Ne sont que trois materes a nul homme entendant :
> De France, de Bretagne ou de Rome la Grant.

La matière de France, ce sont les poèmes épiques que nous venons d'examiner et qui traitent de héros, empereurs, rois, princes et barons, dont les exploits sont l'expression des vertus nationales. Quant à la matière de « Rome la Grant » et à la matière de Bretagne, elles alimentent une quantité de romans très divers, mais dont la forme et l'inspiration offrent assez de traits communs pour qu'on puisse les considérer en bloc. C'est avec raison que M. Edmond Faral rejette les étiquettes traditionnelles de romans antiques, romans byzantins, romans d'aventure « qui introduisent des distinctions superficielles et d'une clarté très illusoire au sein d'un genre, le roman, qui est parfaitement un et dont toutes les œuvres appartiennent au même style ». Il faut donc admettre une formule aussi large que possible et embrasser sous une même dénomination tous les romans dits courtois : ce sont de longs poèmes rimés en vers octosyllabiques, dont l'étendue, rarement inférieure à huit mille vers, en dépasse parfois trente mille et consacrés à des aventures de chevalerie et d'amour. Toutefois, pour la commodité de l'exposé, nous croyons pouvoir maintenir la distinction habituelle entre romans antiques et romans bretons.

Le Roman d'Alexandre. De tous les personnages de l'antiquité, aucun plus qu'Alexandre n'était capable de séduire les imaginations médiévales. Héroïque autant que Roland, ses exploits pouvaient rivaliser avec ceux des douze pairs; comme les croisés, il avait porté les armes contre les peuples mystérieux de l'Asie; jeune et charmant, il pouvait être le héros d'épisodes sentimentaux, exciter à la fois l'admiration, la curiosité et l'amour. Son histoire était des mieux connues, non à vrai dire d'après la relation de Quinte-Curce, mais d'après un roman grec désigné sous le nom de *faux-Callisthène*, qui fut traduit en latin avant 340, par un certain Julius Valerius, dont l'œuvre, abrégée au IXe siècle, est à la source des compositions en langue vulgaire. On colportait par ailleurs une lettre latine d'Alexandre à Aristote, sur les merveilles de l'Inde et ses batailles étaient minutieusement décrites dans l'*Historia de Prœliis*, due à l'initiative conjuguée de l'archiprêtre Léon et du duc Jean de Campanie. Dans la première moitié du XIIe siècle, un poète originaire du sud-est, Alberic de Pisançon (Drôme), s'avisa d'écrire en roman la vie d'Alexandre. De ce poème d'autant plus important qu'il inaugure la série des romans antiques, nous n'avons conservé que les cent cinq premiers vers écrits en courtes laisses d'octosyllabes monorimes, en dialecte dauphinois. L'auteur qui s'inspire de Julius Valerius, mais n'ignore pas l'histoire véritable transmise par Justin et Orose, fait preuve de beaucoup d'art et d'ingéniosité. Il écarte avec dédain les fables absurdes qui ont faussé trop longtemps la généalogie d'Alexandre :

> Dicunt alquant estrobatour
> Quel reys fud filz d'encantatour.
> Mentent, fellon losengetour.
> Mal en credreyz nec un de lour,
> Qu'anz fud de ling d'enperatour
> Et filz al rey Macedonor.

[*Certains conteurs disent que le roi fut le fils d'un enchanteur. Ils mentent, ces félons médisants. Vous auriez tort d'en croire aucun d'eux, car il fut plutôt de lignée impériale et fils du roi de Macédoine*].

Ainsi le prince égyptien du *pseudo-Callisthène*, bâtard du roi Philippe, retrouve sa véritable naissance. Son père, pour développer ses dons naturels, confie son éducation à cinq maîtres qui s'appliquent à en faire un hardi bachelier et un savant clerc. Le fragment s'arrête aux premières années du jeune prince et la qualité de ce qui subsiste doit nous faire regretter ce qui est perdu. Tel qu'il est cependant, le poème d'Albéric nous apparaît comme une nouveauté. Si la survivance du style épique se trahit encore dans l'allusion aux vertus guerrières d'Alexandre, le jeune homme apprend aussi les langues anciennes et étrangères, sans oublier le droit et la musique, ce qui nous rappelle les traits principaux de la culture méridionale. Ce parfait chevalier nous est décrit très en détail; rompant délibérément avec le style des chansons de geste qui préféraient une indication générale à l'analyse des caractères individuels, Albéric nous donne d'Alexandre un portrait bien dessiné :

> Clar ab lo vult, beyn figurad.
> Saur lo cabeyl recercelad,
> Plen lo collet et colorad,
> Ample lo peyz et aformad,
> Lo bu subtil, non trob descad,
> Lo corps d'aval beyn enforcad.
> Lo poyn el braz avigurad,
> Fer lo talent et apensad.

[Il avait le visage clair, bien dessiné, les cheveux blonds frisés, le cou plein et coloré, la poitrine large et proportionnée, la taille fine, mais pas trop mince, le bas du corps bien enfourché, le poing et le bras vigoureux, le tempérament fier et réfléchi.]

On a pu reconstituer le poème d'Albéric à l'aide d'un remaniement en 70 laisses de vers octosyllabiques où les descriptions se font plus nombreuses, mais où le style perd de sa vigueur. Bientôt l'histoire d'Alexandre, enrichie d'épisodes fabuleux, va donner naissance à un plus vaste poème le *Grand Roman d'Alexandre* qui se révèle, sous sa forme actuelle, comme l'œuvre de plusieurs collaborateurs. On y distingue en effet quatre parties : la première renouvelle le remaniement en décasyllabes et, partant, l'œuvre d'Albéric; les passages de transition et l'organisation d'ensemble sont dus à un certain Alexandre de Bernai ou de Paris; la seconde partie, réduite à l'épisode du « Fuerre de Gadres », fut composée par un certain Eustache. Enfin un clerc de Châteaudun, Lambert le Tort, qui vivait encore dans le dernier quart du XIIe siècle, aurait terminé le poème en décasyllabes conduit ainsi jusqu'à la mort du héros.

> Mors fu rois Alixandres et a sa fin alés,
> Molt fu de ses barons et plains et regretés;
> En haute piramide fu bien par droit levés,
> Si com l'estoire dist, et il est verités;
> Se il fust crestïens, ainc tels rois ne fu nes,
> Si cortois ne si larges, si sages, si menbrés,
> Si cremus en bataille ne d'armes redoutés.

Ecrit, comme on le voit, en laisses de vers de douze syllabes, le *Roman d'Alexandre* rappelle la forme des chansons de geste et emprunte le mètre du *Pèlerinage de Charlemagne*, qui devra à cette

Romans courtois

1°) *Jason ramène la Toison d'Or - Hercule avec Castor et Pollux*
2°) *Egée se jette à la mer - Dédale et Icare - Enée et la Sibylle*
(Bibliothèque Nationale. Ms. fr. 17.177)

circonstance l'appellation d'*alexandrin*. Il faut bien se garder de voir dans cet amalgame d'éléments divers un véritable roman courtois, mais l'élaboration du genre y marque de nouveaux progrès. Le style épique conserve en partie sa faveur, mais ce moule trop rigide éclate quand il s'agit de développer les épisodes fantastiques tirés de la lettre sur les merveilles de l'Inde ou les descriptions guerrières empruntées à l'*Historia de Prœliis*, de définir Alexandre comme le symbole des vertus chevaleresques, courtoisie et largesse, d'introduire, avec la femme, des digressions sentimentales, qu'il s'agisse de la reine Candace poursuivie par le duc de Palatine ou de Flore et de Beauté, messagères de la reine des Amazones.

Roman de Thèbes. L'adaptation de l'histoire et des légendes antiques ne se limite pas à la vie d'Alexandre. Un poème de Stace, la *Thébaïde*, fréquemment étudié et copieusement glosé, tentait par ses défauts mêmes, la froideur et l'artifice, l'ingénieuse activité des trouvères. Un anonyme normand s'avisa d'en tirer la substance d'un long poème, le *Roman de Thèbes*. Combinant les données de Stace avec ses inventions personnelles et de nombreux emprunts aux *Métamorphoses* d'Ovide et à l'*Ilias latina* de Silius Italicus, il nous conte les malheurs d'Œdipe et de sa descendance; mais les sombres héros de la tragédie grecque, déjà bien pâlis chez Stace, s'affadissent encore chez notre vieux poète. L'influence des chansons de geste se fait toujours sentir avec les récits d'ambassade, les scènes de conseil, les descriptions de batailles et l'emploi de ces répétitions si chères aux trouvères épiques. Le souvenir des récits de croisade subsiste dans certains épisodes, mais surtout, à l'imitation des modèles antiques, l'auteur multiplie les portraits : Antigone, les filles d'Adraste, Salemandre font l'objet d'une méticuleuse peinture. De même l'auteur caractérise par des traits précis les animaux et les objets inanimés, et non seulement les chevaux de guerre et les armes, mais les chambres, les tentes et leur ameublement. Des réminiscences plus ou moins confuses des romans d'Alexandre expliquent l'abondance des récits merveilleux, comme l'histoire du cheval de Tolomès, issu d'une cavale et d'un monstre marin. La passion amoureuse, enfin, se fait une place toujours plus grande, sans toutefois s'assimiler tous les raffinements que suggère l'*Art d'Aimer* d'Ovide : c'est Parthénopée priant d'amour la douce Antigone, c'est Ismène qui se pâme en apprenant la mort d'Aton; ce sont les deux filles d'Œdipe se découvrant l'une à l'autre les tendres secrets de leur cœur.

Roman d'Enéas. Les traits nouveaux que nous observons dans le *Roman de Thèbes*, persistent et s'affirment dans celui d'*Enéas* où, vers 1160, un poète normand prétendit travestir à la mode du XIIᵉ siècle la riche matière de l'*Enéide*. Vraisemblablement postérieur au *Roman de Thèbes*, mais antérieur à celui *de Troie*, il fut certainement connu de Chrétien de Troyes et de Marie de France qui y font allusion. Comme le *Roman de Thèbes*, il est écrit en octosyllabes rimant deux à deux, forme qui sera désormais la caractéristique extérieure des romans courtois. Et pas plus que l'auteur de *Thèbes* n'était un véritable traducteur de Stace, celui d'*Enéas* n'apparaît comme un rigoureux imitateur de Virgile; l'épopée antique ne lui fournit qu'un thème sur lequel brode sa fantaisie. Et il ne pouvait guère en être autrement, car l'entreprise était risquée de mettre à la portée d'un public médiocrement préparé une œuvre dont l'intelligence suppose déjà tant de lectures.

Suivant un préjugé commun aux auteurs du moyen âge, le poète d'*Enéas* commence par négliger son modèle pour s'en tenir à l'exposé chronologique des faits. Et comme on ne saurait décrire les aventures d'Enée sans en expliquer la cause première, il nous transporte au siège de Troie en nous contant, d'après Ovide, le jugement de Pâris. Il évolue malaisément parmi les héros de la mythologie et demeure insensible aux poétiques expressions du paganisme; mais il se plaît, comme l'auteur de *Thèbes*, aux récits merveilleux, s'attarde à décrire une sorcière carthaginoise consultée par la sœur de Didon, donne tous ses soins à la Sibylle de Cumes, contemple avec admiration le terrible Cerbère. L'inspirateur d'*Enéas* est Ovide autant que Virgile, car le poète utilise une connaissance déjà profonde de l'art d'aimer que Virgile n'enseigne pas. Voici d'abord la reine Didon qui se prend d'amour pour Enée au récit de ses aventures.

> Quant Eneas li recontoit,
> La raïne se merveilloit
> Des mals, des dolors et des pertes
> Et des poines qu'il a sofertes.
> El lo regardoit par dolçor,
> Si com la destreignoit Amor :
> Amor la point, Amor l'argüe
> Sovent sospire et color mue.

Plus loin, vers la fin du roman, l'auteur imagine une idylle aussi puérile que touchante entre Enée et Lavinie, fille du roi Latinus. Dans ces deux épisodes la peinture de l'amour est plus vivement poussée que dans le *Roman de Thèbes*, mais elle échappe encore aux subtilités de l'amour courtois. On ne voit point ici l'amant priant sa dame suivant les règles de la pure doctrine et celle-ci lui accordant ses faveurs, après qu'il a bien parlé. Le simple récit d'Enée suffit pour animer Didon d'une passion farouche et néfaste, et le poète, fidèle aux lois de la morale, lui reproche d'oublier trop vite son époux défunt. De même, pour Lavinie, l'initiative part de la femme et cette position, familière à Ovide, ne sera point retenue par les théoriciens de l'amour parfait. Et pourtant nous voyons poindre, ce qui se conçoit sous la plume d'un clerc, des critiques à l'égard du caractère féminin :

> Femme est plus foible par nature
> Que ne est hom por mal sofrir ;
> Ne puet mie an son cuer tenir ;
> Femme est trop hardie d'amer,
> Molt set mialz hom son cuer celer.

Il est bien clair que le roman d'*Enéas*, directement inspiré pourtant par l'antiquité classique, ne représente pas encore le type achevé des romans courtois. Approximativement daté de 1150, c'est tout au plus si l'on voit s'esquisser les caractères d'un nouveau style narratif : individualité, variété, goût du merveilleux, souci du détail, recherche des complications sentimentales. Mais l'influence de la culture méridionale ne s'y fait pas encore sentir; elle ne sera guère plus sensible dans le *Roman de Troie* composé entre 1155 et 1160, par un clerc tourangeau qui s'est fait connaître, Benoît de Sainte-Maure.

Roman de Troie. Les poètes du XIIᵉ siècle nous ont conté la vie d'Alexandre, ils ont chanté les exploits des Sept contre Thèbes, fait revivre Enée et ses compagnons; ils nous devaient une *Iliade*. La voici maintenant longuement déroulée en plus de trente mille octosyllabes par un protégé de la reine Aliénor. Il ne savait pas le grec et n'avait point lu le texte d'Homère; peut-être même ignorait-il les médiocres vers de l'*Ilias latina*. Mais, comme ses contemporains, il avait goûté et tenait pour véridique la romanesque relation du Phrygien Darès, enfermé dans la place et celle du Crêtois Dictys qui figurait parmi les assiégeants. Il est prouvé que Benoît utilisa bien d'autres sources qui lui fournirent des épisodes supplémentaires, comme celui des Argonautes, mais pour répondre aux détracteurs présents et à venir, il lui suffit d'avoir conté :

> Ço que dist Daires et Ditis.

Très cultivé, un peu pédant, Benoît de Sainte-Maure accable le lecteur de son érudition. Si ses portraits de personnages sont esquissés à plus larges traits que ceux de *Thèbes* ou d'*Enéas*, les héros essentiels, comme Hector, sont gratifiés de détails typiques. Mais il se plaît surtout aux descriptions qui lui permettent d'étaler sa science. C'est ainsi que pour situer le royaume des Amazones, il décrit la terre entière et plus spécialement l'Orient, ses huit mers, ses neuf îles, ses sept montagnes, ses vingt-deux fleuves, ses treize provinces :

> Ço nos recontent li Traitié
> E li grand Livre Historial.
> Qu'en la partie Oriental
> Est Amazoine, terre grant.

Mais surtout, en s'inspirant de ses prédécesseurs dans la peinture de l'amour, Benoît les a dépassés. Quand ceux-ci ne traçaient timidement que des figures épisodiques, il compose, avec un réel souci d'analyse psychologique, une curieuse galerie de femmes. C'est d'abord Médée éprise de Jason, dès la première rencontre, et lui offrant l'appui de son pouvoir magique en échange de son amour. Avec quelle impatience fébrile elle attend l'occasion favorable pour accueillir Jason chez elle; comme elle sait aussi se faire désirer en feignant d'être surprise dans son sommeil ! Mais dans le cas de Médée, c'est Jason qui rompt ses promesses. Le sage clerc tourangeau n'a guère confiance, pour sa part, dans la fidélité des femmes; il imagine, pour nous en convaincre, l'aventure de Troïlus, fils de Priam, et de la belle Briséis, fille de Calchas. Celle-ci, demeurée dans la ville, est échangée contre le Troyen Anténor et rejoint son père dans le camp des Grecs. Elle se lamente, au départ, de quitter son cher Troïlus, mais revenue parmi les siens, elle aura tôt fait de se consoler. Et le poète conclut par cet avertissement :

> A femme dure dueus petit [*peu de temps*] :
> A l'un ueil plore, a l'autre rit.
> Mout muënt tost li lor corage.

Assurément, toutes les femmes ne méritent point d'être blâmées; il en est qui savent unir aux qualités du corps celles du cœur à beauté, « chasteté »; mais elles sont rares et, dans le doute, mieux vaut se tenir en défiance.

Le long épisode de Troïlus permet au poète de déployer sa virtuosité et d'étaler sa connaissance du cœur féminin; celui de Briséis est si finement analysé qu'en en perçoit tous les détours, revirements inattendus, contradictions, ruses perverses, serments trop tôt oubliés et ce désir inconscient de plaire et de triompher, fût-ce au prix de sa réputation. Les amours de Polyxène et d'Achille nous montrent les ravages causés par l'amour dans le cœur du héros. Le plus vaillant des Grecs, l'implacable ennemi des Troyens, se déclare prêt à sacrifier sa gloire et son honneur pour les beaux yeux de la fille d'Hécube. Le mal profond qui le dévore est de ceux qu'on ne guérit pas : « Qui est qui vers Amors est sage ? »

Cette analyse pénétrante de la passion amoureuse n'est point le seul mérite qu'il faille reconnaître à Benoît. Autant que ses prédécesseurs, il excelle à décrire les scènes de conseils, les furieux combats, les personnes et les choses; son style ne manque pas d'allure, car il n'écrit pas au hasard, mais vise à l'élégance et à l'exactitude. Et s'il n'échappe pas aux défauts de ses contemporains, qui sont la prolixité et la monotonie, on pourrait citer de lui quelques beaux vers comme ceux qui s'appliquent aux Troyens sans défiance, introduisant dans leurs murs le cheval de bois :

Adonc fu enz traiz li chevaus
O [avec] si grant veneracion
E o si grant procession
Qu'om ne set pas conter la joie
Que de lor mort font cil de Troie.

« *Pyrame et*   Les *Métamorphoses* d'Ovide, dont nous avons
Thisbé ».   dit le succès, ont suggéré aux poètes du moyen
âge des compositions de moindre importance, mais dont la forme
et l'esprit justifient leur rattachement aux romans courtois. Chrétien de Troyes nous révèle qu'il avait transposé en français les courts
épisodes de *Pélops* et de *Philomèle* et ce dernier nous a été conservé dans un long poème du XIVe siècle, les *Métamorphoses d'Ovide
moralisées*. On y voit comment un poète du XIIe siècle, qui compte
parmi les mieux doués, sut, sans toutefois dépasser son modèle, en
donner une curieuse réplique, habile et naïve à la fois.

La même époque nous a laissé la charmante histoire de *Pyrame et
Thisbé*, composée dans le troisième quart du XIIe siècle. Epris l'un
de l'autre, deux beaux enfants de Babylone sont brusquement séparés, mais ils ne s'oublient pas. A quinze ans, Pyrame implore Vénus
et Thisbé adresse à Dieu ses prières. Après diverses péripéties, Thisbé
s'enfuit de la tour où on l'avait enfermée, pour rejoindre Pyrame.
Un guetteur, qui l'aperçoit, n'ose l'arrêter, la prenant pour une
déesse. Surprise par un lion au lieu du rendez-vous, elle lui échappe
à grand'peine, en lui laissant son voile. Pyrame arrive à son tour,
croit deviner le drame et se tue de désespoir; et quand Thisbé trouve
son ami privé de souffle, elle expire sur son cadavre.

Cette gracieuse illustration de l'amour plus fort que la mort eut
sans doute un grand succès. On y constate quelques rapports avec
le roman d'*Enéas* et le style s'apparente à celui de Chrétien. Mieux
que de plus longs poèmes, le conte de *Pyrame et Thisbé* contribua
à répandre dans le public le goût des fables antiques, et peut-être
en retrouvons-nous l'écho au XIIIe siècle dans la chantefable d'*Aucassin et Nicolette*.

Autres romans   Comme on a pu le remarquer, les écrivains du
antiques.   moyen âge ne limitaient pas l'antiquité à la période proprement classique. De même qu'ils plaçaient sur le même
plan que les chefs-d'œuvre les écrits les plus médiocres et les moins
authentiques, ils se plaisaient à recueillir ces récits d'aventures fabuleuses qui sont monnaie courante dans la littérature néo-hellénique.
De là une variété du roman courtois qui ne se sépare pas, quant
à la forme, des autres spécimens du genre, mais dont la matière est
tirée de sources grecques ou byzantines, le plus souvent par un intermédiaire latin. Dans bien des cas cette source est connue : c'est
le roman d'*Apollonius de Tyr*, traduit en latin vers le IVe siècle et
souvent imité depuis; ce sont les vies de saints romancées comme

celles de saint Eustache, de saint Georges, de saint Grégoire, de
saint Alexis, de sainte Catherine, de sainte Marguerite, de sainte
Marie l'Egyptienne et de bien d'autres encore; c'est la fameuse
légende des *Sept Sages de Rome*, vraisemblablement d'origine in-
dienne, répandue en persan, hébreu, arabe, grec et vieux castillan,
parvenue en Occident sous une forme un peu différente, que nous
retrouvons dans l'*Historia septem Sapientum* et dans les versions en
vers et en prose du roman français des *Sept Sages*, sans parler des
compositions romanesques qui lui font suite : *Marques de Rome*,
Laurin, *Cassidorus*, *Péliarménus*, *Kanor*, le *Dolopathos* latin de Jean
de Haute-Seille, mis plus tard en vers français par un certain Her-
bert, et le poème de *Bérinus* dont il ne subsiste que deux courts
fragments du XIIIᵉ siècle, mais qui nous a été transmis dans son
intégrité par un remaniement en prose du XIVᵉ

D'autres romans paraissent bien être de provenance hellénique
ou orientale, sans qu'on puisse apporter plus de précisions, comme
le *Cligès* de Chrétien, *Athis et Prophilias* d'Alexandre de Bernai,
Ipomédon et Protésilaus d'Huon de Rotelande, *Florimont* d'Aimon
de Varennes, *Cléomadès* d'Adenet le Roi. La plupart d'entre eux ne
méritent guère de retenir longuement l'attention. Coulés dans un
même moule, à quelques-uns près, ils se réduisent à une succession
d'aventures souvent puériles où l'auteur lui-même s'embarrasse et
dont le lecteur, bientôt lassé, renonce à démêler l'écheveau. Il faut
cependant faire une place à part à Gautier d'Arras et à son roman
d'*Eracle* qui fut composé pour Thibaut de Blois et sa femme Aélis
de Champagne, et terminé vers 1165 pour Baudouin IV de Hainaut.
L'entourage du poète, la qualité de ses protecteurs suffisent à nous
garantir qu'il est bien au fait de la littérature courtoise et qu'il
n'ignore pas Benoît de Sainte-Maure; mais il connaît aussi les chansons de geste, et son œuvre, comme les précédentes, n'est qu'un
mélange des éléments anciens et des nouveaux. Au bout de sept
ans de mariage, le sénateur romain Miriados et sa femme Cassine ont
un fils à qui Dieu, dès sa naissance, accorde le triple pouvoir d'apprécier les qualités des pierres précieuses, des chevaux et des femmes. Le jeune Eracle reçoit la meilleure éducation, mais à la mort
de son père, à peine âgé de douze ans, il est vendu par sa mère qui
en consacre le prix à des œuvres pieuses, pour le repos de l'âme
du défunt. Il entre au service du sénéchal de l'empereur et vient
à la cour où il trouve l'occasion d'étaler ses dons merveilleux.
Comme l'empereur veut se marier, Eracle désigne entre toutes une
humble fille, Athenaïs, qui devient le modèle des épouses. L'empereur l'aime au point d'en être jaloux et, partant pour la guerre,
il la fait enfermer dans une tour. Outrée d'un pareil procédé, la
jeune femme se venge en accordant ses faveurs au jeune Paridès.
Eracle, à qui rien n'échappe, avertit l'empereur, qui tient aux deux
coupables un terrible langage, mais sur le conseil d'Eracle, finit

par leur pardonner et pousse la complaisance jusqu'à favoriser leur union.

La seconde partie du roman marque un recul et nous ramène aux chansons de geste : Eracle, élu empereur, fait la guerre à Cosdroès, empereur des Perses, lui arrache la Sainte-Croix qu'il a dérobée et la ramène au Saint-Sépulcre. C'est un commentaire narratif de l'Exaltation de la Croix. La première partie est de beaucoup la plus intéressante. La naissance tardive d'Eracle rappelle celle de saint Alexis; l'auteur y fait non sans agrément la peinture d'un ménage uni et il exprime des sentiments simples et vrais. Mais surtout Gautier semble soumettre à des règles fixes l'évolution des rapports matrimoniaux. Le divorce de l'empereur avec Athenaïs est uniquement provoqué par la jalousie de l'époux. Or, dira bientôt un théoricien de l'amour courtois : *Ex vera zelotypia affectus semper crescit amoris*, la véritable jalousie fait toujours croître la passion amoureuse; c'est pourquoi l'amour parfait ne peut exister entre époux car il suppose la jalousie et celle-ci est incompatible avec le maintien des liens conjugaux. Dans un autre poème, *Ille et Galeron*, roman breton où se retrouve assez mollement traité le sujet du lai d'*Eliduc*, de Marie de France, Gautier d'Arras se montre encore mieux informé des conditions nouvelles que la mode impose aux amants. Ainsi quand Galeron, blessé dans un tournoi, renonce à garder l'amour de sa dame et s'enfuit en pays étranger, il ne fait que soulever un problème familier à la casuistique amoureuse.

CHAPITRE IV

LE ROMAN COURTOIS

II — *La matière de Bretagne. Les romans d'aventure.*

L'esprit normand en Angleterre. Les principaux romans courtois, que nous venons de passer en revue, semblent avoir été rédigés dans un même milieu, sous une commune influence. On a tenté de prouver, non sans vraisemblance, que le *Roman de Thèbes* avait eu pour berceau la cour d'Aliénor; il est certain d'autre part que le Tourangeau Benoît fut le protégé de cette princesse et travailla sur son désir, et que l'*Eracle* de Gautier d'Arras fut entrepris à la requête d'Aélis de Blois. Nous verrons bientôt que l'autre fille d'Aliénor, Marie, comtesse de Champagne, a joué auprès de Chrétien le même rôle d'inspiratrice.

Mêlées de la façon la plus directe aux cercles instruits du Nord de la France, ces princesses y apportaient, avec l'appui de leurs goûts personnels, le reflet d'une culture que leur mère avait reçue dans son pays natal et qu'elle n'avait point reniée. Quand celle-ci eut ceint la couronne d'Angleterre, ses préoccupations intellectuelles restèrent les mêmes, en changeant de lieu. Bien plus, elle trouva chez son nouvel époux, aussi fin lettré qu'habile politique, un collaborateur de choix qui se plut à convertir son entourage aux jouissances de l'esprit. Aussi bien ces heureuses dispositions allaient-elles se développer dans un terrain très favorable : les conquérants de 1066 avaient importé en Grande-Bretagne la civilisation d'une province ouverte de bonne heure aux manifestations de la littérature. L'église normande, dès le xᵉ siècle, avait brillamment effacé les derniers vestiges du paganisme scandinave et les abbayes de Jumièges et de Saint-Wandrille, pour ne citer que les plus anciennes, emplissaient le monde chrétien de leur renommée. A côté de la théologie on y cultivait avec distinction la littérature, l'histoire et les sciences, et l'architecture romane à son déclin y poussait encore des ra-

meaux vigoureux, unissant dans une harmonieuse perfection la
richesse du décor à la pureté des lignes. La langue, qui n'était d'ailleurs qu'une variété du français, s'était révélée comme un bon instrument d'expression littéraire et nous avons dit la part prise par
les trouvères normands à la divulgation des légendes épiques.

Les traditions galloises. Ainsi le couple royal trouvait à son arrivée une
besogne à demi faite: de l'intelligence et du sa-
voir chez les gens d'église, de la curiosité et du goût dans l'aristocratie et, par-dessus le marché, une abondante tradition narrative,
une poésie nationale inspirée du souvenir des luttes anciennes soutenues par les Bretons contre leurs envahisseurs. Dès le milieu du
vi⁰ siècle, un certain Gildas contait les résistances des Bretons insulaires aux barbares Anglo-Saxons; à la fin du x⁰ siècle, l'auteur
anonyme de l'*Historia Britonum* rapportait les exploits d'un chef
de guerre, Arthur, qui triompha des Saxons dans douze combats.
Pendant les siècles qui suivirent, d'innombrables chanteurs répan-
dirent les chants celtiques; ils passèrent sur le continent, dans la
Bretagne armoricaine, où les jongleurs de la région bilingue, en
s'accompagnant sur la harpe, sur la rote ou sur la vielle, les firent
connaître aux Normands. Il faut donc penser qu'au moment de
la conquête, les compagnons du duc Guillaume étaient déjà familiarisés avec cette poésie étrange, dont les héros, non moins étranges,
voyagent au pays des morts, mêlent dans une vision fantastique la
réalité au miracle, et sont les habitants d'un monde où la nature
soumet ses lois au caprice des enchanteurs. Installés en Angleterre,
ils n'en furent que plus curieux de connaître une histoire dont
l'aspect légendaire les avait tant séduits. En 1125, un moine de
Malmesbury, né dans le Wessex, Guillaume, accueillit dans ses
Gesta regum Anglorum les traditions fabuleuses relatives au roi
Arthur, à son neveu Gauvain, à son sénéchal Keu. Quelques années
plus tard, le Gallois Geoffroi Arthur de Monmouth, évêque de
Saint-Asaph, passionna le monde des clercs avec son *Historia regum
Britanniae* qui fit connaître en Angleterre, en France et jusqu'en
Italie les aventures du roi Arthur, fils d'Uther Pendragon, vainqueur des Saxons, conquérant de l'Ecosse, de l'Irlande, des Orcades,
de la Norvège et de la Gaule, trahi par son neveu Modred et son
épouse Ganhumara, dans le moment même qu'il allait s'emparer
de Rome. L'*Historia regum*, comme on l'a prouvé naguère, si elle
renferme un petit nombre d'éléments celtiques empruntés à des
écrits antérieurs ou à la tradition orale, doit la majeure partie de
sa substance narrative à la science de l'auteur et à sa prodigieuse
imagination. Son œuvre est un amalgame de souvenirs classiques,
de détails tirés des chroniques et des histoires; la littérature biblique,
les légendes hagiographiques, le roman d'*Alexandre* et les chansons
de geste françaises, les événements contemporains eux-mêmes lui

ont apporté leur contribution. Mais de ces éléments divers l'ingénieux conteur a su faire un récit vivant et pittoresque, d'autant plus séduisant qu'il n'est pas toujours vraisemblable, et c'est grâce à lui que « le nom breton a fait quelque bruit dans les lettres ». Il est certain que ses dons personnels, sa verve parfois truculente, le tour alerte de sa narration ont valu à Geoffroi d'innombrables lecteurs. La peinture animée des personnages, la richesse de certaines descriptions, comme celle de la cour d'Arthur, donnaient au thème initial un caractère chevaleresque qui allait faire bientôt de la matière de Bretagne l'indispensable complément de la matière antique. Comme pour celle-ci, les clercs entreprirent aussitôt des adaptations en langue vulgaire. Vers le milieu du XIIe siècle, l'Anglo-normand Geoffroi Gaimar écrivait une histoire des Anglais en octosyllabes, depuis l'expédition des Argonautes jusqu'à la mort de Guillaume le Roux, dont il ne reste qu'un millier de vers assez médiocres. Quelques années plus tard, un chanoine de Bayeux, Wace, composait, d'après Geoffroi de Monmouth, la Geste des Bretons ou *Brut* suivie, en 1164, d'une Geste des Normands, ou *Roman de Rou*. Wace complète les renseignements qu'il tient de Geoffroi, par ses souvenirs personnels et mentionne les chevaliers de la Table Ronde, dont il avait entendu conter les exploits :

> Pur les nobles baruns qu'il out,
> Dunt chescuns mieldre [*meilleur*] estre quidout [*croyait*],
> Chescuns se teneit al meillur,
> Ne nuls n'en saveit le peiur [*pire*],
> Fist Artur la Roünde Table
> Dunt Breton dient mainte fable

Marie de France. — Une foule de récits d'origine celtique étaient colportés dans les châteaux de France et d'Angleterre, par des jongleurs bretons et gallois, plus musiciens peut-être que poètes. Le texte qu'ils chantaient, nécessairement très court, était consacré à de merveilleuses aventures, telles que les trouvères du continent n'auraient pu les imaginer. Ce fut le grand mérite d'une femme heureusement inspirée, Marie de France, de recueillir ces chansons désignées par les Bretons sous le nom de *lais* et de leur donner la forme narrative. De l'auteur on sait peu de chose, sinon qu'elle vivait dans la seconde moitié du XIIe siècle et que, née en France, elle vécut longtemps en Angleterre, en étroits rapports avec la cour. C'est pour Henri II qu'elle composa ses *lais*, tandis qu'un peu plus tard elle offrait à Guillaume Longue-Epée, fils naturel du roi, un recueil de fables ésopiques. Enfin dans les dernières années du siècle, elle adaptait en vers, d'après un modèle latin, le *Purgatoire de saint Patrice*.

On a dit à juste titre que les *lais* de Marie de France peuvent être qualifiés de « nouvelles courtoises ». Ce sont en effet de courts poèmes, de cent à mille vers, soigneusement rimés et consacrés à des récits d'amour dont les héros, Tristan ou Lanval, Iseut ou Guilliadon, parés de grâces tendres et d'aimables vertus, évoquent les seigneurs et les dames qui se plaisaient à les entendre. Sur les seize *lais* qu'on attribue avec certitude à Marie, il n'en est guère d'indifférents; beaucoup d'entre eux sont très connus, soit pour leurs mérites propres, soit pour avoir inspiré des œuvres plus étendues : c'est *Ywenec* qui nous rappelle les données de l'*Oiseau bleu*, le *Frêne* qui s'apparente à *Griseldis*, *Eliduc* qui fournit à Gautier d'Arras le sujet d'*Ille et Galeron*; c'est aussi ce charmant *Chèvrefeuille* dont le thème fut repris naguère par un rómancier contemporain :

Le roi Marc de Cornouailles, jaloux de Tristan, l'a banni.

> En sa contree en est alez,
> En Suhtgales ou il fu nez.

Il y passe une année entière, soumis aux pires tourments moraux et, poussé par le regret d'Iseut, finit par retourner en Cornouailles. Il y débarque et, traversant une forêt, apprend d'un paysan que le roi va tenir sa cour à Tintagel et qu'il donnera à la Pentecôte une grande fête à laquelle la reine assistera. Tristan se porte sur le passage du cortège et lance à son amie un rameau de coudrier auquel s'enroule un brin de chèvrefeuille; et sur l'écorce il a gravé ces mots :

> « Bele amie, si est de nos :
> Ne vos sanz moi, ne moi sanz vos ! »

Iseut comprend l'allusion et, pénétrant dans le bois avec une suivante, elle y retrouve son ami, à qui elle promet d'obtenir le pardon du roi. Et c'est de cette aventure que le conte est né :

> Por lo joie qu'il ot eüe
> De s'amie qu'il ot veüe
> Et por ce qu'il avoit escrit,
> Si com la roïne l'ot dit,
> Por les paroles ramembrer,
> Tristram qui bien savoit harper
> En avoit fet un novel lai.
> Assez briément le nomerai :
> « Gotelef » l'apelent Englois,
> « Chievrefueil » le nom'ent François.

La tâche de Marie de France ne se borne pas à recueillir les chants primitifs des jongleurs insulaires. Le *Chèvrefeuille* appartenait sans doute à leur répertoire, mais elle l'a « trové en escrit ». Le sombre lai des *Deux Amants* a pour théâtre un coin de Normandie qui en a gardé le souvenir. Le roi de ce pays avait une fille d'une grande beauté, qu'il adorait au point de la refuser à tous les « riches rois » qui aspiraient à sa main. Harcelé par ses courtisans, qui lui reprochaient sa conduite, il imagina un moyen d'éliminer les prétendants :

il fit proclamer qu'il accorderait sa fille à celui qui, d'une seule traite, la porterait dans ses bras au sommet d'un mont voisin. Or la demoiselle s'était éprise « d'un damoisel filz a un conte, gent et bel » et ils s'étaient avoué leur mutuel amour. Mais le « vallet » était trop jeune et trop faible encore pour supporter sans défaillir le poids de son amie. C'est pourquoi celle-ci l'envoie à Salerne, auprès d'une tante qui possédait les secrets de « l'art de fisique ». Bien accueilli par la dame, il s'en revient muni d'un breuvage qui lui donnera la vigueur nécessaire. Il obtient du roi l'autorisation de tenter l'épreuve, mais dans sa hâte, il néglige de boire le philtre salutaire et il expire en arrivant au but. La « meschine » alors

> Lez lui se couchë et estent.
> Entre ses braz l'estreint et prent,
> Sovent li baisë ueilz et boche.
> Li duels de lui au cuer li toche :
> Iluec morut la damoiselle.
> Qui tant ert preuz et sage et bele.

Si Marie passe à juste titre pour avoir inventé le *lai* narratif, le genre qu'elle avait créé obtint d'emblée un tel succès que les imitateurs se multiplièrent. Bien des *lais,* anonymes ou non, nous sont parvenus, non certes dénués d'intérêt, mais qui n'ont ni la grâce ni la saveur des siens. On peut citer toutefois les lais de *Tyolet,* de *Guingamor,* de *Doon,* du *Lecheor* et de *Tydorel,* groupés dans le même manuscrit; le conte du *Mantel,* plaisant exposé des moyens employés à la cour d'Arthur, pour éprouver la fidélité des femmes, et le lai du *Cor* de l'Anglo-normand Robert Biket, qui développe un thème analogue; *Graelent,* qui traite le même sujet que *Lanval, Ignaure,* l'une des nombreuses versions du « Cœur mangé ». Par la suite le nom de *lais* fut appliqué à de brèves compositions qui, comme le *Lai d'Aristote* ou le *Lai de l'Ombre,* n'ont rien à voir avec le cycle breton.

Romans de Tristan. Ce Tristan que la tradition celtique présente comme l'amant de la reine Iseut, épouse du roi Marc de Cornouailles et qui, si l'on en croit Marie de France, chantait en s'accompagnant de la harpe ses dramatiques aventures, va devenir l'un des principaux personnages des romans composés sur la matière de Bretagne. Bien qu'il soit, à l'origine, étranger au cycle d'Arthur, il finira par s'y annexer. Ce jeune prince de Léonois, guerrier valeureux, chasseur intrépide, harpeur inspiré, s'apparente, sans qu'on puisse dire s'il s'agit d'un rapport fortuit ou d'une imitation voulue, au Thésée de la légende grecque. Comme Thésée tue le Minotaure, il abat l'horrible Morholt et tombe frappé d'une flèche empoisonnée. Pour chercher un remède à son mal, il quitte son oncle, le roi Marc, affligé d'oreilles de cheval comme Midas l'était d'oreilles d'âne, et naviguant à l'aventure sur une barque sans voiles, sans rames et sans gouvernail, il aborde sur la terre d'Irlande. Guéri par la sœur même de son ennemi, il revient chez son oncle qui, pressé par ses barons de prendre femme, l'envoie demander pour lui en mariage la jeune fille à qui appartient un cheveu blond qu'une hirondelle a laissé tomber à ses pieds. Tristan se met en quête de la belle inconnue et la découvre en la personne même d'Iseut, la propre fille du roi d'Irlande et la nièce de Morholt. Après diverses aventures, il obtient d'emmener la jeune fille et se voit confier par la reine, sa mère, un merveilleux breuvage qu'Iseut doit partager avec son époux, pour assurer la profondeur et la durée de leur amour. Mais, au cours de la traversée, Iseut ayant commis l'erreur de goûter ce philtre avec Tristan, les voilà brûlant l'un pour l'autre d'une irrésistible passion. Le roi Marc, en dépit de leurs précautions, finit par s'en apercevoir; il les chasse et les deux amants en sont réduits à vivre solitaires, dans la forêt de Morrois. Un beau jour, le roi les surprend endormis, avec une épée entre eux deux. Touché de cette marque d'innocence, il reprend Iseut, et Tristan, banni, émigre en Armorique. Il y épouse à Carhaix la fille du duc, Iseut aux blanches mains, dont les traits et le nom lui rappellent sa bien-aimée. Mais, obsédé par le souvenir de cette dernière, il se détourne de sa jeune épouse. Blessé grièvement, il fait mander la reine Iseut, seule capable de le sauver. Si le navire la ramène, on hissera une voile blanche, noire si elle refuse de venir à lui. Iseut aux blanches mains, poussée par la jalousie, annonce que la voile est noire et Tristan, qui n'avait plus qu'un souffle de vie, le laisse échapper. La blonde Iseut, en débarquant, ne trouve plus que son cadavre et tombe morte à ses côtés.

Cette belle et poignante histoire, cette tragédie d'amour et de mort, paraît s'être constituée par l'amalgame de récits divers chantés depuis des siècles par les jongleurs bretons. Certains éléments s'en retrouvent chez Geoffroi de Monmouth, mais à côté de traits celtiques indéniables, il est des détails qui trahissent l'influence de la culture gréco-latine. Le poème organisé ne saurait donc être tenu pour une création populaire, mais pour l'œuvre soignée d'un clerc gallois très averti et capable d'associer et d'harmoniser des récits venus de tous les points de l'horizon. On ne connaît, à vrai dire, l'œuvre de cet auteur génial et hypothétique que d'après la restitution tentée par Joseph Bédier du conte de Tristan, au moyen des fragments conservés du poème de Thomas, de deux versions de *La folie Tristan*, et de remaniements étrangers du XIIIe, ou même du XIVe siècle, celui de Gottfried de Strasbourg, la *Saga* norvégienne du moine Robert, la *Tavola Ritonda* italienne et les strophes anglaises de *Sir Tristrem*. Que cet auteur soit le Breri dont Thomas lui-même s'autorise,

> Ki solt les gestes e les cuntes,

et qui se confond peut-être avec Bledhericus, « famosus ille fabulator » que cite Giraud de Cambrie, ou qu'il n'ait rien de commun ni avec l'un ni avec l'autre, on en dispute encore actuellement. Qu'il nous suffise d'avoir quelques fragments du poème de Thomas et d'observer qu'il fut conçu à la cour d'Angleterre, sous l'influence immédiate d'Henri, II et d'Aliénor. S'adressant à des lecteurs particulièrement instruits et raffinés, qui savent apprécier les œuvres littéraires et faire le départ du bon et du médiocre, le poète, sans négliger les descriptions matérielles et les tableaux héroïques et guerriers, s'est attaché surtout à peindre l'amour. C'est par l'étude approfondie des sentiments, par l'exposé suivi de leur évolution, qu'il a su donner au poème une unité qui n'était pas dans les épisodes primitifs.

Et cet amour dont Thomas s'est fait le chantre n'est pas encore celui des troubadours, n'est plus tout à fait celui de ses prédécesseurs, asservis à l'antiquité classique. Ce n'est point que cette dernière soit ici répudiée, puisque le parallèle s'impose entre Tristan et Thésée, et que le héros prend le mal d'amour en absorbant un de ces philtres dont Ovide a prouvé l'inefficacité par la désastreuse expérience de Médée. Mais Thomas a découvert dans les récits dont il s'inspire, l'âme obscure et mystérieuse des anciens Gallois, sans cesse retenue dans son élan vers la vie par la crainte des forces mauvaises, enthousiaste et fataliste, cherchant à se consoler des réalités douloureuses par les perspectives infinies qu'ouvre l'imagination.

Quelle destinée plus malheureuse que celle de Tristan amoureux malgré lui, malgré lui infidèle, traître à son protecteur, épousant la seconde Iseut par amour de la première et traînant sa vie tourmentée à la poursuite d'une chimère ? Et que dire de la reine Iseut, séparée de son ami par les conventions sociales, attachée à son devoir et toujours assurée d'y faillir ? Que dire encore du roi Marc, victime des êtres qu'il chérit le plus, ne cessant de les aimer, même quand il les condamne, comme si son affection clairvoyante lui faisait deviner la cause de leur fatal entraînement ? Développant dans le dédale des aventures pittoresques une action psychologique aussi abstraite et nuancée, on admet que Thomas, pour mieux se faire entendre, se laisse aller parfois à de longs monologues, où s'étale sa science de clerc philosophe, qui volontiers parle par aphorismes. Mais il n'est pas toujours aisé pour un poète du moyen âge, usant d'une langue aux ressources limitées, d'analyser les détours du cœur humain et d'éclaircir, par exemple, les sentiments contradictoires d'un homme qui vient d'épouser une femme, alors qu'il en aimait une autre. Ainsi Tristan, au bord de la couche nuptiale, voudrait se garder à Iseut la blonde, sans offenser Iseut aux blanches mains :

> Pur espuser l'altre Ysolt,
> D'iceste delivrer se volt
> Et se iceste Ysolt ne fust,
> L'altre itant amé n'oüst;

> Mais par ço qu'il ne puet l'aveir,
> Ad il vers ceste le voleir.
> S'il poüst aveir la reïne,
> Il n'amast Ysolt la meschine [*jeune fille*].

Et le grand amour - tyrannique, la folle passion née du philtre triomphera avec la mort des deux amants :

> Tristran murut pur sue amur,
> E la bele Ysolt pur tendrur.

Thomas écrivait sans doute aux environs de 1170. A peu près vingt ans plus tard, un autre Anglo-normand, Béroul, contera à son tour l'histoire de Tristan dans un poème dont nous n'avons que la partie centrale, mais dont il est permis d'imaginer le contenu grâce à la version allemande d'Eilhart d'Oberg. Moins cultivé que Thomas, moins pénétré de mœurs courtoises, Béroul est plus éloigné d'*Enéas* que des chansons de geste, dont il a gardé l'esprit clair et naïf, en respectant certains de leurs procédés techniques. Sans doute plus voisin que Thomas de leur commun modèle, il a su construire, autour d'un noyau d'origine mythique, un récit où la vérité humaine se greffe sur la fiction. L'aventure de Tristan et d'Iseut, c'est avant tout pour lui celle de deux jeunes gens saisis du mal d'amour dans des conditions telles qu'ils ne peuvent céder à cette passion fatale sans trahir leur devoir, sans porter atteinte aux liens du mariage et de la parenté. Esclaves d'une puissance surnaturelle, ils ne trouvent aucun appui ni dans le respect de la loi morale, ni dans la foi religieuse et même, quand le philtre a cessé d'agir, ils ne peuvent lutter contre un mal invétéré. Condamnés par leur destin à fuir la société et ses contraintes, conscients de leur déchéance, insatisfaits, proscrits et toujours menacés, c'est la mort seule qui les délivrera du poïds du péché et mettra fin à leurs tourments.

Si l'on en croit l'auteur d'une des branches du *Roman de Renart*, un inconnu, nommé la Chèvre, aurait rimé lui aussi la légende de Tristan; il nous serait surtout précieux d'être sûrs qu'environ l'an 1160, le même sujet fut traité par un poète exceptionnellement doué, qui devait exprimer, dans l'entourage d'Aliénor et de Marie de Champagne, le parfait idéal courtois, Chrétien de Troyes.

Chrétien de Troyes. Qu'il fût clerc ou laïque, peu importe. L'essentiel est qu'il possédait, avec la culture des gens d'église, cette délicatesse d'esprit et cette recherche d'éducation qui s'acquéraient alors au contact de la cour. Dans un passage souvent cité de *Cligès*, il nous apprend lui-même que, fervent des lettres antiques, il avait débuté par une adaptation de l'*Art d'Aimer* d'Ovide, par des contes tirés des *Métamorphoses*, avant d'aborder, avec le

Romans courtois

1°) *Andromaque et Hector.*
2°) *Alexandre à Jérusalem.*
(Bibliothèque Nationale. Ms. fr. 17.177)

roman d'*Erec*, la matière de Bretagne. *Erec*, chevalier de la Table Ronde, *Cligès*, prince byzantin apparenté par sa mère aux héros bretons, traversent des aventures qui nous rappellent celles de Tristan, mais les dénouements sont moins sombres, parce que l'amour, souverain maître, ne connaît plus de résistance. Ainsi transparaît dans les premiers romans de Chrétien, sous une forme encore atténuée, une doctrine sentimentale qui atteindra son complet développement dans *Lancelot ou le Conte de la Charrette*. Le point de départ est dans Ovide; l'adaptation s'est faite en Angleterre où l'esprit des contes gallois a permis la fusion entre les théories classiques de l'amour et la conception plus intellectuelle des poètes méridionaux.

A parcourir cet étrange et précieux monument qu'est le *Tractatus de Amore* d'André le Chapelain, on peut se faire une idée des divertissements en usage à la cour d'Henri II. Un cercle illustre de grandes dames instruites jusqu'au raffinement, soucieuses d'inspirer aux hommes qui les entourent un dévouement qui touche à la servilité, se plaisait à mettre en pratique les commandements d'amour, qui n'étaient en définitive que l'enseignement d'Ovide dépouillé de ses fioritures et réduit à un sobre catéchisme. A ce code amoureux, hommes et femmes devaient se conformer en manière de jeu, et les infractions ou les cas épineux étaient soumis au jugement d'un tribunal où les dames les plus qualifiées rendaient leurs arrêts solennels. Aliénor, Marie de Champagne, Ermengarde de Narbonne, la comtesse de Boulogne, en avaient à tour de rôle la présidence et, de cette jurisprudence, devait se dégager bientôt un nouvel état des relations entre les sexes.

Le sentiment au nom duquel on légifère en cour d'amour n'est plus l'ardente et fatale passion qui dévorait Tristan et son amie, passion cruelle et malfaisante sans doute, mais qui devait compter avec certains scrupules et les exigences de la loi morale; ce n'est plus la vive attirance qu'éprouvaient les uns pour les autres les amants des poèmes antiques : ce n'est plus un amour de cœur; c'est, comme on l'a dit, un amour de tête. Illégitime et furtif, l'amour courtois ne s'entend guère qu'en dehors du mariage, car celui-ci implique la possession sans risque, alors que l'amour ne peut vivre que d'inquiétude et d'instabilité. D'où nécessité pour l'amant de tout sacrifier à sa dame, de se plier à ses caprices, même les plus saugrenus, qui sont autant d'épreuves, d'essuyer humblement ses rebuffades, enfin de croître, pour lui plaire, en largesse et en courtoisie. Cet amour exigeant et fantasque échappe à quiconque en ignore les lois; ce n'est pas une passion naïve et spontanée, c'est un art difficile, aux règles fixes et complexes, dans lequel on ne peut passer maître qu'à force de zèle et d'application.

Par l'introduction de cet élément nouveau, et bien qu'il s'agisse encore d'un récit d'adultère, le *Conte de la Charrette* nous entraîne bien loin de *Tristan*. Si les héros sont proches parents, ils évoluent

5

dans un tout autre monde, où règnent en souverains l'artifice et la convention. La comtesse Marie de Champagne a fourni le thème à Chrétien. Elle connaissait, pour l'avoir entendu chanter, l'enlèvement de la reine Guenièvre et sa délivrance par Lancelot, chevalier de la Table Ronde. Sur ces données initiales le poète a composé un roman conforme aux désirs de sa protectrice, en y introduisant l'amour de Lancelot pour Guenièvre, réplique de l'amour de Tristan pour Iseut. Les deux principaux personnages, Gauvain, neveu d'Arthur, et Lancelot, également pieux, courtois et vaillants, se différencient l'un de l'autre par l'opposition de leurs comportements : tandis que Gauvain, loyal sans défaillance, ne recherche la reine que pour la rendre à son époux, Lancelot est l'aveugle instrument d'un amour auquel il se soumet avec docilité. Les prouesses qu'il accomplit sont commandées par cet amour devant lequel tout doit céder. La conscience qu'il doit avoir d'arracher Guenièvre au devoir conjugal, le souci même d'être fidèle à son serment de chevalier n'agissent plus comme un frein nécessaire. Serviteur exclusif de sa dame, c'est à elle que Lancelot a voué ses pensées et ses actes, dût-il se laisser vaincre dans un tournoi ou s'humilier jusqu'à prendre place dans la charrette ignominieuse :

> De ce servoit charete lores
> Dont li pilori servent ores [à présent],
> Et en chescune bone vile,
> Ou or en a plus de trois mile,
> N'en avoit a cel tans que une
> Et cele estoit a ceus comune
> (Ausi com li pilori sont)
> Qui traïson ou murtres font,
> Et a ceus qui sont champcheü [vaincus en champ],
> Et ces hommes qui ont eü
> Autrui avoir par larrecin,
> Ou tolu par force en chemin.

Il est vrai que, de son côté, Guenièvre ne trahit guère plus de scrupules. Cette princesse idéale, douée de toutes les perfections, dont la présence illumine le palais de son époux, et dont la grâce et la douceur ont séduit le bon roi Bademagu lui-même, cède à sa passion sans le moindre remords.

Pour retrouver Lancelot elle aura toutes les hardiesses; différant toujours le don de soi-même, elle se réjouira de le voir plus humble et plus soumis.

Dans ce roman touffu, confus, où les épisodes souvent se contredisent, où la marche des événements ne se déroule pas toujours conformément à la logique, un trait d'unité maintient pourtant la cohésion; c'est la peinture des sentiments. Avec *Lancelot*, l'amour courtois devient l'élément primordial des romans de la Table Ronde.

Chrétien, abandonnant le *Conte de la Charrette*, dont il confie l'achèvement à son ami Godefroi de Lagni, s'attaque à un autre sujet, *Ivain ou le Chevalier au lion*. Il ne paraît pas cette fois-ci travailler sur commande. Il a combiné librement sa matière avec des souvenirs des romans antiques, *Thèbes*, *Enéas*, *Troie*, un récit emprunté à Wace et des légendes connues de toute antiquité, comme l'anneau de Gygès et le lion d'Androclès. Avec ces matériaux divers, il écrit l'histoire d'un chevalier breton, Ivain, qui, menacé par le maître d'une fontaine merveilleuse, se bat avec lui, le blesse à mort et le poursuit dans son château où il demeure enfermé. Grâce à la complicité d'une servante, Lunete, il se fait aimer de Laudine, la veuve du seigneur, et l'épouse trois jours après les funérailles. Mais, averti par son ami Gauvain du danger qu'il court à rester inactif sans accroître sa prouesse, car

> Amander [*s'améliorer*] doit de belle dame,
> Qui l'a a amie ou a fame,

il obtient de Laudine un congé d'un an, et il part muni d'un anneau magique qui doit le garder de tous les périls. Un an se passe; Ivain, grisé par ses succès dans les joutes et les tournois, oublie complètement sa promesse. Laudine la lui fait rappeler et lui retire son anneau. Fou de douleur, le jeune homme s'enfuit dans la forêt. Il assiste un jour au combat d'un lion et d'un serpent; il tue le serpent et le lion, reconnaissant, le suit comme un chien fidèle. Finalement, l'heureuse intervention de la servante Lunete le réconcilie avec sa dame.

. Tandis que dans *Erec*, son premier roman breton, Chrétien encore mal pénétré de la doctrine courtoise, condamnait son héros pour avoir sacrifié à l'amour d'une femme son devoir de chevalier, dans *Ivain*, il soumet le héros à de cruelles épreuves pour avoir négligé le service de sa dame, et lui fait implorer piteusement son pardon :

> ... Dame ! misericorde
> Doit an de pecheor avoir.
> Conparé [*expié*] ai mon fol savoir,
> Et je le dui bien conparer.
> Folie me fist demorer,
> Si m'an rant coupable et forfet.
> Et mout grant hardement ai fet.
> Quant devant vos osai venir ;
> Mes s'or me volez retenir,
> Ja mes ne vos mesferai rien.

A traiter semblable matière, à vivre dans la convention, à construire ses personnages sur un schéma déterminé, on excuserait Chrétien d'avoir sombré dans une monotonie à laquelle échappent difficilement les écrivains du moyen âge, même quand leur inspiration n'est pas entravée par les liens d'une doctrine. Or justement il n'en est rien; c'est le grand mérite de ce poète exquis d'avoir su modeler son style sur son sujet, d'avoir donné à ces subtilités sentimentales un tour léger, gracieux et maniéré qui les rend très supportables. S'il emploie encore çà et là les procédés des chansons de geste, c'est à dessein et comme enjolivement. Mais il excelle surtout à donner au dialogue une aisance et une vivacité qui traduisent sans doute le ton habituel des conversations courtoises. Tant pour le fond des idées que pour la forme, Chrétien de Troyes nous apparaît comme le meilleur représentant d'une littérature et d'une société qui réagirent profondément l'une sur l'autre. Il fut, mais avec plus de génie sans doute, pour les élégantes qui vécurent dans le sillage d'Aliénor et de ses filles, ce que sera plus tard Voiture auprès des Précieuses de l'hôtel de Rambouillet.

Assurément c'est à Chrétien qu'est dû au XIIe siècle le succès remporté dans la France du Nord par la matière de Bretagne. Pressés de se dégrossir et de copier le ton de la cour d'Angleterre, dont celles de Champagne et de Blois donnaient sur le continent même un éclatant reflet, dames et chevaliers trouvèrent dans les romans l'expression d'un idéal auquel ils s'efforçaient d'atteindre. Pour ces esprits en éveil, pour ces imaginations toutes prêtes à l'essor, quel ravissement ce dut être que de pouvoir s'ébattre au milieu des aventures, parcourir à la suite du poète les forêts enchantées, peuplées de nains difformes et de fées bienfaisantes et, pénétrant dans ces châteaux que nul architecte n'eût osé construire, y admirer les tables courtoisement servies, les habillements somptueux, féminins surtout, dont les moindres détails étaient énumérés. Ils retenaient aussi de tendres épisodes où les deux sexes, sans vergogne, faisant bon marché des conventions sociales et des maximes de la morale élémentaire, ne connaissaient d'autre loi que l'assouvissement de leurs désirs. On ne saurait affirmer que ce jeu fût inoffensif et que la disgrâce du roi Marc ou d'Arthur fût à citer comme un modèle. Les esprits sérieux pouvaient craindre que cette orientation de la littérature n'influât sur la vertu, et qu'à vouloir épurer les mœurs on ne finît par les corrompre. Ils n'observaient pas sans inquiétude que les romans de Chrétien, comme ceux de ses prédécesseurs, ne laissaient guère de place au sentiment religieux : parfois une allusion vague, un serment prononcé du bout des lèvres, une citation de l'Ecriture, une affirmation de style; mais il est clair que le souci de leur salut ne retenait guère les héros courtois sur le chemin des incartades.

Le « *Perceval* »   Qu'une protestation formelle ait eu lieu ou
   de Chrétien   qu'une réprobation tacite ait agi sur les intentions du poète, toujours est-il que le dernier roman de Chrétien, *Perceval ou le Conte du Graal*, offre un aspect inattendu. S'inspirant, à l'en croire, d'un livre que lui avait prêté Philippe d'Alsace, comte de Flandre, il nous apprend que le jeune Perceval, fils d'une mère veuve

et soucieuse de le tenir à l'abri de tout péril, fut élevé loin du monde, des chevaux et des armes. Par malheur, il rencontre un jour cinq chevaliers qui lui révèlent et lui vantent l'attrait du métier des armes. Dès lors, il brûle de mener cette existence aventureuse. Sa mère cède à ses instances et, le cœur brisé, en mourra de chagrin. L'impatient Perceval se rend à la cour d'Arthur où son accoutrement fait rire; mais les railleries le cèdent à l'admiration, quand il triomphe du Chevalier rouge, offenseur impuni du roi. Instruit par Gornemant de Gohorz, il découvre les secrets de l'art de chevalerie. Ayant délivré de ses ennemis Blancheflor, dame de Beaurepaire, il en tombe amoureux, mais le souvenir de sa mère l'arrache à l'enchantement et il se hâte pour la rejoindre. Franchissant un large fleuve, il aperçoit, tendant ses nasses, un vieux pêcheur qui lui indique le chemin du château voisin. Perceval y reçoit un accueil affable du seigneur, un vieillard navré d'une rude blessure et qui demeure étendu sur des coussins. Vers le soir, une étrange procession pénètre dans la salle : c'est d'abord un écuyer portant une lance blanche de la pointe de laquelle une goutte de sang roule sur sa main; c'est surtout une jeune fille tenant un vase merveilleux, un « graal » étincelant de feux, tandis qu'une compagne la suit avec un plat d'argent. Par « niceté », l'innocent Perceval s'abstient de poser la question qui lui brûle la langue et va se coucher. Au réveil, il trouve ses affaires prêtes et quitte l'étrange château sans rencontrer âme qui vive. Chemin faisant, il voit une jeune fille qui lui apprend la mort de sa mère, dont il est cause, et l'identité de son hôte avec le vieillard qui pêchait : c'est le mystérieux roi Pêcheur qu'il aurait guéri de son mal s'il avait osé s'informer de la lance et du « graal ». Entre temps le roi Arthur est parti avec sa cour à la recherche du héros. Survient Perceval qui chevauchait dans ces parages; il est sombre et mélancolique; trois gouttes de sang d'oiseau, sur la neige blanche, ont évoqué dans sa mémoire les tendres couleurs de sa chère Blancheflor. Enfin les chevaliers d'Arthur veulent l'entraîner avec eux, il leur résiste obstinément, jusqu'à ce que le sage Gauvain l'ait persuadé de les suivre. Mais ce n'est pas pour longtemps; afin d'expier la mort de sa mère, Perceval veut affronter de nouvelles épreuves et découvrir le mystère du « graal ». La suite du récit étant consacrée à Gauvain, nous ne retrouvons Perceval que cinq ans après. Un vieil ermite lui révèle la cause de ses malheurs et lui apprend que le « graal » contient une hostie dont le « roi mehaignié » soutient depuis quinze ans sa vie précaire. Là-dessus, Perceval fait de nouveau place à Gauvain et le récit s'interrompt.

Ainsi s'achève provisoirement le *Conte du Graal*, au milieu d'aventures romanesques où le roi Pêcheur et Perceval lui-même semblent définitivement oubliés. Ce dernier roman de Chrétien, parce qu'il demeure incomplet et nous laisse ignorants du dénouement prévu

par le poète et du véritable sens des symboles qu'il utilise, n'a cessé
d'intriguer les commentateurs. Qu'est-ce à vrai dire que ce « graal »,
nom singulier dont l'étymologie prête à discussion ? Que signifie
cette procession mystérieuse dont les personnages, comme les objets
qu'ils portent, ont quelque chose d'irréel ? La présence d'une hostie
dans ce vase étrange, dont ni la forme ni les dimensions ne sont
précisées, a permis d'y supposer une allusion à l'Eucharistie; mais
on ne voit pas comment deux jeunes filles, au mépris des règles
liturgiques, pourraient participer au saint sacrifice. D'autre part, des
textes irlandais et gallois, malheureusement de date incertaine,
donnent à penser que Chrétien aurait, sans les bien comprendre,
exploité des traditions insulaires, mis en œuvre des éléments propres
au monde celtique, fait agir ses héros en vertu d'une morale qui
n'était pas exclusivement celle qu'enseigne André le Chapelain. Les
épreuves auxquelles ils sont soumis, le cadre merveilleux où ils évoluent, les accessoires baroques dont ils sont pourvus paraissent empruntés aux légendes païennes. C'est plus tardivement, au début du
XIIIe siècle, que, sous l'influence peut-être des moines de Glastonbury,
qui annexèrent à leur profit la légende arthurienne, les thèmes exploités par Chrétien dans le *Conte du Graal* finirent par se concilier avec
la doctrine officielle de l'Eglise.

Les   Ce qui est sûr c'est que Chrétien eut des imi-
continuateurs   tateurs qui, diversement inspirés, s'efforcèrent de
de « Perceval » continuer ou de mener à leur terme les aventures
de ses héros. Tandis que Wolfram von Eschenbach achevait le conte
en allemand, plusieurs poètes français, sans s'être apparemment con-
certés, imaginèrent à leur façon la suite de l'histoire. Le premier continuateur, qui n'a pas révélé son nom, la reprit où Chrétien l'avait
laissée et, négligeant le héros principal, s'attacha à décrire les exploits
de Gauvain. C'est lui et non Perceval qui est reçu au château du roi
Pêcheur, voit défiler la procession, admire la « pucele haingre et
droite, bien faite et bele » qui

> Entre ses mains en haut aporte
> Le saint Graal a descovert.

Mais nous ne savons toujours pas ce qu'est le saint Graal et qui
en découvrira le mystère.

Cependant, avec le second continuateur qu'on a vainement tenté
d'identifier avec un hypothétique Wauchier de Denain, Perceval redevient le personnage central, sans que sa physionomie en soit plus
vivement éclairée. Après lui Manessier, qui écrivait entre 1211 et
1244, pour Jeanne de Flandre, influencé peut-être par les romans en
prose, termine le conte en dix mille vers. A peu près dans le même

temps, Gerbert de Montreuil composait une version indépendante, dont nous ne possédons qu'un texte altéré. Dans tous les cas, grâce à l'initiative de ces poètes, le *Conte du Graal*, pourvu d'additions fantaisistes et démesurément grossi, aboutissait à une conclusion que Chrétien peut-être aurait désavouée.

Le trait commun à toutes ces continuations est la place toujours plus grande réservée au symbolisme religieux. Cette notion qui, pour certains critiques, n'était pas tout à fait étrangère à Chrétien, qui, pour d'autres, est absente de son roman, se serait, comme on l'a vu, introduite ultérieurement. Ce poète de cour, dont l'œuvre ne trahit aucune tendance mystique, s'il a pu, vers la fin de sa vie, atténuer les outrances sentimentales d'un Lancelot ou d'un Ivain, ne va pas jusqu'à les renier. Porte-parole de l'idéal mondain qui fut celui d'Aliénor et de ses filles, c'est encore cet idéal qu'il exalte dans *Perceval,* en réduisant seulement la part de l'amour. Pour lui l'épisode du « graal », qui « tant par est esperitaus », ne serait pas autre chose qu'un artifice de composition permettant d'entraîner Perceval et Gauvain vers de nouvelles aventures. Les continuateurs de Chrétien sont moins avares de précisions; l'un d'eux rattache expressément le mystère du « graal » à la vie de Jésus, en en faisant le vase où Joseph d'Arimathie recueillit de ses plaies béantes, le sang du Crucifié. C'est que, dans l'intervalle, s'était manifesté Robert de Boron.

L'œuvre de Robert de Boron Né sans doute au village de Boron, près de Montbéliard en Bourgogne, Robert nous a laissé un *Roman de l'Estoire dou Graal,* en vers, profondément imprégné de symbolisme chrétien. Le « graal » primitif, où certains ont cru reconnaître le chaudron magique des légendes celtiques, est devenu le plat de la Cène, utilisé par Joseph pour recevoir le sang du Christ et dans lequel il prit ses repas pendant sa longue captivité. Libéré, il fonda l'ordre du Graal auquel l'auteur prétend rattacher l'institution du saint sacrifice de la Messe. Ainsi le « graal », reculant ses origines, découvrant le mystère qui l'entourait, se confondait, par la vertu d'un symbolisme audacieux, avec le ciboire rituel. Mais à mesure que la pensée mystique étend son voile sur le roman, elle en efface, pour ainsi dire, le caractère chevaleresque et courtois. Si l'on peut encore attribuer au chroniqueur Guillaume de Malmesbury l'idée que Joseph d'Arimathie évangélisa la Bretagne, on doit chercher les sources du poème dans l'Ecriture et dans ses commentaires, l'Evangile de saint Matthieu et celui de Nicodème, la *Vindicta Salvatoris* et la *Gemma aurea* d'Honorius.

On admet communément que Robert de Boron composa une trilogie qui comprenait, outre l'*Estoire dou Graal*, appelée aussi *Joseph d'Arimathie*, un *Merlin* en vers, dont un fragment seul a survécu, et peut-être un *Perceval* entièrement perdu. Nous possédons, d'autre part, une version en prose de l'*Estoire*, deux versions en prose de

Merlin et deux romans de *Perceval* en prose, l'un couramment désigné sous le nom de *Didot-Perceval,* du nom du possesseur d'un des
deux manuscrits qui nous l'ont conservé, l'autre intitulé *Perlesvaus;*
le premier ne serait qu'un remaniement maladroit d'une mise en
prose du *Perceval* rimé de Robert de Boron, le second dériverait,
directement ou non, des deux premières continuations du poème de
Chrétien. Quelle qu'en soit l'origine exacte, ces œuvres attestent
du moins le succès d'un conte qu'on ne cessait pas d'enrichir de
nouveaux thèmes et d'adapter aux goûts changeants des lecteurs.

Le Lancelot en prose.   Quel que fût cependant l'attrait de Perceval,
il n'avait pas effacé le souvenir de Lancelot, héros,
lui aussi, d'une troublante aventure. Aux alentours de l'an 1200,
l'Allemand Ulrich de Zatzikhoven en avait conté l'histoire d'après
un modèle anglo-normand. Chevalier de la Table Ronde, il appartenait au cycle arthurien et son destin se confondait avec celui de
la reine Guenièvre, mentionnée comme l'épouse d'Arthur par Geoffroi
de Monmouth. Dans la mythologie celtique, le personnage accomplissait de périlleux exploits pour arracher cette princesse au roi
mystérieux et sinistre qui l'emportait vers l'Au-delà. Chrétien, le
comprenant à sa façon, avait développé l'épisode, en le transposant
sur un plan plus réel. Tous, clercs et laïcs, s'étaient divertis en écoutant ces contes et la popularité du héros s'en était accrue. Aussi
n'est-il pas surprenant que, dans le premier quart du XIIIᵉ siècle, les
aventures de Lancelot aient formé le noyau primitif d'un vaste cycle
narratif en prose. Dans les manuscrits qui nous l'ont conservé, le
Lancelot propre est précédé de l'*Estoire del saint Graal* et de *Merlin*
et suivi de la *Queste del saint Graal* et de la *Mort Artu.* Ces cinq
romans, très différents d'inspiration, forment les chapitres d'une
copieuse biographie légendaire, dont la matière peut se résumer
ainsi :

Jésus confia le saint Graal à Joseph d'Arimathie qui le légua
à son fils Josèphe, lequel le transmit à son neveu Alain, dit le roi
Pêcheur, parce que le Seigneur renouvela à son intention le miracle
du lac de Génésareth. Alain emporta le Graal en Bretagne, au château de Corbenic situé dans la Terre Foraine où nul ne peut accéder. Cependant Arthur règne toujours sur la terre de Logres, et
dans sa cour élégante se perpétuent les traditions de prouesse et
de courtoisie. Mais sur cette terre de féerie, enchantements et sorti-
lèges troublent sans arrêt l'existence humaine; ils ne cesseront que
le jour où les chevaliers de la Table Ronde partiront à la conquête
du Graal, mettant leur épée, jusque-là réservée aux victoires « ter-
riennes », à la disposition du Ciel. Mais lequel d'entre eux sera assez
pur, assez innocent pour atteindre de ses mains la précieuse relique ?
Lancelot, peut-être, le chevalier aux blanches armes, qui délivra la
dame de Nohant, conquit la Douloureuse Garde et vainquit l'assem-

1

3

2

4

Romans de la Table Ronde

1°) *Le Roi Arthur et les Prisonniers.*   3°) *Galaad au monastère.*
2°) *Folie de Lancelot.*   4°) *Perceval chez la recluse.*
(Bibliotèque de l'Arsenal. Ms. 3482)

blée d'Arthur et de Galehaut ? Mais ses exploits sont éclipsés par
l'amour de Guenièvre et l'héroïque jeune homme a succombé naguère
à l'attrait du péché. Gauvain alors, courageux et courtois, loyal et
bienfaisant ? Mais sa légèreté l'expose aux tentations périlleuses.
Bohort qui, laborieusement, s'efforce vers une perfection difficile ?
Mais il n'y est point parvenu. Perceval enfin, dont la foi ardente a
racheté les faiblesses ? Mais il porte sur lui, comme une flétrissure,
la mort inexpiable de sa mère. L'élu sera Galaad, le propre fils de
Lancelot, figure irréelle de chevalier-vierge, ministre du Christ et
qui n'en est à vrai dire que l'expression symbolique. Quand celui-là
aura conquis le saint Graal, les chevaliers de la Table Ronde ayant
terminé leur rôle, le roi Arthur n'aura plus qu'à disparaître et son
règne s'achèvera dans un sombre dénouement.

   Ainsi, dans le *Lancelot en prose,* un et complexe tout à la fois,
s'enchevêtrent et se heurtent les tendances les plus opposées. La
tradition courtoise y survit dans ses lignes essentielles, sans en exclure
cet amour artificiel que servent cyniquement les héros de Chrétien.
Mais le grand courant religieux et mystique du XIIIᵉ siècle suggère
aux romanciers de plus hautes aspirations et voici que s'oppose aux
pernicieuses indulgences de la morale courtoise le problème angoissant
de la destinée humaine. Allégories mystiques, pieux symboles, interventions des prêtres et des ermites maintiennent partout présente la
pensée du Seigneur; les exploits chevaleresques ne se justifient qu'en
fonction d'un idéal sacré; la mission de la chevalerie n'est plus
de s'exposer pour les beaux yeux des dames, mais de combattre pour la
sainte Eglise et d'assurer en son nom la protection des faibles et des
opprimés. Le chevalier vaudra par ses vertus chrétiennes autant que
par sa force physique. Cette orientation spirituelle est surtout sensible dans la *Queste,* qui n'est, à vrai dire, qu'une succession de pieux
symboles, à tel point qu'un récent critique a pu la considérer comme
une sorte d'*Imitation de Jésus-Christ;* un autre y voir, à juste titre,
une illustration des idées de saint Bernard.

   On voit par là que le *Lancelot,* s'il forme un récit continu et,
somme toute cohérent, groupe pourtant des éléments dont l'esprit
diffère. Sa composition, par là même, pose à la critique un problème
dont la solution, à défaut de preuves formelles, ne peut s'établir
que sur des hypothèses. Faut-il, en tenant compte de l'agencement
logique des épisodes, conclure à l'existence d'un auteur unique, qui,
par ses propres moyens, se serait acquitté de cette tâche écrasante ?
C'est l'opinion que, dans un livre célèbre, F. Lot a soutenue avec
de sérieux arguments. Mais n'est-il pas préférable d'admettre avec
M. Jean Frappier que la *Queste* et la *Mort Artu* sont l'œuvre d'auteurs différents et qu'un habile architecte, les donnant comme suite
au *Lancelot propre,* couronna le tout d'un remaniement de Robert
de Boron, réussissant, par d'heureuses transitions, à donner au lecteur
l'illusion de l'unité.

Autres   Non moins favorisé que *Lancelot*, *Tristan* fut
remaniements aussi l'objet d'un remaniement en prose où les don-
en prose.   nées premières se trouvaient noyées sous un flot
d'aventures. Sa légende se rattacha au *Bret*, épisode dérivé de la vie
de Merlin, et à *Palamède*, pour constituer un ensemble dont nous
pouvons nous faire une idée par la composition de Rusticien de
Pise, rédigée au plus tôt en 1270, et qui se répandit surtout dans
sa traduction italienne.

Sous leur forme remaniée, les romans de la Table Ronde connurent
le plus heureux destin. Le *Lancelot* tenta successivement un poète
néerlandais et un prosateur allemand et, à la fin du XVᵉ siècle, un
Anglais, sir Thomas Malory, renouvela la légende d'Arthur d'après
des originaux français; de ce tronc noueux se détachent de jeunes
rameaux comme *Perceforest* en France, *Amadis* au Portugal et en
Espagne. Malgré des longueurs, des contradictions, une monotonie
inhérente au sujet lui-même, les Romans de la Table Ronde doivent
être tenus pour des œuvres d'art. Les auteurs manient déjà avec
aisance cet instrument encore neuf et fragile qu'est la prose française et ils en tirent parfois des effets surprenants, à une époque où
la pensée s'exprime plus volontiers en vers. Ils nous peignent un
aspect particulier de la psychologie des classes élevées au cours du
XIIIᵉ et nous montrent l'idéal courtois en régression devant les idées
chrétiennes.

Romans   Mais les romans de la Table Ronde ne sont pas,
d'aventures.   à beaucoup près, le seul aspect qu'ait revêtu dans
la littérature française du moyen âge la légende arthurienne. Au
moment même où Robert de Boron s'occupait d'enrichir *Perceval*
d'éléments mystiques, d'autres poètes demeuraient fermement attachés à la conception traditionnelle, telle qu'elle nous apparaît dans
Erec ou dans *Ivain*, d'un jeune héros venu à la cour d'Arthur, mêlé
par le hasard à de surprenantes aventures et finissant par épouser
une jeune fille qui lui apporte sa terre en lui accordant sa main. Ces
romans, dont les plus connus sont le *Fergus* de Guillaume, *Méria-
deuc* ou *li chevaliers as deus espees*, le *Guinglain* de Renaud de
Beaujeu, le *Beaudous* de Robert de Blois, ne méritent guère de
nous retenir longtemps. Pourtant, les contemporains mettaient sur
le même pied que Chrétien un certain Raoul de Houdenc dont le
Méraugis de Portlesguez, farci d'épisodes chevaleresques et de descriptions éclatantes, rappelle volontiers *Erec*.

Plus intéressants à coup sûr sont les romans d'aventures, non pas
tous ceux qu'on est convenu de ranger sous cette étiquette un peu
vague, et dont la plupart ne font que reprendre, en termes souvent
moins heureux, la matière des romans antiques et arthuriens, mais
les poèmes originaux d'inégale étendue dont le cadre n'évoque plus
un monde imaginaire. Ancêtres lointains du roman moderne, ils tra-

duisent plus ou moins directement la réalité contemporaine et décrivent un milieu vivant. Aussi précieux à l'historien qu'au philologue, ils nous offrent, sous la fiction d'une intrigue amoureuse, un tableau détaillé des mœurs, des idées et des goûts de la haute société française, durant le cours du XIIIe siècle. Le sujet de *La Châtelaine de Vergy*, élégante aventure d'amour close par un dénouement tragique, est trop connu pour qu'il vaille la peine de résumer, en la déflorant, une intrigue essentiellement psychologique. Un poète contemporain de saint Louis, noble ou jongleur, s'emparant d'un fait divers, a brodé sur un précepte de l'art d'aimer, la nécessité du secret, d'ingénieuses variations sans détails superflus ni descriptions conventionnelles. L'action se déroule dans les cœurs et s'exprime en dialogues sertis dans une trame narrative réduite à l'indispensable.

On éprouve le même agrément à lire le délicieux *Lai de l'Ombre* que le poète Jean Renart a sans doute conçu pour la chambre des dames : Un chevalier, par surprise, a fait accepter un anneau à celle dont il convoite les faveurs; mais celle-ci, se ravisant, lui a restitué l'objet. Assis sur la margelle d'un puits au fond duquel tremble une eau limpide, ils en discutent sans aigreur. « Puisque vous le voulez », dit le jeune homme, « je reprends mon anneau, pour le donner à ma très chère amie. — Qui donc est-elle ? — Votre ombre elle-même qui l'attend. » Il jette l'anneau dans l'eau tranquille qui reflète l'image de sa dame. Il n'en faut pas plus pour attendrir celle-ci, qui, cette fois, se laisse fléchir, et de longs baisers concluent le débat. Mais si Jean Renart est capable de traiter en quelques centaines de vers un épisode sentimental à l'intention des délicats, il peut aussi composer de longs romans courtois à la manière de Chrétien de Troyes. La critique contemporaine lui en a restitué quelques-uns : l'*Escoufle*, où le réalisme le plus cru côtoie les inventions les plus invraisemblables, dont l'action a pour ressort un anneau dérobé par un milan; moins sûrement peut-être *Galeran de Bretagne*, audacieux plagiat du lai du *Frêne*, de Marie de France; mais il est certainement l'auteur de *Guillaume de Dole*, appelé aussi le *Roman de la Rose*. Le poète y développe un thème populaire dont le succès fut tel que Gaston Paris a pu grouper ses diverses manifestations sous le titre général de *Cycle de la Gageure* : La jeune Liénor, sœur de Guillaume et fiancée à l'empereur Conrad, jouit d'une réputation parfaite, quand le sénéchal de l'empereur, ayant appris qu'elle porte à la cuisse la marque d'une rose, fait planer des doutes sur sa vertu. Mais, après diverses péripéties, la jeune fille confond son accusateur devant la cour assemblée. Dès le XIIe siècle, l'auteur du *Comte de Poitiers* avait conté la même histoire, en lui donnant pour héros Girart, comte de Poitiers, et son épouse. Aux environs de 1229, un des continuateurs de *Perceval*, Gerbert de Montreuil, utilisant le *Comte de Poitiers* et *Guillaume de Dole*, et mettant à profit le souvenir de ses lectures, nous conte, dans le *Roman de la Violette*, la

triste aventure de Gérart, comte de Nevers, qui, pour avoir imprudemment vanté l'innocence d'Euriaut, son amie, faillit la perdre. Le
méchant comte de Forez, Lisiart, ayant parié de la réduire en quelques jours, se fit admettre chez elle et, par la trahison d'une servante, apprit qu'elle portait « sor sa destre mamiele » un signe en
forme de violette. Gérart, furieux, entraîne Euriaut pour la tuer,
puis, y renonçant, l'abandonne. Elle est recueillie par le duc de Metz
qu'elle refuse d'épouser. Gérart, déguisé en jongleur, s'introduit
dans le château de Lisiart où il apprend la vérité; Euriaut a été
calomniée, il faut la retrouver à tout prix. Après un séjour en
Bourgogne, Gérart tombe malade à Châlons, traverse les Ardennes
et combat contre les Saxons, agresseurs du duc Mile, à Cologne.
Au moyen d'un philtre, la fille du duc, Aiglente, gagne l'amour
de Gérart qui oublie Euriaut. Mais un jour, à la chasse, le faucon
du jeune homme prend une hirondelle qui porte une bague à son
cou. Gérart reconnaît le bijou comme appartenant à sa belle amie;
le charme est rompu, Gérart reprend ses recherches et finit par
arriver à Metz au moment où Euriaut, faussement accusée de
meurtre, va passer en jugement. Le héros prouve son innocence;
puis, sur l'invitation du comte d'Alost, les chevaliers, y compris
Gérart, se rendent à Château-Landon pour prendre part à un tournoi qui doit mettre aux prises le traître Lisiart et le comte de
Montfort. Après le tournoi, Gérart dénonce Lisiart devant le roi.
Un duel est ordonné, à la suite duquel Lisiart, vaincu, est mis à
mort. Gérart épouse Euriaut et revient avec elle dans sa ville de
Nevers.

Sacrifiant sans excès au goût du fantastique, plus rationnellement
composé que les récits purement courtois, le *Conte de la Violette*
est l'un des plus séduisants parmi les romans d'aventures. Le style
élégant et précis garde encore les traits essentiels du style épique,
comme l'emploi des répétitions et des allitérations, mais il trahit
un sensible effort pour atteindre le mot propre et l'expression des
caractères individuels. L'originalité de Gerbert apparaît aussi dans
l'introduction de couplets lyriques dont le sens s'applique au
contexte. Le procédé n'est sans doute pas nouveau et la première
application connue se trouve dans *Guillaume de Dole,* mais après la
Violette les imitateurs se multiplieront. Ce n'était dans l'esprit des
auteurs qu'un ingénieux moyen de couper le récit, d'en rompre la
monotonie par des intermèdes où le lecteur reconnaissait l'écho des
chansons familières.

« *Aucassin*   Mais il arrivait aussi qu'on mêlât dans un
et Nicolette ».   roman la prose et les vers, comme c'est le cas
pour la « chantefable » d'*Aucassin et Nicolette*. On pourra discuter
longtemps encore sur le caractère véritable de ce petit chef-d'œuvre, témoin isolé d'un genre qui dut avoir une certaine vogue. Est-ce

un roman, un conte, une nouvelle ? Evidemment c'est un récit, mais où le dialogue est prépondérant, où les parties chantées alternent avec le récitatif, de telle façon qu'on peut y voir un embryon de composition dramatique ou, comme on l'a dit, un mime. Le thème, qui rappelle celui de *Floire et Blancheflor*, n'en dérive pas nécessairement, car c'est aussi celui de *Pyrame et Thisbé*, et l'auteur s'est inspiré de la littérature du temps, qu'il connaissait à merveille. Mais comme il a su garder son originalité propre en dessinant avec un art exquis de miniaturiste les deux figures centrales ! C'est d'une part Aucassin, fils du comte de Beaucaire qui « biax estoit et gens et grans et bien tailliés de ganbes et de piés et de cors et de bras »; de l'autre Nicolette, captive sarrasine, que nous voyons, au clair de lune, se faufiler dans un jardin :

« Ele avoit les cavi*a*us blons et menus recercelés [*bouclés*], et les ex vairs et rians, et la face traitice, et le nes haut et bien assis, et lé levretes [*petites lèvres*] vremellettes plus que n'est cerisse ne rose el tans d'esté, et les dens blans et menus ; et avoit les mameletes dures qui li souslevoient sa vesteure aussi con ce fuissent deus nois gauges [*grosses noix*] ; et estoit graille par mi les flans qu'en vos dex mains le peusciés enclorre ; et les flors des margerites qu'èle ronpoit as ortex de ses piés, qui li gissoient sor la menuisse du pié [*cou de pied*] par deseure, estoient droites noires avers [*à côté de*] ses piés et ses ganbes, tant par estoit blance la mescinete. »

Cruellement séparés par la volonté du comte de Beaucaire, les deux amants se retrouvent pour se perdre à nouveau, jusqu'au moment où Nicolette, instruite de sa véritable naissance, nous est révélée comme la fille du roi de Carthage. Elle peut, dès lors, épouser Aucassin et le mariage ne tarde pas :

Quant or le voit Aucassins,
Andex ses bras li tendi,
Doucement le recoulli,
Les eus li baisse et le vis.
La nuit le laissent ensi,
Tresqu'au demain par matin
Que l'espousa Aucassins :
Dame de Biaucaire en fist ;
Puis vesquirent il mains dis [*jours*]
Et menerent lor delis.

Délicatesse des détails, fraîcheur exquise des sentiments, simplicité naïve d'un style pourtant expressif et coloré, tout séduit dans la « chantefable ». L'intérêt se maintient sans jamais fléchir dans la succession des épisodes, et l'idylle amoureuse, souvent interrompue, reçoit une conclusion conforme à l'esprit des romans courtois; mais la fantaisie du poète brise le cadre conventionnel et, sans offenser la mode, obéit à son instinct.

Une production abondante, une variété de récits qui, pour être conçus d'une manière analogue et s'inspirer souvent les uns des

autres, n'effacent pas toujours la personnalité des auteurs; un tissu
richement brodé d'arabesques ingénieuses où se joue l'imagination;
une prodigalité de situations, de péripéties, de descriptions, de sentiments, de personnages, telle est à notre sens la littérature courtoise.
Du milieu du XIIe siècle aux premières années du XIVe, elle trouve
en France des lecteurs assidus, elle s'impose à l'étranger. Traditions
antiques, légendes galloises, conception méridionale de la vie mondaine fournissent aux auteurs une intarissable matière servant de
cadre et de support à la peinture d'une élite sociale où la femme
tient son rang. C'est pourquoi, progressivement, l'amour naît au
cœur des héros de romans : d'abord timide et naturel, puis violent
et dévastateur, comme l'enseignaient Ovide et Virgile. Mais lasses
d'en être victimes et de subir innocemment le sort pitoyable de Bri-
seïs, de Polyxène, de Didon ou de Lavinie, les femmes ont fini par
le mettre en chaînes et, prêtant l'oreille aux avis pervers des troubadours provençaux, elles ont appris qu'à leur service il pouvait être
un instrument de domination mondaine. Dès lors, le chevalier n'est
plus que l'humble esclave de sa dame, attentif à tous ses désirs, au
mépris, s'il le faut, du devoir et de l'honneur. Et les choses iront
ainsi jusqu'au jour où, s'apercevant que le jeu n'est pas sans péril,
de sages poètes, sans abandonner toutefois les thèmes littéraires
éprouvés, substitueront à la poursuite des joies fugaces de la terre,
la recherche incomparable du Sauveur.

CHAPITRE V

LA POÉSIE LYRIQUE

*Les origines. Influence de la poésie méridionale. Quelques trouvères.
Chansons pieuses.*

**Les
Origines.** Quand la pensée populaire cherche à se manifester, il semble tout naturel qu'elle s'exprime en
vers et que le rythme de ces vers se prête à l'accompagnement mu-
sical. La chanson est encore de nos jours la forme élémentaire de la
poésie : chanson triste, chanson gaie, romance sentimentale, couplets patriotiques excellent à traduire les émotions de la foule, sans
artifice ni recherche, avec la naïveté, la simplicité, la vulgarité même
qui les caractérisent. Et bien qu'on ne puisse parler à présent de
création spontanée, on peut observer que les chansons modernes
atteignent d'autant plus sûrement la grande popularité que les auditeurs y retrouvent le reflet de leur idéal sommaire. Les habitants
de la Gaule mérovingienne et carolingienne n'éprouvaient pas sans
doute de plus grand plaisir qu'entendre chanter et chanter eux-
mêmes et ces chants lyrico-épiques, invoqués jadis pour expliquer
la genèse des chansons de geste n'étaient peut-être, s'ils ont jamais
existé, que les rudes accents du peuple célébrant la gloire du Christ,
de la Vierge et des saints, ou commémorant les exploits des guerriers
fameux, dont la vie, avec le recul, se parait de traits légendaires.
Quand, aux périodes de calme et de sécurité, les gens des campagnes se rassemblaient dans leur village pour acclamer le retour du
printemps et marquer la reprise des travaux rustiques, des chœurs
se formaient et, à défaut d'instruments, la voix des chanteurs ryth-
mait les figures de la danse. « *A l'entrada del tems clar* », chantera
l'auteur d'une *balada* provençale et les poètes français continueront
à évoquer au début de leurs chansons la joie du renouveau :

> Quant se resjoïssent oisel
> Au tens que je voi radoucir...

et plus spécialement les beaux jours d'avril :

> A l'entrant de Pascor
> Dejoste un aiglentier
> Ere [*j'étais*] por la verdor...

ou la splendide floraison du mois de mai :

> L'autrier en mai, que rose est florie,
> Je l'alai coillir par grant druerie [*galanterie*]

Les femmes, au rouet ou à la fontaine, accompagnaient leur travail en fredonnant des airs faciles dont le thème n'était pas toujours fourni par la religion. L'éternel amour occupait leurs âmes et elles en disaient le charme et les tourments. Il arrivait aussi que l'instinct satirique les fît médire d'un sot époux ou d'un galant trop emprunté, et les hommes, de leur côté, pouvaient être tentés d'exprimer leurs rancunes personnelles ou politiques sous une forme chère au pays de France où tout finit par des chansons. L'Eglise eut parfois à sévir contre les ecclésiastiques trop curieux d'assister aux danses ou aux repas qui les suivaient; un capitulaire de Charlemagne s'éleva contre l'abus des chansons satiriques et, en 1124, Henri Ier d'Angleterre, pour avoir essuyé la verve mordante d'un certain Luc de la Barre, s'en vengea, dit-on, cruellement. Dès l'origine et jusqu'au XIIe siècle, il est probable qu'on chanta sur tous ces modes. Les couplets de la *rotrouenge* évoquèrent les sentiments les plus divers; le *serventois* se plut aux galants badinages, et de brefs *estrambots* s'attaquèrent, non sans risque, aux légers ridicules comme aux criants abus. Autant qu'il a été possible de reconstituer ces chansons primitives, à l'aide des refrains enchâssés dans les œuvres postérieures, ou par l'étude attentive de la poésie portugaise, allemande et italienne, on imagine une poésie très simple, pleine de fraîcheur et de sincérité où le trait, sans être cherché, porte et frappe à coup sûr. C'est qu'à vrai dire, les auteurs n'étaient point des professionnels. Les chansons à danser qui formaient à l'origine le plus clair du répertoire, étaient nées spontanément pour les besoins du jeu; et comme les jeunes gens, tout d'abord, étaient tenus à l'écart de la danse, c'est des lèvres des jeunes filles que les premiers sons s'échappèrent. Continuellement balancées entre l'espoir et le regret, elles montraient un cœur sans replis, que nulle passion ne dévorait. Les circonstances ne convenaient guère aux épanchements sentimentaux; c'est à peine si l'on peut surprendre çà et là une pointe de mélancolie, pour cause d'abandon ou de séparation, léger nuage dissipé aussitôt qu'apparu, et qui ne saurait obscurcir l'éclat de la joie commune.

La Châtelaine de Vergy
Coffret d'ivoire, XIVᵉ siècle (Musée du Louvre)

Les genres aristo-cratiques. Populaire à l'origine, la poésie lyrique perd bientôt ce caractère. Telle qu'elle nous apparaît dans les textes conservés, c'est déjà une poésie aristocratique et savante; la mode et la littérature ont passé par là. De divertissement villageois la chanson devient, par l'action des trouvères, un genre littéraire dont les lois s'enseignent, et qui se pique de satisfaire aux exigences des gens de goût. Et comme, à ce moment même, la littérature latine est en pleine renaissance, on y puise des exemples et des modèles à imiter. C'est vraisemblablement dans les cours méridionales où, nous l'avons vu, la culture cléricale a pénétré de fort bonne heure dans les classes élevées, que se sont créées les formes où s'encadrera par la suite l'inspiration des poètes lyriques, tant du Nord que du Midi.

Chansons de toile. Il n'est pas sûr que les *Chansons d'histoire ou de toile* nous présentent les spécimens les plus anciens du lyrisme septentrional. Il serait vain, dans tous les cas, d'y chercher la pure expression d'une pensée naïve et populaire. D'étendue limitée, réduites à une action très simple animée par quelques personnages, elles ont d'ordinaire pour sujet une aventure dramatique, brièvement conduite en strophes de quatre à huit vers assonancés et pourvus d'un refrain. Elles nous transportent parfois dans un milieu chevaleresque, mais leurs héroïnes sont le plus souvent de simples filles contrariées dans leurs désirs ou séparées de leur amant. Quand le dénouement est heureux, elles se terminent par un mariage, sinon c'est l'abandon et le désespoir. On imagine difficilement que la réalité soit à la base de ces compositions faussement naïves et que les femmes de toute condition aient eu à cette époque le cœur aussi fragile. Tandis que les hommes, gardant leur sang-froid, n'ont en vue qu'une satisfaction passagère, les jeunes filles et les épouses se donnent au premier venu sans la moindre appréhension. *Belle Ysabel,* avant d'en avoir reçu le conseil, songeait déjà à prendre un amant et, quand Yolant voit pénétrer le sien dans sa chambre,

> Ne pot parler, ne li dist o [*oui*] ne non,

puis, lui tendant les bras, elle lui fait, sans rougir, l'offre d'elle-même :

> Quant vos plaira, si me porez baisier,
> Entre vos braz me voil aler couchier.

Gaiete n'hésite pas à quitter sa sœur Orior pour un ami de rencontre :

> Le samedi al soir faut [*finit*] la semaine :
> Gaiete et Orior, serors germaines,
> Main a main vont baignier a la fontaine.
> Vente l'ore [*la tempête*] et li raim [*branches*] crollent :
> Qui s'entraiment soef dorment !

Le jeune Gérard aperçoit Gaiete,

> Entre ses bras l'a prise, soef [*doucement*] l'a streinte.

Orior n'a plus qu'à s'éloigner, pâle et marrie; l'amour si brusquement né a chassé du cœur de Gaiete tous les autres sentiments. Sans
tourner la tête, les deux amants prennent le chemin de la cité et,
dès qu'ils y sont parvenus, ils s'épousent :

> L'enfes Gerarz et Gaie s'en sont torné,
> Lur droit chemin ont pris vers la cité.
> Tantost com il i vint l'a esposé.
> Vente l'ore, *etc.*

Le drame se déroule en six courtes strophes de trois vers suivis
d'un refrain de deux. Le lieu de la scène est indiqué d'un mot; le
caractère des personnages est à peine esquissé. Et brusquement c'est
l'amour foudroyant que Gaiete accepte sans hésiter. Orior, abandonnée, s'en va, la larme à l'œil, triste d'avoir quitté sa sœur, mais
sans avoir rien fait pour l'en détourner. C'est que l'amour n'a que
faire du raisonnement et des scrupules; la femme, victime heureuse
et consentante, doit le subir malgré les risques. Il ne semble pas que
ce genre aimable, apparemment cultivé dans les milieux courtois,
ait débordé sensiblement le XIIᵉ siècle; mais il avait eu assez de succès
pour qu'au XIIIᵉ siècle, Audefroi le Bâtard s'avisât de le rajeunir.
Malheureusement, la substitution de la rime à l'assonance, l'emploi
fréquent de l'alexandrin, le moins lyrique des vers, l'allongement du
récit par l'accumulation des détails ne permettent pas de placer ces
compositions laborieuses au même niveau que les premières *chansons
de toile.*

**Chansons
d'aube.** C'est le soir que les amants, trompant la vigilance des parents inquiets ou d'un soupçonneux
époux, se rejoignent à la faveur de l'ombre. On trouve encore aujourd'hui, dans tous les pays, le thème de la sérénade donnée par
l'amant à sa belle, pour qu'elle lui ouvre sa porte ou lui facilite l'accès de son balcon. Mais ces plaisirs clandestins prennent fin avec le
jour. C'est d'abord la femme elle-même qui annonce la séparation
prochaine : un chant d'alouette vient de saluer le premier rayon du
soleil. Puis c'est le veilleur de nuit, *la gaite*, qui prodigue les aver-
tissements, tandis que les deux amants échangent dans une dernière
étreinte leurs promesses et leurs regrets. Ces chansons d'*aube* ou
d'*éveil*, sous la forme où nous les avons, trahissent nettement l'influence provençale.

**La
pastourelle.** De toutes les formes de la poésie lyrique méridionale, la *pastourelle* est la plus largement représentée dans la France du Nord. Mais si les œuvres sont nombreuses,
elles sont peu différenciées et paraissent construites sur un schéma

bien défini. Un chevalier se promène le matin à travers la campagne. Sur son chemin, à l'ombre d'un bosquet, dans une prairie, il aperçoit une pastoure flanquée de son chien et de son bâton, et quelquefois occupée à chanter le regret que lui cause l'absence de ses amis « Garinet et Robeçon ». Frappé de sa beauté, le chevalier met pied à terre et lui offre, sans préambule, un amour qui vient d'éclore.

> Faisons de fueile cortine,
> S'amerons mignotement.

Tantôt la bergère insensible se refuse à l'écouter; on ne la prend pas avec de belles phrases, la promesse d'un manteau de vair ou d'un joyau d'or, car elle préfère à toutes ces splendeurs les simples joies qu'elle savoure à côté de son ami; tantôt elle n'a que des soupçons et manifeste une instinctive défiance : elle n'est ni assez belle ni assez bien parée pour mériter un tel amour, et son père ou son ami, qui labourent non loin de là, pourraient faire à l'enjôleur un mauvais parti. Parfois les répliques du chevalier sont si persuasives et ses offres si alléchantes qu'elles triomphent des résistances, mais il arrive aussi que, la fille appelant au secours, Robin abatte sur le dos du rival une grêle de coups de bâton, à moins que, d'une bourrade, il ne l'étale dans la boue. Comme il est plus sage de vider les lieux avant l'arrivée des renforts !

> Aval les prez regardai,
> S'oï criant
> Deus pastors par mi un blé
> Qui venoient huiant [criant]
> Et leverent un grant cri.
> Assez fis plus que ne di :
> Je la lès [laisse], si m'en foï,
> N'oi cure de tel gent.

Chansons de danse. Tandis que la *chanson de toile*, *l'aube* et la *pastourelle* se chantaient à l'exclusion de tout ébat chorégraphique, certaines formes étaient spécialement destinées à soutenir le rythme de la danse. Tandis qu'un petit nombre de personnes, et sans doute les danseurs, chantaient les couplets, le chœur des assistants reprenait au refrain, ce qui contribuait au mouvement et à l'animation du jeu. Pour répondre à ces conditions, la chanson devait réduire l'exposé narratif et reporter tout l'intérêt sur le dialogue, comme dans nos rondes enfantines. Il s'agissait presque toujours d'une femme recherchée par un amant et qui devait, pour le rejoindre, mettre en défaut la surveillance d'un père ou d'un époux; tandis qu'un groupe chantait les joies de l'amour, un autre s'adjugeait le rôle du fâcheux et du trouble-fête. Les couplets, dont le nombre était d'abord illimité, ne sont plus que trois dans la *ballette*. La versification, primitivement réduite à quelques vers monorimes, devient par la suite plus savante et chaque strophe se termine par

un refrain. Le *rondet* n'est qu'une *ballette* dont le refrain s'insère
dans le corps du couplet :

> Hareu, li maus d'amer
>   M'ochist.
> Il me fait desirer ;
> Hareu, li maus d'amer
> Par un douch regarder
>   Me prist.
> Hareu, li maus d'amer
>   M'ochist.

Le *rondet*, qui deviendra plus tard le *triolet*, dut exister dès le
XIIᵉ siècle, mais il perdit sa vogue à partir du moment où il cessa
d'accompagner les danses. Réduit à une seule strophe au XIVᵉ siècle,
il survivra sous cette forme jusqu'au XVᵉ. Le *virelis* ou *virelai* tient
à la fois du *rondet* et de la *ballette;* ceux que nous possédons ne
remontent pas au-delà du XIVᵉ siècle, mais il est certain que Ma-
chault, Froissart et Deschamps n'en étaient pas les inventeurs.

Il est donc assez malaisé de préciser le rôle de la création populaire dans notre ancienne poésie lyrique. Les œuvres qui nous sont
restées appartiennent à des genres artificiels et savants dont la pratique suppose un long apprentissage. Si la *pastourelle*, en son thème
essentiel, met en scène des bergers et des bergères, il est difficile d'y
reconnaître une fidèle traduction de la réalité. Le fait même que
les poètes ne semblent pas prendre au sérieux leurs personnages,
prêtent aux galants une hardiesse bien singulière, aux femmes le
mépris de toute réserve, aux paysans une allure volontiers bouffonne,
l'absence de fantaisie et de diversité dans la présentation des récits
et dans le ton qui les anime, tout porte à croire qu'il s'agit là de
compositions exclusivement littéraires, destinées à un public restreint. La chanson d'*éveil* n'est, de son côté, qu'une imitation de
l'*alba* provençale, un des genres lyriques que le Midi cultiva le plus
volontiers et dont encore, au XIIIᵉ siècle, le troubadour Guiraut Ri-
quier nous fournit des exemples. Mais tout en s'inspirant de modèles
provençaux, la poésie du Nord ne cesse d'exploiter les thèmes généraux qui sont les fleurs de son terroir et que les poètes de langue
d'oc ne dédaignent pas d'emprunter. Les chansons de danse, notamment, conservent dans leurs refrains bien des traits primitifs
que l'imagination du peuple et l'observation directe avaient pu créer
sans modèles ou dont la source était à portée de la main. La condition de la femme, telle qu'elle nous y est dépeinte, sa passivité,
sa soumission aux désirs de l'homme, traduisent plus exactement la
conception des trouvères épiques que celle des cours méridionales;
la simplicité des mœurs, la vulgarité parfois grossière des sentiments,
l'absence d'analyse et de raffinement procèdent plutôt de la tradition gauloise et c'est pour cela sans doute que, de tous les genres
lyriques, celui-là fut le premier à disparaître.

Influences   Voici, en effet, une chanson d'amour qui présente
provençales.   un tout autre caractère :

Mout me semont [*sollicite*] Amors que je m'envoise [*réjouisse*],
Quant je plus dois de chanter estre coiz ;
Mais j'ai plus grant talent que je me coise [*repose*].
Por ç'ai je mis mon chanter en defois [*interdit*],
Que [*parce que*] mon langage ont blasmé les François
Et mes chançons, oiant les Champenois
Et la contesse encor, dont plus me poise [*chagrine*].

La roïne n'a pas fait que [*comme*] cortoise,
Qui me reprist, ele et ses fiz li rois.
Encor ne soit ma parole françoise,
Si la puet on bien entendre en françois ;
Ne cil ne sont bien apris ne cortois
Qui m'ont repris se j'ai dit moz d'Artois,
Car je ne fui pas noriz [*élevé*] a Pontoise.

Dieus ! que ferai ? Dirai li mon corage ?
Li irai je dont s'amor demander ?
Oïl, par Dieu ! car tel sont li usage
Qu'on n'i puet mais senz demant rien trover ;
Et se je suis outrajos del rover [*trop hardi de la prier*],
Si n'en doit pas ma dame a moi irer,
Mais vers Amors, qui me fait dire outrage.

Ainsi chantait, vers 1180, le trouvère Conon de Béthune, protégé
de la comtesse Marie de Champagne à qui s'adressent ses soupirs.
Etait-il vraiment affligé des reproches que lui valait son parler pro-
vincial de la part des Français en général et plus spécialement de
la reine Aélis et du jeune roi Philippe II ? Eprouvait-il en outre
pour sa bienfaitrice un amour impatient de se manifester et pou-
vait-il, sans qu'elle en prît ombrage, lui dédier une chanson, ou
tout cela n'était-il après tout que littérature ? Pour répondre à
cette question, plaçons en regard des vers de Conon ce couplet d'un
troubadour.

En pessamen me fai estar Amors
Cum pogues far una guaya chanso
Per la bella a cuy m'autrey em do,
Quem fes chauzir mest totas las gensors.
E vol qu'ieu l'am lialmen ses enjan.
Ab verai cor et ab tota ma cura ;
Si fas ieu si c'ades creys e melhura
L'amor qu'iel port e doblan miey talan.

[*Rendu soucieux par Amour, je me demande comment faire une
chanson gaie pour la belle à qui je m'octroie et me donne et qu'il
me fit choisir parmi toutes les plus nobles; et il veut que je l'aime
loyalement, sans tromperie, d'un cœur sincère et de tout mon souci;
et je fais ainsi, de sorte que toujours s'accroît et s'améliore l'amour
que je lui porte et que mes désirs sont redoublés*].

Sans prétendre établir, ce qui serait faux, la moindre filiation directe entre Guilhem de Cabestanh et Conon de Béthune, constatons que les deux pièces rendent un peu le même son. Les délicates fantaisies de la lyrique méridionale ont pénétré chez les Français du Nord : le poète affligé pour une raison quelconque, dont la futilité fait contraste avec l'émouvante gravité du ton, ne peut se tenir d'exprimer la passion qui le dévore, amour audacieux de « ver de terre amoureux d'une étoile », mais qui ne paraît pas d'ailleurs risquer grand-chose à se manifester. Si maintenant nous rappelons que la comtesse Marie de Champagne, à qui s'adresse la prière de Conon, est la même princesse qui fournit à Chrétien le sujet de *Lancelot*, nous pouvons en conclure que le chansonnier, poète courtois, comme Chrétien, a vécu dans le même milieu et subi les mêmes influences. L'étroit contact entre le Nord et le Midi dont nous avons éprouvé l'effet sur l'évolution du cycle breton, exerce sur la littérature lyrique une action plus directe encore. La doctrine sentimentale des poètes méridionaux est tout entière contenue dans les chansons des troubadours; il est logique qu'avant même d'influer sur les œuvres narratives, elle ait profondément marqué le genre littéraire qui lui correspondait le mieux.

Il faut croire que depuis longtemps, et sans doute à la faveur des croisades, le Nord et le Midi littéraires avaient appris à se connaître. Mais ils se pénètrent beaucoup plus étroitement après le mariage du roi Louis avec l'héritière d'Aquitaine, dans la société brillante que cette princesse cultivée sut retenir autour d'elle. Aux trouvères septentrionaux qui se mouvaient alors dans un monde conventionnel et se contentaient d'exprimer des sentiments élémentaires, les troubadours ont enseigné le secret de l'analyse intérieure. Les héros de leurs poèmes ne sont pas en effet des chevaliers quelconques ou des bergers de pastorale, leurs héroïnes, des jeunes filles qui regrettent l'absence d'un ami parti pour la croisade, ou déplorent l'abandon d'un amant versatile, des femmes qui, pour se consoler d'un mauvais mariage, appellent cyniquement un consolateur : ce sont les poètes eux-mêmes qui ont lutté, souffert pour leur amour, et l'incomparable objet de cet amour, la dame imaginaire ou réelle, douée de toutes les perfections. On contait la poignante histoire du gracieux prince de Blaye, Jaufré Rudel, *«qui s'énamoura de la comtesse de Tripoli, sans l'avoir vue, pour le bien qu'il en avait entendu dire par les pèlerins qui revenaient d'Antioche. Il composa pour elle maints bons vers, avec une belle mélodie, mais de pauvres mots; et, par désir de la voir, il prit la croix et se mit en mer. Au cours de la traversée, il fut saisi d'un si grand mal que ses compagnons pensèrent qu'il mourrait sur le navire, mais ils firent tant qu'ils l'amenèrent à Tripoli, dans une auberge, déjà à moitié mort. On avertit la comtesse qui vint à lui et le prit dans ses bras; et il sut que c'était elle, reprit ses sens et loua Dieu d'avoir soutenu sa vie pour lui permettre de la voir. Et il mourut ainsi dans les bras de la dame qui le fit enterrer dans la maison du Temple et le jour même se rendit nonne, pour la douleur qu'elle eut de lui et de sa mort* ». La fin tragique de Guilhem de Cabestanh faisait passer sur les lecteurs un frisson d'épouvante. On disait comment le poète, amant de la belle Sorimonde, épouse du seigneur de Château-Roussillon, avait été tué par ce jaloux qui lui enleva le cœur et, l'ayant fait cuire et assaisonner, le donna à manger à sa femme. Sans doute les biographes des troubadours avaient-ils recueilli sur leurs personnages les traditions qui circulaient, ajoutant de leur propre fonds et noyant sous la fantaisie la réalité historique; mais quand les milieux courtois s'initièrent à la poésie provençale, comparant la vie plus ou moins légendaire des poètes et leurs œuvres, ils se persuadèrent aisément que ces dernières étaient l'expression véritable de sentiments éprouvés. Un autre attrait de cette poésie était la richesse des procédés techniques et, notamment, la variété des rythmes. Une expérience déjà longue avait permis à ceux qui pratiquaient cet art savant de pousser la perfection jusqu'au raffinement. Pour chaque nouveau poème, l'auteur devait créer une forme nouvelle, soit qu'il modifiât le nombre des vers, soit qu'il fît alterner des vers de différentes mesures, soit qu'il cherchât l'originalité dans la répartition des rimes. Mais à trop bien soigner la forme, les troubadours et leurs imitateurs risquaient de négliger le fond, et de se résoudre à traiter indéfiniment les mêmes thèmes. Ce reproche paraît fondé si l'on observe que la poésie provençale raffine exclusivement sur les théories de l'amour courtois, telles que nous les trouvons codifiées dans le *Tractatus* d'André le Chapelain. Qu'il s'agisse de chansons érotiques, de *tensons* ou de *jeux-partis*, c'est toujours la même conception d'un amour le plus souvent platonique, qui ne triomphe qu'à force de supplications et d'épreuves, et dont l'objet est une femme dont la situation importe peu, pourvu qu'elle réunisse toutes les perfections. Mais à rechercher inlassablement l'expression la plus rare d'un idéal abstrait de beauté physique et morale, les poètes lyriques, abandonnant la terre, se haussent par ce détour à la pensée métaphysique. Entourant d'un culte dévot la femme adorable et parfaite, source de toutes les joies, inspiratrice de toutes les prouesses, c'est en réalité vers Dieu qu'ils tournent leurs regards, c'est avec lui que se confond leur aspiration au souverain bien. Qu'on ne leur fasse pas grief d'avoir conçu et réalisé une poésie hermétique, dont l'exégète le mieux armé n'est jamais sûr de pénétrer le mystère, d'avoir inventé et préconisé ce *trobar clus* qui fait l'objet d'une célèbre *tenson* entre Rambaut d'Orange et Giraut de Borneil. Ces aristocrates du sentiment que Dante admirera et imitera, dont Guido Guinicelli, Pétrarque et son école subiront l'influence, ont fait naître, dans un monde encore soumis à la tyrannie des instincts matériels, un souci de perfec-

tion qui s'étendra du domaine un peu restreint des rêveries amoureuses à tous les aspects de la vie sociale.

Les trouvères   On comprend sans peine qu'une telle poésie ne
lyriques.   dépasse point le milieu même où elle éclot. Les
trouvères, loin d'être isolés, travaillent le plus souvent avec l'appui d'un protecteur auquel ils doivent en partie leurs succès, comme
ils tirent souvent profit de sa générosité. Un moine jongleur, célèbre par une composition moralisante, mais qui fµt poète lyrique
à ses heures, Guiot de Provins, déclare, dans sa *Bible,* qu'il fut, aux
environs de 1180, le commensal et l'obligé de grands seigneurs qui
le gratifièrent de leurs dons. Sur cette liste de plus de cent personnages on relève Henri Iᵉʳ le Libéral, comte de Champagne, futur
gendre d'Aliénor d'Aquitaine; Othon II, comte de Bourgogne, protecteur de Gontier de Soignies; le comte Gérart de Vienne et de
Mâcon, qui patronna Guiot de Dijon; Guy de Thil-Châtel, nommé
dans une chanson de 1161; Philippe d'Alsace, comte de Flandre,
qui reçut l'hommage littéraire de Gautier d'Epinal; Erart II, comte
de Brienne, poète lui-même, dont le nom est uni à celui de Moniot
d'Arras, d'autres encore. Mais à l'imitation des troubadours, non
contents d'encourager les poètes, certains de ces nobles barons ne
dédaignèrent pas de rivaliser avec eux : c'est Hugues III de Berzé-
le-Châtel, près de Mâcon, Huon d'Oisy, seigneur de Montmirail,
parent de Conon de Béthune et son initiateur, Erart de Brienne,
Richard Cœur de Lion, Thibaut de Champagne, Charles d'Anjou;
et de même que la littérature provençale s'enorgueillit de plusieurs
poétesses, comme la comtesse Béatrice de Die, la poésie du Nord
est illustrée par plusieurs femmes, dont une duchesse de Lorraine.

Il semble bien que la première génération de poètes qui subit
sérieusement l'influence provençale prit contact avec le Midi pendant les Croisades où des Français, venus de tous les points du territoire, se trouvèrent tout à coup réunis. On y relève des Picards,
des Artésiens et des Flamands, comme Conon de Béthune, Blondel
de Nesle, Gautier de Dargies, Gontier de Soignies; des Lorrains,
comme Gautier d'Epinal; des Champenois, comme Chrétien de
Troyes, Gace Brulé et Aubouin de Sézanne; des Bourguignons,
comme Hugues de Berzé et Guiot de Dijon; des Français, comme
le châtelain de Couci. Le second mariage d'Aliénor d'Aquitaine
et ceux de ses filles précisent cette influence et la localisent plus
rigoureusement. Les provinces représentées sont désormais la Champagne, la Normandie, le Maine et l'Anjou. C'est alors qu'apparaissent, concurremment avec les genres plus anciens, *pastourelles,*
chansons de croisade, chansons dramatiques, les *saluts d'amour* et
surtout ces compositions originales, la *tenson* où deux poètes soutiennent des opinions contradictoires, et le *jeu-parti,* véritable débat,
où l'auteur propose à son partenaire la solution d'un problème déli-

Une page de *Chansonnier*
(Bibl. mun. d'Arras. Manuscrit 139)

cat de casuistique amoureuse : Un clerc doit-il taire ou avouer son
amour à une dame qu'il aime depuis longtemps ? — Un amoureux
doit-il, pour plaire à sa dame, lui baiser la bouche ou les pieds ? —
Pour recouvrer les bonnes grâces de son amie, le poète doit-il la
rouer de coups ? — Pourquoi les femmes préfèrent-elles en amour
les adolescents aux hommes d'âge mûr ? Puérilités que tout cela,
exercices de clercs habitués aux controverses de l'école, divertissements oiseux de gens du monde. Sans doute, mais tentative aussi
d'épuration littéraire et morale, d'autant plus difficile que, les
thèmes ne variant guère, l'effort des poètes doit se limiter à l'invention de nouveaux arguments. La poésie lyrique française, imitée
de la provençale, constituait pour nos trouvères une épreuve redoutable et, si beaucoup l'affrontèrent, bien peu y réussirent excellemment. L'abondance des compositions médiocres, les redites, la monotonie, la banalité justifient souvent les jugements sévères portés
sur notre ancienne poésie lyrique. Mais de la masse uniforme et
grise des imitateurs sans talent, émergent quelques poètes dont le
tempérament a fortement marqué les œuvres.

Gace Brulé.   Considérons d'abord le Champenois Gace Brulé,
          petit seigneur originaire de la région de Meaux,
dont l'activité littéraire s'étend sur les dernières années du XIIᵉ siècle et le début du XIIIᵉ. Très familier avec la poésie des troubadours,
il en possède les qualités et les défauts. En dépit des lieux communs
qui lui tiennent lieu d'imagination, ses chansons furent goûtées
par ses contemporains, moins peut-être pour leur contenu que pour
la variété des rythmes et pour la mélodie qui les accompagnait.
Ce qu'il faut noter chez Gace Brulé c'est un assez vif sentiment
de la nature. Quand, à l'imitation des poètes provençaux, il fait
précéder ses chansons d'un rappel de la saison favorable ou contraire à son inspiration, il évoque, par le choix des détails, des souvenirs personnels et sa propre expérience. Quand il entend au cours
d'un séjour en Bretagne le ramage des oiseaux, il songe aussitôt à
son pays natal où la dame de ses pensées n'a que trop longtemps
différé la réponse à ses prières :

> Les oiseillons de mon· païs
>   Ai oïs en Bretaigne :
> A lor chant n'est il bien avis
>   Qu'en la douce Champaigne
>   Les oï jadis,
>   Se n'i ai mespris.
> Il m'ont en si dolz panser mis
> K'a chanson faire me sui pris
>   Tant que je parataigne
> Ceu q'Amors m'a lonc tens promis.

L'hiver, avec la neige et les frimas, n'interrompt pas forcément l'activité du poète. Les arbres couverts de givre, autant que la verte ramure, le déterminent à chanter :

> Contre tanz que voi frimer
> Les arbres et blanchoier
> M'est pris talenz de chanter.

Mais l'époque chérie des poètes, c'est le printemps qui fait fondre la glace, réveille la nature endormie et réchauffe les cœurs engourdis :

> Quant je voi la noif remise
> Qui les oiseillons destraint,
> Que la glace fraint et brise
> La ou li solaus l'ataint,
> Lors ai corage que chant.

On voit par ces exemples que Gace Brulé ne manque ni de grâce ni de talent et qu'il aurait pu composer une œuvre originale et sincère, s'il n'avait été l'esclave de la mode et le prisonnier des règles auxquelles le genre était soumis. A côté de rares notations personnelles, que de banalités, de plaintes et d'espoirs imaginaires, formulés en termes convenus !

> Merci. Amours, qu'iert il de mon martire
> Que j'ai soufert et encor vueill soufrir
> Dusqu'a un jour que vous plaira a dire
> Que me voudroiz mon service merir [récompenser]
> Et tant et pluz serai je vostre amis ?
> Je vous aim tant, nule rienz ne desirre
> Fors vostre cors, si m'en doinst Diex joïr.

Il faut cependant, pour apprécier à sa juste valeur cette poésie si froide et si artificielle, ne pas oublier qu'elle était chantée et que l'air valait souvent mieux que les paroles. Les recueils ou chansonniers qui nous ont conservé les textes lyriques y joignent presque toujours la musique notée. C'est que les poètes du Nord avaient appris des provençaux non seulement l'art d'agencer les mots mais celui d'assembler les sons. A la cour de Marie de Champagne, où fréquenta Ricaut de Barbezieux, Gace Brulé et Chrétien de Troyes s'étaient exercés à la composition musicale et. l'agrément de leurs chansons tenait moins peut-être à l'élément verbal qu'à l'ingéniosité de l'accompagnement.

Le châtelain de Couci. Voici maintenant, plus délicat peut-être et plus vrai, au point que son existence se reflète en partie dans son œuvre, le tendre gouverneur du château de Couci, Gui, l'un des plus copieux de nos poètes lyriques, dont l'émotion discrètement contenue donne à plus d'une chanson un accent profond de sincérité. Souvent trahi dans ses espoirs, il saisit douloureusement le contraste entre la nature joyeuse et l'angoisse de son cœur :

« Moult m'est bele la douche comencanche
Del novel tens a l'entrant de Pascor »,

mais il souffre trop pour en jouir, car sa dame, indifférente, ne lui
accorde ni un mot, ni un regard. C'est en vain qu'il lui adressse une
émouvante prière et fait appel à sa pitié :

« Vainke pitié, douche dame, droiture.
Ne m'i laissiés morir a tel torment ;
Tant par vos truis [trouve] tos tens salvage et dure
Ke m'ochirés, se vos vient a talent.
De vos penser ne puis faire mesure,
Dame, merchi ! trop me secorés lent :
Si me merveil con vostre cuers l'endure.

Tant de protestations, de plaintes étouffées, de reproches sans
amertume mériteraient leur récompense. Mais voici que son devoir
de chevalier et de chrétien appelle le pauvre Gui sur la terre lointaine où l'Infidèle a de nouveau souillé par sa présence le tombeau
du Christ. La douleur qu'il éprouve à la veille d'une séparation, dont
il ne saurait prévoir la durée, lui fournira le sujet d'une chanson :

A vous, amant, ains qu'a nule autre gent
Est bien raisons que ma dolour complaingne,
Car il m'estuet [faut] partir outreemeut [outre-mer]
Et desevrer [me séparer] de ma douce compaingne ;
Mes quant la pierch, n'ain riens qui me remaingne:
Et sace bien Amours seürement,
S'ainc nus moru pour avoir cuer dolent.
Ja n'iert par moi mes meüs vers ne lais.

C'est ainsi qu'en un seul instant Dieu lui fait payer toutes les
joies qu'il a goûtées l'une après l'autre :

Ne me vueut pas Dieu pour noient [rien] doner
Toz les deduiz [plaisirs] qu'ai eüz en ma vie,
Ainz les me fait chierement comparer [payer],
S'ai grant peor cist loiers [paiement] ne m'ocie.

Néanmoins, en prenant congé, c'est à Dieu qu'il recommande
sa dame; il ne sait comment l'aventure finira ni s'il la reverra
jamais, mais, qu'il revienne ou meure sur la terre étrangère, il espère
qu'elle lui restera fidèle et ne manquera pas de prier pour lui. E
maintenant, le cœur serré, il envoie à celle qui l'entendra peut-être
cette chanson composée pour elle :

Nus n'a pitié. Va, cançons, si t'en croie
Que je m'en vois siervir Nostre Seigneur :
Si saciés bien, dame de grant valour,
Se je revieng, que pour vous servir vais.

L'intérêt des chansons de croisade ou d'outree, dont celle-ci offre
un parfait exemple, tient à la sincérité de leurs auteurs. Il ne s'agit

plus d'un simple jeu littéraire; le poète et sa dame sont des personnages réels et leur séparation n'est pas un artifice. Si l'adieu du châtelain de Couci nous touche encore profondément, c'est que nous
savons par Villehardouin que cet amant désespéré ne revint pas en
France et mourut pendant le voyage de retour.

Thibaud de   Le noble baron Conon de Béthune, mort en
Champagne.   1224, est moins délicat mais plus impétueux; sa
poésie a parfois des accents de révolte, tandis que Thibaud IV,
comte de Champagne et de Brie, petit-fils de Marie, sait allier les
manières courtoises aux ardeurs de la passion. On a longtemps pensé
que la reine Blanche de Castille l'avait inspiré et qu'il brûla pour
elle d'un amour sans espoir. La critique moderne admet tout au plus
que le poète a pu lui faire, en tout bien tout honneur, l'hommage
de quelques chansons. Du moins savons-nous qu'il jouissait parmi ses
contemporains d'une enviable réputation, depuis qu'il s'était mis à
écrire « les plus belles chançons et les plus délitables et mélodieuses
qui onques furent oïes en chançon ne en vielle ». C'est qu'il savait
mieux que tout autre formuler, sous une forme à la fois humble,
discrète et spirituelle, les requêtes les plus osées. Chez lui point de
hardiesse apparente, de dépit non plus. Tantôt c'est en éveillant la
pitié qu'il cherche à forcer un cœur qui se ferme :

Je n'ai mestier [*besoin*], dame, de decevoir,
Que [*car*] de tel mal ne me sueil [*je n'ai pas coutume*] pas doloir.
Ne m'esfreëz, s'il vous plest, a l'entree !

ou encore :

> Dame, merci ! qui tous les biens savez.
> Toutes valors et toutes granz bontez
> Sont plus en vous qu'en dame qui soit nee.
> Secourez moi, que fere le poëz !

Tantôt, c'est en faisant naître un sourire sur les lèvres de la dame,
qu'il prétend la fléchir :

> Dame, une riens [*chose*] vous demant :
> Cuidiez [*croyez*] vous que soit pechiez
> D'ocirre son vrai amant ?
> Oïl, voir ! bien le sachiez !
> S'il vos plest, si m'ocïez,
> Que je le vueil et creant,
> Et se melz [*mieux*] m'amez vivant,
> Je le vos di en oiant,
> Mult en seroie plus liez.

Et quand, partant pour la croisade, il se met sous la protection
de la Vierge, il ne croit pas nécessaire de changer de ton :

> Dame des cieus, granz roïne puissanz,
> Au grant besoing me soiez secorranz !
> De vous amer puisse avoir droite flame !
> Quant dame pert, dame me soit aidanz !

Chansons religieuses.. Ainsi, presque insensiblement, l'aspiration du poète vers une dame réelle ou fictive, pour laquelle il brûlait d'un amour fiévreux, d'où la sensualité n'était pas toujours absente, se muait en adoration pour Dieu et pour la Vierge. L'hommage dû à son seigneur, la dévotion religieuse et la passion pour son amie tendaient à se confondre chez le trouvère lyrique en un même sentiment d'amour spiritualisé. Dès lors on comprendrait que l'inspiration religieuse ait normalement concurrencé dans ce domaine l'inspiration profane. Mais si peu d'œuvres lyriques d'intention pieuse nous ont été conservées qu'il faut bien admettre que la liturgie répugnait à s'inspirer de la littérature profane. Sans doute, on traduisait au début du XIIe siècle les *Psaumes* et le *Cantique des Cantiques*, quelques chants ecclésiastiques, comme le *Stabat Mater* et les *Plaintes de la Vierge* pendant la Passion du Christ. Mais la plupart de ces poèmes se réduisent difficilement au genre lyrique et doivent être tenus pour des œuvres moralisantes. Il y eut pourtant de véritables chansons en l'honneur de la Vierge, comme celles de Gautier de Coinci ou, au XIVe siècle, les *serventois* de Jean Brisebarre de Douai; d'autres s'adressèrent à saint Nicolas, à sainte Catherine, à sainte Anne. Le plus souvent les chansons pieuses étaient calquées sur des chansons profanes. Avant 1286, un certain Adam de la Bassée, adaptant l'*Anticlaudianus* d'Alain de Lille, introduisait dans son *Ludus super Anticlaudianum* des motets et des hymnes latins sur des rythmes empruntés à Sauvage de Béthune, à Raoul de Soissons ou à Gadifer d'Avion. Le procédé donna lieu parfois à de véritables imitations; c'est ainsi qu'un trouvère, s'inspirant d'une chanson de Thibaut de Champagne, dont voici la première strophe :

> Tant ai amors servies longuement
> Que dès or mès ne m'en doit nus reprendre
> Se je m'en part [*sépare*]. Ore a Dieu les conmant,
> Qu'en [*car on*] ne doit pas touz jorz folie enprendre ;
> Et cil est fous qui ne s'en set desfendre
> Ne n'i conoist son mal ne son torment.
> On me tendroit dès or mès por enfant,
> Car chascuns tens doit sa seson atendre.

écrit à la gloire de la Vierge :

> Tant ai servi le monde longement
> Que bien me doi d'or en avant reprendre.
> De lui me part : a celui me quemant [*recommande*]
> Qui pooir a de moi vers tous desfendre :
> C'est la puchele en cui Dex vaut descendre
> Pour nous sauver et jeter de tourment.
> Douche Virge, jointes mains en plourant,
> Merchi vous proi que mi voelliés entendre.

conservant non seulement le rythme et la disposition des vers
mais, autant qu'il lui est possible, les rimes mêmes de son modèle.

Cette luxuriante floraison lyrique dont nous venons de passer
en revue les différents aspects, se fane et meurt brusquement à la
fin du XIIIᵉ siècle. Les imitateurs eux-mêmes renoncent à faire revivre
un genre dont le public se détourne après en avoir raffolé. Dès le
second tiers du XIVᵉ siècle, Guillaume de Machaut et son disciple
Eustache Deschamps formulent et propagent un art poétique plus
conforme aux goûts de leurs contemporains. C'est que, du jour où
les préoccupations didactiques l'emportent sur le souci de distraire
un public choisi, où seigneurs et grandes dames, toujours plus avides
de savoir, encouragent les traductions d'œuvres latines et font leurs
délices des plus graves lectures, le souvenir de Gace Brulé ou du
châtelain de Couci s'efface jusqu'à disparaître. Et les bourgeois qui
se plaisent encore aux jeux subtils des versificateurs s'engouent volontiers d'une poétique dont les règles, étroitement codifiées, permettent
au premier venu de rimer des œuvres lyriques dont la perfection
technique, à défaut de talent et d'originalité, défie la critique la
plus exigeante.

CHAPITRE VI

LA LITTÉRATURE BOURGEOISE

Le groupe bourgeois d'Arras, Bodel et Adam le Bossu.
Rutebeuf. Les fabliaux. La fable ésopique.
Le roman de Renart et ses dérivés.

L'avènement de la bourgeoisie. Les excès du régime féodal, l'ascension croissante de l'aristocratie par rapport aux classes populaires, ont provoqué, dès le XIe siècle, un mouvement de réaction qui se prolongera jusqu'au XIVe, quand la bourgeoisie, définitivement installée dans ses droits et prérogatives, pourra collaborer avec la royauté, au lieu d'être vis-à-vis d'elle en état de perpétuelle révolte. Pendant tout le XIIe siècle, nous voyons éclater sur tout le territoire, et plus violemment dans le Ponthieu et le Laonnois, ces insurrections communalistes parfois sanglantes, qui se terminent par l'octroi d'une charte de franchise limitant les taxes, amendes et contributions dues par les habitants à leur seigneur. Si pareilles entreprises ont pu réussir, si l'intégrité du système féodal s'est trouvée progressivement entamée par les empiétements du tiers, c'est qu'il y avait dans la masse de ceux qui n'étaient ni nobles, ni clercs, des éléments assez puissants pour faire échec à l'autorité des classes dirigeantes. L'esprit d'association qui se manifeste avec tant d'éclat dans la formation des communautés monastiques, dans ce groupement d'abbayes et de prieurés qui étendirent, sous le gouvernement d'une maison-mère, leur vaste réseau sur le monde chrétien, pénètre dans toutes les catégories sociales. Issues de l'organisation gallo-romaine, les associations populaires, industrielles et commerciales se développèrent d'autant mieux, pendant le moyen âge, que le besoin s'en faisait plus sentir. Les populations laborieuses, étouffant dans le cadre féodal, continuellement menacées dans leurs biens et leur existence, cherchèrent à s'unir sous la foi du serment, pour diminuer leurs souffrances, alléger leurs charges, briser les entraves qui para-

lysaient leurs efforts. Les progrès bientôt réalisés firent le succès de
ces institutions et l'on vit ainsi les marchands, les artisans, les tra-
vailleurs de tout ordre s'associer pour la défense de leurs intérêts.
Or à la tête de ces groupements de protection mutuelle, une bourgeoisie riche, assez hardie pour entreprendre, assez prudente pour
thésauriser, constituait une véritable aristocratie populaire, solidement assise et capable de tenir tête aux exigences des plus grands
seigneurs. Le jour où cette aristocratie comprit qu'à la puissance
financière elle devait allier l'indépendance politique, les associations
marchandes se muèrent aisément en communautés municipales. Mais
la bourgeoisie possédante y exerçait jalousement ses droits et cumu-
lait tous les pouvoirs; c'est seulement au XIV⁰ siècle qu'elle admit
les gens de métier à prendre place à côté d'elle dans les conseils de
la cité. Du moment qu'elle eut acquis, avec une relative sécurité
matérielle, le droit de s'administrer, elle devint dans la vie sociale
un élément prépondérant et son action s'inscrivit dans la littérature.

Bourgeoisie   Il y eut là pour certains poètes, moins directe-
et littérature.   ment mêlés à la vie de cour, une espérance de profits et une source d'inspiration. Sans doute les bourgeois pouvaient
lire ou entendre les chansons de geste et les romans courtois; mais
leur classe n'y jouait qu'un rôle très effacé, sinon désobligeant, et,
nouveaux venus à la vie intellectuelle, ils n'appréciaient ni la grandeur épique des unes, ni la grâce affectée des autres. Ils n'y pren-
dront intérêt qu'un peu plus tard, quand ils se seront cultivés eux-
mêmes et qu'on les leur offrira accommodés à leur mesure. En attendant ils vont attirer les jongleurs et former avec eux des confréries
où naîtra une littérature adaptée à leurs goûts et à leurs besoins.
Demeurés peuple, malgré leur ascension, ils ne pensaient pas autrement que les ouvriers et les petits marchands, des rangs desquels ils
s'étaient élevés. Peu délicats sur le choix des sujets et sur la qualité
du style, ils aimaient de simples histoires aux termes crus et colorés;
réalistes par instinct, ils se plaisaient à retrouver dans l'œuvre littéraire les personnages coudoyés chaque jour et ceux-là surtout qui
prêtaient à rire. Le trait dominant de leur caractère c'est l'esprit
critique, excluant d'ailleurs toute amertume et toute âpreté. Mais
ils trouvent la vie bonne et la prennent joyeusement : ils rient des
nobles, ils rient des clercs, ils rient d'eux-mêmes, ils rient de tout;
et c'est le verre en main, assis à la taverne, que ces joyeux compères
doivent être vus et étudiés.

L'école d'Arras.   La bourgeoisie d'Arras, active et turbulente,
Jean Bodel.   s'attacha dès le XIII⁰ siècle un groupe d'écrivains
remarquables dont les œuvres originales évoquent par mille traits
pittoresques la vie saine et plantureuse des grandes communes du

Fables ésopiques
1°) *Le loup et la cigogne.*
2°) *Le renard et le coq.*
(Cathédrale d'Amiens. Soubassement du portail)

Nord. Un poète au talent multiple, Jean Bodel, tour à tour lyrique, épique et dramatique, jouissait à Arras d'une brillante réputation. Il se peut que les échevins l'aient employé officiellement; du moins était-il l'ami et le commensal des plus notables citoyens. Prêt à s'embarquer pour la croisade avec ses meilleurs compagnons, dont le poète Baude Fastoul, il dut, atteint de la lèpre, renoncer à l'expédition. Les rapides progrès du mal l'obligeant à se retirer du monde, il en demanda « congé » à ses amis et à ses protecteurs. Sur un ton familier et dépourvu d'emphase, dans un style imagé, farci d'expressions populaires, tantôt grave pour attendrir, tantôt plaisant pour ne point attrister, il regrette sa vie passée, les franches repues au cabaret, les tumultueuses parties de « tables » ou de « marelle ».

> Moitié sain et moitié pori,

ses amis l'ont pourtant souffert, et c'est d'eux surtout qu'il se sépare avec douleur :

> Ainçois que je torse me male,
> Die qu'a Wibert de la Sale
> Prendre congié sans revenir.
> Bien me doit tos jors, sans ferir,
> De sen gentil cors sovenir
> O il n'a ne soros [tumeur] ne gale.
> Et de moi soit al covenir [à l'avenant],
> Quar jo ne puis nape tenir
> Entre sains, puis que jo mesale [suis lépreux].

Baude Fastoul et Adam le Bossu. L'émouvant adieu de Bodel lui suscita des imitateurs. Baude Fastoul, pris du mal à son tour, fit ses adieux dans les mêmes termes. Parfois l'inspiration se fait plus libre et le *congé* devient une espèce de genre littéraire. Un autre poète artésien, Adam le Bossu, chassé de sa ville pour des raisons politiques, exhale sa bile dans un *congé*, avant de se retirer à Douai. On ne saurait rattacher sérieusement ces confessions personnelles à la poésie lyrique, mais les trouvères d'Arras écrivent aussi des chansons dont la verve égale celle des *congés*, et qui sont comme l'adaptation de la poésie courtoise aux goûts de la bourgeoisie.

Colin Muset. Qu'ils soient d'Arras ou d'autres lieux, ces jongleurs sont souvent de pauvres hères n'ayant d'autres ressources que leur vielle et leurs chants. Pourvus d'une demi-culture, ils auraient pu, la chance aidant, devenir d'église et se hausser dans la hiérarchie. Mais la plupart sont mariés et végètent. Trop instruits pour être « ouvriers des mains », ils préfèrent les tendre à la générosité des plus riches et n'éprouvent aucun malaise à faire figure de quémandeurs. Le gracieux Colin Muset, pour décider un comte devant lequel il a « vielé » à dénouer

les cordons de sa bourse, lui peint dans une chanson l'accueil qu'il
recevra, s'il rentre chez lui les mains vides :

> Car talent [*désir*] ai, n'en dotez mie,
> De raler a ma mesnie [*maison*],
> Quant g'i vois [*vais*] borse desgarnie,
> Ma femme ne me rit mie.

Mais s'il apparaît, au contraire, chargé d'un sac gonflé d'écus
et vêtu lui-même de chaudes fourrures, on lui saute au cou, et
femme et enfants s'ingénient à le servir :

> Sachiez qu'ele a tot jus mise [*déposé*]
> La conoille [*quenouille*], sans faintise.
> Ele me rit par franchise,
> Ses deus bras au col me lie.

La vie du jongleur, tantôt facile, tantôt rude, est à la merci de
ceux qu'il amuse. Quand reviennent les beaux jours, il lui faut
quitter sa famille, enfourcher son vieux cheval et tenter la chance.
Mais si ses espoirs sont parfois déçus, il a vite fait de se ressaisir.
Les idées noires se dissipent quand le ciel est en fête, que les prés
refleurissent et que les oiseaux chantent. Bien fou qui s'attache au
profit matériel, quand il suffit, pour être heureux, d'avoir une amie
complaisante, du vin à discrétion, de grasses nourritures. A son
confrère et ami Jakes d'Amiens il conseille, dans un *débat*, de renoncer à l'amour et de ne pas s'affliger d'une trahison. Quant à lui,
dédaignant les femmes, il accorde sa préférence aux gras chapons
nageant dans la sauce, aux gâteaux de fine farine, aux vins dégustés,
les pieds sur les chenets.

Par plus d'un trait, Colin Muset nous apparaît comme un détracteur des conventions mondaines, bien qu'il sache à l'occasion, pour
flatter sa clientèle, rimer des chansons courtoises. Mais il n'est lui-
même que lorsqu'il se décrit. Son amour de la vie, son optimisme,
en dépit de ses rigueurs, lui font accepter avec le sourire les ennuis
qu'il écarte et les désillusions dont il se console. Il ne proteste pas
contre l'ordre social, pourvu qu'il lui assure des moyens d'existence.
Mais nous allons trouver chez Rutebeuf des accents autrement vigoureux pour dénoncer les tares d'une société qui l'écrase et s'attaquer
aux mœurs et aux institutions.

Rutebeuf. Quand les pauvres jongleurs errants spécu-
laient sur la pitié qu'ils inspiraient aux riches
et sur le plaisir qu'ils leur procuraient, pour provoquer leurs largesses, ils devaient éveiller plus de sympathie dans le cœur des
bourgeois. Aussi n'est-il pas étonnant qu'au XIIIe siècle, ils s'attachent
de plus en plus à satisfaire cette clientèle, dont les goûts, les aspirations, les espoirs et les rancunes sont très voisins des leurs. A Paris

même, un pauvre diable, venu peut-être de Champagne, souffre, chante, raille et se fait applaudir, vivant au jour le jour des écus qu'on lui lance. Contemporain de saint Louis et de Philippe le Hardi, Rutebeuf est le type achevé du poète bourgeois. Apte à toutes les besognes, il cultive, avec la même aisance, la poésie lyrique et la satire, l'allégorie et le genre dramatique. Tous les aspects de la poésie du siècle ont leur reflet dans son œuvre. Pourtant il n'est guère comparable aux élégants rimeurs de romances et de pastourelles; il ignore ou néglige les subtilités de la dialectique amoureuse. Sa verve rude et positive s'exerce sur les faits et vit d'actualité, car il met son talent multiple au service de ceux qui le payent. Parfois excédé par l'injustice du sort, à l'exemple de Jean Bodel, d'Adam le Bossu et de Colin Muset, il ne répugne pas à conter ses propres déconvenues, à décrire avec sincérité les vicissitudes de son existence. Marié deux fois, il n'a guère à se louer de sa seconde femme. Il n'était pas riche quand il l'épousa; mais pour l'avoir prise « pauvre et besoigneuse », il est devenu pauvre et besoigneux comme elle. Finis les jours de prospérité relative et de béate insouciance : maigre, sèche et acrimonieuse, la vieille mégère fait la vie dure au poète incompris. Aussi, quand il part en tournée, n'est-il jamais pressé de revenir à la maison, sachant l'accueil qu'on lui prépare. Pour comble d'infortune, aux ennuis domestiques s'ajoutent pour lui les disgrâces physiques, une maladie notamment qui le prive d'un œil, interrompt son activité et le plonge dans la misère :

> Diex m'a fet compagnon a Job,
> Qu'il ma tolu [ôté] a un seul cop
> Quanques [tout ce que] j'avoie.
> De l'ueil destre, dont miex veoie,
> Ne voi je pas aler la voie
> Ne moi conduire :
> A ci dolor dolente et dure
> Qu'a miedi m'est nuiz obscure
> De celui ueil.

Et comme un malheur ne vient jamais seul, son cheval s'est cassé la jambe, sa femme est accouchée. Il a dû mettre ses meubles en gage et l'enfant en nourrice. L'hôte, impayé, menace, et ses amis, le voyant mal en point, lui ont tourné le dos :

> Itel ami m'ont mal bailli [traité]
> Qu'onques tant com Diex m'assailli
> En maint costé,
> N'en vi un seul en mon osté [maison].
> Je cuit [crois] li venz les m'a osté :
> L'amors est morte.
> Ce sont ami que venz emporte :
> Et il ventoit devant ma porte :
> Ses [si les] enporta.

Ses affaires s'aggravant encore, Rutebeuf tend la main à Alphonse de Poitiers, puis au roi lui-même; dans la prospérité générale, il est seul, dénué de tout :

> Sire, je vos faz asavoir :
> Je n'ai de quoi du pain avoir ;
> A Paris sui entre toz biens.
> Et n'i a nul qui i soit miens.

Si profonde que soit sa détresse, il lui arrive d'en plaisanter, car les gens heureux se lassent vite de voir couler les larmes, mais, quand il gouaille, on sent, derrière l'éclat de rire, le sanglot prêt à s'échapper. Ce n'est pas qu'à bien des égards il n'ait mérité son triste sort; prodigue, insouciant, joueur, buveur, il ne prend la vie au sérieux que s'il en éprouve les rigueurs. Au demeurant, le meilleur homme du monde, prêt à rendre service, à s'enflammer pour une bonne cause, à lutter, la plume en main, contre les abus du siècle. Avec une ardeur fougueuse, il mène le combat contre les ordres religieux dont la conduite n'est pas toujours en parfait accord avec les principes. Aux Jacobins, ennemis de l'Université, aux frères mineurs, amoureux des richesses autant que les prêcheurs, il dit leur fait sans réticence; il égratigne en passant les Carmes ou Barrés, les Sachers et les Béguines et, non sans mauvais goût, s'attarde à jouer sur le mot Cordelier. Mais aussi pourquoi ces moines trahissent-ils leur mission ? Pourquoi les Prémontrés, s'ils sont blancs par la robe, sont-ils noirs par le cœur ? Pourquoi les nonnains elles-mêmes, au lieu de prier à l'écart, vagabondent-elles par les routes ? Qu'avec joie il prendrait le froc pour sauver son âme et recouvrer l'espoir, si les ordres religieux n'étaient pas qu'une façade ! Mais de tous les clercs, seuls les étudiants de l'Université ont droit à son indulgence. C'est par conviction et sans intérêt qu'il prend leur défense contre les ordres mendiants qui prétendaient ruiner l'enseignement des maîtres séculiers, et la condamnation de Guillaume de Saint-Amour lui arrache une protestation qui n'est pas de commande. A le voir s'acharner ainsi contre l'hypocrisie des moines et la luxure des mauvais prêtres, on aurait tendance à prendre Rutebeuf pour un publiciste anticlérical. Mais il ne faut pas juger un écrivain du XIIIe siècle à la mesure de notre temps ; dans ses diatribes les plus véhémentes : les *Ordres de Paris, Chanson des Ordres, Dits des Jacobins*, des *Cordeliers*, de *la Mensonge*, de *l'Université de Paris*, de *maître Guillaume de Saint-Amour*, il ne fait qu'exprimer avec force l'opinion de son entourage et se trouve d'accord avec une partie du monde universitaire et surtout avec la bourgeoisie.

Les désordres du clergé provoquaient en effet dans une large fraction de la population de justes et sévères critiques. On s'indignait d'autant plus que les excès de quelques égarés semblaient couverts par ceux-là mêmes dont la conduite était irréprochable. Mais Rutebeuf avait assez d'esprit pour éviter de les confondre. D'une piété mystique et naïve, c'est à la Vierge miséricordieuse qu'il demandait, aux heures de détresse, les plus douces consolations. Dans un style simple et dévot, il chante celle qui mit Jésus au monde, sans en éprouver plus de dommage que la verrière, d'un rayon de soleil; il paraphrase l'*Ave Maria*, célèbre *les Neuf Joies de Notre-Dame* et, passant de la Vierge aux saints, il rime la *Vie de sainte Marie l'Egyptienne* et celle de *sainte Elisabeth de Hongrie.*

Riches ou gueux, nobles ou vilains, tous les hommes doivent servir Dieu et travailler à sa gloire. Autrefois, du temps de saint Bernard et de Pierre l'Ermite, ils volaient tous, d'un même élan, à la délivrance des Lieux Saints; maintenant l'égoïsme règne et la couardise; princes et prélats, jaloux de leur tranquillité, se défient des aventures : Rutebeuf va s'employer à réchauffer leur zèle. Il admire Geoffroi de Sergines qui, demeuré en Terre Sainte après le départ du roi, prolongea la résistance avec cent chevaliers. Dans la *Complainte de monseigneur Geoffroi de Sergines*, il célèbre les mérites de ce valeureux combattant et soutient que la pratique des vertus séculières jointes aux qualités morales et à la piété est un sûr acheminement dans la voie du salut :

> Ainz pour poinne ne pour paour
> Ne corroussa son Sauveour ;
> Tout prist en grei quanqu'il soffri :
> Le cors et l'arme [*âme*] a Dieu offri.
> Ses consaulz fu boens et entiers,
> Tant com il fu poinz et mestiers
> Ne ne chanja por esmaier [*s'émouvoir*].
> De legier [*facilement*] devra Dieu paier,
> Car il le paie chacun jour.

En 1264, le pape Urbain IV avait ordonné la prédication d'une croisade en Sicile, au profit de Charles d'Anjou. Serviteur zélé de ce prince, Rutebeuf lui apporta l'appui de son talent et s'employa à lui recruter des partisans en composant le *Dit de Pouille* qui s'achève par une prière à l'intention du roi :

> Prions por le roi Charle : c'est por nos maintenir ;
> Por Dieu et sainte Eglize s'est mis au convenir.
> Or prions Jhesuscrit quë il puist avenir
> A ce qu'il a empris, et son ost maintenir.

Mais en dépit des prédications, les barons ne s'émeuvent guère. Quand la détresse du royaume latin pousse le roi à se croiser une seconde fois en 1267, ses plus fidèles compagnons répugnent à le suivre. Le souvenir des épreuves subies pendant l'expédition d'Egypte suffit à décourager les vocations et Joinville lui-même répondait aux rois de France et de Navarre qui le pressaient de se croiser « que, si je en vouloie ouvrer au grei Dieu, que je demourroie ci pour mon peuple aidier et deffendre ». Imaginant un *Débat entre le Croisé et le Décroisé*, Rutebeuf expose les arguments pour et contre le devoir de participer à la croisade. Tandis que le premier fait valoir l'attrait des récompenses réservées par Dieu à ceux qui se dévouent pour sa cause, l'autre oppose des raisons d'égoïsme et de sagesse utilitaire, mais il finit par se laisser convaincre :

> « Biaux sire chiers, que que dit aie,
> Vos m'aveiz vaincu et matei;
> A vos m'acort, a vos m'apaie.
> Que [car] vos ne m'aveiz pas flatei,
> La croix preing sans nule delaie.
> Si doing a Dieu cors et chatei [biens],
> Car qui faudra a cele paie
> Mauvaisement avra gratei. »

Ainsi le pauvre jongleur abandonné de Dieu, trahi des hommes, subit son destin misérable avec une résignation mitigée. Par sa voix douloureuse, attendrie, véhémente, s'expriment les vœux et les désillusions du peuple qui souffre et qui doute, et s'il se montre sans pitié pour ceux que le sort favorise, et qui manquent à leur devoir, il est plein d'indulgence pour les déshérités. Mêlé aux controverses de la rue, empruntant le langage des foules, le terme propre et le mot cru, il est accessible aux bourgeois comme au menu peuple. Ce poète d'inspiration toute personnelle, dédaigneux d'étaler sa science, échappe aux tendances didactiques de son temps. S'il n'a de la culture cléricale qu'une teinture superficielle, il connaît le *Roman de Renart* et les allégories de Guillaume de Lorris; il a retenu des prédicateurs les exemples et les lieux communs dont s'enrichissent les sermons en langue vulgaire : de tout cela il s'est constitué un arsenal de citations et d'allusions qui donnent à sa pensée plus de consistance et la situent dans le cadre de la littérature contemporaine. Mais le souvenir de ses lectures favorites ne saurait neutraliser les tendances de sa nature. Ce jongleur parisien sait observer ce qui se passe autour de lui, juger et critiquer les hommes, et la même inspiration lui dicte tantôt de véhémentes satires, tantôt d'inoffensives et narquoises facéties. Restant lui-même, sous les aspects les plus divers, le tendre adorateur de la Vierge, le détracteur du clergé régulier, le défenseur ardent de l'Université, le propagandiste acharné des croisades devient à l'occasion, pour le peuple qui l'aime, un rimeur de fabliaux.

Les Fabliaux.   Bien que le mot ait été employé au moyen âge en des sens très différents, parce qu'il était lui-même assez vague et que les œuvres auxquelles on l'appliquait offraient des caractéristiques assez mal déterminées, il correspond pour la critique moderne à une définition précise : « Les fabliaux, écrit Joseph Bédier, sont des contes à rire en vers », insinuant par là que,

sous une forme obligatoirement narrative, ils traitent de sujets plaisants sur le mode ironique, sans aucune arrière-pensée d'instruction
ou de satire, sans excès non plus de digressions sentimentales. Un *lai*
de Marie de France, un *dit* de Rutebeuf, un conte édifiant ne sauraient passer pour tels, mais on peut qualifier de *fabliau* tout conte
rimé qui répond à l'esprit général du genre, esprit qui dut préexister
aux œuvres elles-mêmes, dans la commune pacifiée et enrichie.

L'esprit des fabliaux est en effet celui des bourgeois réalistes, malicieux observateurs de la vie sociale, prêts à railler ce qu'ils n'admirent
plus, à tourner en dérision les puissances morales et politiques qu'ils
s'abstiennent de respecter, depuis qu'ils n'ont plus à les craindre.
Devant les bourgeois réunis aux banquets des confréries et des corps
de métier, le jongleur peut dérouler son répertoire de chants épiques;
les exploits chevaleresques qui charmaient à la fois l'imagination populaire et flattaient l'orgueil aristocratique leur apparaissent d'une
comique invraisemblance. Il faut, pour les satisfaire, que les romanciers introduisent dans les chansons renouvelées des épisodes burlesques et dessinent à gros traits de bouffonnes caricatures, comme
le géant Rainoart dans les *Aliscans*, ou Ernaut de Gironde, dans *Aimeri*. Ainsi modifiés, travestis parfois et souvent méconnaissables, les
poèmes épiques garderont pour un temps leur vogue, mais la clientèle
bourgeoise ne saurait s'en contenter. Les récits organisés, les actions
longuement diluées lassent la curiosité des convives attablés. Les
meilleures histoires sont pour eux les plus courtes, pourvu que les
personnages prêtent à rire et qu'une verve drolatique se répande dans
les idées et dans les termes. Qu'ils soient de Cambrai, comme Huon
le Roi, Picards, comme Eustache d'Amiens, Parisiens, comme Rutebeuf, Normands, comme Henri d'Andeli, les auteurs de fabliaux
sont assurés d'un auditoire. Le genre, une fois créé, contamine et
corrompt les autres; il fait parfois sentir aux plus pures légendes
sa compromettante familiarité. Le style des fabliaux est d'une extrême
souplesse et d'une infinie variété. S'il tolère la grossièreté la plus
cynique, il admet aussi la grâce et la mesure relevées seulement
d'allusions discrètes. Tout dépend en définitive de la qualité du
public, car les bourgeois ne sont pas seuls à goûter ces gaillardises;
les gens de cour en veulent leur part, puisque aussi bien le rire est
le propre de l'homme. C'est tout juste s'ils exigent plus de retenue
dans les mots et de délicatesse dans le choix des sujets; par un surprenant paradoxe, ceux qu'attendrissent les tragiques amours de
Tristan et les périlleuses aventures de Lancelot n'hésiteront pas à
ouvrir aux contes grivois d'un Jean de Condé l'accès de la « Chambre des dames », car, dira-t-il :

> On tient le menestrel a sage
> Qui met en trover son usage
> De fere bïaus dis et biaus contes
> C'on dit devant dus, devant contes.

Origine des   Les conditions dans lesquelles le genre naît et se
fabliaux.   développe donnent à penser que les jongleurs
trouvaient sur place la matière de leurs compositions. Il n'était
que d'utiliser, en les parant de traits ingénieux, les histoires qui circulaient de bouche en bouche. La littérature cléricale, s'inspirant
de l'antiquité classique, offrait des modèles en latin; il suffisait d'y
recourir en exploitant parallèlement la tradition orale. C'était même
la meilleure condition du succès, car il fallait que chacun reconnût
dans le poème « la description ironique de la vie quotidienne et
moyenne ». Inutile, par conséquent, d'aller chercher dans les recueils
de contes orientaux, indiens et bouddhiques, hébraïques ou arabes,
le prototype des récits plaisants dont le public se délectait du XIIᵉ
au XIVᵉ siècle. Si quelques-uns, une douzaine, s'apparentent à ceux
qu'on retrouve dans le *Roman des sept Sages*, dans la *Disciplina clericalis* de Pierre Alphonse, ou dans le *Reductorium humanae vitae* du
Juif converti Jean de Capoue, ce n'est peut-être que coïncidence et
la grosse majorité ne suppose pas une origine si lointaine.

Un jongleur, puisant dans le fonds commun des contes populaires, a retenu un thème banal, une facétie, par exemple, sur la
parole de l'Evangile :

> Qui por Dieu donne a escient,
> Que Diex li fet monteplier [*multiplier*].

Avec trois personnages, un prêtre avide, un vilain naïf et sa
femme, le récit va se constituer. Sous couleur d'enseigner la charité,
le prêtre ne songe qu'à s'attribuer les offrandes, et le vilain, de son
côté, ne voit dans les promesses divines que leur immédiate réalisation. C'est poussé par l'intérêt qu'après avoir consulté sa femme,
il mène sa vache au prêtre qui se réjouit de l'aubaine :

> Quar fussent or tuit ausi sage
> Mi paroiscien com vous estes,
> S'averoie plenté [*quantité*] de bestes.

Et pour mieux l'apprivoiser, il fait accoupler la vache offerte
avec la sienne. Mais c'est en vain; elle s'impatiente, s'exaspère, tire
sur le lien et entraîne sa compagne dans l'étable du vilain. Celui-ci,
voyant surgir deux bêtes au lieu d'une, trouve la chose toute naturelle et conforme à son espoir :

> « Ha », fet li vilains, « belle suer,
> « Voirement est Diex bien doublere.
> « Quar li et autre revient Blere :
> « Une grant vache amaine brune.
> « Or en avons nous II por une :
> « Petis sera nostre toitiaus [*petit toit*]. »

Et voilà le fabliau de *Brunain, la vache au prestre.* Ce n'est ni
très fort, ni très méchant. Le prêtre est puni par où il a péché,

et le vilain a le beau rôle, sans toutefois nous laisser une impression très sympathique.

Quelquefois un calembour (*la Male Honte, Estula*) sert de point de départ au récit, mais le plus souvent l'auteur met en scène l'éternel trio du galant, de l'épouse et du mari trompé. Le public admet volontiers qu'on lui chante la même antienne, mais l'effet sera plus vif et les bourgeois riront plus fort si l'amoureux est un prêtre et succombe dans ses entreprises. Un savetier, nommé Baillet, avait pris femme trop jolie; un jeune clerc élégant et disert la détourne de ses devoirs. Dès que l'époux sans prestige est sorti, le prêtre accourt, caresse sa femme, mange son lard et boit son vin. Baillet ne se doute de rien, jusqu'au jour où sa fillette tout innocemment lui ouvre les yeux : « Quand vous êtes là, dit-elle, la vie est triste et sans confort :

> Més quant alez vendre
> Vos souliers aus gens,
> Lors vient, sans attendre,
> Monseigneur Lorens ;
> De bonnes viandes fet venir ceens,
> Et ma mere fait tartes et pastez ;
> Quant la table est mise, l'en m'en donne assez,
> Més n'ay que du pain, quant ne vous mouvez.

Là-dessus, Baillet dit à sa femme qu'il a affaire au marché. La coquine, aussitôt, fait venir le prêtre et lui prépare un bain. Mais Baillet, qui n'est pas loin, frappe à la porte. La belle enferme son amant dans un lardier et veut faire croire au savetier qu'elle lui destine ces préparatifs. « Grand merci, lui répond-il, mais je dois retourner à ma besogne. » Il appelle ses voisins et leur fait charger sur une charrette le lardier qu'il prétend vendre à un prix avantageux. Baillet conduit son équipage au milieu de la foule. Par une fente du lardier, le captif aperçoit son frère, prêtre comme lui, et l'appelle : « *Frater, pro Deo, delibera me.* » Pour mettre un terme à l'aventure, le frère veut acheter le lardier, mais Baillet ne veut plus s'en défaire. Un lardier qui parle latin ! L'autre insiste et finalement l'emporte pour vingt livres parisis :

> Baillet ot vint livres
> Et tout par son sens ;
> Ainsi fu delivres
> Monseigneur Lorens.

Et, pour conclure, ce conseil pratique à l'usage des galants :

> Gardez entre vous qui estes jolis,
> Que vous ne soiez en tel lardier mis.

Rien de plus courant dans les *fabliaux* que le châtiment réservé au prêtre coupable d'avoir attenté à la vertu des bourgeoises. La femme, prise entre deux feux, se tire habilement d'affaire en plongeant le triste séducteur dans un lardier ou dans un cuvier, à moins qu'il n'attrape, pour solde de compte, une volée de coups de bâton. Et de le voir en fâcheuse posture, le public amusé s'esclaffe avec plus de malice que de cruauté.

L'imagination des jongleurs n'est pas toujours si étriquée. Le fabliau peut comporter une action plus étendue et plus complexe, des personnages plus nombreux et plus variés, une succession d'épisodes rigoureusement liés, pour aboutir à une conclusion savoureuse. Un certain Cortebarbe nous conte la mésaventure des *Trois aveugles de Compiègne* cheminant seuls sur la grand-route. Comme ils se dirigent vers Senlis, ils croisent un clerc en bel équipage et s'alignant sur le bas-côté, lui demandent la charité. Le cavalier s'arrête aussitôt:

> « Vez ici [*voici*] », fet il, « un besant
> Que je vous done entre vous trois. »

Mais il se garde bien d'unir le geste à la parole.

Voilà nos gens fort réjouis, chacun supposant que l'un de ses compagnons a reçu la pièce. Belle occasion pour faire bombance ! Ils s'en retournent à Compiègne et, les portes à peine franchies, entendent un crieur vanter les attraits d'une auberge :

> « Ci a bon vin frés et novel,
> Ç'a d'Auçoire [*Auxerre*], ç'a de Soissons,
> Pain et char, et vin, et poissons ;
> Ceens fet bon despendre [*dépenser*] argent ;
> Ostel i a a toute gent ;
> Ceens fet moult bon herbregier [*prendre gîte*]. »

La tentation est trop forte pour ces pauvres gens. Ils entrent et s'installent. L'hôte, se fiant à leurs assurances, les sert copieusement et ils s'en donnent à cœur joie. Rassasiés, ils vont se mettre au lit où ils dorment à poings fermés. Le clerc, qui s'est logé dans la même hôtellerie, suit avec un vif intérêt le développement de l'aventure. Dès le matin, l'hôte fait présenter sa note par un valet. Les aveugles s'exécuteraient volontiers, mais chacun d'eux compte sur son voisin qui doit avoir reçu l'aumône :

> Fait li uns : « Quar li baille dont
> Li quels l'a. Be ! je n'en ai mie.
> — Dont l'a Robers Barbeflorie ?
> — Non ai, mes vous l'avez, bien sai.
> — Par le cuer bieu, mie n'en ai.
> — Li quels l'a dont ? — Tu l'as. — Mes tu. »

Cette fois l'hôtelier s'impatiente et menace ses singuliers clients qui discutent de plus belle. Le clerc, qui s'amuse énormément, ne veut pourtant pas que l'affaire tourne mal. Il s'approche de l'hôte et s'informe : « Mettez cela sur mon compte, dit-il, et n'en parlons plus. » Mais le clerc ne s'en tient pas là. Si l'hôte a confiance dans son curé, celui-ci lui comptera les quinze sous de sa dette. Qu'on lui prépare sa quittance, car il partira dès son retour de l'église. Le clerc, accompagné de l'hôte, va trouver le prêtre et lui mettant douze sous dans la main, lui dit : « Cet homme chez qui j'ai passé la nuit est gravement malade; il n'a plus sa tête à lui. » Et quand, à l'issue de la messe, l'hôte se présente pour recevoir son dû, le curé, malgré ses protestations, le fait tenir par quelques paroissiens et, lui posant le livre sur la tête :

> L'Evangile de chief en chief
> Li lut, l'estole entor le col,
> Mes a tort le tenoit por fol ;
> Puis l'esproha [aspergea] d'eve benoîte.

Le bourgeois, qui n'en peut mais, subit la cérémonie et, dès qu'il est délivré, se hâte de rentrer chez lui. Tandis que le clerc s'amuse, sans faire tort aux pauvres diables qui ont festoyé gratuitement, l'hôte, qui pourtant n'a commis d'autre crime que d'exercer sa profession, se voit berné, volé, humilié. Et si les bourgeois, en entendant ce conte, éprouvaient quelque malaise à voir mystifier un des leurs, les seigneurs, à qui sans doute il était plus spécialement destiné, y prenaient agréablement leur revanche sur les marchands.

Quelques fabliaux. Mais, quels que soient les sujets traités, il faut avouer que les personnages sont toujours un peu les mêmes. Prêtres indignes, maris trompés, épouses infidèles, vilains stupides ou madrés· ne varient guère d'une pièce à l'autre. Les jongleurs n'ont pas d'intérêt à renoncer aux effets sûrs. Mais si le détail soigneusement observé traduit l'intention réaliste, si l'on recueille çà et là quelques traits de mœurs et quelques renseignements précis sur la vie des classes moyennes et populaires, c'est à cela que se réduit le souci de la vérité. On croira difficilement que le clergé du xiiie siècle n'ait eu d'autre idée en tête que de thésauriser, que toutes les femmes étaient de rusées coquines et leurs époux des Sganarelle. L'unanimité des témoignages suffit à les rendre suspects et nous conduit à penser que, pour une bonne part, le réalisme des fabliaux est affaire de convention.

Certains auteurs, comme Henri d'Andeli, qui rima le *Lai d'Aristote*, furent parfois mieux inspirés. Ce n'est pas que le sujet soit neuf; il nous est venu d'Orient sous diverses formes et le poète pouvait le lire en latin chez les compilateurs d'*exempla*. D'autres fabliaux enseignaient que la femme n'est jamais à court de stratagèmes pour en venir à ses fins; c'était notamment le thème de la *Bourgeoise d'Orléans*, des *Braies au Cordelier*, du *Cuvier*, des *Tresses*; mais ici la démonstration est poussée plus loin; la victime des ruses féminines n'est plus un individu quelconque, mais le plus illustre des philosophes, celui dont la doctrine, récemment révélée, soulevait des controverses au sein de l'Université. C'était une entreprise assez risquée que de conter une anecdote dont les héros, personnages réels, célébrés par l'histoire et les récits courtois, se trouvaient dépossédés de leurs attributs habituels et déchus de leur dignité. Aussi l'auteur prend-il pour commencer quelques précautions oratoires. Si l'aventure est scabreuse, il la contera sans vilenie, sachant ce qu'il doit à ses auditeurs :

> Quar oevre ou vilanie cort
> Ne doit estre contee a cort.

Alexandre, « li bons rois de Grece et d'Egipte », avait ramené de l'Inde une admirable créature pour laquelle il s'était pris d'un tel amour qu'il ne pouvait vivre sans elle. C'était chose bien naturelle,

> Qu'autant a Amors sor un roi
> De droit pooir, ce est la some,
> Comme sor tout le plus povre home
> Qui soit en Chanpaigne n'en Franche,
> Tant est sa seignorie franche.

On murmure dans l'entourage du roi, et son maître Aristote lui reproche d'aimer une étrangère et d'oublier dans ses bras les devoirs de sa charge. En disciple respectueux, Alexandre se soumet et, malgré la passion qui l'anime, il évite sa belle amie. Mais la séparation lui pèse et, convaincu bientôt qu'Aristote et les courtisans n'entendent rien aux choses de l'amour, il retourne à sa maîtresse. Celle-ci pleure et l'assourdit de ses reproches et le roi, penaud, s'excuse en se retranchant sur l'autorité d'Aristote. Si c'est de lui que vient le mal, la jeune fille se fait fort de vaincre son opposition et de l'amener, par l'expérience, à une plus juste appréciation des réalités sentimentales. Voilà pourquoi, dès le lendemain matin, elle descend dans le verger,

> En un bliaut inde gouté [manteau tacheté de violet],
> Quar la matinee ert d'esté
> Et li vergiers plainz de verdure.

Les cheveux dénoués, sans guimpe ni bandeau, les pieds nus, la robe ouverte et retroussée, elle prend ses ébats sur l'herbe et fredonne une chanson. Le vieillard l'entend et la voit; il se sent envahi d'une étrange douceur. Le philosophe chenu,

> Lais et pales et noirs et maigres,

laisse tomber son livre et contemple la merveilleuse apparition. Toute sa sagesse est impuissante contre les assauts de l'amour :

> Or me desaprent por mieus prendre
> Amors, qui maint preudomme a pris ;
> S'ai en aprenant desapris,
> Desapris ai en aprenant,
> Puis qu'Amors me va si prenant.

Et tandis qu'Aristote s'abandonne à la passion naissante, la dame imagine d'autres séductions. Sur un brin de menthe qu'elle vient de cueillir, elle construit un chapel de fleurs et, l'ayant posé sur sa tête, elle se remet à chanter.

> Mes Aristote molt anoie
> De ce que plus pres ne li vient.

Et voici que, sans paraître y prendre garde, la belle passe sous sa fenêtre et le philosophe amoureux la saisit par son manteau. Elle s'écrie, feint de ne pas le reconnaître et s'étonne enfin de le rencontrer. Il la presse de lui céder ; elle y consent à condition qu'il la promène sur son dos. Et quelques instants plus tard, nous voyons notre philosophe, sellé, bridé comme un roussin, et « chatonant » à quatre pattes, avec la fille pour cavalier. C'est grande joie pour Alexandre de voir son maître ainsi mâté. Il l'interpelle ironiquement, mais le vieillard, sans s'émouvoir, tire argument de sa propre mésaventure pour mettre en garde son élève contre la rouerie des femmes que ni son âge ni sa science ne lui ont permis de déjouer. Les éléments de cet aimable conte ne sont pas matière commune aux fabliaux. L'élégance de la description, le charme souriant des personnages, la délicatesse de touche supposent chez le poète une culture littéraire qui n'était pas celle des vulgaires jongleurs. L'auteur de la *Bataille des Sept Arts* qui se montre initié par ailleurs aux grands débats de l'Université, sut emprunter à la palette d'Ovide les teintes fraîches et variées dont il a peint, dans le *Lai d'Aristote*, la coquetterie féminine.

Il arrive aussi, mais exceptionnellement, qu'un auteur de fabliaux pousse encore plus à fond l'analyse psychologique. On cite volontiers deux pièces de Gautier le Leu, le *Valet qui d'aise a mesaise se met* et la *Veuve* où la satire se rehausse d'une fine et très juste observation. La première nous montre un garçon qui, gagnant largement sa vie, se condamne à la misère pour avoir épousé une fille aussi pauvre que lui. Dans l'autre, nous voyons une veuve désespérée qui mène au cimetière le corps de son époux. Elle se traîne en gémissant à la porte de l'église, tandis que le curé presse la cérémonie pour économiser les cierges. Des amis, pleins de sollicitude, ramènent la veuve à la maison. Mais c'est en vain qu'ils s'emploient à soulager cette navrante douleur :

> Dont commença li runemens [*murmure*],
> Li conseil et li parlemens
> Des parentes et des cusines
> Et des vechiens [*voisins*] et des voisines.

> Si li dient : « Ma dulce amie,
> Or ne vos desconfortez mie.
> Mes lessiés tot ce duel ester,
> Penseis de vos remarïer. »

Pour le moment elle n'y songe guère; mais le temps passe. Le mort
subit le Purgatoire et peu à peu la veuve oublie et se remet à voir
du monde. Elle fait toilette, salue les uns et les autres, parle du
défunt avec ses amis. Il avait certes bien des qualités, mais pas
toutes; il était très mauvais coucheur et ce ne serait pas un crime
de lui donner un remplaçant, pourvu qu'il fût riche et bien fait.
Ne tient-elle pas d'une pythonisse qu'elle serait aimée d'un beau
jouvenceau ?

> Car foi que doi a saint Linart,
> Suer, je n'ai cure de viellart.

S'étant donnée à l'ami de son choix, elle n'éprouve que des mé-
comptes. Celui-ci réclame son paiement, l'insulte et la frappe et,
du même coup, la veuve perd ses consolantes illusions.

Comme les autres genres littéraires cultivés au XIIIe siècle, les
fabliaux portent en eux le germe des tendances nouvelles dont le
succès s'affirmera un peu plus tard. Ils ont eux-mêmes conquis les
suffrages de la foule au moment le plus favorable, celui où la poésie
cessait d'être populaire, sans devenir d'un seul coup parfaitement
individuelle. C'est pourquoi il est difficile de porter sur eux un
jugement d'ensemble, soit qu'on les condamne en bloc, soit que, pour
le charme des uns, on oublie le cynisme et la grossièreté des autres.
Il est certain qu'un parti pris de réalisme outrancier, une abondance
d'allusions crues et de grivoiseries effrontées, accusent trop ouvertement la trivialité des auteurs. S'ils s'en étaient tous tenus là, il
ne faudrait voir dans leurs œuvres qu'une erreur inévitable, une
éclipse passagère de ce sentiment des convenances et de ce goût de
la mesure qui caractérisent à toutes les époques l'esprit français.
Mais qui ne voit qu'à la faveur de ces récits sans prétention s'inaugure un aspect nouveau de notre littérature : le conte joyeux, volontiers libertin, satirique à l'occasion, que La Fontaine illustrera,
tout en insérant dans ses recueils de Fables des morceaux comme la
Veuve ou le *Curé et le mort*, plus ou moins directement inspirés
des fabliaux; certaines œuvres dramatiques, farces où la bouffonnerie se mêle à l'observation réaliste et qui, avant d'aboutir au moderne vaudeville, ont rencontré l'art de Molière, imitateur du *Vilain mire*.

La Fable   Si La Fontaine, auteur des *Contes* et tributaire
ésopique.   de Boccace, a néanmoins des précurseurs dans le
XIIIe siècle français, le genre qui lui valut sa plus grande renommée
connut, dès le début du moyen âge, une faveur de bon aloi. Bien

que le nom de Phèdre dût rester ignoré des clercs jusqu'au xvɪᵉ siècle, où Pierre Pithou le révéla, les fables latines s'étaient répandues grâce à deux recueils qui fournirent pendant plusieurs siècles une riche matière d'enseignement. Un maladroit imitateur de Phèdre, Avianus, dépouillant ses fables de toute ironie et les ramenant au type élémentaire de l'apologue ésopique, en avait tiré, dès le ɪvᵉ siècle, de froids distiques où la morale l'emportait sur le conte. Mis plus tard en prose, ce recueil avait séduit les milieux cléricaux par son caractère didactique. Les fables de Phèdre n'en avaient pas moins survécu et nous les retrouvons groupées, au ɪxᵉ siècle, par un certain Romulus Imperator, qui prétend faussement traduire en latin, pour son fils Tibérinus, les fables d'Esope. Le fonds primitif de cette collection s'accrut au xɪᵉ siècle de fables médiévales plus largement imprégnées d'esprit scolastique et chrétien. Parmi les recueils issus de *Romulus*, certains, comme l'*Anonyme* publié par Névelet, en 1610, ou le *Novus Aesopus* d'Alexander Neckam n'en modifiaient pas sensiblement la matière; d'autres, au contraire, comme celui dont la traduction française est attribuée sans motif valable au roi Alfred, en offrent le texte accru de fables inconnues de Phèdre et tirées, pour la plupart, de récits orientaux. Cette littérature d'école, tout d'abord réservée aux clercs, devait, à la faveur de la renaissance du xɪɪᵉ siècle, pénétrer par la traduction ou l'adaptation en langue vulgaire dans la société laïque.

Marie de France et les « Isopets ».   Vers 1180, la poétesse Marie de France traduisit, non sans adresse, le *Romulus* anglo-latin sous le titre d'*Isopet*, qui désormais servit à désigner tous les recueils d'apologues dont la substance, à tort ou à raison, était couramment attribuée au fabuliste phrygien. L'*Isopet* de Marie de France n'ajoute d'ailleurs pas grand-chose à la gloire de la poétesse. C'est en vain qu'on chercherait dans ces octosyllabes précis, mais secs, la poignante mélancolie de certains *lais* bretons. Le récit ne se justifie que pour introduire la morale, et celle-ci paraît absorber toute l'attention de l'auteur; c'est ainsi qu'après avoir conté comment un coq trouva une pierre précieuse sur un fumier, Marie de France tire longuement la conclusion de l'aventure :

> Autressi est de mainte gent,
> Se tot ne vait a lor talent [*gré*],
> Come del coc et de la geme.
> Veü l'avons d'ome et de feme :
> Bien ne onor noient ne prisent.
> Le pis prenent, le mieux despisent [*dédaignent*].

L'*Anonyme* de Névelet fut traduit trois fois en vers au xɪɪɪᵉ siècle, versions que Robert, leur premier éditeur, désigne sous le titre d'*Isopet de Lyon*, d'*Isopet I* et d'*Isopet III de Paris*; l'*Isopet I de Paris*, qui contient en appendice les fables d'Avianus, porte également le titre d'*Isopet Avionnet*. Enfin l'*Isopet de Chartres* et l'*Isopet II de Paris* sont la traduction française des distiques latins d'Alexander Neckam.

Plus précieux comme documents philologiques qu'intéressants comme œuvres littéraires, les *Isopets* ne nous fournissent que l'adaptation souvent maladroite de modèles latins dont l'obscurité est une suffisante excuse aux contre-sens et aux confusions. Mais on conçoit que ces récits dont les acteurs sont des animaux, se prêtaient, par l'impersonnalité des allusions et le caractère général de l'enseignement qui s'en dégageait, à servir d'exemples pour la prédication. Aussi de nombreuses fables, soit d'origine antique, soit d'importation plus récente, se trouvent-elles insérées parmi les *Contes moralisés* de Nicole Bozon, dans le recueil d'Etienne de Bourbon, dans les sermons de Jacques de Vitry, ou forment-elles la matière des *Parabolae* du cistercien anglais Eudes de Cheriton. Il s'en trouve même dans les œuvres historiques et, notamment, dans les *Récits d'un ménestrel de Reims*.

Mais on ne saurait dire des fables médiévales qu'elles constituent un genre original et nous révèlent le tempérament du public auquel elles étaient destinées. Trop étroitement fidèles aux modèles latins, les auteurs d'*Isopets* ne se renouvellent guère et leurs œuvres dégagent souvent plus d'ennui que d'agrément. L'intention morale implique un ton de gravité qui sent trop l'école et le prêche. Et pourtant le principe de la fable ésopique, récit dont les acteurs sont des animaux qui se conduisent en hommes, tout en gardant leur apparence physique, va se modifier chez certains poètes jusqu'à prendre l'allure et l'étendue d'un conte épique excluant à l'origine toute arrière-pensée édifiante ou morale et poursuivant, par des procédés analogues, les mêmes fins que le fabliau. La réunion de ces contes, effectuée au début du XIIIᵉ siècle par un amateur curieux, c'est ce que nous appelons le *Roman de Renart*.

Le « Roman de Renart ». Cette fameuse épopée animale n'est donc ni le développement méthodique d'un thème suivi, ni l'œuvre d'un poète unique; c'est une collection de narrations indépendantes, ou *branches*, qui furent composées de 1170 à 1205 environ par différents auteurs, dont trois seulement, Pierre de Saint-Cloud (br. II), le prêtre de la Croix en Brie (br. IX) et Richard de Lison (br. XII) échappent à l'anonymat. Sur les vingt-sept branches qui figurent dans l'édition intégrale d'Ernest Martin, une quinzaine seulement auraient appartenu à la rédaction la plus ancienne; onze auraient été composées postérieurement, de 1205 à 1250, par d'obscurs imitateurs.

Roman de Renart

Tympan du Portail de l'ancienne Eglise Saint-Ursin de Bourges

Origines   On a longtemps admis, sous l'influence des théo-
et sources.   ries de Grimm, que les branches conservées du
Roman de Renart n'étaient que des remaniements d'une version
perdue. Mais tandis que le critique allemand prétendait en retrouver l'origine au sein des forêts germaniques, avant l'époque des
invasions, Gaston Paris et Léopold Sudre ne leur assignaient point
d'autre source que le folklore du moyen âge, où la tradition orale
avait gardé le souvenir des contes d'animaux ésopiques et orientaux.
Ainsi le *Roman de Renart* était une œuvre spontanée, qui avait
longtemps vécu sur les livres des conteurs avant de recevoir la forme
littéraire. Les récents et lumineux travaux de M. Lucien Foulet ont
anéanti cette hypothèse. Sans méconnaître l'influence des contes
populaires, il paraît aujourd'hui démontré que le *Roman de Renart*
est une œuvre réfléchie, savante, issue des livres, mais composée à
l'usage de la foule qui en fit le succès. Deux précurseurs authentiques nous assurent que Renart a pénétré dans la littérature par la
volonté des clercs, le religieux de Toul qui composa au Xe siècle
l'*Ecbasis Captivi* et surtout le flamand Nivard, auteur, en 1147,
du poème d'*Ysengrimus*. C'est à lui que nous devons la transformation de la fable ésopique dans le sens individuel : chaque animal
devient un type spécial pourvu de traits précis et d'une appellation
distinctive; le goupil est *Renart*, le loup *Isengrin*, le coq, *Chantecler*. En même temps, les épisodes se multiplient et certains détails
laissent deviner une intention satirique.

Pierre   Le plus ancien poète français qui ait « trouvé
de Saint-Cloud de Renart » est apparemment Pierre de Saint-
et ses   Cloud qui rédigea la seconde branche entre 1174
continuateurs. et 1177. Il assure lui-même à ses lecteurs qu'ils
ont pu entendre bien des histoires, la légende de Troie et celle de
Tristan, des fabliaux et des chansons de geste,

> Mais onques n'oïstes la guerre
> Qui tant fu dure de grant fin
> Entre Renart et Ysengrin,
> Qui moult dura et moult fu dure.

Cette branche fut pourvue à l'origine d'un double appendice.
Renart et le Grillon (br. V), *Renart et Tibert* (br. XV). Les
branches III, IV, VII et IX constituent des épisodes détachés. La
première branche, au contraire, chronologiquement postérieure au
récit de Pierre de Saint-Cloud, s'y rattache immédiatement. Elle fut
composée en 1179 par un anonyme artésien et devint la plus populaire de toutes. Comme, en dix manuscrits sur quinze, elle ouvre
la collection, on l'a considérée à tort, comme la plus ancienne. Sa
renommée fut telle qu'un Flamand la traduisit en 1250 sous le
titre de *Reinaert de Vos* qui fut suivi lui-même de deux continua-

tions tirées des autres branches et devint la source de toutes les
imitations postérieures jusqu'au roman de Gœthe. L'auteur, qui
connaît les quatre ou cinq branches publiées avant la sienne, a
résolu de dénouer l'action de Pierre de Saint-Cloud demeurée en
suspens. A la fin de ce poème, Renart avait infligé à Hersent, la
louve, un douloureux affront. Isengrin, le loup, s'était plaint au
roi Noble, le lion, de l'outrage fait à sa femme et de moindres méfaits commis par le larron dans sa demeure et sur ses louveteaux.
En l'absence de témoins, le jugement est difficile à rendre et le roi,
qui veut éviter les complications, se déclare prêt à acquitter Renart,
pourvu qu'il fournisse la preuve de son innocence. Mais ainsi mis
au pied du mur, le coupable préfère s'enfuir et le récit s'interrompt
brusquement.

Pierre de Saint-Cloud a manqué de souffle en s'abstenant de
conclure, en abandonnant ses lecteurs au moment le plus pathétique,

> Car il entroblia le plet
> Et le jugement qui fut fet
> En la cort Noble le lion
> De la grant fornicacion
> Que Renart fist, qui toz maus cove,
> Envers dame Hersent la love.

Ce procès inachevé offre une plaisante matière au poète qui s'en
empare, et nous voici ramenés par lui dans la compagnie de nos
personnages. C'est le jour de l'Ascension, Noble a réuni ses barons
en cour plénière. Nul n'y manque, sauf Renart, le goupil, et ses
ennemis profitent de son absence pour l'accabler. Isengrin, le premier, réclame pour les nombreux torts qu'il a subis. Noble écoute
avec ennui ces doléances, car toutes ses sympathies vont à Renart.
Sur le conseil de Brun, l'ours, il impose silence aux demandeurs,
mais on fera comparaître Renart pour qu'il s'explique et soit châ-
tié, s'il le mérite. Ce n'est pas d'ailleurs qu'on retienne grand-chose
des griefs invoqués. Hersent, la plus affligée des victimes, se déclare
prête à prouver que sa vertu n'a pas subi d'atteintes. Dès lors Renart ne sera poursuivi que pour les dégâts matériels qu'il a causés
dans la tanière du loup. Mais la jalousie d'Isengrin s'obstine et
s'exaspère; il veut être son propre justicier. La colère l'emporte et
le roi doit le calmer.

> Mout fu dolenz, ne set que faire
> Ne n'en set mais a quel chief traire [à quel saint se vouer].
> A la terre entre dous eschames [deux escabeaux]
> S'assiet, la coe entre les james [jambes].

Mais voici qu'un triste cortège s'avance au pied du trône royal.
Chantecler et Pinte « qui pont les ues gros », accompagnés de
trois autres poules, Noire, Blanche et la Roussette, précèdent une

charrette dont une bâche épaisse dissimule le contenu. C'est là que gît le corps mutilé de Copée, la sœur de Pinte, massacrée par le goupil. Parvenue devant le roi, Pinte éclate en lamentations :

Cinc freres oi, toz de mon pere :
Toz les manja Renarz li lere [le larron] ;
Ce fu grant perte et grant dolors.
De par ma mere oi cinc serors,
Que [tant] virges poles, que meschines [jeunes poules]
Mout i avoit beles gelines.

Des cinq il n'en restait plus qu'une, à laquelle l'impudent Renart vient d'infliger le même sort qu'à ses sœurs. En rappelant ces traits horribles, Pinte s'écroule sur le pavé et Chantecler, s'agenouillant devant le roi, ne peut retenir ses sanglots. Il n'en faut pas plus pour émouvoir Noble :

Un sospir a fait de parfont,
Ne s'en tenist por tot le mont [pour rien au monde].
Par mautalent [colère] drece la teste.

Un frisson d'effroi court sur l'assistance. Noble promet à Pinte qu'il lui fera justice, ce qui comble d'aise Isengrin. En soutenant la querelle de Pinte, le jaloux savoure sa prochaine vengeance :

Je ne di mie por haïne,
Ainçois le di por la meschine [poulette]
Qu'il a morte, que je ne face
Por chose que je Renart hace [haïsse].

Puis ce sont les funérailles. Brun officie, assisté de Tardif, le limaçon, du chien Roonel et du cerf Brichemer. La victime est portée en terre et recouverte d'une plaque de marbre où l'on grave une épitaphe. L'émotion est générale et l'unanimité se fait contre Renart, à tel point que Noble doit envoyer à sa recherche. Cependant Couart, le lièvre, à qui la peur avait donné les fièvres, s'est vu guéri pour avoir dormi sur le tombeau de la martyre. C'est un miracle dont la cour douterait volontiers, s'il n'était garanti par de solennels témoignages. Les choses se gâtent pour Renart et c'est en vain que ses amis, Grimbert, le blaireau, et Tibert, le chat, s'efforcent de plaider sa cause. S'il se soumet à la justice, il est perdu.

Or, accomplissant sa mission, Brun est parvenu à Maupertuis, la résidence de Renart qui s'est reclus au fond de son terrier bien garni de provisions. L'ours y reçoit un accueil obligeant et Renart pousse la complaisance jusqu'à lui offrir d'aller manger du miel; c'est un mets dont l'ours est friand; sans défiance, il suit Renart qui l'amène à un arbre déjà fendu par les bûcherons. Brun enfonce son museau dans l'ouverture, tandis que Renart enlève rapidement les coins qui maintiennent l'écartement. Un bûcheron, voyant l'ours

en cette posture, court au village pour chercher du renfort. Brun,
se jugeant perdu, fait des efforts désespérés pour se dégager,

> Tent et retent, tire et resache [*pousse*] :
> Estent li cuirs, rompent les veines
> Si durement que a granz peines
> Fent li cuirs et la teste quasse [*se brise*].

C'est tout sanglant qu'il s'en revient près de son maître :

> « Rois », fait il, « ensi m'a bailli [*traité*]
> Renarz, com vos poez veoir. »

Et le roi lui promet justice. Mais comme Brun n'a pu remplir
sa mission, il en charge Tibert qui revient à son tour fort mal en
point. Enfin Grimbert réussit à ramener son compère en lui présentant une lettre scellée du sceau royal. Arrivé devant le roi,
Renart constate que l'assistance lui est hostile. On le déclare coupable : il sera pendu.

Désormais son sort paraît bien réglé et déjà l'on dresse la po-
tence, mais Renart prend la parole. Certes il n'a commis aucun des
crimes qu'on lui reproche, ce qui ne l'empêche pas d'avoir sur la
conscience quelques menus péchés. Pour s'en laver entièrement, il
fera le pèlerinage de Terre Sainte. Cette solution plaît au roi, et
l'on apporte au pèlerin la croix et le bourdon. Le subterfuge a
réussi; une fois de plus Renart est libre mais, s'il part, c'est la rage
au cœur. Il salue courtoisement le roi et la reine, donne en passant
un coup de dent à Couard et s'éloigne. Le voici maintenant hors
d'atteinte, se dressant aux yeux de tous, au sommet d'une roche
élevée. Il n'a plus à ménager ni le roi débile, ni ses adversaires mys-
tifiés.

> Renart a pris as meins la crois,
> Si lor escrie a haute vois :
> Danz rois, tenés vostre drapel [*morceau d'étoffe*] !
> Que Dex confonde le musel
> Qui m'encombra de ceste frepe [*ces fripes*]
> Et del bordon et de l'escrepe [*écharpe*],

et, joignant au mépris l'insulte :

> Saluz te mande Coradins
> Par moi qui sui bons pelerins :
> Si te crement [*craignent*] li paien tuit;
> A pou que chascuns ne s'en fuit.

Elle est charmante, en vérité, cette première branche, où les
scènes animées et les tableaux pittoresques se succèdent avec entrain.
Quel art savant dans le choix des épisodes et leur présentation :
cour de Noble, entrée théâtrale de Chantecler et de Pinte, pompe
funèbre de Copée, mésaventure de Brun et de Tibert, et cette prodigieuse scène finale où l'astucieux et cynique Renart bafoue pêle-

mêle les puissances spirituelles et le bras séculier. Les faits dramatiques et plaisants s'enchaînent avec aisance, sans que le lien logique nuise à la fantaisie; mais avec un tact exquis, un souci délicat
du bon goût et de la mesure, la plaisanterie ne tourne jamais à la
farce, la peinture à la caricature, la satire à l'invective. Pourtant
l'esprit des fabliaux se retrouve ici tout entier et l'on a pu découvrir une « parité intellectuelle » entre leurs auteurs et ceux
des branches de *Renart*. Dans ces animaux pleins de vie, dont la
silhouette précise ne contredit pas la vérité naturelle, s'évoquent
aussi des types humains et le dosage est si parfait qu'aucun de ces
deux éléments ne l'emporte jamais sur l'autre. Au milieu des bourgeois égoïstes ou sottement timorés, des barons vaniteux, guindés
dans leurs privilèges, des gens d'église pressés de se mêler au siècle,
devant ce roi comiquement terrible dont le moindre soupir fait se
prosterner une cour servile, Renart se dresse, arrogant et railleur,
avec toute sa lignée. Personnage aux aspects multiples, comme en
enfantera Rabelais, d'une souplesse à toute épreuve, prêt à fléchir
provisoirement devant la force, pour préparer dans le secret la revanche de la ruse, gardant toujours, quand tout paraît perdu, un
dernier tour dans son sac, Renart est le peuple de France, ingénieux,
hardi, frondeur, souvent indiscipliné et dont l'ardeur exubérante
fait craquer les traditions. Malgré ses torts, son impudence, ses révoltes et ses méfaits, il oppose spirituellement la force de l'intelligence au rempart des droits acquis et des prescriptions garanties
par les siècles. C'est pourquoi dès l'origine l'arrière-pensée satirique
est ici plus accusée que dans les fabliaux. Une œuvre comme la première branche n'est pas seulement un divertissement de clerc en
gaîté, l'éclat de rire sonore, mais passager, d'un esprit qui se sou-
lage. Elle s'attaque aux hommes et aux institutions, met en doute
l'efficacité du jugement de Dieu, suspecte la sincérité de ceux qui
vont à la croisade, poursuit d'une verve joyeuse le clergé des paroisses et des monastères. Ce n'est encore qu'une tendance affleurant
de-ci de-là, le plus souvent noyée dans le détail des faits plaisants
et la trame de l'anecdote, mais elle ira se précisant dans les branches postérieures et finira par dominer, à la fin du XIIIe siècle et au
début du XIVe, dans les dernières compositions où la légende de Renart essaiera de se survivre.

Branches   Bien des poètes qui collaborèrent à l'épopée ani-
postérieures.   male se contentèrent d'ajouter au tronc central
des rejetons de moindre importance, courts épisodes sans lien direct
avec l'action, alertes fabliaux où librement s'étale la parodie des
mœurs et des institutions. On imagine une série de conflits entre
Renart et d'autres animaux, Chantecler, la Mésange, Tibert et le
Corbeau; ou bien on place le héros dans une situation qui lui permet de déployer ses ruses et ce sont les contes de *Renart Médecin*,

de *Renart empereur*, du *Vilain, de l'ours et de Renart*. L'examen
de la branche VII nous fera saisir sur le vif le caractère de ces hors-
d'œuvre que la fertile imagination des clercs sut composer en
marge des récits primitifs :

Renart a dérobé un chapon dans le poulailler d'une grande
abbaye. Un sergent, qui l'a surpris, alerte les moines, mais le larron
a disparu. Il s'est réfugié dans une meule de foin qu'une subite
inondation encercle pendant la nuit. Renart s'inquiète de sa situation
périlleuse, quand sire Hubert, l' « escoufle », le milan, vient se
poser auprès de lui. C'est le moment solennel. Voyant qu'il ne peut
échapper à la mort, Renart confesse ses péchés. Ce n'est point
certes qu'il regrette la vie libre qu'il a menée au mépris des conventions sociales et des croyances orthodoxes. Son existence irrégulière,
mais franche, vaut bien celle des religieux, moines noirs et moines
blancs, qui dissimulent les pires turpitudes sous un extérieur de
piété. D'ailleurs une raison primordiale l'empêche de quitter le siècle, le coupable amour qu'il a pour Hersent. L'honnête et naïf
confesseur le met en garde contre cette odieuse passion, en pous-
sant au noir le portrait de la louve, vieille et flétrie, que la luxure
dévore. Ce discours a pour effet d'exaspérer Renart qui, feignant
de se trouver mal, s'efforce de happer l'escoufle au moment où il
s'approche de lui. Il manque son coup et la confession reprend.
C'est Renart qui a dévoré les « quatre fils Hubert » dont la douleur est si poignante que Renart lui-même en paraît ému; fausse
attitude destinée à endormir la prudence de l'oiseau qui finit par
disparaître dans le gosier du goupil.

> Si l'ot ençois [*avant*] tot devoré
> Que en oüst son pié torné. ·
> Halas ! ci a mal pecheor
> Qui a mangié son confessor.

Le premier cycle de *Renart* s'achève vraisemblablement avec la
branche XXVII où le héros meurt provisoirement, car la mort même
n'est pour lui que feinte et subterfuge. Les récits plus ou moins
directement issus de l'*Ecbasis* et de l'*Ysengrimus* donnent naissance en 1205 au *Reinhart Fuchs* de l'Alsacien Henri le Glichezâre. C'est à tort qu'on a cru voir jadis dans ce poème une traduction des plus anciennes branches aujourd'hui disparues, dont celles
que nous possédons ne seraient que de tardifs remaniements. La
vérité est que le Glichezâre n'a fait qu'utiliser, en les fondant, une
demi-douzaine des branches actuellement connues, dont la rédaction
s'échelonne, par conséquent, de 1170 à 1205.

**Dernières
branches.** Mais Renart n'est pas mort. Le trépidant pro-
tagoniste de cette « comédie aux cent actes di-
vers » échappe à tous les périls et ne craint pas d'être oublié. Plus
de cinquante poètes ont traité de Renart et de nombreux imagiers

ont sculpté son effigie au portail des églises. Sans doute l'intérêt s'est émoussé et la matière a été traitée sous tant de formes qu'il est difficile de la renouveler. La clientèle bourgeoise de la seconde moitié du XIIIᵉ siècle est aussi plus cultivée, plus avertie et le simple agrément d'une plaisante histoire ne suffit plus à la séduire. Les imitateurs attardés de Pierre de Saint-Cloud, s'ils nous révèlent, par leur existence même, la faveur dont jouissent encore les aventures du goupil, n'ont pas enrichi sa légende. Quand ils ne se contentent pas de ressasser les épisodes traditionnels, leur imagination pauvre ou biscornue manque de fraîcheur et de naturel. Pourtant, dans ce fatras d'écrits médiocres, la branche XXIII, d'une inspiration plus originale et d'un style plus vigoureux, mérite une mention spéciale. Ce poème de deux mille quatre-vingts vers est consacré au mariage de Noble. « Renars li rous » mandé à la cour, pour se disculper de plusieurs méfaits, s'est résigné à obéir. Ses adversaires coutumiers, Isengrin, Tibert, Brun et Chantecler ont exposé leurs griefs et la plupart se sont réconciliés avec lui. Mais comment s'excusera-t-il du meurtre de Copée ? Le plus simplement du monde. Pour avoir guéri le lion, un jour qu'il s'était fait médecin, Renart est devenu sergent du roi. C'est à ce titre qu'insulté par Gombert du Frène, le malchanceux éleveur de poules, il a exercé sa vengeance au nom du maître qu'il représentait :

> Por fornir [*accomplir*] vostre mandement
> Cueilli ge greignor hardement [*plus grande audace*],
> Un petit [*peu*] vengoi vostre honte.

L'argument porte et la cour, hésitant à se prononcer, s'en remet au jugement du coq qui inclinerait au pardon, si les poules ne se montraient plus irréductibles. Le sang de Copée crie vengeance. Quoi qu'il fasse pour retarder le châtiment, Renart sera pendu. On pense bien que le roublard saura une fois de plus se tirer d'affaire : il peut communiquer au roi une nouvelle qui le ravira. Le roi Yvoris est tout disposé à lui accorder la main de sa fille qui possède l'agréable don de changer de forme à son gré;

> N'est beste, tant com terre dure,
> Dont ne puist prendre la figure.

De tous les assistants, Renart seul est au courant des faits. Force est donc de le laisser vivre et de l'envoyer en ambassade auprès d'Yvoris. Au moment du départ, sa femme Hermeline l'engage à s'initier à la nécromancie :

> Ce est un ars de tel maniere
> Que qui bien en set la matiere
> Tot fait a son commandement,
> Car ce est l'art d'enchantement.

Il ne manque plus à Renart que ce complément d'instruction. S'il l'acquiert, il n'aura plus personne à redouter. Le voici donc à Tolède, patrie des arts hermétiques, et son premier soin est de se faire prendre à voler des poules dans la maison de maître Henri qui, précisément, les enseigne. Renart assiste à ses leçons et bientôt initié à tous les mystères, revient auprès d'Hermeline. Après l'avoir consolée, il va prévenir le roi de l'arrivée imminente de sa fiancée. Noble donne ses ordres pour la fête et les animaux se partagent les rôles. Tout est prêt, quand surgit un merveilleux cortège, suite effarante de bêtes monstrueuses entourées des flammes qu'elles vomissent de toutes parts, à la grande joie du goupil. La lionne paraît enfin et l'on se met à table. Renart en profite pour mystifier le loup qui perd sa peau dans l'aventure. Tous ces animaux grimaçants ou terribles sont des créatures de Renart, des démons incarnés; aussi ne prennent-ils part au festin que pour la forme :

> Molt furent servi noblement,
> Mes les bestes d'enchantement
> N'i gastent   gueres de pasture :
> Deables n'a de menger cure.

Pour terminer dignement la fête, ces convives inattendus exécutent, comme en se jouant, des tours d'acrobatie. Quand les bêtes réelles veulent les imiter, c'est pour se couvrir de ridicule : Brun s'effondre sur le sol. Brichemer, le cerf, en sautant, prend ses bois dans les cerceaux, Tibert lui-même renonce à sauter au-dessus d'une corde, tandis que Cointereau, le singe, fait de la voltige sur le dos de Roonel. La cour se déclare enchantée du spectacle et, tandis que ses accusateurs vont soigner leurs bosses, Renart s'éloigne avec un sourire triomphant.

Ces joyeuses inventions qui rappellent en quelque manière le ton des premières branches, ne sont point du domaine habituel des poèmes composés sur le thème de Renart, dans le courant du XIIIe siècle. Le goût des péripéties le cède le plus souvent à celui du symbolisme. Une gravité didactique étouffe les éclats de rire et le goupil qui n'était qu'un farceur va passer pour un gredin. Le héros de tant d'aventures piquantes, toujours habile à conjurer le mauvais sort et à mettre, sinon le droit, du moins les rieurs de son côté, devient le symbole de l'hypocrisie, du mensonge et de la trahison. C'est ainsi qu'il nous apparaît dans la branche XXIV, où son nom, dit l'auteur, signifie

> Çaus qui sont plain de felonie,
> Qui ne finent [cessent] de s'agaitier [guetter]
> Con puissent autrui engingnier.

Cette nouvelle tendance n'interrompt point pour autant la rédaction des contes accessoires composés à la façon des fabliaux, dans

le seul dessein de distraire : on nous rapporte ainsi l'histoire des quatre animaux jouant une andouille à la marelle. Renart survient à
l'improviste; Tibert saute avec l'enjeu sur une croix. Mais comme
Renart lui signale le passage d'une souris, il lâche l'andouille qu'emporte le rusé compère.

Telle est, dans son ensemble, la production littéraire qui s'efforça
à partir de 1205 d'exploiter la popularité de Renart et de ses comparses. Les auteurs, vite à bout de souffle, renoncent, vers le milieu du siècle, à prolonger l'expérience. Le goût du public a changé;
ce qui le frappe désormais, c'est, plutôt que la narration facile et
divertissante, l'enseignement moral qui doit s'en dégager; ce qu'il
retient, par conséquent, ce sont les traits de satire et la peinture
symbolique des travers du siècle. L'insaisissable baron de Maupertuis, le goupil si redoutable aux autres bêtes, le fripon que rien
n'arrête, mais qui n'est, après tout, méchant que pour nous plaire,
cède la place à une figure artificielle où se greffent, comme autant
de hideuses plaies, les vices et la corruption de la société contemporaine.

« Renart   C'est dans cet esprit qu'entre 1261 et 1270
le bestourné ».   Rutebeuf composera son *Renart le bestourné* qui
ne tient guère au roman que par le titre et les noms des personnages. C'est une suite d'allégories souvent obscures, dirigées contre
des personnages dont nous ne saurions percer l'incognito. Renart
y joue sans doute un rôle prépondérant mais, comme partout d'ailleurs où Rutebeuf l'introduit, il personnifie l'hypocrisie religieuse
et sert de cible aux traits que l'auteur décoche contre les ordres
mendiants.

Le « Couron-   *Le Couronnement de Renard*, écrit en 1295 par
nement de   un Flamand, bien qu'il soit d'une inspiration voi-
Renart » et   sine, nous paraît plus intelligible, comme aussi
« Renart le   *Renart le Nouvel* composé en 1288 par le Lillois
Nouvel ».   Jacquemart Gelée où nous retrouvons avec plaisir, au moins dans la première partie, la verve malicieuse des plus
anciennes branches. Mais ce poète bien doué, capable de faire revivre
le souvenir de ses devanciers, ne perd cependant pas de vue l'intention morale telle qu'il la définit dans son prologue où il se déclare
prêt à combattre dans le monde « la fausseté et le malait ».

« Renart   C'est dans le premier quart du XIVe siècle que
le Contrefait ». la descendance de Renart s'éteint avec *Renart le
Contrefait*, en propres termes : celui qui contrefait Renart, qui se
déguise en Renart. C'est une œuvre singulière et bien faite pour dé-
cevoir, qui tient du poème satirique et de la compilation encyclopédique. L'auteur est un clerc de Troyes qui dut renoncer aux

ordres à la suite d'une aventure scabreuse et parvint à s'enrichir, comme il nous l'apprend lui-même, dans le commerce des épices :

> Marchéans fu et espiciers
> Le tems de dis ans tout entiers.

S'étant retiré des affaires, aux environs de la quarantaine, il se met à écrire en 1319 et tout porte à croire qu'il avait terminé son œuvre avant 1328. S'il est venu sur le tard à la littérature, il se hâte de rattraper le temps perdu : trente et un mille vers sont le premier résultat de son effort, mais cet exploit ne lui suffit pas. Il remanie sa première version, et la seconde est deux fois plus étendue. Dans le cadre des récrits traditionnels, en respectant même la division en branches, il a jeté pêle-mêle le contenu de sa mémoire. Toute la science des clercs bourrés de théologie, de philosophie, d'astronomie, d'astrologie, de médecine, de politique et d'histoire lui fournit la matière d'une compilation dont les aventures du goupil ne sont que le prétexte inavoué. Il se donne bien tout d'abord pour un disciple de Jacquemart Gelée et nous fait espérer un poème satirique attaquant à la fois les travers généraux de l'humanité et les mœurs du temps, clouant au pilori les hypocrites qui « ont la chape de Faus-Semblant vestue ». Mais le flot des dissertations scientifiques emporte ces bonnes intentions et le pédantisme du clerc se déploie sans retenue. Que devient Renart en cette conjoncture ? Tour à tour juge et accusé, il est tantôt l'abrégé de tous les vices et le symbole de toutes les trahisons, tantôt le critique amer et prolixe des imperfections du siècle. Discoureur insatiable, prédicateur et moraliste, ce cuistre en bonnet carré ne perd pas une occasion d'étaler sa science et, s'il s'apprête encore à dévorer l'escoufle Hubert, il ne le fait pas sans avoir disserté sur les arts libéraux, sur les sept péchés capitaux et sur les dimensions du monde.

Et pourtant, malgré ses défauts, sa forme chaotique, ses digressions imprévues et ses lenteurs désespérantes, *Renart le Contrefait* est un précieux document. Outre qu'il nous fait connaître un certain nombre de récits qui devaient appartenir au cycle primitif, puisqu'ils se retrouvent dans les adaptations étrangères, il nous offre un vivant reflet des tendances nouvelles de la pensée médiévale. Au goût longtemps exclusif pour les œuvres plus ou moins teintées de satire, va s'unir dans la faveur d'une bourgeoisie plus cultivée la curiosité des grands problèmes moraux, philosophiques et scientifiques. Le goupil aux aspects changeants, fidèle expression du peuple des villes, avec ses défauts immenses et ses incomparables qualités, fut solidaire à tel point de son public qu'il en suivit rigoureusement l'évolution.

CHAPITRE VII

*Contes dévots. Légendes mariales. Vies des saints
La Bible en français.*

Contes
dévots.
Si naturel et bienfaisant que soit le rire, on ne peut pas rire toujours. Si largement que les « états du monde » prêtent le flanc à la critique, on ne peut constamment se gausser des nobles, mettre à nu l'hypocrisie des clercs, reprocher aux vilains leur fourberie et leur sottise. Quand, entre deux opérations fructueuses, les marchands venus aux foires de Champagne et de Picardie se délassent à la taverne, ils apprécient plus que tout le sel piquant des fabliaux et la verve épanouie des malicieux conteurs qui firent de Renart un héros d'épopée. Mais rentrés chez eux, assis parmi les leurs, ayant charge d'intérêts matériels mais aussi charge d'âmes, ils vivent plus qu'on ne croirait en communion avec leur siècle. Certes ils se sont esclaffés aux mésaventures du clerc insolent épris de la femme d'un bourgeois stupide; ils ont applaudi Rutebeuf tonnant contre les ordres et dénonçant les scandales de l'Université, mais jamais ils n'ont rien dit ni entendu qui offense Dieu ou bafoue la religion. Derrière ses ministres faillibles, ils n'ont point souci de l'atteindre; leur foi reste entière et profonde. Même quand ils ont pris plaisir aux histoires les plus grossières, ces bons vivants ne sont point incapables de s'attendrir à la lecture d'une touchante anecdote dénouée dans le sens le plus édifiant. Ils s'entendent parfaitement à discerner le bien du mal et ils admettent que le crime soit puni et la vertu récompensée. Il n'y a donc pas lieu d'imaginer pour une série d'ouvrages habituellement désignés sous le nom de *Contes dévots*, une autre clientèle que celle des fabliaux.

Mais qu'entendre par *Contes dévots* ? La définition en est malaisée, car on classe volontiers sous cette rubrique une infinité de poèmes qui participent à la fois de la forme narrative et de l'intention édifiante, des récits hagiographiques, des légendes très diverses où la Vierge intervient plus ou moins directement. Il semble qu'il faille réserver le terme à des morceaux moins étendus, d'inspiration pieuse et dont les personnages, longtemps secoués par de cruelles épreuves, ne retrouvent la sérénité qu'après une rude pénitence. Les auteurs de ces contes n'innovent guère, sinon dans la mise en œuvre des matériaux qu'ils empruntent soit à la tradition biblique, soit à des collections latines tirées elles-mêmes de récits orientaux, comme c'est le cas des *Exemples* du cardinal Jacques de Vitry. Ce sont de naïves paraboles célébrant pour la plupart la vertu du repentir. Nous apprenons, à les parcourir, qu'un empereur orgueilleux, ayant osé défier le ciel, fut précipité de son trône par un ange et par un démon et n'y remonta qu'après avoir fait pénitence; ou bien qu'une bourgeoise de Rome parvint, grâce à son repentir, à effacer les crimes qu'elle avait commis et que le diable en personne s'était empressé de divulguer. Non moins sombre et malgré tout réconfortante dans ses suites et sa conclusion nous apparaît l'odyssée du *Chevalier au barisel*. Pour avoir longtemps blasphémé son Dieu, l'infortuné succombe sous le poids des péchés. N'y pouvant tenir, il s'adresse à un pieux ermite qui lui donne l'absolution, à condition d'accomplir une pénitence apparemment si légère qu'il ne saurait s'y refuser. Il doit remplir d'eau un petit baril, mais celui-ci, comme le tonneau des Danaïdes, se vide à mesure qu'on l'emplit. En vain le chevalier va-t-il le plonger dans les fontaines, dans les rivières et jusque dans la mer; il parcourt vainement le monde et se désespère, quand une simple larme de repentir, roulant au fond du vase, le remplit miraculeusement.

Qu'on sache donc, et cette histoire est là pour nous l'apprendre, que nulle faute n'est irréparable, pourvu que fléchisse l'orgueil du pécheur et que s'humiliant devant Dieu il implore sa miséricorde. Le Seigneur est tout-puissant, sa parole se répand aux quatre coins du monde, sa religion doit triompher de toutes ses rivales. C'est ce que nous démontre un poète anonyme qui rima entre 1270 et 1294 le *Dit dou vrai aniel*, sorte de parabole destinée dans son esprit à instruire les hommes et à les améliorer. Il y avait jadis en Egypte un homme âgé, beau et vaillant, courtois et sage, qui possédait un anneau magique, remède souverain contre tous les maux. Ce prud'homme le prêtait volontiers et gratuitement, pour rendre service, et sa renommée était grande dans la contrée. Des trois fils qu'il avait engendrés, l'aîné, plein de mauvais instincts :

> Bougres [*hérétique*] estoit et mescreant,
> Haïs iert de Dieu et dou monde.

Le cadet ne valait guère mieux, étant faux et dissimulé, mais dans le troisième étaient réunies toutes les perfections :

> Mout amoit Dieu souvrainement,
> Tant se maintenoit saintement
> K'amés iert de tout le païs.

Ce benjamin tant chéri du vieillard excitait la jalousie de ses frères. Le père, ayant dû s'aliter et sentant sa fin prochaine, s'inquiète du sort de son préféré et songe à lui léguer l'anneau précieux. Mais, auparavant, il fait venir un joaillier et lui ordonne d'en fabriquer deux autres exactement semblables. Les mauvais fils reçoivent chacun un faux anneau qu'ils devront dissimuler tant que leur père sera vivant. Quant au plus jeune, le vieillard le retient longuement et lui dit :

> ...Drois est que compere
> Le mal li hom, puis k'il l'engrange.
> Tes cuide avoir plaine se grange
> De tous biens, ki n'a un fiestu.
> Et puis que Dieus t'a raviestu
> De se grache, tu as le moie.

et il lui donne le bon anneau en le prévenant du tour qu'il a joué à ses frères dont :

> Cascuns vaut pis de [que] Guenelon.

Peu de temps s'écoule et le père meurt. Tout le pays le pleure, tant il était aimé. Sans perdre un moment, le fils aîné publie qu'il détient l'anneau merveilleux :

> « Biele douche gent, vés le chi ! »
> Dont ot cascuns le cuer noirchi,
> Demanderent ki li donna.

Le second tient le même discours et provoque la même inquiétude. Enfin le plus jeune présente son anneau qui est le seul authentique, et il offre d'en faire l'épreuve. Elle est décisive, il n'y a plus qu'à briser les deux autres,

> Car on ne peut en iaus trouver
> Nule viertu a l'esprouver.

Furieux, les mauvais garçons ruminent déjà leur vengeance. Ils maltraitent l'enfant et mutilent l'inappréciable joyau. Mais Dieu, qui veille, envoie trois princes au secours de la victime : l'anneau réparé recouvre sa vertu.

L'anecdote serait agréable et touchante, mais somme toute assez banale, si l'auteur n'en dégageait un enseignement plus élevé. Ces personnages de conte bleu ne sont que des allégories. Le vieillard,

> Chou est li rois dou chiel cheliestre.

Les anneaux sont les trois religions, celle de Mahomet, celle des Juifs, et celle du Christ. Le fils aîné, fourbe et félon, doit évoquer les Sarrasins; le cadet représente les Juifs de qui la Vierge naquit et que Dieu compta pour les siens, jusqu'au jour où ils crucifièrent Jésus.

> Et chis est li aniaus dampnaules
> De coi Dieus n'iert ja pardonnaules.

Enfin les Chrétiens sont symbolisés par le plus jeune fils,

> Cui [à qui] li rois de divinité
> Donna l'aniel de dignité.

Eux seuls possèdent la vraie loi, celle qui suscita l'héroïsme des confesseurs et des martyrs, celle qui permit tous les miracles qu'ignorent les Juifs et les Sarrasins.

Mais voici que, par la faiblesse de ses amis et la perfidie de ses adversaires, le dernier venu est en « grant destreche », car ses frères l'ont dépouillé et chassé de son héritage,

> Ch'est ou Dieus fu de Vierge nés

Le tombeau du Christ est aux mains des Infidèles, par la faute du pape et des grands seigneurs qui, jaloux de leurs biens terrestres, refusent de les risquer en faveur de l'anneau. Cardinaux, évêques et abbés ne songent qu'à s'enrichir et ils mentent quand ils prétendent mener une vie difficile et se relever la nuit « pour lire et pour canter ».

> Il ne sont mais si innochent.
> Contre un ki velle [veille] dorment chent,
> S'ont dras de vair a remuiers [en quantité].

Ce n'est pas eux qui répareront l'anneau brisé, et l'enfant affligé, détrôné, renié, court grand risque de voir empirer son mal, si Dieu n'inspire à trois vaillants princes, le roi de France et les comtes d'Artois et de Flandre, le désir de le venger.

Tout ce récit plaisamment composé, dans un style souvent alerte, où les qualités de l'auteur apparaissent dans le ton nerveux des passages en style direct, un peu lent parfois, quand il catéchise ou donne avec complaisance la clef des symboles et des allégories, n'a d'autre objet que d'exciter les Français à la croisade, sans doute à l'époque de Philippe le Bel, où le vent ne soufflait plus guère de ce côté. La plus ancienne version de notre légende est rapportée dans le *Schebet Jehuda* de R. Salomo aben Verga, compilateur du XVe siècle qui avait réuni de vieilles et authentiques traditions juives. Il ne s'agit, dans l'état primitif, que d'une parabole ingénieuse où un Juif, interrogé par le roi Pierre d'Aragon sur la valeur relative des religions du

Christ et de Moïse, s'en tire habilement par une anecdote, en laissant à Dieu lui-même le soin de se prononcer. Au XIIIe siècle, Etienne de Bourbon et l'auteur des *Gesta Romanorum* la font servir à la glorification du christianisme. Au doute périlleux pour la foi que suggérait le conteur juif, se substitue en Occident l'affirmation catégorique du triomphe du Christ et de sa parole. Pourtant le scepticisme initial survit dans trois versions italiennes, favorisé par l'échec des opérations en Terre Sainte et le développement des rapports pacifiques entre Chrétiens et Musulmans. Il n'y a plus dès lors qu'un pas à faire pour accorder aux trois grandes religions issues de la Bible le droit de coexister, sans toutefois adopter l'attitude négative de l'empereur Frédéric II. C'est ainsi que, dans un conte de Boccace, le père se refuse à révéler quel est le véritable anneau. Beaucoup plus tard, ce thème inspira Lessing qui construisit sur notre parabole son drame de *Nathan le Sage*, œuvre de combat, rédigée dans une atmosphère de luttes théologiques et dont la conclusion, sceptique en apparence, se trouve en réalité favorable au christianisme.

Ainsi, s'inspirant des légendes anciennes colportées d'Orient en Occident à la faveur des Croisades et presque toujours détournées de leur sens, les poètes du moyen âge collaboraient, suivant leurs moyens, à l'action conquérante du christianisme. Concrétisant les abstractions du dogme, clarifiant les subtilités de l'histoire ecclésiastique, leurs contes étaient de nature à maintenir la foi sur ses positions, à compléter l'instruction des fidèles, à diriger leur bonne volonté vers des fins plus ambitieuses.

Le culte de la Vierge. Mais à côté de ces récits épars consacrés à la défense et illustration du christianisme et mettant en action les principes essentiels du dogme, il en était un grand nombre que de pieux auteurs vouaient au culte de la Vierge. Comme les Evangiles ne font à la mère du Christ que de brèves allusions, c'est aux apocryphes qu'ils empruntaient la connaissance des faits antérieurs à la Conception (*Evangile de l'enfance*), ou postérieurs à la Passion (*Regrets de Notre-Dame*, *Mort Nostre-Dame*). Mais édifiés sur ces textes secondaires, maintenus par les théologiens en dehors de l'Ecriture, ces contes devaient, pour se répandre, servir à des fins de propagande. Tandis que les bâtisseurs d'églises plaçaient d'innombrables sanctuaires sous le vocable de Notre-Dame, il fallait, pour les remplir de fidèles en pèlerinage, publier les faits merveilleux que la Vierge avait provoqués, qu'il s'agît de Son intercession directe dans la vie de quelques privilégiés ou des faveurs obtenues par le premier venu, grâce à une dévotion longuement pratiquée. La fête de l'Immaculée-Conception, attestée en Orient dès le VIIIe siècle, pénétra plus tard dans l'église latine et nous la trouvons célébrée en Angleterre, dans la première moitié du XIe siècle, à Cantorbéry, à Exeter et chez les moines de Winchester. La conquête de 1066

porta un coup fatal à cette institution que Lanfranc combattit;
mais elle devait renaître au début du xııᵉ siècle, grâce aux efforts
d'Anselme le Jeune, abbé du monastère de Saint-Edmond et, cette
fois, son triomphe fut définitif.

Miracles de la   Ces circonstances favorisèrent, avant et après
     Vierge.   la conquête, la rédaction de recueils latins de *Mi-
racles de la Vierge,* dont un bon nombre sont d'origine anglaise,
comme ceux d'Anselme de Cantorbéry et de Guillaume de Malmesbury. Du jour où, sur le Continent, le culte marial voulut s'imposer
aux fidèles, les collections de miracles y pullulèrent à leur tour,
normalement localisées près des sanctuaires : miracles de l'église de
Coutances, de Notre-Dame de Laon, par Guibert de Nogent et Herman de Laon, de Notre-Dame de Soissons, par Hugues Farsit, de
Notre-Dame de Chartres, de Saint-Pierre-sur-Dives, de Rocamadour.
Ces pieux récits ne pouvaient agir efficacement que s'ils atteignaient
le peuple dans sa langue; aussi les traductions s'en multiplièrent-
elles dès le xııᵉ siècle. C'est à cette époque, en effet, qu'un certain
Adgar, moine anglo-normand, transpose dans un style rude et sans
grand souci de plaire, une série de miracles qui paraissent empruntés
à l'œuvre de Guillaume de Malmesbury. Une autre collection anglo-
normande, composée au xıııᵉ siècle, contient les mêmes miracles
accrus de quelques autres, et ne saurait prétendre à plus de mérite
littéraire. La série des miracles de Notre-Dame de Chartres terminée
en 1262 par Jean le Marchant qui travaillait à la demande de l'évêque
Macé, est une œuvre laborieuse, mais sans originalité. Enfin quelques
miracles attribués à l'intervention de la Vierge sont incorporés
à la *Vie des Pères,* compilation d'origine orientale, enrichie, dans
l'état où elle se présente, de contes pieux et de récits souvent agréa-
bles à lire, parce que la langue en est souple et précise, la narration
lestement enlevée, les personnages vivants et réels, solidement plantés
sur la scène où ils se meuvent.

     Gautier   Mais toutes ces collections sont justement éclip-
   de Coinci.   sées par celle de Gautier de Coinci, prieur de
Vic-sur-Aisne, après avoir été moine à Saint-Médard de Soissons,
et mort en 1236. En trente mille vers dont la source principale est
le recueil latin d'Hugues Farsit, Gautier nous rapporte, dans un
style aimable et fleuri, tout parfumé d'admiration fervente et de
tendresse à l'égard de Marie, les légendes les plus répandues. Mais
nulle part elles ne se trouvent sous une forme aussi naïve et si parfaitement adaptée aux aspirations et aux goûts de l'humble public
auquel elles s'adressaient. Ame simple, candide et pénétrée d'amour
divin, le bon prieur chante avec enthousiasme la gloire de l'Imma-
culée. Il ne se préoccupe pas d'en faire accroire et d'exploiter au
bénéfice de son église le rappel de ces faits prodigieux. Si étrange que

Généalogie de Notre-Dame
(Bibliothèque de l'Arsenal. Ms. 3.517)

cela paraisse, il est convaincu de la réalité des faits qu'il interprète et ne s'effraye d'aucune invraisemblance. Si par ailleurs son fanatisme se déploie jusqu'à l'intolérance, s'il invective avec fureur contre les Juifs et les Chrétiens qui les tolèrent, c'est pour amener les incrédules à la dévotion qu'il pratique, les contraindre à vénérer la Vierge miséricordieuse. N'est-ce pas elle qui suppléa, durant son absence, la sacristine échappée du couvent, et qui lui rendit ses clefs, sa robe et sa cornette, quand elle fut venue, repentante, implorer sa miséricorde, après avoir vécu en concubinage et connu les pires déchéances ? N'est-ce pas elle qui sait préserver les pécheurs de la mort, les tirer de l'eau et du feu, arracher Théophile aux griffes du diable, éponger sur le front de son « tombeor » la sueur qui coule à son service ? Que l'attrait d'une vie facile et l'appât des plaisirs charnels lui suscitent des rivales, elle a vite fait de reconquérir ceux qu'une heure d'égarement détournait du droit chemin. Voici un jeune clerc qui passe au doigt d'une statue de Notre-Dame l'anneau que lui avait donné sa belle amie. Quand il veut le reprendre, le doigt s'est replié contre la paume. Effrayé, le clerc appelle ses camarades qui lui conseillent d'écouter l'avertissement et, quittant le siècle, de se consacrer à Dieu et à Marie,

> Qui bien li monstra par son doit
> Que par amors amer la doit,
> N'autre amie ne poet avoir.

Mais l'insouciant revient à son amie, sans plus s'occuper de la Vierge. Il se marie et, le soir venu, s'endort dans le lit nuptial. Notre-Dame lui apparaît alors, portant au doigt l'anneau qu'elle avait confisqué, et l'accable de reproches :

> Laidement t'ies vers moi meffaiz;
> Vesci l'anel a ta meschine [*demoiselle*]
> Que me donnas par amor fine.

C'est en vain que le jeune époux veut se rapprocher de sa femme; à chaque tentative, la Vierge s'interpose. Il saute alors du lit et court se réfugier dans un ermitage. Et voici la conclusion :

> A Marie se maria;
> Moines et clers qui se marie
> Mout hautement est mariez.
> Mais cil est trop mesmariez
> Et tuit cil trop se mesmarient
> Qui as Marionz se marient.

En contant cette singulière aventure, Gautier de Coinci pensait honorer la Vierge et contribuer à répandre son culte. Il espérait également susciter les vocations religieuses et monacales, faire régner parmi les hommes, clercs et laïcs, la plus stricte vertu. Qu'impor-

tait après cela que l'exemple choisi ne fût que littérature et que
l'héroïne de ce conte païen ait été primitivement Vénus ? L'essentiel était d'instruire et d'édifier. Plus encore en effet que les contes
dévots, les légendes mariales appréciées sous leur forme latine par les
clercs savants passionnèrent les foules profanes, dès qu'elles furent
mises à leur portée. En même temps qu'elles flattaient le goût
inné du peuple pour le merveilleux, elles faisaient briller à ses yeux
éblouis les plus consolantes promesses. Dans la monotonie des jours,
sous la menace incessante et sournoise des maux physiques et des
tortures morales, elles lui donnaient l'espoir du rachat et la certitude de l'aide divine à l'heure imminente du péril. Et c'est ainsi
que nos ancêtres, tour à tour ironiques et graves, cyniques et atten-
dris, sceptiques et fervents, savaient concilier dans leurs âmes frustes
les hardiesses les plus surprenantes avec le respect de croyances traditionnelles et l'observation des principes moraux sur lesquels s'étayait
leur vie.

L'Hagio-   Les vies des saints qui nous ont fourni les plus
graphie.   anciens monuments de la littérature française et
ce chef-d'œuvre incontestable qu'est la *Vie de saint Alexis*, gardèrent
jusqu'à la fin du moyen âge la faveur du public. L'imagination des
conteurs stimulée par d'innombrables récits latins dont les Bollan-
distes nous ont conservé le texte, y découvraient de curieuses légendes,
agrémentées souvent de traits orientaux propres à satisfaire le goût
d'un public avide de merveilleux. Aux martyrs de la primitive église,
aux vierges et aux confesseurs s'ajoutaient les patrons illustres de
la Gaule comme saint Martin de Tours et saint Germain d'Auxerre,
de grands papes, comme saint Grégoire, des évêques qui s'étaient
signalés par leurs vertus et leur courage au cours des invasions. Le
catalogue des saints, constamment enrichi, présentait une infinie
variété de personnages exemplaires et leurs miracles posthumes
venaient compléter à point le récit de leur existence terrestre. Beaucoup d'entre eux ont fait l'objet de plusieurs poèmes, puis à partir
du XIVe siècle, de versions dérimées. *Saint Alexis* fut remanié à
plusieurs reprises. La *Vie de saint Eustache,* tirée d'une légende orientale, peut-être bouddhique, nous a été transmise par onze versions
en vers et treize en prose. Particulièrement remarquable est la *Vie
de sainte Thaïs* insérée dans le *Poème moral* composé vers l'an 1200
dans la région wallonne. Les procédés littéraires observés dans le
Saint Alexis s'y affirment avec plus de maîtrise. L'héroïne, une
pauvre courtisane, méprisée de tous pour sa vie dissolue, est ramenée
à Dieu par un saint homme nommé Paphnuce et meurt elle-même
en odeur de sainteté. Le sujet est traité avec un vif souci de réalisme
et une force de persuasion singulière. L'auteur développe un exemple
et il en tire toutes les réflexions propres à sauver les âmes péche-

resses. La tâche est lourde, car les temps sont durs et le clergé faillit
trop souvent à sa mission.

> Ki les brebis Deu gardent, lent sunt et perizos;
> Des salvemenz des anrmes ne sunt guaires sonios.
> Muit est mueiz li secles, li tens mut perillos
> Car teiz duit estre pastres qui est devenuz los.

Mal dirigés par leurs pasteurs, les hommes succombent aux tentations et celles de la chair sont les plus périlleuses :

> Las ! por pechiet de feme, qu'il est de gent perdut !

C'est que les femmes connaissent toutes les ruses et laissent Dieu
pour les plaisirs du siècle. Les voici à leur toilette :

> Donc meit tote s'entente en son cors aorneir ;
> Anz k'ele voist a messe, la covient a mireir,
> Acemeir [farder], lo pipet [bouche], lo sobrecil plomeir [teindre].

Comme dans *Saint Alexis*, le poète intervient sans cesse; il n'est
point l'habile traducteur d'un modèle latin, mais il recrée ses personnages, les façonne à son gré, dessine avec soin le cadre où ils se
meuvent, et tire de la vérité des détails la force de l'argumentation.
Et encore ne s'agit-il jusqu'à présent que de saints primitifs ou légendaires; aux accents de la foi militante s'ajoutera la passion personnelle avec sa violence et sa partialité, quand l'auteur choisira pour
thème la vie d'un contemporain.

Vie de   En 1170, le jour de Noël, Thomas Becket, pri-
saint Thomas mat d'Angleterre, fut assassiné dans la cathédrale
Becket.   de Cantorbéry par des chevaliers du roi. Toute
l'Europe s'en émut : le roi lui-même, désavouant le meurtre, fit
pénitence sur le tombeau du martyr. Sur-le-champ, clercs et laïcs
composèrent en latin et en français la biographie de Thomas
Becket. Un clerc français, Guernes de Pont-Sainte-Maxence, se
trouvant à Cantorbéry en 1172, visita le tombeau du saint, inter-
rogea les pèlerins, recueillit les témoignages; puis il composa un
poème en strophes de cinq vers alexandrins monorimes, avec le souci
de faire connaître l'exacte vérité. Il manie avec aisance et non
sans quelque vanité le pur langage de l'Ile-de-France :

> Mis langages est boens, car en France fui nez.

Partisan déterminé de la suprématie de l'Eglise, il n'a que sarcasmes et invectives pour le pouvoir temporel. Nulle excuse pour
Henri II et ses barons. Toute son admiration se donne à l'archevêque dont il décrit l'attitude courageuse en face d'adversaires réso-
lus à sa perte, malgré les défaillances d'un clergé vénal qui renonce

à le soutenir. L'humble clerc vagant qui chante, pour gagner sa vie, de longs poèmes, se fait en termes éloquents le défenseur des droits de l'Eglise et dit leur fait aux prélats anglais qui, par intérêt personnel, ont permis qu'on y porte atteinte.

> « Ohi vos, las, chaitif, dites mei, ke kremeiz [*craignez*] ?
> Cremez vus ke vous touge [*enlève*] li Reis vos poestez ?
> Par ma fei ! ne l'fera, se tenir les osez. »

Il s'en faut de beaucoup que toutes les vies de saints possèdent les mêmes qualités littéraires, mais aucune n'est entièrement négligeable. Le succès du genre, prolongé jusqu'à la fin du moyen âge, atteste qu'il répondait à un besoin. Si les poètes, qui étaient le plus souvent des clercs, exprimaient par ce moyen leur piété naïve et attiraient l'attention sur l'église où le saint de leur choix était spécialement vénéré, les habitants des châteaux, comme ceux des bourgs et des campagnes, y trouvaient, sous la fiction du conte, de sages règles de conduite et des motifs d'espérance.

La Bible et les Livres saints. Sans doute eût-il été plus simple et non moins attrayant d'emprunter aux Livres saints, sans recourir à des légendes apocryphes, des exemples de bon aloi. Il ne semble pas cependant qu'à l'origine les traductions intégrales ou partielles de la Bible aient été répandues. Sans doute les prédicateurs demandaient-ils aux livres didactiques le thème de leurs sermons, mais tout se réduisait à de brèves citations plus ou moins longuement paraphrasées. C'est seulement dans le dernier quart du XIIᵉ siècle qu'on peut citer une version anglo-normande en vers des *Proverbes de Salomon*, par Samson de Nanteuil. Mais les livres historiques offrent encore plus d'attrait. On traduit de bonne heure les *Quatre livres des Rois* et l'on aborde l'histoire évangélique. Il nous reste du Xᵉ siècle un poème de la *Passion* qui n'est peut-être qu'un fragment d'une histoire complète du Christ, et nous devrons attendre jusqu'au XIIIᵉ siècle pour lire en entier la vie de Jésus. La littérature lyrique religieuse, si pauvre au moyen âge, se manifeste pourtant au début du XIIᵉ siècle avec les deux traductions des *Psaumes* connues sous le nom de *Psautier d'Oxford* ou *de Montebourg* et de *Psautier de Cambridge*. Plus traducteur que poète, leur auteur se contente de rendre à la lettre un texte latin. A la fin du siècle, un anonyme met en vers pour la comtesse Marie de Champagne une longue paraphrase du *Psaume Eructavit* et, dans le même temps, Landri de Waben écrit à la demande du comte Baudouin d'Ardres une version moralisée du *Cantique des Cantiques* dont les vers ne manquent pas d'agrément. Enfin la *Bible* en son entier fera l'objet en 1190 d'un long poème en alexandrins. L'auteur, un chanoine, Herman de Valenciennes, fait réellement œuvre de poète, combinant avec art les éléments de sa matière, abrégeant la *Genèse*, supprimant les redites du *Nouveau Testament* et corsant l'intérêt par l'addition de légendes apocryphes. Le succès des poèmes bibliques dut être très grand, trop grand peut-être. Ne voyons-nous pas, en 1199, Innocent III s'élever avec véhémence contre certains habitants de Metz qui, se réunissant pour lire la Bible, avaient fait traduire *les Evangiles, les Epîtres de saint Paul, le Psautier, les Moralités sur Job* et plusieurs autres livres. C'est avec raison que l'Eglise voyait un danger à laisser les laïques s'alimenter directement aux sources du dogme et l'on sait que les hérétiques vaudois et albigeois se fournirent d'arguments dans les traductions méridionales des *Evangiles*. Mais si la papauté mettait quelque mauvaise grâce à tolérer et quelque empressement à interdire les compositions religieuses en langue vulgaire, elle exceptait de la condamnation les récits hagiographiques. On cite une *Somme de pénitence* du XIIIᵉ siècle qui, sur l'autorité du pape Alexandre III, exclut de la réprobation qui frappait les jongleurs coupables d'enseigner au peuple à leur manière les textes sacrés, ceux qui chantent les exploits des princes et les vies des saints, « qui cantant gesta principum et vitas sanctorum ». Ces restrictions apportées par l'autorité ecclésiastique à la libre inspiration des écrivains ne pouvaient toutefois s'opposer aux tendances générales de la littérature. La curiosité accrue d'un public plus cultivé pour l'histoire de l'antiquité, y compris les temps bibliques, devait exiger bientôt la mise à sa portée de l'écriture sainte. Dans le second quart du XIIIᵉ siècle, l'université de Paris entreprend une traduction complète de la Bible fondée sur la révision du texte latin qu'elle venait d'achever en 1226. Cette traduction, partiellement glosée, semble un peu antérieure à 1239. Dans les dernières années du siècle, Guiart des Moulins, chanoine d'Aire-en-Artois, met en français l'*Historia scholastica* de Pierre le Mangeur, en réduisant la partie historique, pour allonger le commentaire. A la même époque, Jean Malkaraume traduit en vers tous les livres historiques, avec de nombreux emprunts au poème latin de Pierre Riga, l'*Aurora*. Enfin, au début du XIVᵉ siècle, Macé de la Charité-sur-Loire compile dans un vaste poème, à l'aide de sources très diverses, la matière des deux Testaments.

Infiniment riche et variée, la littérature narrative, d'inspiration religieuse, contribue au même degré que la littérature profane à la formation des esprits. On ne saurait d'ailleurs tracer exactement la limite qui les sépare, une foi commune animant l'une et l'autre et les poètes ayant recours aux mêmes procédés. Là encore s'affirme l'unité de la littérature du moyen âge dominée jusqu'à la fin du XIIIᵉ siècle par les mêmes conceptions sociales et religieuses.

CHAPITRE VIII

LA LITTÉRATURE HISTORIQUE [1]

L'Historiographie au moyen âge. L'Histoire en français.
Les Chroniqueurs.

Le
Christianisme
et l'Histoire.
Les œuvres historiques en langue vulgaire n'apparaissent guère qu'au XIIe siècle. Pourtant l'histoire
ne cessa pas d'être cultivée depuis la fin de l'Em-
pire romain. Mais pendant les premiers siècles, elle demeura le privilège des clercs, évêques, abbés ou simples moines qui seuls étaient
capables de puiser aux sources latines et d'écrire eux-mêmes en latin.

Œuvre de clercs et destinée aux clercs, l'histoire se présente alors
sous un aspect particulier. L'antiquité n'y avait vu d'abord qu'un
exercice de rhétorique, puis un répertoire d'anecdotes mémorables;
les chrétiens l'utilisèrent au service de la religion. Rome cessa d'être
le centre du monde, laissant dans l'ombre le passé des peuples qu'elle
avait soumis. L'histoire de l'humanité embrassa désormais celle du
peuple juif, le peuple élu de Dieu. Au IVe siècle, Eusèbe de Césarée,
reprenant une tradition antérieure, établissait la concordance entre
les diverses chronologies et la chronologie biblique, substituant aux
systèmes particuliers un système universel et, du même coup, l'unité
du monde romain, antique conception devenue trop étroite, s'effa-
çait et se fondait dans l'unité du monde entier. L'histoire des peuples
n'était plus qu'une longue histoire de la religion, depuis le temps
de la Genèse; les faits, jusque-là dispersés, s'enchaînaient et se grou-
paient en fonction d'une idée générale, le suprême dessein de Dieu.
Deux périodes s'y distinguaient : l'attente de la Rédemption depuis
le péché originel jusqu'à la venue du Messie, puis, après la naissance

---

1. Par M. André Bossuat, professeur à la Faculté des Lettres de
Clermont-Ferrand.

du Christ, la lutte pour le triomphe de son église et l'exécution progressive des volontés du Tout-Puissant.

Chroniques universelles. Ce que perd la rhétorique est gagné par la philosophie; on envisage désormais les causes de la grandeur et de la décadence des empires soumis à la loi de Dieu et ce point de vue, qu'adoptera Bossuet dans son *Discours sur l'histoire universelle*, dominera chez les grands historiens du moyen âge. La chronologie d'Eusèbe est à la base de la nôtre; sa *Chronique*, traduite en latin et continuée par saint Jérôme, s'imposera pour des siècles à tout l'Occident. Ses idées passent dans la *Cité de Dieu*, de saint Augustin, et dans les écrits de Paul Orose. Les historiens de l'époque mérovingienne s'en inspirent et Grégoire de Tours conçoit l'*Histoire des Francs* comme une histoire ecclésiastique. Les auteurs de chroniques universelles se flatteront de continuer l'œuvre d'Eusèbe-Jérôme en y joignant le récit des faits contemporains : entreprise souvent au-dessus de leurs forces, que beaucoup d'entre eux abandonneront en cours de route, mais qui répond chez tous au désir de rattacher leur propre temps aux époques disparues, si lointaines fussent-elles. Et l'on ne saurait condamner aujourd'hui cette façon d'écrire l'histoire.

L'Hagiographie. Ce sont également des préoccupations religieuses qui animaient les auteurs de vies de saints, genre pseudo-historique que les premiers siècles du moyen âge ont cultivé avec passion. L'histoire proprement dite et la réalité y souffrent de graves entorses; c'est qu'il s'agissait là d'œuvres édifiantes et que leurs auteurs étaient plus soucieux d'émouvoir leur public par des récits merveilleux que de lui fournir une rigoureuse information. Mais cet aspect de la culture chrétienne dont Grégoire de Tours peut passer pour le meilleur représentant, s'évanouit dans les convulsions de la période mérovingienne. La barbarie, au VIIe siècle, s'est étendue en Gaule à tous les milieux sociaux et le clergé lui-même, ignorant et fruste, semble incapable d'accomplir sa mission civilisatrice.

Les Annales. Cependant, en Irlande, puis dans l'Angleterre christianisée, des monastères se fondent. Bientôt en contact avec Rome, ils en reçoivent des manuscrits, s'initient à la science encore vivace dans les écoles d'Italie. Auprès des centres épiscopaux s'instituent des foyers de culture et la cathédrale d'York voit naître et s'affirmer le génie de Bède le Vénérable. Les moines irlandais portent la lumière à ceux du Continent, avec l'assentiment des premiers Carolingiens, Charles Martel et Pépin le Bref. C'est dans les monastères que se développe un autre genre historique, les *Annales*, nées des besoins de la liturgie. La fixation de la date de

Pâques causait aux Chrétiens de graves soucis. On dressait donc des tables pascales s'étendant sur plusieurs années et les moines se plaisaient à inscrire dans les marges et les parties restées en blanc les faits écoulés pendant l'année. Ils y joignaient la mention des phénomènes météorologiques, éclipses, apparitions de comètes, des catastrophes naturelles, gelées et inondations, tout cela sans aucune méthode, si bien que les faits historiques étaient noyés dans ce fatras. Mais néanmoins les *Annales*, transférées de monastère en monastère, s'enrichissaient, chemin faisant, d'indications précieuses qui, s'allongeant et s'amplifiant, réduisirent peu à peu l'écart entre les *Annales* et les *Chroniques*.

Les Biographies. Sous forme de *Chroniques*, d'*Annales* et de *Vies de saints,* l'Histoire prit un grand développement à partir de l'époque carolingienne. Comme elle s'écrivait toujours en latin, elle demeurait l'œuvre des clercs. Mais désireux d'associer l'Église à ses projets ambitieux, Charlemagne fit appel à des savants étrangers, les Italiens Paul Diacre et Pierre de Pise, l'Espagnol Théodulfe et l'Anglais Alcuin, pour réorganiser l'enseignement et relever ainsi le niveau intellectuel et moral du clergé. Désormais instruits dans les écoles cathédrales et monastiques, où la culture classique reprenait ses droits, les clercs prenaient plus d'assurance. Mis en contact avec d'importants personnages, ils avaient à leur disposition les bibliothèques reconstituées, les riches archives des diocèses, la correspondance des prélats, les documents de l'administration civile. Aussi, quand ils se mêlent d'écrire l'histoire, leur récits croissent-ils en intérêt. Leur horizon s'est étendu avec les frontières de l'empire et le prestige des souverains leur suscite des biographes. A l'imitation de Suétone, Eginhard compose la *Vie de Charlemagne*, Thégan et un anonyme, celle de *Louis le Pieux*. Plus tard, un moine de Saint-Rémi de Reims écrira médiocrement une *Vie de Robert le Pieux;* mieux partagés, Louis VI et Louis VII auront pour historien l'abbé de Saint-Denis, Suger, dont la *Vie de Louis VI* compte parmi les œuvres capitales de l'historiographie du moyen âge. A l'époque où le morcellement féodal disperse l'attention sur les grandes seigneuries, les clercs ne renoncent pas à garder le souvenir des événements passés. Tandis que se constituent les grands fiefs dont la réunion progressive rétablira l'unité du royaume, leurs possesseurs, les ducs de Normandie, le comtes d'Anjou, d'autres encore trouvent des clercs pour écrire leur généalogie et transmettre leurs gestes à la postérité. Enfin, de leur côté, les religieux de l'abbaye royale de Saint-Denis, qui se vantaient de remonter à Dagobert, conservent pieusement les anciennes chroniques et les biographies des rois, sources des fameuses *Chroniques latines de Saint-Denis,* véritable histoire officielle de la monarchie sûre de ses lendemains.

L'Histoire en français. Mais cette littérature en latin ne saurait avoir une très large audience. Par définition elle est inaccessible à la grande masse des laïcs et ceux-ci pendant long-temps ne pourront satisfaire leur curiosité qu'en écoutant les chansons de geste qui, brodant sur une mince réalité des épisodes légendaires, suffisaient à contenter ces esprits simples et crédules. Ils y retrouvaient l'empereur Charlemagne, dont le souvenir hantait leurs imaginations, sous la figure conventionnelle du grand vieillard à la barbe fleurie, qui marchait au combat flanqué de ses douze pairs. *Raoul de Cambrai* leur offrait des légendes nées autour du monastère d'Origny-Sainte-Benoîte et leur rappelait les rivalités inexpiables des barons; *Girart de Roussillon* leur contait l'origine de l'abbaye de Vézelay et les pèlerins qui partaient de Paris vers Saint-Guilhen du Désert étaient largement renseignés par les chansons sur les monuments qui jalonnaient leur route depuis la tombe du géant Isoré, près de Paris, jusqu'aux mystérieux sépulcres alignés dans les Aliscamps.

Les Croisades. A la fin du XIᵉ siècle, la réalité allait fournir à la curiosité du public un aliment d'un plus vif intérêt. L'assaut général était lancé contre l'Islam : en Espagne où les jeunes royaumes de la péninsule faisaient reculer l'Infidèle, en Sicile et dans l'Italie du Sud où des aventuriers normands se taillaient des royaumes en chassant les Sarrasins. Un des épisodes les plus célèbres des expéditions d'Espagne, la prise de Barbastro en 1064, donnait naissance à un poème épique et nos auteurs de chansons de geste tiraient sans doute une partie de leur inspiration des guerres soutenues contre les Musulmans au-delà des Pyrénées.

Mais les croisades d'Orient allaient bientôt dépasser toutes les autres en importance. En 1095, à l'appel du pape Urbain II, l'Occident presque tout entier partait à la délivrance du Saint-Sépulcre. Vainqueurs, les croisés fondaient en Terre Sainte de nouvelles principautés et s'y installaient. Il fallut renseigner ceux qui restaient en Occident sur les exploits et les souffrances de ceux qui luttaient pour la foi en Syrie et en Palestine. Les lettres, les relations en latin que les croisés écrivaient ou qu'ils faisaient écrire, comme ce compagnon de Bohémond, prince d'Antioche, dont l'œuvre constitue la base de nos connaissances sur la première croisade, apportèrent chez nous l'écho des événements d'Orient. L'imagination des jongleurs, surexcitée par ces pays merveilleux aux noms si étranges qu'on avait peine à les écrire, brodait sur les récits des témoins oculaires. Non contents de les traduire, ils les enjolivaient au point de les dénaturer. Ecrits en vers, comme les chansons de geste, car ils étaient destinés à être récités en public, les poèmes de croisade ne sauraient s'en distinguer. L'Histoire joue encore son rôle dans la *Chanson d'Antioche* et dans l'*Estoire de la guerre sainte*, qu'un pèlerin de la troisième croisade, Ambroise, écrivit à la gloire de Richard Cœur de Lion.

Mais en Terre Sainte même où au contact des Orientaux, Musulmans, Grecs, Arméniens, une civilisation brillante et originale se développait au sein des principautés latines, l'Histoire n'était pas négligée. A la demande de Raymond de Poitiers, prince d'Antioche, un poète inconnu composait le poème des *Chétifs* où les souvenirs de Pierre l'Ermite et de la croisade malheureuse de 1101 se mêlaient à des apports orientaux, sans grand souci d'exactitude. L'Histoire en prose vulgaire faisait son apparition en Syrie avec le récit de la *Prise de Jérusalem* par Ernoul, écuyer de Balian d'Ibelin.

L'Histoire dans le domaine anglo-normand. A partir des Croisades, la littérature historique en langue vulgaire ne cesse de gagner du terrain. Elle garde ce caractère poétique qui l'apparentait aux chansons de geste, à qui elle arrache peu à peu la faveur du public cultivé. Dans les cours seigneuriales les esprits s'affinaient. L'ancienneté des familles était un signe de noblesse et aux exploits fabuleux de Roland on préférait déjà les prouesses, plus authentiques parfois, des ancêtres directs. C'est cette noblesse distinguée, capable de goûter une œuvre bien faite, qui favorise le développement de la littérature historique en français et ce n'est pas par hasard que les premières tentatives se produisent dans le domaine des Plantagenêt. On sait le rôle joué par Aliénor d'Aquitaine dans l'expansion du roman courtois. Elle patronne de la même façon la poésie historique. Cette princesse à l'esprit fantasque, mais curieuse et cultivée, trouvait d'ailleurs à la cour d'Henri II un terrain favorable. En Normandie et en Angleterre, plus qu'en France, les nobles désireux de s'instruire demandaient des traductions d'ouvrages latins. Dès le début du XIIe siècle des écrivains, clercs et laïcs, s'efforçaient d'adapter en français des compilations d'histoire ancienne ou contaient en vers octosyllabiques, forme usitée alors pour la poésie narrative, les événements contemporains. Dans la première moitié du siècle, un certain Geoffroi Gaimar rimait l'*Estoire des Englés*, en partant de l'expédition des Argonautes et des aventures du Troyen Brutus, éponyme des Bretons. Henri II et Aliénor entretenaient à leur cour et dotaient de riches prébendes les poètes chargés de garder aux siècles futurs les fastes de la monarchie anglo-normande. Deux d'entre eux sont restés célèbres.

Wace. Le premier en date est maître Wace, né sans doute à Jersey au commencement du XIIe siècle, probablement de famille noble. Il étudie d'abord à Caen, puis en Ile-de-France, et, de retour en Normandie, s'occupe à traduire en français les vies latines de *Sainte Marguerite* et de *Saint Nicolas*, ainsi que la *Conception de Notre-Dame*. Il exerce à Caen, avant 1135, les fonctions assez mystérieuses de « clerc lisant », fait ensuite un séjour en Angleterre et achève en 1155 la *Geste des Bretons* ou *Roman de Brut* qu'il dédie à la reine Aliénor. Pour faire connaître à ceux qui le désirent,

> De rei en rei e d'eir en eir
> Ki cil furent e dunt il vindrent
> Ki Engleterre primes tindrent,
> Quels reis i a en ordre eü,

il a soigneusement traduit et mis en vers l'*Historia Regum Britanniae* de Geoffroi de Monmouth en y joignant de curieux détails sur le roi Arthur et les chevaliers de la Table Ronde. Quels que soient d'ailleurs les renseignements qu'il apporte sur ces fables bretonnes dont l'origine et le contenu posent tant de problèmes, son grand mérite est d'avoir transposé ses sources dans un style vif et savoureux, avec un art incomparable de la description pittoresque. A l'exemple de son modèle, il s'est montré plus romancier qu'historien et le *Roman de Brut* doit être considéré comme un poème narratif, non comme une chronique rimée.

Après un court répit, Wace entreprend, en 1160, une histoire des ducs de Normandie, le *Roman de Rou*, dont la troisième partie paraîtra seulement vers 1170. Ce qui est sûr, c'est que ce poème où se retrouvent les brillantes qualités du *Brut* fut interrompu en 1174, sans qu'on puisse en donner les raisons. Auteur abondant et varié, sachant animer de sa verve les sujets qu'on lui propose, Wace est le type achevé des écrivains de profession, qui mettront désormais leur plume et leur talent au service de ceux qui les payent. Et il ne s'en cache pas, quand il écrit :

> Je parol a la riche gent
> Ki unt les rentes et l'argent,
> Kar pur eux sunt li livre fait.

Benoît. — Wace avait-il cessé de plaire à Henri II quand il dut interrompre le *Roman de Rou* ? On sait seulement que la mission d'écrire l'*Histoire des Normands* fut confiée par ce prince à un clerc tourangeau, Benoît, vraisemblablement Benoît de Sainte-Maure qui venait de dédier son *Roman de Troie* à la reine Aliénor. Celui-ci, en quarante-trois mille vers, composa à son tour, pour le grand plaisir du roi qui, nous assure-t-il, savait goûter le beau langage, une *Chronique des Ducs de Normandie*, que d'ailleurs il n'acheva point. Les dimensions excessives de ces poèmes rebutent les lecteurs modernes. Tout porte à croire que ceux auxquels ils étaient destinés les écoutaient sans lassitude. La matière de la *Chronique*, loin d'être originale, était tirée, pour l'essentiel, des écrits latins de Dudon de Saint-Quentin et de Guillaume de Jumièges,

auxquels s'ajoutaient des sources diverses et les produits de l'imagination. Benoît n'hésite pas à placer dans la bouche de ses personnages de longs discours dont l'authenticité n'entre même pas
en discussion. Mais il ne faut pas oublier, si on le juge sans parti pris,
que ses auditeurs recherchaient plus leur agrément que la connaissance de la vérité et c'est, plus encore que la forme, ce qui rapproche
ces prétendues chroniques du simple roman. Il ne s'agit pas alors
d'évoquer le passé, de restaurer avec une rigoureuse exactitude les
traits d'une époque abolie : un guerrier, qu'il soit issu des poèmes
homériques, de la légende carolingienne ou contemporaine d'Henri II
Plantagenêt, ne saurait être autrement équipé que les chevaliers
dont l'auteur a le spectacle quotidien. Ces anachronismes ingénus ne
choquaient pas plus dans la littérature qu'ils ne nous surprennent
aujourd'hui, quand nous voyons sculptées au portail des églises les
effigies de saint Théodore ou de saint Georges, avec le heaume en
tête et l'épée au côté. Jusqu'au xvie siècle, et souvent après, il ne
viendra à l'idée de personne que les habitudes et les sentiments aient
pu évoluer au cours des siècles et peut-être faut-il imputer aux
chroniqueurs du moyen âge la tendance encore vivace qui nous porte
à considérer comme uniforme et sans nuances la période qui s'étend
du ve au xve siècle. Et pourtant il n'en est pas de plus variée, ni
de plus colorée, ni de plus riche en contrastes.

L'Histoire   D'autre part, la crédulité de nos auteurs est
et la légende. sans limites. Ce que leurs prédécesseurs ont écrit
ils l'acceptent sans discernement; l'origine troyenne des Francs et
des Normands est tenue par eux comme article de foi et c'est une
illusion qui survivra. Ils n'utilisent pas leurs sources, après les avoir
critiquées, mais ils les copient et les juxtaposent en dépit des invrai-
semblances et des contradictions. C'est le culte des autorités, le
respect de tout ce qui est écrit qui leur permettent d'accueillir les
inventions baroques de la chronique du faux Turpin où le moyen
âge, dédaignant Eginhard et les *Annales,* puisera sa connaissance
de l'histoire carolingienne. Mais cette composition fantaisiste a le
mérite d'avoir été traduite en prose à plusieurs reprises. Avec elle
l'Histoire en prose fait son apparition et c'est un fait considérable.
Comme l'a justement observé Paul Meyer : « La prose allait permettre à des hommes, qui n'étaient ni des clercs ni des poètes, de
faire œuvre d'historiens. »

L'Histoire   En attendant, ce sont des clercs qui exécutent
en prose.   les traductions d'œuvres latines. C'est vers l'an
Les Chroni-   1200 que Nicolas de Senlis traduit en prose le
queurs.   *pseudo-Turpin* pour le comte Hugues de Saint-
Pol et sa femme Yolande. L'histoire de l'antiquité suscite également
des adaptations en prose, comme cette compilation de récits histo-

riques depuis la création du monde jusqu'à César, essai non poursuivi
d'histoire universelle, qu'un clerc anonyme entreprit dans le premier quart du siècle, à la requête de Roger, châtelain de Lille. Dans
le même temps, soit vers 1213-1214, un clerc anonyme écrivait un
ouvrage d'une qualité littéraire infiniment supérieure, les *Faits des
Romains*, compilés, dit l'auteur, de Salluste, de Suétone et de Lucain.
Si la matière lui est fournie par les textes anciens, habilement traduits, abrégés et combinés, il y a joint un grand nombre d'observations originales sur les Gaulois et sur l'Orient. Le succès des *Faits
des Romains* fut considérable. On en connaît plus de cinquante
manuscrits, ils furent traduits en plusieurs langues et c'est la version
de l'histoire romaine à laquelle les laïcs puisèrent le plus volontiers
jusqu'à la Renaissance.

Mais voici qu'à la même époque, deux personnages, dont ce n'était
pas le métier d'écrire, Geoffroi de Villehardouin et Robert de Clari,
s'avisent de dicter leurs souvenirs vécus et inaugurent du même
coup la série des mémoires personnels en prose française. La croisade de 1204, qui avait conduit les Français à s'emparer de Constantinople, avait frappé les imaginations. C'était en effet une
aventure extraordinaire que cette expédition détournée, par des circonstances obscures et romanesques, de son premier objectif, l'Egypte
musulmane, vers l'empire byzantin, pour porter à celui-ci le coup
de grâce. Remettant à plus tard le soin d'exterminer les Infidèles,
les croisés, sourds aux menaces d'Innocent III, s'étaient rués sur des
Chrétiens. Aussi les acteurs de ce singulier épisode éprouvèrent-ils le
désir, les uns de raconter les merveilles qu'ils avaient vues et les
faits étranges dont ils avaient été témoins, les autres d'expliquer
des événements dont le sens échappait aux profanes et de justifier,
au besoin, leur conduite.

Villehardouin.   A ceux-ci appartient Geoffroi de Villehardouin,
                   maréchal de Champagne, héritier d'une noble
famille, conseiller écouté du comte Thibaud III. Il s'était croisé
au tournoi d'Ecri, le 28 novembre 1199, et, à la fin de l'année
suivante, il partit pour Venise avec cinq autres commissaires, pour
négocier le transport des troupes en Egypte. A son retour, il trouva
mourant le comte de Champagne qui devait diriger l'expédition et
proposa aux barons désemparés de prendre pour chef Boniface de
Montferrat. Ayant obtenu à Soissons l'adhésion des croisés, il se
rendit en Italie pour solliciter son agrément. Enfin, au printemps de
l'an 1202, il s'embarqua à Venise avec l'armée, laissant en Champagne sa femme et ses enfants. On connaît les résultats de la croisade et comment, après avoir renversé l'empire grec, les chefs s'y
taillèrent d'importantes principautés où beaucoup d'entre eux se
fixèrent. Villehardouin, qui avait joué un rôle essentiel au cours des
opérations, ne fut pas oublié dans le partage. Il avait résigné, avant

son départ, ses fonctions de maréchal de Champagne; il substitua à ce titre celui de maréchal de Romanie, reçut en 1207 de Boniface, roi de Salonique, le fief de Messinople en Thrace et mourut sans doute peu après 1213, sans avoir revu la France.

Mais dans cette Grèce lointaine où le retenaient d'impérieux devoirs, il n'oubliait pas la Champagne et les êtres chers qu'il y avait laissés. Ce fut pour faire connaître à ses parents restés en France l'épopée qu'il avait vécue qu'il dicta, en utilisant des documents officiels et des notes prises au jour le jour, l'*Histoire de la conquête de Constantinople*. On peut discuter encore sur la valeur historique de l'ouvrage, mais nul n'en méconnaît l'exceptionnelle qualité littéraire. Témoin des faits qu'il rapporte, le maréchal « qui oncques ne mentit a son escient », a-t-il dit toute la vérité et ne l'a-t-il pas travestie sous l'aspect le plus favorable à sa cause? Il est bien clair qu'il a voulu prouver que la croisade, primitivement orientée vers l'Egypte, fut détournée de son but par des événements fortuits et providentiels et qu'on ne peut reprocher aux croisés d'avoir trahi leur serment. Pris sous cet angle, son livre est moins peut-être un recueil de souvenirs qu'un essai de justification de sa conduite et de celle des chefs de la croisade. C'est pour cela sans doute qu'il insiste sur les négociations avec les Vénitiens, avec Boniface de Montferrat, avec les Grecs, mais c'est aussi parce qu'il y prenait une part effective. S'il s'attarde moins longuement sur les opérations militaires, il ne faut pas oublier que c'est seulement en 1205 qu'il fut pourvu d'un commandement. Sa sincérité ne paraît pas contestable et les lacunes qu'on lui reproche tiennent à sa méthode et à ses procédés d'exposition. Il s'applique toujours à subordonner le choix des détails à l'effet d'ensemble. Les prouesses individuelles ne l'arrêtent pas, mais il sait mettre en relief le dessin général d'une manœuvre, un plan d'attaque et son exécution. Son style est simple et nerveux, avec parfois une couleur épique, son récit fermement conduit. Les longueurs et les redites, si fréquentes chez ses contemporains, ne viennent pas lasser l'attention du lecteur; c'est l'aisance et la sobriété de la narration qui rendent sa lecture attachante. Mais cette clarté n'implique ni la froideur ni l'insensibilité. La passion personnelle perce dans les mépris dont il accable les croisés qui, sous de fallacieux prétextes, abandonnèrent l'armée et subirent, à son point de vue, le triste sort qu'ils méritaient. Il fait peu de descriptions et ne sacrifie pas au pittoresque; mais il a ressenti l'émotion qui dut étreindre tous les cœurs à la vue des murailles et des clochers de Constantinople, quand, au matin du 23 juin 1203, elle se découvrit aux yeux des arrivants :

Or poez savoir que mult esgarderent Costantinople cil qui oncques mais ne l'avoient veüe; que [car] il ne pooient mie cuidier [croire] que si riche ville peüst estre en tot le monde cum [quand] il virent ces halz murs et ces riches tours, dont ele ere close tot entor a la

reonde, et ces riches palais et ces haltes yglises, dont il i avoit tant que
muls nel poïst croire, se il ne le veïst à l'oil [de ses yeux]; et le lonc et
le lé de la ville qui de totes les autres ere soveraine. Et sachiez que il n'i
ot si hardi cui la car ne fremist; et ce ne fu mie mervoille, que [car]
onques si grant affaires ne fu empris [entreprise] de tant de gent puis
que li monz fu estorez [créé].

A l'énumération des détails matériels, il substitue l'impression
générale, aux objets, la réaction que leur vue provoque. Rien ne saurait mieux donner une idée de sa manière que le tableau à la fois
sobre et émouvant du départ de Corfou, quand nos chevaliers s'élan-
cèrent à la conquête des royaumes :

Et enqui [là] furent toutes les nés ensemble et tuit li uissier et totes
les galies de l'ost et assez d'autres nés de marcheans qui avec s'erent
aroutees [s'étaient jointes]. Et li jors fu bels et clers et li venz dolz et
soés. Et il laissent aler les voilles al vent. Et bien testimoigne Joffrois li
mareschaus de Champaigne... que onc si bele chose ne fu veüe; et bien
sembloit estoire [flotte] qui terre deüst conquerre : que, tant que om
pooit veoir a oil, ne pooit on veoir se voilles non de nés et de vaissiaus,
si que li cuer des hommes s'en esjoïssoient mult.

Cœur loyal, vaillant et pieux, esprit sage et méthodique, Villehardouin a laissé dans son œuvre l'image de son tempérament. La croisade de 1204 fut la grande affaire de sa vie et il en a conté l'histoire avec franchise, soucieux d'obéir à ses devoirs de chevalier,
soumis aux lois de l'honneur et de la fidélité.

Robert   C'est un tout autre son de cloches que nous fait
de Clari   entendre Robert de Clari. A côté de Villehardouin, il paraît bien rude et bien naïf; à côté du chef d'état-major,
il fait figure de gradé subalterne. Aussi bien n'était-il qu'un pauvre
chevalier des environs d'Amiens, qui partit pour la croisade avec les
nobles de Picardie, dans la troupe de Hugues de Saint-Pol et de
Pierre d'Amiens. Obscur combattant de Zara et des deux sièges de
Constantinople, il n'a point bénéficié de la répartition des terres,
que firent les « riches hommes », dont il n'était pas. Il dut rentrer
dans son pays vers 1210, rapportant pour tout butin des vases précieux et des ciboires qu'il légua à l'abbaye de Corbie, après y avoir
fait graver son nom. Sa mort survint vers 1216. C'est à son retour
qu'il fit écrire sous sa dictée l'*Histoire de ceux qui conquirent Constantinople*. A l'encontre de Villehardouin, qui y fut mêlé, il n'a
guère compris le sens et la portée des négociations; il ne fut pas
de « tous les conseils », il n'en a connu que les résultats. Il s'est
laissé facilement convaincre de la nécessité d'aller à Constantinople.
Combattant, il raconte, avec toute la précision dont il est capable,
le peu qu'il a vu sur le coin de champ de bataille où il se trouvait.
C'est avec plaisir qu'il s'étend sur les exploits des chevaliers, ceux
de Pierre de Bracheux ou de Pierre d'Amiens, « le preux et le

Histoire de Saint-Louis

Joinville présente son livre au Prince Louis (Bibliothèque Nationale. Ms. fr. 13.568)

beau », ou de son propre frère, Aleaume de Clari, qui était clerc
et qui, le premier, pénétra dans Constantinople, au cours du second
siège. Si les descriptions de Villehardouin sont brèves, celles de Robert
de Clari occupent une grande partie du livre. Tout est pour lui
sujet d'étonnement et d'admiration : Venise, la galère du doge, la
puissance et la beauté de la flotte et surtout les merveilles de Constantinople. Il parle à des amis et l'on sent chez lui le besoin d'éblouir
par l'étalage de ses souvenirs. Il serait injuste de lui reprocher sa
naïveté : elle nous fait si bien comprendre la surprise que ces hommes
simples durent éprouver devant les richesses d'art accumulées, depuis
tant de siècles, dans la ville impériale :

En chel palais de Blakerne trova on molt grant tresor et molt rike,
que [car] on i trova les rikes corones qui avoient esté as empereeurs qui
par devant i furent, et les riques joiaus d'or, et les rikes dras de soie a
or [brodée d'or], et les rikes robes emperiaus, et les riques pierres pre-
cieuses, et tant d'autres riqueches que on ne saroit mie nombrer [dénom-
brer] le grant tresor d'or et d'argent que on trova es palais et en molt
de lieus ailleurs en le chité.

Encore ne dit-il pas tout pour ne pas être accusé de mensonge,
tant le vrai est peu vraisemblable. Mais ses admirations sont bien
celles d'un modeste chevalier du XIIIe siècle, crédule, simple et pieux.
Il a notamment remarqué les reliques extraordinaires que renfermait
la chapelle du « palais de Bouke de Lion », le Boucoleon, dont une
partie fut rapportée en France par les croisés :

Dedens chele capele, si trova on de molt rikes saintuaires [reliquaires],
que on i trova deus pieches de le Vraie Crois aussi groses comme le
gambe a un homme et aussi longes comme demie toise, et si trova on
le fer de le lanche dont Nostre Sires eut le costé perchié, et les deus
cleus qu'il eut fichiés par mi les mains et par mi les piés; et si trova
on en une fiole de cristal grant partie de son sanc.

S'il admire la richesse des marbres et des pierres précieuses de
Sainte-Sophie, les cent lampes qui pendent à sa voûte, il est encore
plus frappé par les vertus curatives de ses colonnes et par celles de
ce « buhotiau », ce tuyau dont la propriété est de guérir l'enflure
du ventre. Tout le livre, d'une lecture d'ailleurs facile et amusante,
est écrit sans prétention, dans le dialecte du pays. C'est un récit
fait à ses compatriotes par un soldat du rang qui n'était ni un
politique ni un érudit. Il raconte ce qu'il a vu, gravement, modestement, avec un souci constant de la vérité et, par une heureuse rencontre, celui qui tenait la plume ne semble pas l'avoir trahi.

Développement
de l'Histoire
en français.
Au XIIIe siècle, la production historique en
langue vulgaire devient aussi considérable que la
production en latin. C'est évidemment signe que
les laïcs désireux de s'instruire sont de plus en plus nombreux. Si

beaucoup offrent encore le type du chevalier pour qui la force seule
compte, certains, par un heureux mélange des qualités physiques et
intellectuelles, recherchent à la fois la gloire des armes et les jouissances de l'esprit, tel ce Baudouin, comte de Guines, qui se vantait
d'avoir dans sa bibliothèque plus de cent quarante manuscrits et qui,
ce qui vaut mieux encore, paraît les avoir lus. Il ne saurait être question d'énumérer ici toutes les œuvres historiques qui pullulèrent alors,
compilations d'Histoire ancienne et d'Histoire nationale, chroniques
familiales, mémoires et généalogies. Il suffira d'en indiquer les caractères généraux et de mettre l'accent sur quelques œuvres justement
célèbres.

La prose fait des progrès marqués et le divorce s'accentue entre
l'Histoire et le Roman. C'est qu'elle est écrite le plus souvent par des
amateurs laïques peu familiarisés avec la technique des trouvères.
Pourtant la forme versifiée n'est pas entièrement abandonnée. Le
Midi, notamment, lui demeure fidèle et lui confie de vastes sujets
comme celui de la *Chanson de la croisade contre les hérétiques albigeois*. Elle subsistera encore au XIVᵉ et au XVᵉ siècles. Il arrive aussi
que la prose se mêle aux vers, comme dans une composition d'histoire ancienne rédigée au début du siècle, mais dans ce cas, elle est
réservée à l'exposé des faits, tandis qu'on écrit en vers le commentaire
historique ou moral.

« Guillaume le   C'est pourtant en vers octosyllabiques qu'aux
  Maréchal ».   environs de 1226, un trouvère anonyme, probablement d'origine normande, composa la *Vie de Guillaume le Maréchal*,
à la requête de Guillaume, comte de Pembrocke, fils de son héros.
Mais si l'auteur reste attaché à la forme habituelle aux historiens
du siècle précédent, son œuvre est rigoureusement vraie et il s'est
bien gardé de l'enrichir à l'aide de détails imaginaires. Il travaille
d'après les souvenirs écrits de Jean, comte d'Early, un compagnon
fidèle du maréchal, et, quand les renseignements lui font défaut, il
préfère se taire, la composition dût-elle en souffrir. Au reste la réalité
offre par elle-même assez d'intérêt pour qu'il se dispense de recourir
au romanesque : au récit tragique de la mort de Henri II, trahi par
ses fils, il n'y a rien à ajouter.

L'Orient.   Les œuvres originales ne sortaient guère des fa-
                    milles qui en ordonnaient l'exécution. Mais pour
satisfaire un nombre croissant d'amateurs, il fallait traduire, à leur
intention, les écrits rédigés d'abord en latin. Pour connaître les
croisades et la vie des Etats chrétiens de Palestine, on relisait la
chronique de Guillaume de Tyr, qui fut traduite au début du
XIIIᵉ siècle, sous le titre de *Livre d'Eracles*. De nombreux auteurs, au
premier rang desquels il faut citer Philippe de Novare, la reprenaient
et l'amplifiaient. Fidèles à la vieille tradition des chroniques univer-

selles, certains prétendaient embrasser toute l'histoire à partir de
la création. Baudouin, empereur de Constantinople, alors qu'il n'était
que comte de Flandre, faisait entreprendre une vaste compilation,
les Histoires de Baudouin, qui commençait au premier homme. Et
nous avons vu qu'avant 1213, le clerc anonyme d'un chapelain de
Lille envisageait d'écrire une Histoire universelle qu'il mena seulement jusqu'à César.

L'Histoire   Il faut considérer avec plus d'intérêt les chro-
officielle   niques nationales. C'est un fait digne de remarque
à St-Denis.   qu'au xiiie siècle, les laïques se sont préoccupés de
l'histoire de leur pays. Au cours des luttes pénibles et souvent incer-
taines qu'ils soutinrent contre leurs vassaux, la puissance des rois ca-
pétiens s'est affirmée. Philippe-Auguste a vaincu les Plantagenêt,
unissant au domaine royal presque toutes leurs possessions de France
et saint Louis, par son renom de justicier et l'exemple de ses vertus,
a donné à la couronne un prestige qu'elle gardera. Ainsi c'est vers
l'histoire de cette longue et glorieuse lignée de rois que se tournent
maintenant les esprits. Un fabliau bien connu nous montre un vilain
curieux et naïf qui, planté devant Notre-Dame, cherche à identifier
les rois de France alignés sur la façade. Les lettrés étaient plus sûrs
d'en retrouver les traits dans les vieilles chroniques latines qui racon-
taient l'histoire des dynasties royales et que les traducteurs mettaient
parfois à la portée du plus grand nombre. Depuis longtemps déjà
l'abbaye de Saint-Denis, dont les voûtes abritaient les tombeaux
des monarques, s'était instituée la gardienne de leur histoire. Elle
entendait exercer cette mission avec autant de zèle que d'intelligence. De mille fragments épars, on y rédigeait, entre 1185 et 1204,
une compilation intitulée : *Historia regum Francorum*. Ainsi apparaissait l'idée de mettre en œuvre une sorte de *corpus* de l'histoire
de France. Elle reçut son exécution par les soins de Mathieu de Vendôme, abbé de Saint-Denis entre 1258 et 1286, qui fit composer
un recueil suivi de chroniques latines. Les textes choisis y figuraient
dans leur intégrité, non simplement analysés, comme dans l'*Historia regum*. L'histoire nationale y était poursuivie jusqu'au règne
de Philippe-Auguste et l'usage s'établit d'y joindre à la mort de
chaque souverain sa biographie rédigée par un chroniqueur en titre
d'office. C'est ainsi que les chroniques latines se continuèrent avec
les *Gesta Ludovici VIII* et les *Vies de saint Louis* et de *Philippe le
Hardi*, par Guillaume de Nangis.

Ces compilations savantes et richement documentées ne restèrent
point confinées dans les archives de l'abbaye. Les laïques les utilisèrent de bonne heure et nul n'ignorait que les renseignements authentiques sur l'histoire du royaume étaient accessibles chez les
moines de Saint-Denis. Dès les premières années du xiiie siècle, un
inconnu, sans doute au service d'un comte de Béthune, écrivit une

chronique française, à l'aide de l'*Historia regum*. Celle-ci fut encore utilisée vers 1242 par Philippe Mousket, un bourgeois de Tournai devenu soldat, qui s'entremit.

> Des rois de Franche en rimes mettre
> Toute l'estore et la lignie,

en commençant par la guerre de Troie. En plus de trente mille vers il s'en acquitta, mais ce que nous apprécions aujourd'hui dans sa chronique, c'est la partie qu'il emprunte à ses souvenirs personnels. Quelques années plus tard, en 1260, un ménestrel d'Alphonse de Poitiers traduisait à son tour, mais cette fois en prose, l'*Historia regum* et poursuivait le récit jusqu'en 1228. Cette œuvre eut un grand succès et les moines de Saint-Denis l'ont vraisemblablement connue. Enfin, en 1274, Mathieu de Vendôme, animateur zélé du travail historique, ordonnait la traduction du recueil complet des *Chroniques latines*. Cette traduction, due sans doute à un moine nommé Primat, fut présentée au roi Philippe III et forma la première assise des *Grandes chroniques de France*.

Le Ménestrel de Reims. Il faut convenir cependant que, si précieux qu'ils soient pour l'historiographie du moyen âge, ces écrits peuvent à peine passer pour des œuvres littéraires. Il en va différemment des *Récits d'un ménestrel de Reims*. Ce n'est pas, au sens propre du terme, une chronique, mais un assemblage d'anecdotes agréablement contées et dont la plupart intéressent l'histoire de France. Encore faut-il se garder d'accepter sans contrôle ces historiettes qui ne sont pas toujours de l'histoire et n'ont d'autre ambition que de divertir ceux qui les entendent. On y trouve, en grand désordre et sans plus de souci de la chronologie que de l'exactitude, les traditions populaires qui circulaient sur les événements du passé, mêlées par endroits à de véritables fables. Mais écrits d'un style vif et alerte, où se retrouve parfois la verve d'*Aucassin et Nicolette,* ces récits captivent l'attention et tiennent une place honorable dans la production littéraire du temps.

Joinville. Tout au contraire la *Vie de saint Louis* par Joinville est un témoignage qui possède ce mérite, rare au XIIIᵉ siècle, d'unir l'agrément du style à l'exactitude des faits. De toutes les œuvres qu'a produites le moyen âge, il en est peu dont la valeur ait été moins contestée.

Jean de Joinville naquit à la fin de 1224, d'une famille de Champagne où le titre de sénéchal était héréditaire; il mourut le 11 juillet 1317. Ce que nous savons de cette longue vie se réduit à peu de chose. Ses contemporains ont pu louer sa courtoisie et le roi son « subtil sens », il n'a joué dans l'histoire qu'un rôle très effacé.

La grande affaire de son existence fut la croisade de 1248. Il y gagna l'amitié du prince dont il partagea la captivité. Devenu son « homme », il vécut souvent à la cour et dans l'entourage de la famille royale.

Si l'homme public fut sans grande envergure, l'homme privé fut des plus séduisants et, sur ce point, nous sommes bien renseignés. Plus instruit que la plupart des nobles de son temps, Joinville sait lire et même écrire, et prend plaisir à terminer ses actes par une formule autographe : Ce fut fait par moi. Il connaît un peu le latin et son commentaire du *Credo* prouve qu'il avait de la religion une conception grave et réfléchie, pour en avoir fréquemment discuté avec le roi lui-même et Robert de Sorbon. Amateur d'art, il surveillait en personne l'illustration de son *Credo* et l'exécution des peintures et des vitraux destinés à sa chapelle et à l'église de Blécourt. Au moral, c'est à peu près ce qu'on appellera plus tard un honnête homme. Il agit toujours de sang-froid, sans jamais perdre le bon sens. Soldat, il se bat courageusement, sans enthousiasme ni témérité. La guerre, au fond, l'intéresse peu. Il admire de bonne foi, mais sans envie de l'imiter, le fameux Gautier de Châtillon qui chargeait tout seul les ennemis, son haubert piqué de flèches sarrasines. Il reste à son poste et donne l'exemple par devoir, mais, sincèrement, le danger passé, il ne cache pas qu'il a eu très peur. Très pieux, il remplit ses obligations de chrétien et ne part pour la croisade qu'après s'être mis en règle avec Dieu. Mais il confesse qu'en le quittant, il n'a pas eu le courage de jeter un dernier regard sur son château :

« Et endementieres que je aloie a Blehecourt et a Saint Urbain, je ne voz onques retourner mes yex vers Joinville, pour ce que li cuers ne me attendrisist dou biau chastel que je lessoie et de mes dous [*deux*] enfans. »

S'il admire profondément la sainteté du roi, il ne lui cache pas que, pour sa part, il préférerait encore l'horreur du péché à celle d'être lépreux. Malgré toute son affection, quand saint Louis l'invite à l'accompagner à Tunis, il refuse net, car, ajoute-t-il,

« Se je en vouloie ouvrer au grei Dieu... je demourroie ci pour mon peuple aidier et deffendre ; car se je metoie mon cors en l'aventure dou pelerinaige de la croiz, la ou je veoie tout cler que ce seroit au mal et au doumaige de ma gent, j'en courouceroie Dieu, qui mist son cors pour son peuple sauver. »

Et devant le cercueil du roi et ceux des princes et des princesses morts au cours de l'expédition, il ne peut dissimuler l'égoïste satisfaction d'avoir esquivé le péril. Joinville n'est ni un héros ni un saint. Jamais il ne cherche à se donner pour tel et tout l'agrément qu'on éprouve à le lire tient précisément à sa sincérité.

Aussi, parce qu'il dit ce qu'il sait et comme il le peut, est-il de

tous les biographes de saint Louis le plus digne de confiance. Vers
1305, à la prière de Jeanne de Navarre, femme de Philippe le Bel,
il dicta son « livre des saintes paroles et des bons faiz nostre roy
saint Looys ». La partie essentielle de l'ouvrage et la meilleure, est
faite de ses mémoires personnels sur la croisade, rédigés sans doute
après la mort du roi. Il les fit précéder et suivre d'anecdotes sur
la vie de saint Louis, empruntées à ses propres souvenirs et aux chroniques françaises de Saint-Denis. Cette rédaction composite ne va
pas sans déconcerter un peu le lecteur, mais les détails, tous excellents, font oublier l'insuffisance du plan d'ensemble. Doué d'une
mémoire visuelle exceptionnelle, à soixante ans de distance, le vieux
sénéchal se souvient encore que le roi portait, à l'assemblée de Sau-
mur, « un chapel de coton en sa teste, qui mout mal li seoit, pour
ce qu'il estoit lors joennes hom ». Il retient tout ce qu'il a vu et,
d'un trait amusant, il sait animer une scène et rendre ses acteurs
présents à nos yeux. On a pu dire que ses récits de bataille manquaient d'ampleur et de netteté; c'est que du lieu où il se trouvait
il lui était difficile d'embrasser du regard toute l'opération. Il n'a
d'ailleurs ni l'esprit méthodique ni la vive intelligence de Villehardouin et ne s'embarrasse ni de stratégie ni de diplomatie. Son
portrait de saint Louis est peint à petites touches, mais tant d'anecdotes familières, contées avec bonhomie, évoquent mieux le personnage que les considérations plus profondes d'un plus subtil auteur
auraient pu le faire. Et ce n'est pas son moindre titre de gloire que
d'avoir su rendre populaire la figure du saint roi qu'il avait tant
aimé et dont le souvenir demeure inséparable du sien.

Avec Joinville nous atteignons les premières années du XIVe siècle. L'histoire en langue française a définitivement gagné la partie.
Elle a produit un grand nombre d'œuvres. Les unes, chroniques universelles, compositions d'histoire ancienne ou nationale, souvent traduites du latin, prétendent renseigner un public dont la curiosité
grandit, sur les événements du passé. L'oubli s'est étendu sur la
plupart d'entre elles, car la matière en est banale et le style maladroit. D'autres, plus exactes, mieux documentées, les concurren-
çaient, puis vieillissaient à leur tour et cessaient de plaire; mais,
pendant la durée de leur vogue passagère, elles touchaient un plus
vaste public que les œuvres plus raffinées, récits contemporains ou
mémoires personnels, dont nous apprécions aujourd'hui la saveur.
La *Vie de Guillaume le Maréchal* fut ignorée jusqu'au jour où
P. Meyer en découvrit l'unique manuscrit dans une bibliothèque
privée d'Angleterre, d'où il n'était jamais sorti. C'est également par
une seule copie que la relation de Robert de Clari nous est parvenue et, si Villehardouin semble avoir été mieux connu, ce n'est
guère qu'au XVIe siècle qu'on reparle de Joinville. C'est qu'à la vérité
ces compositions n'étaient pas destinées à la masse des lecteurs. Nées
du désir de faire connaître les vertus ou les exploits d'un ancêtre

disparu, ou de confier à un cercle restreint de parents et d'amis les propres souvenirs de l'auteur, elles n'intéressaient que le milieu spécial en vue duquel elles avaient été conçues. Ce qui en fait aujourd'hui la valeur, c'est justement ce caractère d'exception et d'individualité. L'intérêt que nous y prenons est d'autant plus vif que le narrateur est plus sincère et cède plus volontiers à la tentation de dire tout ce qu'il a vu.

C'est grâce à ces œuvres originales que l'histoire fait son entrée dans la littérature française, y introduisant avec elle la prose encore à ses débuts. Elle sera désormais la forme préférée des historiens, non seulement par souci d'exactitude mais parce qu'elle paraît plus maniable aux laïques non initiés à la technique poétique. Echappant aux formules des rhétoriciens, accessible par la souplesse de ses moyens à quiconque a quelque chose à dire, l'histoire va connaître une faveur grandissante. L'idée de croisade définitivement abandonnée, les tragiques événements de la guerre de Cent Ans vont lui fournir une matière plus riche encore. Quand la crise atteindra son point culminant, que la littérature d'imagination perdra son prestige et sa raison d'être, les historiens resteront presque seuls pour défendre, en attendant des jours meilleurs, la cause de l'intelligence.

CHAPITRE IX

LA LITTÉRATURE DRAMATIQUE

Théâtre religieux liturgique et semi-liturgique.
Théâtre comique. Adam de la Hale.

Le drame liturgique au pied de l'autel. Aux jours de fête, quand on célèbre la naissance du Christ, sa mort ou sa résurrection, la foule emplit la nef immense. La piété qui l'anime est accrue par l'éclat inaccoutumé du spectacle : la tenture s'est entrouverte, qui pend de l'arc triomphal; devant l'autel, le sépulcre est figuré; deux diacres s'avancent portant la croix enveloppée dans un linceul et chantant des antiennes; ils déposent la croix dans le tombeau, où elle restera jusqu'à la nuit de la Résurrection. Et voici qu'au son des cloches revenues, se lève le saint jour de Pâques. Un moine revêtu d'une aube et tenant une palme en sa main, s'assied comme l'ange au pied du tombeau. Trois autres, recouverts de longues dalmatiques, représentent les saintes femmes. « Que cherchez-vous ? » dit le premier. Et ils répondent tous ensemble : « Jésus de Nazareth ! » Mais Jésus n'est déjà plus là; il est ressuscité parmi les morts, le tombeau déserté n'est plus qu'un cénotaphe. C'est l'instant de se réjouir : les moines chantent l'antienne *le Seigneur est ressuscité du Sépulcre*, et l'abbé, d'une voix sonore, entonne l'hymne *Te Deum laudamus*. S'il faut en croire la *Regularis concordia* de saint Ethelwold, c'est ainsi que se célébrait au Xᵉ siècle l'office de Pâques, non seulement en Angleterre, mais dans les églises françaises, et plus spécialement à l'abbaye bénédictine de Fleury-sur-Loire à qui paraît bien revenir le mérite de l'invention. Pour frapper l'esprit du vulgaire et fortifier sa foi, sans qu'il y eût à vrai dire d'obligation liturgique, des épisodes de l'histoire ecclésiastique étaient montés par personnages dans une sorte de décor dont l'autel formait le fond, avec un minimum d'accessoires et de costumes, et un semblant de mise en scène. L'office religieux s'achevait en spectacle, et le drame liturgique, sous cet aspect rudimentaire, est sans doute la première manifestation de l'art théâtral sur notre sol. De même que certaines légendes épiques avaient germé, crû, puis fleuri dans le voisinage des sanctuaires, quand la vogue des pèlerinages groupait sur certaines routes et sur certaines voies les fidèles itinérants, le théâtre a pris naissance au pied même des autels. A cela quoi de surprenant ? Les sociologues ont observé que, chez les peuples primitifs, la religion engendre le drame, et l'on peut voir dans les plus anciennes cérémonies rituelles le prototype du drame se déroulant avec l'appui de la danse et des chœurs, ayant l'autel pour décor et, pour costumes, les insignes sacerdotaux. Pas plus qu'ailleurs, le drame liturgique ne se distingue en France des autres parties de l'office avec lequel il fait corps, pour embellir les grandes cérémonies annuelles et donner, pour un auditoire ignorant et naïf, une forme concrète aux faits historiques que l'*Evangile* et l'*Epître* n'évoquaient que partiellement. A la curiosité passionnée des foules, tendues de tous leurs nerfs et de toutes leurs pensées vers une réalité désormais accessible, répondait au fond du chœur le zèle pieux des acteurs improvisés, tous clercs à l'origine. L'union se faisait intime entre la scène et le parterre, parce que le sens dramatique, inné chez tous les hommes, compensait de part et d'autre la culture insuffisante ou la précarité des moyens matériels. Et cette union fut si féconde qu'elle fit triompher la formule qui ne cessa de se perfectionner jusqu'en 1548, époque à laquelle le Parlement de Paris condamna la représentation des *mystères*.

On ne manquait pas de sujets à traiter par personnages. Les *Evangiles*, surtout les *apocryphes*, contenaient de pieuses légendes que les rédacteurs de la *Vie des Pères* et de tant de *contes dévots* avaient popularisées. Qu'on s'efforçât d'animer ces narrations un peu ternes, qu'on fît descendre les héros évangéliques de leur niche étroite aux flancs des portails, qu'on mêlât, comme dans la vie, le tragique et le comique, il n'en fallait pas plus pour réaliser autour du sépulcre le *Cycle de Pâques* ou l'*Office du Sépulcre et de la Résurrection*. A la Noël, on célébrait l'*Incarnation*, du 25 décembre à l'Epiphanie. De vieilles traditions païennes survivant dans les rites chrétiens assuraient à ces fêtes, avec la pérennité, un éclat tout spécial. Il semble toutefois que la célébration de la naissance du Christ ne précéda point chronologiquement celle de sa mort, pour cette simple raison qu'au regard du dogme, le fait capital est la *Résurrection*. Le drame de *Noël* ne paraît s'être constitué que vers le XIᵉ siècle, où il figure dans un évangéliaire comme partie intégrante du rituel. Le thème en est l'*Epiphanie*, l'apparition aux Mages de l'étoile divine qui leur apprend la naissance du Messie et les guidera vers la crèche. C'est l'occasion pour l'auteur d'une succession de petites scènes réalistes : annonce aux bergers, rencontre des Mages, visite chez Hérode, etc. Pour corser le drame, on mettait parfois en scène, d'après un sermon apocryphe, la *Procession des prophètes du Christ*. Aux drames fondamentaux de la *Résurrection* et de la *Nativité* s'en joignaient d'autres, comme la *Conversion de saint Paul*, le *Miracle de saint Nicolas* ou la *Résurrection de Lazare*.

On a rattaché, sans raisons décisives, tantôt au *Cycle des prophètes*, tantôt au *Cycle de Noël*, le drame de l'*Epoux*, illustration de la parabole *des Vierges sages et des Vierges folles* qui, d'après le dernier éditeur, paraît avoir été conçu pour le premier dimanche de l'Avent. C'est une œuvre singulière formée de strophes latines auxquelles s'ajoutent quelques passages en roman. Elle nous a été conservée par une copie du xiᵉ siècle, remaniement en langue d'oc exécuté à Saint-Martial de Limoges d'un texte plus ancien composé dans la France du Nord. Il n'est pas douteux qu'il s'agit là d'un poème dramatique qu'il convient de classer parmi les représentants du théâtre liturgique. Après un hymne annonçant le proche avènement de l'*Epoux* et une allocution de l'ange Gabriel, les vierges coupables d'avoir négligé leur huile supplient leurs sœurs de leur en donner, pour aller au-devant de Celui qui s'approche. Repoussées, elles s'adressent aux marchands, qui refusent à leur tour. Le Christ, apparaissant alors, les réprimande vertement, tandis que les démons surgissent pour les entraîner en enfer, sous la malédiction du Seigneur :

> Alet, chaitivas, alet, malaüreas !
> A tot jors mais vos sos penas livreas :
> In infernum, ora seret meneias.

[*Allez, malheureuses, allez, maudites ! A tout jamais vous êtes livrées aux tourments. Maintenant vous serez conduites en enfer.*]

La formule expérimentée dès le xᵉ siècle et qui dut son succès rapide à l'irrésistible poussée de l'instinct théâtral, paraît s'être appliquée à de nombreux offices, dont elle permettait de relever l'éclat. Elle était encore en faveur à la fin du xivᵉ siècle où l'on jouait en Avignon l'*Office de la présentation de la Vierge*. mais ce n'est là qu'une survivance locale. Du xᵉ au xiiᵉ siècle, le genre a subi de radicales transformations; sur l'intention édifiante et didactique, le sens dramatique a pris le dessus. L'office de *Pâques* et celui de *Noël* se sont enrichis de scènes dialoguées qui se substituent au récit pur et simple et à la psalmodie. L'exposé des événements consacrés par le rituel a pris peu à peu le caractère d'une évocation vivante et les personnages multipliés, incarnés cette fois par de véritables acteurs, font alterner leurs répliques avec les répons du chœur. Bientôt le drame religieux, devenu plus complexe, étouffe dans le cadre de l'église. Les épisodes plus nombreux, l'action plus variée

déconcerteraient les spectateurs, si l'on ne prenait soin de les situer
matériellement; la crypte sous l'autel devient le tombeau, l'autel
la crèche, et le palais d'Hérode est constitué par un échafaud recou-
vert d'étoffe. Comme on ne dispose pas d'une machinerie très compliquée, qu'on n'envisage point de changements à vue, ces *lieux*
demeurent juxtaposés en permanence. Ainsi prend naissance la mise
en scène simultanée, à laquelle on aura recours pendant tout le
moyen âge, et dont l'emploi nous est encore attesté au seuil de
l'époque classique.

Le drame   Mais à se compliquer d'éléments nouveaux, le
semi-   drame liturgique a progressivement perdu son ca-
liturgique.   ractère primitif. Le public lui-même s'y est associé et, pour lui complaire, on l'a enrichi d'ornements profanes,
allant même jusqu'à greffer sur le thème général rédigé en latin
des refrains en langue vulgaire. Désormais l'Eglise a du mal à reconnaître son enfant. D'inévitables nécessités l'ont conduit à un
point de développement tel que ses exigences impérieuses, ses velléités d'indépendance et ses écarts de langage font contraste avec la
solennité du sanctuaire. Il est temps de chasser le drame et ses
acteurs à la porte de l'église, et c'est pourquoi, dès le milieu du
XIIᵉ siècle, nous le trouvons installé sur le parvis. A présent, le
parler national triomphe dans ces compositions de plus vaste étendue, où tout l'intérêt porte sur le dialogue, la part du rituel se
réduisant à quelques répons. C'est uniquement par ce lien ténu
que le drame religieux du XIIᵉ siècle, dit semi-liturgique, se rattache à son prédécesseur. Toutefois le latin subsiste dans les *didas-*
calies ou indications de scène. La technique prend toujours plus
d'importance; tantôt la représentation s'organise sous le porche spa-
cieux des grandes cathédrales, tantôt sur la place publique. Si l'on
s'était contenté jusque-là de confier les rôles, même féminins à des
prêtres et à des moines, les personnages épisodiques sont désormais
trop nombreux pour qu'on puisse se dispenser d'élargir le recrute-
ment. Les confréries d'artisans, les clercs de tout rang, les bourgeois,
les nobles même ont pris tant de goût à ces divertissements qu'ils
sont ravis d'y participer, sans que toutefois cet engouement
trahisse toujours de leur part un réel souci de collaborer à une
œuvre d'édification.

La « Résur-   Des premiers essais de drame religieux n'ont
rection ».   survécu que quelques spécimens, suffisants toutefois pour nous en donner une idée précise. Le drame de la *Résurrec-*
tion, d'origine normande, offre un texte trop mutilé pour qu'on
puisse en retenir autre chose que le prologue où se trouve minutieusement décrite la plantation des divers décors :

Primerement apareillons [*disposons*]
Tus les lius et les mansions :
Le crucifix primerement
E puis aprés le monument [*tombeau*].
Une jaiole [*geôle*] i deit aver
Pur les prisons [*prisonniers*] enprisoner.
Enfer seit mis de cele part.
Es mansions de l'altre part
E puis le ciel.

Ainsi nous apparaît nettement la disposition de la scène : à droite l'Enfer où sont les damnés, à gauche le Ciel et le Paradis ; entre ces deux points extrêmes s'alignent, sur de simples échafauds décorés de toiles peintes, le Calvaire avec sa croix, le Saint-Sépulcre, la prison de Barabas, le palais du procureur, la synagogue, les maisons de Joseph d'Arimathie, de Nicodème, des disciples du Christ et des trois Maries. Ce qui subsiste de la *Résurrection* ne permet guère de lui attribuer un grand mérite littéraire et, n'était le prologue, on pourrait négliger ces couplets d'octosyllabes à rimes plates, au style pauvre et dépouillé d'attraits.

Le « *Jeu d'Adam* ». Mais bientôt, avec le *Jeu d'Adam*, qu'on peut dater du troisième quart du XIIᵉ siècle, nous nous trouvons plongés en pleine société courtoise; la nouvelle mode littéraire pénètre à tel point le drame religieux que le démon, subtil et disert, fait plus figure de galant séducteur que de monstre horrifiant. Du moins s'agit-il ici d'une véritable pièce de théâtre savamment construite et méthodiquement agencée, comme en témoignent les indications de scène, ou *didascalies*, rédigées en latin. L'auteur n'est pas nommé, mais il est présent d'un bout à l'autre et les éclaircissements qu'il apporte nous sont plus précieux que son nom. Le sujet ne saurait surprendre quiconque est familiarisé avec le livre de la *Genèse* : après avoir créé Adam et Eve, le Seigneur les pourvoit de recommandations et leur promet, s'ils les observent, la jouissance du Paradis terrestre, un merveilleux jardin qu'il leur montre du doigt :

De cest jardin tei dirrai la nature :
De nul delit n'i troverez falture [*manque*] :
N'est bien al monde, que covoit criature,
Chescons [*chacun*] n'i poisset trover a sa mesure.

Femme de home n'i avera irur [*colère*],
Ne home de femme verguine [*honte*] ne freür.
Por engendrer n'i est hom peccheor,
Ne a l'emfanter femme n'i sent dolor.

Tot tens vivras, tant i ad bon estage [*séjour*] :
N'i porras ja chanjer li toen eage.
Mort n'i crendras, ne te ferra damage.
Ne voil qu'en isses, ici feras manage [*résidence*].

Mais les créatures humaines, douées du libre arbitre, peuvent commettre à leur guise le bien et le mal. Tandis qu'Eve et son époux se promènent dans le Paradis, les démons, sur le devant du théâtre, se livrent à une expressive pantomime, prélude de la tentation. Survient le Diable; ses avances fallacieuses n'ont point de prise sur Adam, si bien que, dépité, il s'adresse à la femme en déployant les grâces les plus donjuanesques :

> Tu es fieblette e tendre chose
> E es plus fresche que n'est rose;
> Tu es plus blanche que cristal,
> Que neif [neige] que chiet sor glace en val.

A s'entendre si bien flatter, Eve perd toute prudence; elle est à point pour commettre le péché. En vain Adam lui défend-il de revoir le beau séducteur, il reparaît sous la forme d'un serpent ingénieusement machiné, qui s'enroule autour de l'arbre et tend à Eve le fruit défendu, dont il fait la plus alléchante peinture. Il sollicite habilement, chez sa victime, l'orgueil et l'ambition :

> Li fruis que Deus vus a doné
> Nen a en soi gaires bonté;
> Cil qu'il vus ad tant defendu,
> Il ad en soi grant vertu.
> En celui est grace de vie,
> De poësté, de seignorie,
> De tut saver, e bien e mal.

EVA

> Quel savor a ?

DIABOLUS

> Celestial !
> A ton bel cors, a ta figure,
> Bien covendreit tel aventure
> Que tu fusses dame del mond,
> Del soverain e del parfont [du ciel et de l'enfer],
> E seüsez quanque a estre,
> Que del tuit fuissez bone maistre.

Elle prend le fruit, y goûte et le passe à Adam qui cède à son tour. Mais dès qu'il y a touché, il comprend sa faute et, se baissant pour n'être point vu des spectateurs, il échange ses habits de fête contre un manteau de feuilles de figuier et s'écrie dans son désespoir :

> Allas ! pecchor, que ai jo fait ?
> Or sui je mort sanz nul retrait.
> Senz nul rescus sui jo mort,
> Tant est cheaite [tombée] mal ma sort.

Le Seigneur, apparaissant, chasse les coupables du beau jardin, et les infortunés, saisis par les démons, sont entraînés en enfer. Voici maintenant que les deux frères, Caïn et Abel, sacrifient pieusement sur deux autels jumeaux. Mais le Seigneur refuse les offrandes de Caïn qui, pour se venger, tue son frère, non sans l'avoir copieusement injurié. Aussitôt, sur l'ordre de Dieu, les démons s'emparent du meurtrier et de sa victime. Dès lors il ne reste plus qu'un espoir à l'humanité courbée sous le fardeau du péché originel : c'est la venue du Rédempteur que, l'un après l'autre, les Prophètes viennent annoncer.

Les nativités C'est peut-être au XIIIe siècle que furent com-
liégeoises. posées les fameuses *Nativités liégeoises* décou-
vertes par M. G. Cohen dans un manuscrit du musée Condé. Ces deux mystères, d'une extrême naïveté, tirent leur mérite de ce fait lui-même. Rien n'est plus simple et plus touchant à la fois que le langage de ce pasteur qui s'apprête à répondre à l'appel de l'ange :

> Volentire et legirement [*vivement*] yraie...
> Mais aveuc moy ma flaiot [*flûte*] aporteraie,
> De la queil je moy joweraie
> Por consoleir le pitit enfan,
> Qui est Dieu et signeur de tout le monde.

L'Adoration des bergers, la Rencontre et l'Adoration des Rois constituent l'essentiel du drame qui évoque dans son épilogue le mystère de la Purification et le massacre des Innocents.

Le « Jeu de Mais cela n'est qu'un début. Plus varié dans sa
saint Nicolas ». forme et dans son inspiration que le drame litur-
gique, le drame semi-liturgique va se renouveler en puisant dans la littérature hagiographique. La preuve nous en est fournie par une œuvre dramatique précieuse entre toutes, le *Jeu de saint Nicolas*. L'auteur n'est autre que Jean Bodel à qui nous devons la chanson des *Saisnes,* quelques pièces lyriques et le *Congé* qu'il écrivit à son départ pour la léproserie. Et voilà qui nous ramène au sein des communes du Nord, parmi la bourgeoisie optimiste et prospère, à qui nul bien n'est plus précieux que la vie, et qui ne néglige rien pour l'embellir. Il ne faut donc pas s'étonner du caractère laïque accentué du *Jeu de saint Nicolas*, dont le thème est par ailleurs emprunté à l'hagiographie et n'a rien retenu des événements traditionnels qu'on célèbre au cours de l'office. Le « Prologue », s'adressant aux seigneurs et aux dames, la veille du 6 décembre, leur résume ce qu'ils vont entendre. Puis surgit Auberon, le courrier, qui avertit le roi des Païens et son sénéchal de l'arrivée des Chrétiens. Mais chargé de battre le ban, Auberon s'attarde à la taverne. Il ne songe d'abord qu'à s'y rafraîchir :

> Ostes, mais sachiés [tirez] une pinte,
> Si buverai tout en estant [debout] ;
> N'ai cure de demourer tant.
> De moi couvient prendre conroi.

Ce sont de bonnes résolutions, mais peut-on se retenir sur la pente dangereuse, quand l'hôte lui-même se montre si pressant ?

> Tien, chis te montera ou chief ;
> Boi bien, li mieudres [meilleur] est au fons.

Les choses se gâtent encore plus quand survient l'aimable Cliquet, et le jeu succède à la beuverie. Après ce joyeux intermède, Auberon rejoint les émirs à qui il transmet son message, puis il retourne vers son maître. Sans faire allusion à la petite récréation qu'il s'est donnée, il se félicite du succès de son ambassade :

> Certes, sire, tant ai coitié
> Par Arrabe et par paienime [peuple païen],
> C'ainc si grant pule [peuple], de le dime,
> N'eut nus roys de paiens ensanle,
> Comme il vient a toi, che me sanle,
> Conte et roy, et prinche et baron.

Et le roi, satisfait, s'écrie généreusement :

> « Va t'en reposer, Auberon ! »

Mais les renforts sont arrivés et déjà le combat s'engage. Les Chrétiens sont prêts à tous les sacrifices :

> Bien sai tuit i morrons el Damedeu servise ;
> Mais mout bien m'i vendrai, se m'espee ne brise.

Un jeune chevalier, tout fraîchement adoubé, s'écrie avec une emphase cornélienne :

> « Seignor, se je suis jones, ne m'aiés en despit !
> On a veü sovent grant cuer en cors petit ».

Ces excellentes dispositions n'empêchent pas toutefois les Chrétiens de mourir, à l'exception d'un seul. Un ange venu du ciel prononce leur oraison funèbre : en s'offrant pour la plus sainte des causes, ces martyrs ont gagné le salut éternel :

> « A ! chevalier qui chi gisiés,
> Com par estes beneüré [bienheureux] !
> Come, or chez eures [à présent] despisiez [méprisez]
> Le mont [monde] ou tant avés duré !
> Mais pour le mal qu'eü avés,
> Mien ensient [à mon avis] tres bien savés
> Queus bien chou est de paradys
> Ou Diex met tous les siens amis ».

Le prud'homme survivant, dans sa détresse, invoque saint Nicolas qui fait retrouver les objets perdus :

> « Sains Nicolas, dignes confés [*confesseur*],
> De vostre home vous prende pés;
> Soiés me secours et garans ».

Mais c'est en vain qu'il espère recouvrer sa liberté. Le roi paien le fait jeter en prison et, pour éprouver le pouvoir de saint Nicolas, il envoie le héraut Connart crier par la ville que le trésor royal est ouvert au public. Nouvelle scène à la taverne entre quelques joyeux compères qui n'imaginent rien de mieux que de puiser audit trésor l'argent de leur écot. Mais revenus chez l'hôte, ils s'endorment. Cependant le larcin est découvert et le roi menace de mort le prud'-homme qui, ferme en sa croyance, renouvelle sa prière à saint Nicolas. Celui-ci, pris de pitié pour son humble adorateur, descend à la taverne, apparaît aux voleurs endormis et les invite à restituer l'argent. Le roi, satisfait autant qu'émerveillé, relâche le prud'homme et, sur ses instances, confesse le vrai Dieu et saint Nicolas. Le *Te Deum* qui termine la pièce est le seul lien qui la rattache à la liturgie; mais ce qui lui confère son originalité, c'est cette combinaison d'éléments très divers, épiques, comiques et satiriques où le célèbre auteur de la chanson des *Saisnes*, le rimeur artésien familier des *Puys* picards, a déployé les richesses d'un talent multiple et sûr. Nous voici bien loin du vieux drame liturgique et des anciens *miracles de saint Nicolas,* dont l'auteur a pu s'inspirer.

Le « Miracle de Théophile ». Après Jean Bodel d'Arras, Rutebeuf nous apparaît plus grave et moins paré de fantaisie. Ce trouvère parisien dont la verve mêlée de fiel dénonce impitoyablement les défaillances des clercs et des laïcs, sait, quand il le veut, s'apitoyer sur le sort des misérables et célébrer les triomphes de la foi. Aussi n'est-il pas étonnant qu'il ait tenté de mettre en scène le *Miracle de Théophile*. C'est une très ancienne légende, d'abord rédigée en grec, puis passée en Occident sous la forme latine et enfin traduite en français, une de celles où s'exprime avec le plus d'éclat l'intervention miraculeuse de la Vierge dans la vie des individus. Vidame d'une église de Cilicie, Théophile refusa de succéder à son évêque et fut destitué par le nouvel élu. Sous le coup de cette injustice, il fit un pacte avec le diable. Pendant sept ans, il se conduit en suppôt de Satan jusqu'au jour où, saisi de repentir, il tombe à genoux aux pieds d'une statue de Notre-Dame qu'il n'a, malgré sa déchéance, jamais cessé de vénérer. La Vierge, émue par ce désespoir d'une évidente sincérité, descend de son socle et promet au pécheur d'obliger le démon à résilier le pacte. Elle y parvient sans peine en brandissant la croix, et l'évêque, auquel Théophile s'est soumis, lit devant la foule assemblée la confession du protégé de

11

Notre-Dame. Après avoir évoqué cette aventure édifiante dans son
Ave Maria, Rutebeuf imagina donc de l'adapter pour le théâtre.
Quinze scènes assez mal reliées, nous transportent successivement
chez Théophile, chez le juif Saladin, dans la vallée du diable, au
palais de l'évêque et dans la chapelle de la Vierge. Le dialogue écrit
pour la plus grande part en octosyllabes rimant deux à deux, comporte aussi l'emploi de mètres lyriques qui devaient être accompagnés d'une mélodie. Rien de plus émouvant que les hésitations
de Théophile ulcéré de dépit, mais toujours fidèle à ses croyances :

> Ha ! laz, que porrai devenir ?
> Bien me doit li cors dessenir [*perdre le sens*]
> Quant il m'estuet à ce venir.
>   Que ferai, las !
> Se je reni saint Nicholas
> Et saint Jehan et saint Thomas
>   Et Nostre Dame,
> Que fera ma chetive d'ame ?
> Ele sera arse en la flame
>   D'enfer le noir !

Mais à l'idée qu'il peut rentrer, grâce au Démon, en possession de
sa fortune, il se décide : « Dieu m'a trahi, je le trahirai; et s'il me
hait, je le haïrai ! »

Il ne faut pas attendre de Rutebeuf la même habileté ni la même
expérience du métier dramatique que de Jean Bodel. Point d'en-
chaînement entre les scènes, nul souci de ménager les transitions;
la grâce agit subitement sans que rien nous y prépare; le dialogue
s'étire et languit. Rutebeuf ne redevient lui-même que lorsqu'il
s'agit d'exprimer les nuances sentimentales, soit que Théophile
hésite avant de conclure l'infernal marché, soit qu'il expose un peu
longuement à la Vierge l'étendue de son repentir :

> Hé, laz ! chetis, dolenz, que porrai devenir ?
> Terre, comment me pues porter ne soustenir,
> Quant j'ai Dieu renoié et celui voil tenir
> A seignor et a mestre qui toz maus fet venir ?

Il faut signaler pourtant un trait commun à Rutebeuf et à Jean
Bodel. Théophile, malgré les graves conjonctures où il se trouve
placé, ne laisse pas, à l'occasion, d'exciter le rire. Le comique et le
tragique sont mêlés dans le *Miracle*, moins intimement peut-être
que dans *Saint Nicolas*, mais le principe est sauvegardé.

Désormais le drame semi-liturgique a franchi le seuil de l'église.
Il est devenu un genre littéraire aux règles souples et variées, où
la diversité des rythmes employés favorise une liberté plus grande
dans le choix des inspirations. Mais il s'en faut qu'il ait perdu tout
caractère clérical : c'est la veille des fêtes rituelles qu'ont lieu les

représentations, l'initiative en est prise par des confréries religieuses et l'Eglise en surveille l'organisation.

Le Théâtre comique. La présence d'éléments comiques que nous venons de constater dans le théâtre religieux, dès le début du XIIIᵉ siècle, donne à penser que la comédie en français existait à cette époque, bien qu'aucun texte indépendant ne nous ait été conservé. L'évolution du drame liturgique et semi-liturgique prouve assez que ces éléments s'y sont glissés de l'extérieur, pour la raison qu'ils existaient isolément sous forme de scènes dialoguées ou de farces populaires. La déclamation de mainte chanson de geste, de maint conte et de maint fabliau impliquait, de la part du jongleur, une gesticulation appropriée ainsi qu'un changement de ton marquant l'alternance des personnages. Certaines pièces lyriques, comme les chansons de danse, comportaient une répartition des couplets entre le chœur qui reprenait au refrain et le chanteur qui débitait les strophes; les débats enfin et les jeux-partis offraient, en quelque mesure, un aspect particulier du dialogue comique.

S'il faut admettre avec J. Bédier que le *fabliau*, comme l'affirmait J.-V. Le Clerc, n'a point engendré la *farce*, on peut toutefois supposer qu'ils procèdent l'un et l'autre d'une même inspiration et qu'ils ont coexisté. Ce qui est sûr, en tout cas, c'est que la tradition classique avait survécu dans les écoles et qu'on écrivait en latin, à titre d'exercices, des scènes dialoguées qui purent être jouées par les clercs à l'occasion de certaines solennités. Le problème est de savoir s'il s'agit de pièces véritables ou de simples narrations, s'il faut y voir les ancêtres du fabliau ou de la comédie. Quinze pièces, dont le *Geta* de Vital de Blois, l'*Alda* de Guillaume de Blois, le *Milo* de Mathieu de Vendôme, le *Miles gloriosus* anonyme, dont le caractère dramatique est souvent masqué par la longueur des monologues et des récits, font l'objet de cette discussion. Il est assuré cependant que le *Geta* est pourvu d'indications scéniques dans les manuscrits du XIVᵉ siècle et que l'*Aulularia*, dans un très ancien exemplaire, se présente divisée en scènes, tandis que les noms des personnages sont inscrits en marge des répliques. Dans toutes ces œuvres, quelques types hauts en couleur, de physionomie truculente, qui, s'ils font songer à Plaute, laissent pressentir aussi Molière, étourdissent le lecteur de leurs joyeuses facéties, qu'ils s'appellent Babio l'avare, ou, comme ces valets cyniquement rusés, Fodius, Davus, Buria, Sardinia, formant l'anneau le plus important de la chaîne qui unit les valets de la comédie grecque et latine aux Covielles et aux Scapins.

Et pourtant, avant le XVᵉ siècle, où s'épanouiront en tumultueuse floraison farces et soties triviales et grimaçantes, la comédie en français n'est que très pauvrement représentée. C'est d'abord un court dialogue, *Du garçon et de l'aveugle*, représenté à Tournai aux

environs de 1277, où l'on voit un jeune garçon qui s'offre à conduire un aveugle, le rouer de coups, comme Scapin fera de Gé-
ronte, et finalement le dépouiller, scène bouffonne assez animée,
plaisante à lire, malgré la grossièreté de certains traits, et dont
le principal mérite est de fournir un témoignage. On y joint parfois, et non sans raison, le *Dit de l'Herberie* de Rutebeuf mêlé de
prose et de vers, boniment d'un charlatan qui vante au public ses
herbes médicinales, le *Privilège aux Bretons*, la *Paix aux Anglais*,
satires politiques, et surtout *Courtois d'Arras*, arrangement en partie dialogué du *Conte de l'enfant prodigue*, qui contient d'amu-
santes scènes de taverne.

Le « Jeu de la   Nous serions bien embarrassés, si nous ne pos-
Feuillée ».   sédions que ces broutilles, pour porter un jugement sur le théâtre comique du xiiie siècle. Mais le groupe littéraire d'Arras, qu'il n'est point surprenant de retrouver ici, apporte
fort heureusement au répertoire dramatique une importante contribution. Adam le Bossu, fils d'Henri de la Hale, digne successeur
de Jean Bodel et de Baude Fastoul, fait représenter le 1er mars 1262,
le *Jeu de la Feuillée*, sorte de revue satirique où défilent, croqués
sur le vif, les principaux bourgeois d'Arras, l'auteur lui-même et
ses parents. A cette peinture réaliste se mêle la plus ingénieuse fantaisie, car dans la prairie où se pressent bourgeois authentiques, jongleurs, marchands, religieux porteurs de reliques, les fées viendront
prendre leur part des agapes préparées pour elles. Voici comment :
A peine échappé de l'école, maître Adam s'est marié; « amour,
desesperance et derverie » en sont la cause. Mais, après quatre ans
de ménage, il aspire à porter la cape des étudiants parisiens. Malheureusement il n'a pas le sou et son père est d'une avarice qui ne lui
laisse aucun espoir. Voici venir à la taverne où trône Adam entouré
de ses amis Rikece Auri, Hane li Merciers et Gilot, un physicien
donnant ses consultations en plein air et révélant à chacun le mal
dont il souffre; puis c'est un moine qui montre contre argent son-
nant des reliques souveraines contre la folie, reliques que chacun à
la fois baise et tourne en dérision, comme si la dévotion se fût
accommodée d'une telle irrévérence. Les fées surgissent tout à coup,
annoncées par un bruit de clochettes et par le lutin Croquesot. Le
moine se sauve, emportant ses reliques, tandis qu'entrent en
scène Morgue, Arsile et Maglore, trois belles dames bien parées qui
s'installent sous la *feuillée* où les attend le festin dressé par Adam
et Rikece Auri. A l'admiration générale, elles évoquent la roue de
Fortune qui élève et précipite tour à tour ceux qui y sont attachés,
puis elles s'en vont en chantant. Les bourgeois se réinstallent à la
taverne, les chopes se heurtent à nouveau, les dés roulent et cli-
quettent, le moine endormi sur un banc se réveille, Hane, le mer-

cier, l'entraîne à la table où déjà se trouvent Adam et ses amis.
L'hôte les sert en vantant sa marchandise :

> ... Est ce vins ?
> Tel ne boit on mie en covent,
> Et si vos ai bien en covent
> Qu'oan ne vint mie d'Auçoirre.

Comme le moine s'est rendormi, le tavernier donne un conseil
à ses clients :

> Et or me faites tuit escout [*écoutez-moi*] :
> Metons li ja sus qu'il doit tout
> Et que Hane a por lui joé.

Le moine, réveillé, proteste; il évente la supercherie, mais qu'y
faire ?

> Beaus ostes, escoutez un peu,
> Vos avez fait de moi vo preu [*votre profit*] :
> Gardez un petit mes reliques.
> Car je ne sui mie ore riques,
> Je les rachaterai demain.

Il laisse donc ses reliques en gage et, tandis que nos joyeux compères chantent le premier vers d'une chanson de toile : *Aie se siet
en haute tour*, il s'en va chercher l'argent nécessaire à leur délivrance. Ayant récupéré son bien, il s'éloigne au son des cloches de
l'église Saint-Nicolas, tandis que la scène se vide.

> Je ne fach point de men preu [*profit*] chi,
> Puis ke les gens en vont ensi,
> N'il n'i a mais fors baisseletes [*fillettes*],
> Enfans et garchonaille. Or fai,
> S'en irons; a Saint Nicholai
> Commenche a sonner des cloketes.

Ce n'est certes pas une œuvre parfaite que le *Jeu de la Feuillée*.
Il serait puéril et vain d'y chercher une conception puissante, un
emploi réfléchi de tous les ressorts dramatiques, un équilibre savamment réalisé. C'est avant tout un divertissement et, comme
on l'a dit, le « Songe d'une nuit de mai ». La satire et la farce
bouffonne, le réalisme et la fiction y font d'autant meilleur ménage
qu'ils expriment la dualité de l'âme artésienne partagée entre l'intérêt pratique et la fantaisie. Les scènes se suivent au petit bonheur,
sans lien logique, et, bien souvent, elles s'achèvent avant qu'on
ait pu saisir leur raison d'être. Le style lui-même, sans éclat, n'anime
guère ces courtes répliques dont les allusions parfois nous échappent.
Mais tels que nous les lisons, les onze cents vers du *Jeu* nous prou-
vent que l'esprit des conteurs artésiens, observateurs narquois de
la vie quotidienne, peut à l'occasion briller sur les tréteaux, que

ces rimeurs de fabliaux et de chansons ne sont pas incapables, le cas échéant, de céder à l'instinct qui pousse les hommes vers le théâtre.

Le « Jeu   D'ailleurs maître Adam ne s'en tint pas là. Pen-
de Robin et   dant les dernières années de sa vie, qui s'écoulè-
de Marion ».   lèrent en Italie méridionale, où il était au service du comte d'Artois, comme poète et musicien, il écrivit une autre pièce, le *Jeu de Robin et de Marion*, qui ne fut sans doute pas représentée du vivant de son auteur. Quand elle fut reprise, l'entrepreneur de spectacles fit précéder l'ouvrage d'un prologue biographique, *Li Jus du Pelerin*, où nous lisons un bel éloge du poète :

> De maistre Adan, le clerc d'onneur,
> Le joli, le largue donneur,
> Qui ert de toutes vertus plains,
> Car mainte bele grace avoit,
> Et seur tous biau diter [*composer*] savoit;
> Et s'estoit parfais en chanter

Rien de commun entre les deux œuvres. Autant l'une est improvisée et disparate, autant l'autre est délicatement étudiée et solidement construite. C'est avec raison qu'on a pu la qualifier de « pastourelle dramatique », car c'est bien une pastourelle dépouillée de sa partie narrative. Le décor, très simple, n'exige point la mise en œuvre de tous les procédés de la mise en scène simultanée; c'est une prairie avec un buisson où s'embusqueront tout à l'heure les paysans pour épier le séducteur; dans un coin, une borne ou un petit tertre permettra aux acteurs de pratiquer le jeu du *Roi qui ne ment;* sur le côté s'élèvent les maisons rustiques de Gautier et de Baudon. La pièce commence. Assise au bord du pré, Marion, seule, gardant ses moutons, chante en tressant une couronne :

> Robins m'aime, Robins m'a;
> Robins m'a demandee, si m'ara.

Un chevalier vient à passer, son faucon sur le poing. Il chante aussi, sans voir la bergerette :

> Je me repairoie deu tournoiement,
> Si trouvai Marote soulete, au cors gent.

Mais il l'aperçoit et, l'ayant saluée, lui offre son amour sans autre préambule :

> Or dites, douce bergerette,
> Ameriez vous un chevalier ?

C'est en vain qu'il déploie ses ruses et fait scintiller ses promesses. Marion aime Robin qui l'aime et sait lui faire de beaux présents :

> Vous perdez vo peine, sire Aubert,
> Je n'amerai autre que Robert.

Là-dessus, le chevalier s'éloigne. Robin survient derrière lui et Marion lui conte l'aventure.

> Ici fu uns ons [homme] à cheval,
> Qui avoit chaucié une moufle,
> Et portoit aussi qu'un escoufle [comme un milan]
> Seur son poing, et trop me pria
> D'amer; mais peu i conquesta.
> Car je ne te ferai nul tort.

Les amoureux décident de goûter sur l'herbe et Robin va chercher ses amis au village. Le chevalier reparaît et renouvelle sa tentative qui n'a pas plus de succès; mais c'est sur le dos de Robin que sire Aubert passera son dépit. Peu importe; un regard de Marion suffit à panser les plaies du jeune homme qui, aidé de ses compagnons, organise un divertissement champêtre. Rien de plus, dans tout cela, que le thème habituel de la *pastourelle*, avec les mêmes personnages évoluant dans le même cadre, animés des mêmes sentiments. Tout le charme de la pièce est dans la grâce du dialogue d'ailleurs semé de réminiscences, dans le ton naturel et juste des répliques. La seconde œuvre dramatique d'Adam le Bossu n'est qu'un opéra-comique, dont il fut à la fois, pour égayer son maître, le librettiste et le musicien, et le tableau qu'il nous offre de la vie rustique ne doit pas nous faire illusion; il ne faut y voir qu'une fantaisie littéraire destinée à de nobles auditeurs.

Les quelques rares vestiges du théâtre médiéval qui nous ont été conservés du Xe siècle à la fin du XIIIe, nous ont permis cependant de suivre l'évolution du drame religieux qui s'achemine lentement, mais d'une façon régulière, vers les fastueuses représentations des *mystères*. Mais le théâtre profane a laissé trop d'exemples pour qu'on puisse aisément en fixer l'origine et en préciser les progrès. Entre le théâtre scolaire, rédigé en latin, qui n'est souvent qu'un exercice de rhétorique, et les œuvres d'Adam le Bossu, un fossé subsiste, trop large et trop profond pour qu'on puisse le combler avec de simples hypothèses. Mais ce qu'il nous faut retenir c'est qu'aux XIIe et XIIIe siècles, la littérature dramatique, issue de l'Eglise, nous apparaît largement imprégnée de culture cléricale, tantôt subissant, comme les autres genres, l'influence de l'esprit courtois, tantôt s'abaissant, comme eux aussi, vers les aspirations plus réalistes de la bourgeoisie émancipée.

CHAPITRE X

LA LITTÉRATURE DIDACTIQUE

I. Œuvres morales.

La science des clercs et l'esprit didactique. Nous savons que, depuis le XIIe siècle, renonçant à garder jalousement leur science, les clercs se sont évertués à la répandre autour d'eux. Après s'être initiés aux légendes antiques, s'être délectés de récits historiques agrémentés de fictions, les laïcs, enfin tirés de l'ignorance, étaient prêts à recevoir de nouvelles révélations. A mesure que les milieux aristocratiques et bourgeois s'ouvraient à la culture intellectuelle, ils attachaient à la littérature sérieuse un prix particulier, soit qu'elle eût dessein de réformer les mœurs, soit qu'elle entreprît d'entretenir et d'exalter la foi, soit que son ambition fût de décrire la structure du monde sensible ou d'enseigner la technique des arts. S'inspirant de modèles antiques, les clercs n'avaient cessé de pétrir cette matière en de copieux traités latins; l'enseignement des écoles y avait puisé le meilleur de sa substance; le tour didactique des esprits se prêtait aussi bien à la répandre qu'à la recevoir. Rien n'était donc plus indiqué que de traduire en langue vulgaire, à l'usage des profanes, les œuvres les plus accessibles et les plus appréciées. Le chroniqueur Lambert d'Ardres nous apprend que son protecteur, le comte Baudouin de Guines, témoignait, dans la seconde moitié du XIIe siècle, d'un goût prononcé pour la science. Ce n'était point d'ailleurs qu'il eût été soumis aux disciplines scolaires; il ignorait le latin, n'ayant pas même appris à lire. Mais à se faire lire en français les ouvrages les plus sévères, il s'était donné lui-même une instruction dont s'émerveillaient les

clercs. Si vif était son désir de connaître qu'il s'était fait traduire
par Landri de Waben le *Cantique des Cantiques*, avec son commentaire mystique, la *Physique* par maître Godefroi et, par Simon de
Boulogne, le livre de Solin sur l'histoire naturelle. Il avait ainsi
réuni la plus riche bibliothèque française qui se pût alors concevoir, moins par vanité de collectionneur que par intérêt de savant.
Il ne méprisait point pour autant l'art des jongleurs, mais comme
d'autres laïcs éclairés, il s'appliquait à jeter le pont entre la science
cléricale et la littérature vulgaire, de telle façon qu'entre clercs
et laïcs s'établît un échange de bons procédés. Tandis que ceux-là
prenaient goût aux chansons de geste et favorisaient en l'alimen-
tant le développement des genres courtois, ceux-ci demandaient aux
détenteurs de la vérité morale et scientifique les lumières dont ils
n'avaient encore entrevu que le reflet lointain.

L'importance de la littérature didactique, au XIIe et surtout au
XIIIe siècle, nous est attestée par le nombre des œuvres, l'abondance
des manuscrits qui nous les ont conservées, la fréquence des citations
qui y renvoient. Mais il faut avouer, par contre, qu'elle nous paraît
aujourd'hui singulièrement vide et fastidieuse. Ce vaste champ de
recherches n'est pas encore, il s'en faut, complètement défriché, et,
dans ce fatras d'écrits monotones et de puérils rabâchages, l'ivraie
demeure encore, dans une large mesure, confondue avec le bon
grain. Et pourtant, plus encore que dans les autres branches de l'activité littéraire, c'est là qu'il faut aller chercher le plus fidèle tableau
de la vie morale et intellectuelle au moyen âge. Mais comment s'y
reconnaître, dans cette forêt où tous les arbres se confondent,
parce que, la plupart du temps, ils dérivent de la même souche ?
Logiquement, le travail d'adaptation des œuvres didactiques aux
besoins des laïcs, devait commencer par la traduction pure et simple,
intégrale ou fragmentaire, permettant bientôt la compilation de
vastes traités méthodiques. Le procédé même excluait presque entièrement le recours aux observations et aux jugements personnels,
aussi ne saurait-on examiner ces textes en prenant pour critère leur
degré de sincérité. Il est difficile par ailleurs de leur assigner une
étiquette précise, d'après leur contenu; le souci de moraliser s'étend
à tous les genres : on moralise sur les *Bestiaires* et les *Propriétés des
choses*, comme sur les *Métamorphoses* d'Ovide et sur le jeu des
échecs. L'exposé des faits scientifiques ou réputés tels n'est souvent
qu'un prétexte à commentaires allégoriques. On peut tenir cependant pour œuvres morales celles où s'affirme plus nettement le
désir de guider des individus ou d'améliorer les conditions de la vie
sociale, en corrigeant les mœurs; comme œuvres d'édification spirituelle et d'enseignement religieux, celles dont l'objet principal est
d'éclaircir les points essentiels de la doctrine chrétienne; comme
traités scientifiques ceux qui sont consacrés à la description du
monde et des êtres qui l'habitent.

Œuvres   Dans l'esprit de leurs auteurs, les œuvres mo-
morales.   rales devaient servir à compléter l'instruction des
laïcs et à faciliter les rapports sociaux dans un monde où l'inéga-
lité des conditions favorisait tous les abus. Il importait tout d'abord
de mettre à la portée de tous les préceptes généraux de la sagesse
universelle condensés en formules simples, faciles à comprendre et,
plus encore, à retenir. Les *Proverbes de Salomon* offraient à cet
égard un intérêt certain. Les prédicateurs y puisaient une matière
abondante et d'un commentaire aisé. Les laïcs y purent accéder
eux-mêmes, quand l'Anglo-Normand Samson de Nanteuil les eut
traduits en vers français. Non moins populaire était le recueil de
sentences connu sous le nom de *Distiques de Caton.* Ce poète qui
vivait au temps de Dioclétien, s'inspirant des maximes de Publius
Syrus, eut l'ingéniosité de réduire en distiques latins les règles de
la morale courante. Les clercs du moyen âge en comprirent la valeur
didactique et, dès le xııᵉ siècle, Elie de Winchester et Everard de
Kirkham en publièrent des traductions. Au xıııᵉ siècle, Adam de
Suel et plusieurs autres ne crurent pas superflu d'entreprendre le
même travail et l'on pourrait citer encore au xvᵉ des adaptations
françaises des *Distiques.*

Il ne convient pas de s'attarder longuement sur les traductions
et imitations françaises et provençales du *De quatuor virtutibus* ou
Formula honestae vitae, attribué à Martin de Braga; il ne s'agit là
que de sentences morales tirées en majeure partie de Sénèque et
qu'on retrouve dans d'autres compilations comme les *Dits et moralités des philosophes* d'Alart de Cambrai, adaptés du *Moralium
dogma philosophorum* de Guillaume de Conches. De quelque succès
et de quelque influence qu'aient joui ces laborieux écrits, nous ne
pouvons leur reconnaître que la platitude et l'ennui.

Les Proverbes.   Il y aurait sans doute plus à glaner dans les
recueils de proverbes où s'exprime naïvement le
bon sens populaire. Souvent cités dans les textes littéraires, ils
étaient présentés soit en latin, à l'usage des clercs, qui ne manquaient pas de s'y référer, soit en français, dans le savoureux langage qui leur convenait le mieux. Si la plupart des compilateurs se
contentent de les énumérer, il s'est trouvé des poètes pour composer sur ce thème des œuvres originales. C'est ainsi que, vers 1180,
un protégé du comte Philippe d'Alsace rédigeait les *Proverbes au
vilain* en couplets de six vers de six syllabes introduisant un pro-
verbe suivi de la formule « Ci dit li vilains ». Il est probable que
le noyau primitif du poème, dont les petits vers, habilement
tournés, contiennent plus d'une réflexion spirituelle, des allusions
aux faits contemporains, des traits de mœurs ou de satire, fut progressivement accru par divers auteurs. Au xıııᵉ siècle les *Proverbes
au vilain* furent imités par le comte de Bretagne, Pierre Mauclerc

et de nombreuses collections d'importance variable ont été signalées jusqu'au xvᵉ siècle. Enfin, entre les proverbes vulgaires, attribués généralement au vilain et la poésie gnomique de caractère religieux s'insèrent les fameux dialogues de *Salomon et Marcoul*.
Tandis que le sage roi énonce gravement les vérités qui lui sont
chères, un personnage comique, Marcoul, lui oppose sous une forme
triviale la contre-partie de ces vérités :

> « Por largement doner
> Puet l'en en pris monter »,
>   Ce dit Salemons.
> « De povreté user
> Se fait l'en fol clamer »,
>   Marcol li respont.

L'Art d'Aimer. Mais au moment où la civilisation courtoise
triomphait en Occident, où grands seigneurs et
nobles dames accueillaient à l'envi les trouvères lyriques et susci-
taient l'émulation entre les conteurs de romans, le plus aimé des
moralistes, le plus souvent lu, le plus souvent cité, traduit et
paraphrasé ne pouvait être qu'Ovide, soit qu'il chantât dans les
Héroïdes les déboires sentimentaux des amoureuses légendaires, soit
qu'il se fît dans l'*Ars Amatoria* le complice averti des passions
clandestines. Il est assuré que Chrétien de Troyes rédigea avant
1160 une adaptation de l'*Art d'Aimer*. Son œuvre est perdue, mais
d'autres ont survécu. S'il y a peu à dire du poème incomplet de
maître Elie, il faut noter le succès de la *Clef d'Amors* que de nombreuses éditions ont vulgarisée depuis le xviᵉ siècle. Tout en puisant
largement dans le poème d'Ovide, l'auteur de ce charmant ouvrage
s'est efforcé de substituer aux détails proprement romains des traits
de mœurs et des allusions qui sont purement du moyen âge. C'est
un peu dans le même esprit que Jacques d'Amiens composa son
Art d'Aimer; mais il l'enrichit, par surcroît, d'une série de dialogues
où l'on voit l'amant s'entretenir successivement avec plusieurs
femmes dont il espère les faveurs, provoquant ainsi leurs répliques.
Ce n'était pas une nouveauté; le poète ne faisait qu'imiter le *Tractatus de Amore* d'André le Chapelain où se trouvait soigneusement
codifiée la doctrine de l'amour courtois, telle qu'elle résultait des
traditions latine, galloise et méridionale. En 1290 un clerc, Drouart
la Vache, mit le *Tractatus* en vers français sans ajouter rien d'essentiel à l'original. D'autres moralistes latins dont l'œuvre et le
tour d'esprit correspondaient moins parfaitement à la mode intellectuelle, philosophes comme Cicéron et Sénèque, historiens comme
Tite Live, poètes comme Virgile et Lucain n'en étaient pas moins
pillés par les compilateurs qui utilisaient leurs sentences en quelque
édifiant miroir.

Traités de courtoisie et de savoir-vivre. Fondée sur une conception nouvelle de l'amour illustrée notamment par les romans de Chrétien de Troyes, la « courtoisie » n'est pas un principe abstrait, une vertu supplémentaire, mais une règle morale qui embrasse tous les aspects de la vie individuelle et collective. Il va de soi que cette éthique raffinée n'est pas applicable à tous les milieux sociaux. L'auteur d'un curieux poème intitulé *Vilainnengouste* oppose aux hommes bien nés, soucieux de connaître et de pratiquer le bel usage, les vilains dont la fruste nature est réfractaire à tout progrès :

> Tout autressi com biaus usaiges
> Plaist par nature a cortois saiges,
> Aussi doit al vilain desplaire,
> Quant il voit bien et honor faire.

C'est à l'intention des premiers que l'auteur du *Doctrinal Sauvage* développe en lourds alexandrins les éléments de la morale traditionnelle :

> Certes bone chose est de bon entendement :
> Bons entendemens done cortois ensaignement;
> Cortois ensaignements fait vivre honestement
> Et saige vie done honor et sauvement.

Les *Enseignements* de Robert de Ho, ou, par anagramme, *Enseignements Trebor*, donnent plus de relief à ces banalités, en ajoutant aux formules ressassées des observations pittoresques. Ce poète, qui ne se flatte pas d'innover, reconnaît devoir aux livres le plus clair de sa science. Comme Salomon, comme Caton et les auteurs de *Chastoiements* qui procèdent plus ou moins directement de la *Disciplina clericalis* de Pierre Alphonse, il s'adresse à son fils dont il a entrepris de parfaire l'éducation. A côté des lieux communs habituels, Robert glisse çà et là de savoureuses remarques personnelles. Pour lui, la première des vertus sociales est l'aménité. Quiconque est irritable se rend odieux à son entourage, et c'est pis encore, s'il ajoute à la colère le mensonge et la médisance. Un damoiseau bien élevé doit se montrer généreux, toujours prêt à rendre service. Si on le prie, en société, de dire des vers ou de chanter, qu'il s'exécute de bonne grâce, en sachant toutefois s'arrêter à temps.

S'inspirant d'un modèle latin, l'auteur du *Ditié d'Urbain* prend l'enfant dès son plus jeune âge.

> Nurreture vus voil aprendre
> Tant cum tu es de age tendre,
> Car, por voirs, a vous le di :
> Honyz est ki ne est norri.

Celui, donc, qui est bien nourri, honore Dieu et Sainte Eglise et témoigne à ses parents tout le respect qu'ils méritent. S'il fait office de page auprès de son seigneur, quand il est à table, il se tient debout derrière lui, sans se gratter quelque membre ou se moquer de ses voisins. Dans la rue, il salue le premier les personnes de sa connaissance et leur parle aimablement. A l'école, il craint son maître et il lui obéit sans discuter. C'est en faisant preuve de zèle qu'il s'attire ses bonnes grâces :

> Et si vous savez vostre lesçoun
> Avant ke tous compaignun,
> Voluntiers lui apernez
> Et belement a lui parlez,
> Et ceo vous doint nourreture,
> Curtesie et mesure.

Ainsi dirigé, dès ses premières années, l'enfant, croissant en sagesse, devient un jeune homme et songe à prendre femme. Dans ce choix délicat, il ne se laissera guider que par l'intérêt pratique, négligera la beauté, bien périssable, la science qui n'a rien à voir avec la tenue du ménage. Il recherchera, dans sa future épouse, la sagesse et la bonne humeur et, se gardant lui-même de toute infidélité, il évitera de fréquenter les tripots et les tavernes. Pauvre, il saura souffrir son sort, en espérant l'aide de Dieu qui tient en ses mains la destinée des hommes :

> Et issi menez votre vie
> Ke vous amez le filz Marie.
> Plus ne dirrai maintenant :
> Chier filz, a Dex vus comant.

Des préoccupations analogues, mais plus limitées dans leur objet, se font jour dans les traités de *Contenances de table* où la jeunesse apprenait à bien se comporter pendant les repas.

Robert de Blois. Dans la seconde moitié du XIIIe siècle, la civilisation courtoise a perdu de son éclat. L'ascension de la bourgeoisie porte un coup sérieux à des pratiques artificielles dont elle sent la futilité et qui ne peuvent subsister que si la société mondaine a gardé son prestige intact. Un poète contemporain de saint Louis, Robert de Blois, dénonce sans sévérité ces symptômes de décadence qu'il estime imputables aux défaillances de l'aristocratie. Après avoir longtemps « laissé le rimer », il entreprend, dans l'*Enseignement des princes*, de dire leur fait aux grands seigneurs et de les contraindre à s'amender, sans se laisser décourager lui-même par l'échec de ses devanciers. Les barons d'autrefois étaient forts et puissants, parce qu'ils pratiquaient la « largesse », vertu capitale, et comblaient leurs serviteurs de présents, monnaie d'or et d'argent, chauds vêtements, chevaux de prix. Ceux d'aujourd'hui, cédant à l'avarice, retournent leurs habits pour en prolonger l'usage et c'est seulement quand ils montrent la corde qu'ils les

donnent, en guise de salaire, aux maçons et aux charpentiers. Sans
vergogne, ils s'approprient le bien d'autrui et, bravant l'excommunication, vont jusqu'à piller les églises. La situation serait désespérée
s'il n'y avait quelques exceptions, comme le bon Hue Tyrel de Poix,

> Uns chastelainz prouz et cortois,

et son fils Guillaume,

> Qui est saiges, prouz et soutis,
> Gentis, bien parlant, qui mout vaut,
> C'on ne porroit, se Dex me saut
> Jusqu'a Londres trover moillor.

Après avoir accablé les hommes d'amers reproches et de sages
conseils, le poète s'en prend aux femmes dont il importe de guider
la conduite, depuis qu'elles prennent une part active à la vie de
société. Dans un court poème, l'*Onor es dames*, il les met en garde
contre la médisance, travers bien féminin; qu'elles aient conscience
de leur mission et n'oublient pas que leur influence est la condition
même du progrès moral :

> Par dames done l'on maint don
> Et contrueve [*compose*] mainte chançon.
> Maint fol an sont devenu saige;
> Home bas monté en paraige.
> Hardis en devient maint coarz
> Et larges qui sot estre escharz [*avare*].

Dieu les a réservées pour ce rôle essentiel; c'est d'une femme
qu'il a voulu naître et, après sa résurrection, c'est à des femmes
qu'il s'est montré. Une si merveilleuse faveur implique des devoirs
dont l'accomplissement n'est pas toujours aisé. Aussi Robert a-t-il
cru bon d'énumérer dans le *Chastoiement des dames* les préceptes
élémentaires : parler et se taire à propos, opposer l'indifférence aux
entreprises des galants, ne point s'en vanter auprès des compagnes,
garder dans sa mise et dans ses propos une distinction faite de
mesure. A cela s'ajoutent de moindres conseils : ne pas abuser, si
on a une belle voix, de la patience des auditeurs, se couper les ongles,
pour les avoir propres, ne pas s'essuyer le nez à la nappe. Robert
de Blois traite son sujet par le menu et, le cas échéant, nous confie,
non sans sourire, le fruit de ses expériences personnelles.

L'*Enseignement des princes*, l'*Onor es dames*, le *Chastoiement
des dames* forment, réunis, un véritable manuel d'éducation courtoise. Le tour aisé du style, la précision des détails empruntés à la
vie courante en facilitent la lecture. Mais il n'est pas sûr que les
contemporains n'aient préféré à cet art sans prétention les froides
allégories que déploie Raoul de Houdenc dans son *Roman des eles
de prouesse*.

Le « Traité des quatre âges de l'homme ». Il y a plus de naturel, moins de littérature et de procédé dans le *Livre des IV tems d'aage d'ome,* à savoir « Anfance et Jovent, Moien Aage et Viellesce ». L'auteur, Philippe de Novare, né vers 1195 en Lombardie, entra de bonne heure au service des rois de Chypre et passa en Orient la plus grande partie de sa vie. On lui doit, outre l'ouvrage qui nous occupe ici, une histoire de la guerre soutenue par les Chypriotes contre l'empereur Frédéric II, quelques poésies pieuses et les *Assises de Jérusalem,* source essentielle des usages juridiques de l'Orient latin. Retiré de la vie active, à plus de soixante-dix ans, il réunit les souvenirs tirés d'une longue expérience, dans le *Livre des quatre Aages,* afin « d'enseigner les autres et doctriner ». On trouve un peu de tout dans cet ouvrage composé par un vieillard plein de sagesse, habile à manier la plume et qui conte aussi bien des anecdotes qu'il expose avec autorité les questions morales et philosophiques de l'ordre le plus élevé. Il peint avec enjouement l'enfance et la jeunesse, plus gravement l'âge mûr et la vieillesse. Les conseils qu'il multiplie sont frappés au coin du bon sens et fondés sur l'observation directe. Il recommande une éducation sévère, faisant parfois appel aux châtiments corporels, seule façon de réprimer les tendances instinctives :

« La some de jovant [*jeunesse*] si est que li jone doivent bien savoir que por jovant ne doivent il mie vivre comme bestes, qui naturelment font lor volanté sanz pechié. »

Inquiet de l'importance prise par la femme dans la société, il ne souhaite pas qu'elle devienne trop savante, ce qui engendre l'orgueil, et préfère la confiner dans son rôle d'épouse et de mère :

« A fame ne doit on apanre letres ne escrire, se ce n'est especiaument por estre nonnain ; car, par lire et escrire, de fame sont maint mal avenu. »

A l'encontre des moralistes contemporains, il s'abstient de juger les gens d'église et d'aborder les questions qui sont de leur domaine. Ce n'est pas toutefois qu'il soit timide ou rétrograde, mais il n'est pas bon que les laïcs, mal informés, se mêlent aux controverses dogmatiques. Mais à l'égard de la noblesse, il n'hésite pas à déclarer que la naissance n'est rien sans la vertu :

« Cil qui a franc cuer, de quelque part il soit venuz, il doit estre apelez frans et gentis; car, se il est de bas leu et de mauveis et il est bons, de tant doit il estre plus honorez. »

Le livre de Philippe de Novare est l'aimable contribution d'un vieillard lettré, indulgent et courtois à l'enseignement de la morale

1

2

3

4

Philippe de Novare : *Les Quatres Ages de l'Homme.*

1º) *L'enfance.*   3º) *L'Age mûr.*
2º) *La Jeunesse.*   4º) *La Vieillesse.*
(Bibliothèque Nationale. Ms. fr. 12.581)

pratique. D'autres auteurs, plus ambitieux, élargiront leur horizon, pour embrasser dans leurs critiques souvent très vives les représentants de toutes les classes sociales ou, comme on disait alors, des « états du monde. ».

Le « Livre   Quand un écrivain, s'exprimant en français, pos-
les manières ». sède assez de talent, de souffle et de métier litté-
raire pour dominer sa matière et s'arracher aux lieux communs, il se risque à considérer l'aspect social des problèmes moraux et greffe sur ce thème général des observations piquantes et volontiers satiriques. C'est précisément le cas d'un curieux poème communément intitulé le *Livre des Manières*. On l'a considéré jusqu'à présent comme l'œuvre d'Etienne de Fougères, chapelain du roi d'Angleterre Henri II, évêque de Rennes en 1168, mort en 1178. Il avait beaucoup écrit d'abord sur de plaisants sujets, en vers rythmiques et en prose, puis l'âge venu, s'était consacré, par repentir, à des récits hagiographiques. Sauf le *Livre des Manières*, tout ce qu'il nous a laissé est en latin. Encore peut-on se demander s'il ne s'agit pas là de la traduction, par un anonyme, d'un opuscule latin de l'évêque de Rennes. Quoi qu'il en faille penser, on ne peut qu'admirer dans ce petit ouvrage, qui s'inspire de plusieurs poèmes sur Alexandre, du *Polycraticus* de Jean de Salisbury et d'une ancienne branche de *Renart*, la vigoureuse netteté du style et la précision des détails illustrant l'exposé théorique. L'auteur prétend mettre en relief la vanité de ce bas monde que l'*Ecclesiaste* a dénoncée : tous les biens matériels, toute la puissance dont les hommes se targuent sont le fruit d'une illusion. Plus ils sont haut placés par la naissance ou la fortune, plus ils sont esclaves de leur état. Les rois vivent sous la menace de la trahison; les riches, pour garder leur or, aliènent leur liberté. La mauvaise monnaie dont ils sont payés est le juste prix de leur avarice. Princes, clercs, marchands et vilains offensent Dieu dans tous leurs actes. C'est le pape, ce sont les cardinaux, les archevêques et les évêques qui devraient inculquer au peuple, par leur propre exemple, l'amour de la vertu; mais quand de si grands dignitaires trahissent leur mission, comment s'étonner que les marchands pratiquent l'usure, manient de faux poids et thésaurisent ? A toutes les tentations s'ajoute la concupiscence. On sait de toute antiquité ce qu'il faut penser de la femme; bien fin qui déjoue ses ruses et esquive ses manœuvres. Pour avoir goûté aux plaisirs du siècle, l'auteur a vécu une triste jeunesse. Il s'en repent aujourd'hui, souhaitant qu'il ne soit pas trop tard, car le jour approche où il devra comparaître devant le juge suprême.

Telles sont les manières du monde qui gagnerait à s'amender. L'expérience de maître Etienne doit suffire à nous en convaincre et il n'est pas douteux que sa confession devait émouvoir ses

12

contemporains. Il définit en quelques traits précis les qualités du
bon prêtre, que son évêque doit savoir distinguer :

> Ordener deit bon clierc et sage,
> De bones mors, de bon aage,
> Et né de leial mariage.
> Peis ne me chaut de quel parage.

C'est avec pitié qu'il se penche sur la misère des laboureurs :

> Terres arer, norrir aumaille [*bétail*],
> Sor le vilain est la bataille...
> Quar chevalier et cler sanz faille
> Vivent de ce que il travaille.

Et comme il sait opposer la sotte vanité des hommes à l'égalité
qui les attend par-delà la tombe ! Cet évêque éprouve déjà les sentiments auxquels Villon ajoutera beaucoup plus tard la splendeur
de son lyrisme et l'amertume de ses propres erreurs :

> Fleire [*passagère*] chose est biauté de cors;
> N'i a bel fors la pel [*sauf la peau*] defors.
> Mes qui verreit dedenz le cors
> Sareit quel i est li tensors [*trésor*].

Le « Besant   On rapproche avec raison du *Livre des Manières*
de Dieu ».   le *Besant de Dieu* de Guillaume le Clerc, auteur
également d'un *Bestiaire* et de quelques pièces moralisantes.
Il écrivait au début du xiiie siècle, en dialecte normand, et paraît
avoir longtemps vécu en Angleterre. Reprenant, d'après le *De Mise-
ria humanae conditionis* du pape Innocent III, la parabole du Talent,
il s'avise que lui-même a négligé de faire fructifier le besant que
Dieu lui avait confié. Si le capital est intact, du moins n'a-t-il pas
su en tirer parti, ce qui l'incite à écrire pour enseigner aux pécheurs
le mépris des richesses et l'amour de Dieu. Passant en revue les diverses classes de la société, il les trouve toutes incapables de renoncer aux jouissances immédiates pour se préparer aux noces du Seigneur. Et c'est encore un défilé de clercs avides et de princes
querelleurs. Les pauvres, sur lesquels certains s'apitoient, ne valent
guère mieux que les riches; ils ne font preuve ni d'énergie, ni de
patience,

> E sont felons e envios
> Et mesdisant e orguillos
> Et plains d'envie et de luxure.

Tout est vil en ce bas monde, et les hommes, guidés par l'égoïsme
et l'injustice, se donnent bien du mal pour aboutir à la décrépitude et à la mort. Il faudrait à ces naufragés un pilote sûr dans la
tempête, mais la nef de Saint-Pierre est elle-même ballottée sur
une mer en furie. L'équipage indiscipliné ne songe qu'à sauver ses

biens. Plus loin, notre clerc s'élève avec ironie contre la croisade
albigeoise par laquelle l'Eglise pacificatrice précipite ses enfants
les uns contre les autres. Douloureusement secoué par les événements d'Egypte et la prise de Damiette qu'il impute au légat
Pélage, il préférerait voir les Chrétiens conquérir Jérusalem plutôt qu'attaquer Toulouse. Si les choses vont de mal en pis, c'est que
la loi divine n'est plus observée, car le seul remède est en Jésus-
Christ. Et c'est parce qu'il a confiance dans l'indulgence du Seigneur à l'égard de ses fils prodigues, que Guillaume, heureusement
doué d'une langue « delivre et aperte », lance le cri d'alarme aux
âmes en péril.

Les « Bibles » A scruter ainsi la vie contemporaine dans le
de Guiot   dessein bien arrêté d'en corriger les tares, on peut
de Provins   craindre que nos moralistes, dans un sursaut d'in-
et d'Hugues   dignation ou dans un accès d'amertume, ne se
de Berzé.   laissent entraîner de la critique indulgente à la
plus implacable satire. Il y en avait des traces chez Etienne de
Fougères et dans le *Besant de Dieu*, mais la tendance est beaucoup
plus marquée dans les *Bibles* de Guiot de Provins et d'Hugues de
Berzé qui, l'un suivant l'autre, entreprennent à leur tour la revue
des « Etats du monde ». La personnalité de Guiot y est bien pour
quelque chose. Jongleur avant d'être moine, il a fréquenté les barons
de l'Empire et de l'Orient. Plus tard, il est entré dans les ordres, a
fait profession à Clairvaux et finit Bénédictin. Mais sa vocation
n'est pas assez profonde pour que la robe monacale dissimule entièrement le surcot du ménestrel. Sa verve éclate parfois, sans égard
à sa dignité, tandis qu'il met à profit les expériences recueillies au
contact des cours seigneuriales et se fait le défenseur de préjugés
aristocratiques en contradiction avec son nouvel état. S'il donne à
son livre le titre de *Bible*, c'est qu'il veut y peindre un tableau
fidèle de la société, auquel chacun pourra se référer. Il s'abstiendra
de faire des personnalités, ne poursuivant, par ses critiques très générales, que le bien collectif. Libre à qui voudra de se reconnaître
en ce miroir. Pour sa part, il peut invoquer le précédent des philosophes antiques qui réagirent, bien avant Jésus-Christ, contre les
excès des princes. Que sont devenus les vaillants et pieux barons
d'autrefois ? La race abâtardie par les adultères n'a que de pauvres
rejetons et les vices règnent en maîtres. Le plus grave est l'avarice;
chacun amasse et pratique l'usure avec la complicité des Juifs. Rome,
au lieu d'être un asile, apparaît comme le champ clos où se heurtent
les convoitises.

Rome nos suce et nos englot,
Rome destruit et ocist tot.
Rome est la doiz [*source*] de la malice
Dont sordent tuit li malveis vice :
C'est un viviers plains de vermine.

Le pape, les prélats manquent à leur devoir, trop ambitieux pour aimer Dieu d'un cœur sincère. L'Eglise n'est plus qu'un marché; ils y vendent le juge suprême, et leurs inférieurs suivent le même exemple. Follement jaloux de leurs prébendes,

> Acheter savent et revendre,
> Et le terme molt bien atendre
> Et la bonne vente dou blé.

Tout cela n'est rien encore; pénétrons chez les réguliers. A l'égard des ordres monastiques, Guyot n'est pas moins sévère que Rutebeuf. Il en est peu qui échappent à sa verve courroucée, sinon peut-être les chanoines de saint Augustin,

> Ce sont cil as blans sorpeliz
> As noires chapes d'isanbrun.

Après une allusion discrète aux converses et aux nonnains, l'auteur passe aux savants théologiens si presses de se faire des rentes, aux légistes bavards et fripons; quant aux médecins, prenons-y garde : il y a parmi eux bien des charlatans, qui découvrent aux naïfs toutes sortes de maladies :

> Ja n'ont ne ami, ne parent
> Que il volsissent trover sain:
> De ce resont il trop vilain.
> Molt a d'ordure en ces liens,
> Qui en main a Fisiciens
> Se met par els; il m'ont eü
> Entre lor mains : onques ne fu,
> Ce cuit, nule plus orde vie.
> Je n'aim mie lor compaingnie,
> Si m'aït Dex, qant je suis sains:
> Honiz est qui chiet en lor mains.

car ils interdisent les bons morceaux et vendent très cher leurs pilules.

A ce singulier pénitent, Hugues de Berzé donne la réplique. Non sans talent, mais avec une ignorance évidente du métier d'écrivain, ce chevalier bourguignon, parvenu à un âge avancé, réfléchit sur ce qu'il a vu. Il a tant aimé la vie et ses délices que le souvenir qu'il en garde supplée par sa sincérité à la pauvreté des moyens mis en œuvre. Ce n'est donc pas sans raison qu'il loue et regrette le temps passé :

> Il soloit estre un tans jadis
> Que li siecles estoit jolis
> Et plains d'aucune vaine joie.

Il n'en est plus de même, hélas ! Chevaliers, prêtres et vilains ne songent qu'à goûter aux plaisirs du monde, plus fugitifs que le nuage. L'auteur a vu s'effondrer tant d'empires et périr tant d'em-

pereurs qu'il sait bien que l'ambition des hommes ne peut forcer
la volonté divine. Le plus sage est de penser à la mort et de s'y
préparer en bon chrétien, en luttant contre les péchés, dont le plus
terrible est l'amour. Le sire de Berzé en parle par expérience; c'est
pourquoi, sans se faire trop d'illusions, il souhaite que son repentir serve à ramener au bercail les brebis égarées.

Faut-il voir dans ces amères critiques, dans ces diatribes souvent
passionnées, l'expression d'un état de choses douloureux et conclure
que nos ancêtres se mouvaient dans un air irrespirable ? Faut-il
croire qu'au temps de saint Louis, l'immoralité sévissait chez les
princes et dans le clergé ? Au lieu de prendre à la lettre les récri-
minations dont les poètes se font l'écho, ne vaut-il pas mieux les
imputer au désir naturel chez ces hommes de bonne volonté de
réaliser l'éthique idéale qu'ils avaient conçue ? On observera que,
dans tous ces écrits, l'auteur ne trouve aux erreurs du monde
d'autre remède que la foi : Guillaume invoque l'Evangile, Etienne
de Fougères supplie dévotement les saints, Hugues de Berzé reproche à l'orgueil des hommes le criminel oubli de Dieu et les invite à
faire pénitence. Ainsi la littérature morale rejoint dans son esprit
et dans ses conclusions la littérature proprement édifiante, à tel
point qu'il est difficile d'opérer la classification des œuvres.

CHAPITRE XI

LA LITTÉRATURE DIDACTIQUE

II. Ecrits spirituels. - III. Traités scientifiques et techniques.

Les Sermons. Il est certain que, dès le début du moyen âge, tous les moyens furent employés pour répandre chez les laïcs la connaissance élémentaire du dogme chrétien. Sans parler du catéchisme dont l'enseignement, toujours oral, n'a pas laissé de traces, la prédication en langue romane rustique fut prescrite aux curés dès l'époque de Charlemagne. Il va de soi que les sermons destinés au peuple négligeaient le plus souvent les subtilités dogmatiques pour s'en tenir aux points essentiels qui ne prêtaient pas à controverse. On se contenta d'abord de développer en français un texte préparé en latin, mais il est probable que, par la suite, des sermons furent composés directement en français. Les grands prédicateurs, quand ils s'adressaient aux clercs, n'utilisaient que le latin et les sermons de saint Bernard en langue vulgaire ne sont qu'une traduction postérieure. Le problème est plus délicat en ce qui concerne le recueil des sermons de Maurice de Sully conservés en deux versions, latine et française, qui diffèrent assez sensiblement. On a tenté de prouver que la version française était la plus ancienne, mais il semble bien que l'ouvrage, qui a tous les caractères d'un manuel de prédication, offrant des types de sermons pour les dimanches et fêtes de l'année liturgique, fut primitivement rédigé en latin, à l'intention du clergé diocésain. Quel qu'ait été d'ailleurs leur premier état, les sermons destinés au peuple se recommandent par leur tour familier et l'abondance des récits évangéliques ou autres, employés à titre d'exemples.

Si la prédication en langue vulgaire est assez médiocrement représentée aux XIIe et XIIIe siècles, nous possédons en revanche d'assez nombreux sermons en vers. Leurs auteurs, souvent dépourvus de

talent, pensaient contribuer ainsi à la diffusion des idées chrétiennes.
Mais la plupart de ces compositions ne contiennent, à vrai dire,
exprimés dans un style indigent, que des lieux communs sur la misère de la condition humaine, la vanité du monde, la nécessité de
résister aux tentations et de se préparer à la mort. Que Guichart
de Beaujeu, auteur d'un sermon connu, ait pu être qualifié d' « Homère des laïques », que des œuvres comme le sermon *Grant mal
fist Adam, Li Ver del Juïse* et les nombreux *Débats de l'âme et du
corps* aient trouvé des lecteurs, cela prouve tout au moins que les
exigences du public étaient minces et qu'il lui suffisait d'entendre
répéter les vérités traditionnelles. Pourtant, dans ce fatras d'écrits
indigestes, quelques titres émergent, sur lesquels il convient de
s'arrêter plus longuement.

Les « Vers   Un protégé du roi Philippe-Auguste, Hélinand,
de la Mort ».   moine de Froidmont en Beauvaisis, composa entre
1194 et 1197 un beau poème en strophes de douze vers octosyllabiques sur deux rimes. Pour exciter ses contemporains à méditer sur
leurs fins dernières et, méprisant les biens périssables du monde, à
se prémunir contre le péché, il dresse devant leurs yeux le spectre
inexorable de la Mort. C'est elle qui reçoit la mission d'avertir les
propres amis du poète, les princes de la terre et ceux de l'Eglise, les
cardinaux et les évêques de France, d'Angleterre et d'Italie. Qu'ils
sachent que la Mort, instrument de la justice divine, est la grande
niveleuse qui remet chacun à sa place et, son heure venue, rétablit
entre les créatures l'égalité fâcheusement rompue par les abus et les
vices du siècle :

> Morz douce as bons, as maus amere,
> A l'un est large, a l'autre avere,
> Les uns chace, les autres fuit.
> Sovent al juevne avant fait here [*signe*],
> Et prent le fil avant le pere
> Et queut [*cueille*] la flor devant le fruit
> Et le cors boute [*pousse*], ainz qu'il s'apuit,
> Et tout l'ame, ainz qu'ele s'acuit,
> Et fiert ançois qu'ele s'apere [*se montre*].
> Morz va comme lerres [*larron*] par nuit
> Et l'endormi en son deduit [*plaisir*]
> Semont tost, avant de lui rere [*raser*].

Beauté, richesse, honneurs et dignités ne trouvent pas grâce devant elle. Elle frappe indifféremment jeunes et vieux, riches et
pauvres, à l'heure qu'elle a choisie. Et qu'on n'aille pas croire, avec
les anciens philosophes, que la mort est une solution, qu'elle met
fin au combat et qu'après son passage, le corps et l'âme retournent
au néant. Qui se laisse prendre à ces billevesées et renonce à l'espoir
d'une vie future, se ravale au niveau des bêtes. On ne saurait imaginer que les religieux se trompent quand, renonçant aux joies ter-

restres, ils se vouent, dans la pauvreté, au service de Dieu. La
justice n'est pas de ce monde, mais elle nous attend dans l'autre.
Ceux qui, soumis aux exigences du corps, négligent le salut de leur
âme, iront en enfer, tandis que le paradis accueillera les simples,
les pauvres et les affligés. Quant à lui, le poète ne regrette pas
d'avoir quitté le siècle et c'est dans un élan d'ardente sincérité
qu'il s'écrie : « Fuis loin de moi, jouissance, et toi aussi, luxure !
D'un si cher morceau je n'ai cure : mieux valent mes pois et ma
purée. »

Le Poème   Le cas d'Hélinand de Froidmont n'est pas isolé.
moral.   Si beaucoup de nos sermonneurs manquent de
souffle et d'imagination et tiennent pour le fin du fin ce savoir
livresque qui leur tenait lieu d'idées personnelles, de très rares exemples nous laissent deviner une pensée originale qui se cherche à
tâtons et s'exprime malaisément. C'est Joinville, paraphrasant à sa
manière les articles du Credo; c'est le saint roi Louis s'instituant
dans ses Enseignements le directeur de conscience de ses enfants;
c'est surtout l'auteur du Poème moral, longue composition didactique en quatrains d'alexandrins monorimes, dont le titre lui fut
donné par Paul Meyer qui en découvrit le premier manuscrit. Le
poète, sans doute un prêtre séculier, écrivait vers l'an 1200, dans
la région wallonne. Il s'adressait non à des clercs, qui recevaient par
d'autres voies l'enseignement chrétien, mais à la foule, comme aux
gens du monde. Aux satisfactions matérielles, il oppose les joies
sûres de la vie éternelle interdites aux pécheurs impénitents, mais
pas à ceux qui, reconnaissant leurs fautes, ont pris soin, avant leur
mort, d'invoquer la divine miséricorde. Ainsi fit Moïse l'Éthiopien
qui, de brigand, se fit moine et, retiré dans son ermitage,

Ne manjoit mie mut de salmon a pevreie [poivrade];

ainsi Thaïs, la courtisane, arrachée par saint Paphnuce à sa vie
dissolue. Ces exemples illustrent le thème du rachat et la nécessité
du repentir. La merveilleuse perspective du paradis doit alimenter
l'espérance humaine. C'est l'insensé qui lutte pour acquérir les biens
terrestres et se condamne aux tourments éternels. Les richesses,
pourtant, ne sont pas un obstacle au salut. Celui qui, pourvu de
biens, au lieu d'entretenir les jongleurs, instruments de péril et de
corruption, vient en aide, par ses aumônes, aux déshérités, se concilie l'amour de Dieu. A quelque classe qu'il appartienne, l'homme
qui se conduit bien peut gagner son salut :

Disons donkes avant ke Deus n'at unkes cure
Dont li hom s'entremet [s'occupe], mais qu'il tenie droiture.
Teilz use vin et char et chiere vesteüre :
Plus l'aimet Deus ke teil ki boit de l'aiwe pure.

Les voies du salut sont en effet nombreuses et sûres pour qui
les suit avec persévérance. La vie est une lutte incessante entre les
vertus et les vices que le démon s'acharne à déchaîner contre elles.
Les faibles peuvent se réfugier à l'abri des murs d'un couvent, mais
ceux qui ont le courage de mener la bataille peuvent se sauver sans
quitter le siècle. Pourtant si le repentir ouvre aux âmes purifiées la
suprême espérance, celles que souille le péché sont vouées aux peines
infernales dont le tableau terrifiant devrait servir d'avertissement :

> Les tormens qui la sont ne puet nus hons savoir.
> Grans paine est en enfer sens nulle fin ardoir,
> Mais encor est plus grant le dyable veoir,
> Si suet il pawereuse et laide chiere [face] avoir.

Malgré sa longueur, le *Poème moral* est bien, comme on l'a dit,
un sermon en vers. L'auteur y définit la morale chrétienne, en fait
ressortir les attraits, sa rigueur tempérée d'indulgence et d'amour.
Désireux de guider les hommes vers leurs fins dernières, il sait que
pour les convaincre il faut leur parler avec douceur, les convaincre
sans les menacer, se garder de tout dogmatisme. C'est de la prédication à l'usage des âmes moyennes dont les intentions sont pures,
mais fragiles et passagères.

« *Carité*   L'écho du *Poème moral* se retrouve, à peine
et Miserere ».   assourdi, dans les romans de *Carité* et de *Miserere*
du Reclus de Molliens en Picardie, qui écrivait apparemment dans
le premier tiers du XIIIe siècle. Nous devons à cet anachorète deux
poèmes d'un vif intérêt, composés en strophes d'Hélinand. C'est, à
son avis, une rude entreprise que d'enseigner la charité dans un
monde enseveli sous la matière, où les clercs eux-mêmes ne songent
qu'au profit. Il n'en veut ni aux pauvres ni aux riches, mais les
invite à se corriger et à suivre la loi de Dieu :

> Selonc Carité te contien,
> Ainsi bien te consilleras.

Déchu de sa condition primitive par le péché d'Adam et d'Eve,
l'homme vit sans cesse tiraillé entre le vice et la vertu. Les cinq
sens qui devraient être ses serviteurs sont trop souvent ses maîtres.
Pour lutter contre leurs écarts, il dispose de quatre « sergents »,
Peur, Douleur, Joie et Espérance au zèle desquels il doit se fier.
S'il succombe au péché, en dépit de leur vigilance, il pourra faire
appel à la pitié de Dieu, *Miserere mei, Deus !* qui lui accordera son
pardon, si son repentir n'est pas trop tardif. Le Reclus a parcouru
le monde, d'Italie en Palestine, en Irlande, en Ecosse, en Flandre;

c'est en France, et cela va de soi, qu'il a vu régner le plus de franchise, mais il s'en faut pourtant que ses conseils y soient superflus.

Traités . Nous savons qu'au XIIIe siècle l'autorité ecclé-
dogmatiques. siastique répugnait à donner au peuple le goût des controverses dogmatiques qui risquait d'ébranler la solidité des croyances. La Bible, utilisée avec prudence, traduite d'abord par fragments d'importance variable, paraphrasée et commentée, offrait une mine d'enseignements élémentaires. Le *Credo*, le *Pater*, l'*Ave Maria* et quelques autres textes liturgiques fournissaient au vulgaire un bagage suffisant, pourvu que les symboles en fussent éclaircis. L'interprétation des mystères donnait matière à des exhortations et à des prédications qui furent groupées dès le XIIe siècle en traités méthodiques. C'est le cas de l'*Elucidarius* d'Honorius qui, traduit en prose et en vers sous le titre de *Lucidaire*, inspira pendant plusieurs siècles les auteurs d'écrits parénétiques.

Le traité Certains, après l'avoir lu, surent l'utiliser avec
« Dou pere indépendance, comme le clerc anonyme qui, avant
qui son filz 1267, écrivit le traité *Dou pere qui son filz en-*
enseigne ». *seigne et dou filz qui au pere demande ce que il ne set.* C'est un fort curieux dialogue où le père, usant d'une habile maïeutique, provoque les questions de son fils et y répond d'une façon plus ingénieuse que péremptoire : « Qu'il t'est avis de cest siecle ? » demande le père; à quoi le fils répond : « Il m'est avis que tote vie est tribulaciun. » Les méchants sont innombrables et leurs actes impunis. C'est la conséquence du péché d'Adam et, si Dieu n'avait pas gardé pour ses créatures un reste de miséricorde, la destinée des hommes serait pire encore. D'ailleurs ce qui s'observe en ce bas monde ne saurait faire préjuger de l'avenir. Tel qui paraît triompher aujourd'hui, devra solder la « parpaie » en Enfer; tel autre qui succombe sous le poids des misères leur devra peut-être le Paradis. Mais comment s'expliquer qu'en créant le monde, Dieu, qui est toute perfection, y ait mis « puces et mouches et crapouz, et toutes ces autres males bestes qui sunt » ? Il faut toujours en revenir à la faute originelle. Corrompu dès sa naissance, l'homme n'est point assuré du salut. Il doit croire en Dieu pour y parvenir, et c'est d'autant plus difficile que les vérités de cet ordre ne tombent point sous les sens. On peut trouver cependant quelques raisons à ces mystères; le soleil qui possède en soi trois propriétés : chaleur, clarté et substance, fait comprendre la Trinité. L'Incarnation et la Rédemption n'échappent pas non plus à toute démonstration. Quant aux péchés, il est aisé de voir ce qu'on risque à y succomber; du moins la pénitence efface-t-elle la souillure. On gagne aussi le salut en faisant droitement son métier, en pratiquant la charité, en obéis-

sant aux puissances religieuses et séculières. Bref, c'est toujours servir Dieu qu'accomplir son devoir, même envers les plus humbles, en maîtrisant l'orgueil inspiré par le Diable qui « fet home porpenser en son cuer qu'il est plus prodome que les autres et que Dex li deit Paradis de dete qu'il a bien desservi ».

La « Lumière as lais ». C'est encore l'enseignement d'Honorius qui se retrouve dans la *Lumiere as lais* de l'Anglo-Normand Pierre de Peckam, combiné, à partir du second livre, avec le plan du *Liber sententiarum* de Pierre le Lombard. Voilà bien le type achevé des traités théologiques conçus au XIIIe siècle à l'usage des laïques, où les thèses les plus délicates sont exposées et résolues en faisant grâce au lecteur de toute argumentation. C'est là ce qui fait l'intérêt d'un poème dénué par ailleurs de mérite littéraire.

Il faut rapprocher de cet ouvrage le *Manuel des péchés* attribué à Willame de Wadington, poème en vers octosyllabiques, composé à l'usage des pénitents, à l'aide de la Bible, de saint Grégoire le Grand et de la *Vie des Pères*. L'auteur expose méthodiquement les douze articles de la foi, les dix commandements et les sept péchés mortels, et multiplie à titre d'exemples les anecdotes édifiantes.

La « Somme le Roi ». De tels ouvrages, si peu lisibles qu'ils nous paraissent aujourd'hui, avaient largement contribué à répandre dans le public le goût des méditations spirituelles. Aussi voyons-nous, en 1279, frère Laurent d'Orléans, dominicain, confesseur de Philippe III le Hardi, « compiler » à la requête de ce prince la *Somme le Roi* dont le succès, en France et à l'étranger, se maintiendra jusqu'à la fin du XVe siècle. Le plan qui, du moins pour la première partie, rappelle celui de Willame de Wadington n'appartient en fait ni à l'un ni à l'autre. Suivant l'usage traditionnel, frère Laurent, après avoir traité des dix commandements de Dieu et disserté sur les articles du *Credo*, passe à l'étude longuement développée des sept péchés mortels et surtout des sept vertus. Il s'agit bien en fait d'une compilation où se succèdent des souvenirs de saint Augustin et de saint Bonaventure; de larges emprunts à un *Miroir du Monde* anonyme, à la *Summa vitiorum et virtutum* de Guillaume Péraut. Le mérite de l'auteur est d'avoir ordonné cette vaste matière et de s'être efforcé, au lieu de juxtaposer ses emprunts, de les adapter à son propos et d'assurer leur cohésion. Composant un manuel de morale pratique religieuse à l'intention des laïcs, il a tenu compte des réalités et les conseils qu'il donne sont inspirés par son expérience de la société mondaine. Dans un style vif, pittoresque et plaisant, émaillé de traits personnels, il a voulu instruire ses lecteurs sans les rebuter par un déploiement fastidieux de sentences impératives et d'arguties théologiques.

La
« *Consolation*
de
philosophie ». On conçoit maintenant que les auteurs de *Miroirs*, de *Sommes* et de *Lumières* plus ou moins dérivés de l'*Elucidarius*, ne pouvaient que tourner dans le même cercle et n'offraient du dogme chrétien qu'une peinture superficielle. Il s'était trouvé pourtant, à la fin de l'Empire romain, des moralistes chez qui la ferveur religieuse n'excluait pas la culture philosophique, et qui possédaient, avec le goût des abstractions, l'art de manier les idées générales. L'un d'entre eux, Boèce, séduisit de prime abord, avec son *De Consolatione philosophiae*, les esprits du moyen âge. Ce ministre de Théodoric, féru de rhétorique, de philosophie et de géométrie, avait mis à profit son séjour parmi les barbares du VIᵉ siècle, pour les initier à la culture romaine dont il gardait la tradition. Disgracié et mis en prison, il écrivit pour se consoler de ses déboires en méditant sur l'inconstance de la fortune et, du même coup, fonda la scolastique. Car c'est avant tout chez lui que les clercs du moyen âge se formèrent à la dialectique et s'habituèrent à vêtir leur pensée du manteau des allégories. C'était merveille à leurs yeux de voir la sagesse antique accommodée suivant leurs goûts, sans que rien, dans la matière du livre, mêlât aux discussions profanes la sérénité de leur foi. C'est pourquoi, au XIIᵉ siècle, le Normand Simon de Fraisne crut devoir publier son *Roman de philosophie* qui n'en est qu'une paraphrase. Des traducteurs plus rigoureux lui succédèrent au XIIIᵉ siècle, et parmi eux Jean de Meun, grand admirateur de Boèce, dont il avait inséré plus de deux mille vers dans le *Roman de la Rose*. C'est par une traduction intégrale de la *Consolation* qu'il termina sa carrière; il le fit avec élégance, en s'attachant plus à l'esprit qu'à la forme, avec le souci constant de se rendre intelligible, sans jamais trahir le texte latin.

Si la doctrine de Boèce, ainsi vulgarisée, exerça sur la pensée française une influence incomparable, la forme allégorique employée par le poète s'imposa désormais comme le meilleur support de toute moralisation. Le « docteur universel » Alain de Lille, dont le *De Planctu Naturae* et l'*Anticlaudianus* concurrencèrent la *Consolation* dans la faveur des clercs instruits, dut une bonne part de son succès à l'imitation de Boèce. L'*Anticlaudianus* fut adapté à deux reprises en langue vulgaire, d'abord sous la forme d'une traduction abrégée, œuvre d'un certain Ellebaut, puis, indirectement, grâce à l'anonyme qui mit en vers français, vers 1285, le *Ludus super Anticlaudianum* d'Adam de la Bassée.

Nous éprouvons, à parcourir cette abondante littérature, une impression de vide et d'insignifiance. Pourtant l'imitation de la poésie allégorique latine permet de renouveler les thèmes épuisés et de parer à la froideur des compositions purement didactiques.

Songes   Un poète ingénieux, rompu au jeu des symboles
et pèlerinages.   et des personnifications, Raoul de Houdenc, auteur
du *Roman des eles de prouesse*, nous conte, dans le *Songe* ou *Voie
d'Enfer*, le pèlerinage qu'il y accomplit en rêve. A son imitation,
divers auteurs, dont Rutebeuf, composèrent des *Voies de Paradis*,
tandis que, s'inspirant de Prudence, le chevalier Huon de Méri
décrivait le *Tournoiement d'Antéchrist*. La fiction du songe et du
pèlerinage constitue une branche importante de la littérature didactique qui aboutit, au xive siècle, aux célèbres *Pèlerinages* de Guillaume de Digulleville. Mais ni en France, ni en Angleterre où le
Pilgrim's Progress de John Bunyan jouit d'une si durable popularité,
ce thème ne devait inspirer de plus profonds accents qu'au poète
de la *Divine Comédie*.

Traités   Pas plus qu'ils ne songeaient à mettre en doute
scientifiques.   les affirmations dogmatiques, les laïcs n'exigeaient
en matière scientifique une explication rationnelle du monde. Et s'ils
l'avaient exigée, on eût eu grand mal à les satisfaire. Des penseurs,
comme Roger Bacon ou Arnaud de Villeneuve, passèrent comme
des météores et si, sur quelques points spéciaux, la vérité fut soup-
çonnée, on ne chercha pas plus avant. L'Université s'en tenait à la
Physique d'Aristote qui donnait de tous les phénomènes une définition cohérente, ruinant par avance les doctrines philosophiques
qui fondaient sur l'expérience l'investigation scientifique. En fait,
les traités acroamatiques rédigés pour l'usage particulier des disciples
du Lycée, marquent un recul sensible sur l'œuvre des physiologues
grecs comme Démocrite, Leucippe et les atomistes. Encore n'y
recourait-on pas directement, mais à travers des abréviateurs latins
ou même arabes. Ces traductions latines, fort nombreuses, furent
utilisées tout d'abord par les auteurs de spicilèges qui mettaient à la
portée des étudiants la matière indispensable. On traduisit également
le *Physiologus*, qui enseigne la zoologie, et le livre grec de Damigéron
sur la minéralogie. Les théories cosmogoniques étaient fournies par
le *De nuptiis Mercurii et Philologiae* de Martianus Capella, le *De
Consolatione* de Boèce et le *De Planctu Naturae* d'Alain de Lille.
Au xiie siècle apparaissent de nouvelles encyclopédies tirées d'ailleurs
des mêmes sources, compilations latines destinées aux clercs, où se
mêlent des traités d'astronomie et d'astrologie, des bestiaires, des
volucraires, des lapidaires et des herbiers, des précis de médecine,
d'hygiène et de physiognomonie, le tout sous le nom de *Physique*
ou de *Mappemonde*. De ces écrits, la plupart se contentent d'enseigner, par des définitions exactes et des exemples adéquats, les propriétés des choses; certains, comme l'*Imago Mundi* d'Honorius, le
Lapidaire de Marbode, l'*Eruditio didascalia* d'Hugues de Saint-
Victor et les *Otia imperialia* de Gervais de Tilbury, moins touffues

et d'accès plus facile, retenaient plus volontiers l'attention du public
que le vaste *Speculum* de Vincent de Beauvais.

**Bestiaires
et lapidaires.** Le *Lapidaire* de Marbode et aussi la *Mappemonde*
de Solin passèrent en français dès le xiie siècle.
La matière du *Physiologus* fut utilisée, vers la même époque,
par le clerc Philippe de Thaon qui écrivit, outre son *Bestiaire*, un
traité de *Comput* et un *Lapidaire*. Comme dans un grand
nombre d'écrits analogues, la description des animaux, dans le *Bestiaire*, est accompagnée d'un commentaire allégorique. C'est une
traduction servile et malaisée du *Physiologus*, que ne relève aucun
trait personnel. .A parcourir ce tissu d'extravagances et de puérilités, on imagine avec stupeur l'état d'ignorance où se débattait
alors l'humanité nourrie de fables. Ceux qui l'instruisaient, comme
elle-même, tenaient pour certain qu'une odeur suave se répand dans
l'air au réveil de la panthère, que l'hyène est mâle et femelle à
la fois, que les éléphants, avant de concevoir, vont jusqu'au Paradis
manger le fruit de la mandragore, et que l'aigle, devenu vieux,
rajeunit en se plongeant dans la fontaine de Jouvence.

Aussi faut-il savoir gré à Richard de Fournival d'avoir tenté,
dans son *Bestiaire d'amour*, de rénover le genre, en substituant à
l'enseignement chrétien une interprétation plus ingénieuse et plus
subtile. C'est, tout compte fait, un traité d'amour courtois adressé
par l'auteur à sa dame pour tenter une dernière fois de vaincre sa
résistance. L'attitude et les sentiments de l'un et de l'autre se
retrouvent dans le comportement de divers animaux.

Quant aux *Lapidaires*, traités sur les vertus et propriétés des pierres
précieuses, ils s'inspirent de l'*Apocalypse*, du livre de Damigéron,
auteur grec du i^er siècle, sur les minéraux, adapté en vers latins par
Marbode, au xie siècle. Il nous en est parvenu un très grand nombre,
pour la plupart d'une extrême banalité et dont l'intérêt est purement linguistique.

**L'« Image
du monde ».** La cosmogonie telle que l'expose, dans l'*Image du
monde*, le Lorrain Gossuin de Metz qui traduisait en 1248 le traité d'Honorius, n'est guère plus avancée ni moins
follement fantaisiste que la zoologie et la minéralogie. Tout le système repose sur la conception géocentrique du monde que les enlumineurs de manuscrits excellaient à figurer. Des quatre parties de
la terre une seule est habitée, dont la région orientale abrite les
civilisations. C'est là que se trouve l'Inde merveilleuse tant par
l'imprévu des sites que par la bizarrerie des êtres et la variété de
la flore. De tous les faits enregistrés, point d'autre explication possible que le caprice du Créateur. Inutile par conséquent de grouper

les phénomènes et d'en rechercher les causes; il suffit à Gossuin d'avoir mis en lumière les aspects singuliers de cet univers qui

A Dieu commence, a Dieu prent fin.

Une paraphrase plus libre de l'*Imago Mundi* nous est fournie par la *Petite philosophie* anglo-normande.

Le « *Livre*   L'auteur inconnu du *Livre de Sidrach*, à la fin
de Sidrach ».   du XIIIᵉ siècle, ne se soucie pas plus que ses prédé-
cesseurs d'observation scientifique. Mais l'influence des traditions orientales donne à ce dialogue entre le roi Boctus et le philosophe Sidrach un intérêt particulier. Il y a moins de mérite encore dans le dialogue de *Placides et Timeo* ou *Livre des secrets aux philosophes* dont l'auteur, Jean Bonnet, ne fut qu'un plat compilateur, déguisant sous l'obscurité des formules la faiblesse de sa pensée.

Le « *Trésor* »   On conçoit dès lors qu'aucun de ces écrits n'ait
de Brunet   jamais supplanté dans la faveur populaire le *Livre*
Latin.   *du Trésor* de Brunet Latin, Florentin exilé en
France en 1263, qui s'imposa d'écrire en français, donnant à ses critiques éventuels les raisons de sa préférence :

Et se aucuns demandoit pour quoi cis livres est escris en roumanç, selonc le raison de France, puis ke nous somes Italien, je diroie que c'est pour deus raisons, l'une ke nous somes en France, l'autre por çou que la parleüre est plus delitable et plus commune à tous langages.

Ce trésor de toutes sciences est une encyclopédie des connaissances utiles à tout homme cultivé. En fait le premier livre seul est consacré à la philosophie et à la connaissance du monde; le second traite de la morale, le troisième de la rhétorique et du gouvernement des cités. Pas plus que les autres compilateurs Brunet Latin ne tire de son propre fonds la substance de son livre. Ce notaire inféodé au parti guelfe n'était ni un philosophe, ni un « fisicien », ni un « astronomien » professionnel, simplement un esprit curieux de tout ce qui s'enseigne. Cette curiosité à qui l'exil procurait le loisir de s'exercer lui permit de prendre contact avec un grand nombre d'ouvrages pour la plupart identifiés par la critique moderne, et il fut assez intelligent pour exprimer dans bien des cas contre les fables ridicules et les sottes puérilités la réaction du sens commun.

Manuels   Le désir de s'instruire, chez les uns, le goût d'en-
techniques.   seigner, chez les autres, provoquèrent la rédaction
de manuels pratiques et réduits par là même à un art déterminé. Les traités médicaux, comme le *Régime du corps* d'Aldebrandin de

Sienne et la *Chirurgie* d'Henri de Mondeville, ne sont, à dire vrai,
que des traductions où l'auteur joint à des extraits de médecins
grecs, arabes ou juifs, Hippocrate, Galien, Avicenne, Johannitius,
Isaac, des souvenirs qui lui sont propres. La médecine du moyen âge
n'est sans doute que le pâle reflet des doctrines helléniques revues et
interprétées par les Arabes; mais c'est un art où l'observation personnelle est le complément de la science acquise, ce qui enlève à la
plupart de ces écrits le caractère d'imitation servile. Il n'en va pas
de même avec l'art militaire où la science des anciens faisait autorité à une époque où l'absence d'armée régulière dispensait d'étudier
plus à fond les lois de la guerre. Au mépris du contresens et de
l'anachronisme, on jugeait suffisant d'appliquer les principes formulés par Végèce sur la discipline des troupes et la conduite des
opérations. En 1284, Jean de Meun traduisit l'*Epitome rei militaris*,
à la demande de Jean de Brienne, comte d'Eu. Ce travail fut exécuté
avec le plus grand soin, l'auteur s'appliquant à définir les termes
techniques, à compléter dans certains cas les détails fournis par
l'auteur latin, quand il s'agit, par exemple, d'énumérer le matériel
de campagne emporté par les soldats. L'*Art de Chevalerie* eut un tel
succès que, trois ans après sa publication, en 1388, il fut mis en
octosyllabes par le poète Jean Priorat, de Besançon.

La science juridique ne pouvait échapper à l'effort général de
vulgarisation. Sans doute les docteurs en décret continuent à écrire
en latin et les magistrats n'oseraient encore rendre leurs arrêts en
langue vulgaire. Mais le « moyen estat » ne saurait profiter de ses
droits nouveaux qu'à condition de connaître la loi. Il faut aux admi-
nistrations communales, recrutées dans la bourgeoisie, des recueils
de textes praticables. On traduit, quand ils ne sont pas directement
rédigés en francais, les monuments du droit coutumier. On doit à
Philippe de Novare les *Assises de Jérusalem*, à Philippe de Beaumanoir son remarquable *Coutumier de Beauvaisis*. Le *Conseil* de
Pierre de Fontaines et le *Livre de Justice et de Plaid* mêlent au
droit romain des règles coutumières, tandis que le Normand Guillaume Chapu rime la *Coutume de Normandie*, traduite du latin.
Les recueils classiques de droit romain font aussi l'objet de traductions d'un moins vif intérêt. Il faut citer pourtant les adaptations
en prose francaise du XIII⁰ siècle du *Code*, des *Institutes* et du *Digeste*.
Il prend même fantaisie à Richard d'Annebaut de rimer les *Institutes* et deux auteurs provençaux font passer dans leur langue, sous
le nom de *Codi*, la *Summa Codicis* d'Irnerius.

Enfin la technique littéraire, fréquemment exposée dans les arts
poétiques, est mise à la portée de tous. Les principes en sont tirés
de deux œuvres latines, la *Rhétorique à Herennius* et le *De Inventione* de Cicéron, que le moyen âge attribuait l'une et l'autre au
vainqueur de Catilina. Déjà Brunet Latin avait utilisé, dans son
Trésor, le premier livre du *De Inventione*. Vers 1282, les deux *Rhé-*

toriques furent traduites par frère Jean d'Antioche, de l'Hôpital
Saint-Jean de Jérusalem.

Cette continuité dans l'effort, cette ardeur à vulgariser la science
pour répondre aux besoins d'un public sans cesse accru, avec, pour
corollaire, l'accession de ce public à la vie intellectuelle, caractérisent au XIII⁰ siècle l'évolution littéraire. Les esprits, longtemps
tenus en lisière, s'éveillent et s'informent. Prudemment, avec un
sens aigu des réalités et le souci justifié de ne point compromettre
son influence, l'Eglise, gardienne de la science, ouvre ses trésors
aux laïcs. Au matérialisme grossier qui tend à s'élever sur l'édifice ruiné de la courtoisie, elle oppose l'austérité de sa morale et la
rigueur de ses critiques. La satire et l'ironie poursuivent le vice
dans tous les milieux et, pour lutter contre le relâchement des
mœurs, on fait appel aux souvenirs du passé. Quand on attaque
les abus du siècle, qu'on reproche aux barons leur humeur querel-
leuse, aux prélats leur égoïsme et leur avidité, ce n'est point audace
révolutionnaire, mais désir de collaborer à l'action des réformateurs
du siècle. La foi d'ailleurs n'est pas en jeu; le public se tient à l'écart
des controverses dogmatiques. Il lui suffit, pour l'instant, d'ouvrir
les yeux sur le monde qui l'entoure, d'en comprendre la structure et
le fonctionnement, d'atteindre par la pensée les limites de la terre,
ces régions merveilleuses où les croisés menèrent leurs héroïques
chevauchées. Cette soif d'apprendre n'est pas absolument désintéressée : connaître la géographie, le mouvement des astres et les phases
de la lune, c'est, pour le navigateur, étendre son champ d'action
et diminuer les risques du métier; étudier les productions naturelles,
les ressources du sol et du sous-sol, c'est, pour le marchand, se
donner l'espoir d'opérations fructueuses et de sérieux profits. La
vulgarisation de la technique, favorisant l'exercice des diverses pro-
fessions, contribue à satisfaire les aspirations collectives vers le
mieux être et la vie facile. Mais ce point de vue utilitaire sera bien
vite dépassé. La science et la philosophie proposent à l'intelligence
une variété de problèmes dont elle ne pourra s'interdire de rechercher la solution. Bientôt s'imposera l'idée que la personne humaine
possède, dans le cadre des lois naturelles, la liberté de décision et
que, par suite, l'état actuel des choses n'a qu'un caractère provisoire. Un écrivain de génie, Jean de Meun, groupant dans une vaste
synthèse les éléments épars de la pensée nouvelle, va donner aux
esprits inquiets la direction qu'ils sollicitent.

CHAPITRE XII

LE ROMAN DE LA ROSE

Guillaume de Lorris et Jean de Meun

L'Œuvre de Guillaume de Lorris. Deux œuvres très différentes qui s'opposent en se continuant, tel est le *Roman de la Rose*. Deux auteurs à peu près compatriotes y ont collaboré, chacun y apportant les traits particuliers à son époque, à sa culture, à son milieu. De leurs efforts successifs il n'est point résulté, comme on pourrait le croire, un monstre inarticulé, mais une œuvre somme toute cohérente, qui, malgré des longueurs, se lit avec agrément, et dans laquelle se reflète, comme en un miroir fidèle, la pensée française du XIIIe siècle. La part de chaque auteur est d'ailleurs inégale. Sur les 21.780· vers de la plus récente édition, le premier en date, Guillaume de Lorris n'en peut revendiquer que 4.058. On ne sait guère sur sa personne que ce qu'il en dit lui-même et ce qu'y ajoute son continuateur. Son nom porte à croire qu'il était originaire de Lorris en Gâtinais où il naquit à une date indéterminée, dans les premières années du XIIIe siècle. Il rima son poème à l'âge de vingt-cinq ans, à une époque où l'éclat récent de la littérature courtoise n'avait pas entièrement pâli, où l'on discutait encore de casuistique amoureuse, où l'on se passionnait encore pour les subtilités sentimentales. Une abondante production tant latine que française nous révèle la curiosité des clercs pour les spéculations de cet ordre, et nous savons qu'ils se firent avec empressement les initiateurs des laïcs. Guillaume n'avait donc pour s'inspirer que l'embarras du choix, lorsqu'il s'avisa d'écrire un *Art d'aimer*. Tant de sources s'offraient à lui que la critique a beau jeu pour les dénoncer et réduire d'autant son mérite. Ce qui est sûr, c'est qu'il possédait à fond, comme tous les clercs de son temps, l'*Ars amatoria* d'Ovide, le livre auquel tout se ramène. Il n'ignorait pas non plus que d'autres avant lui en avaient tiré parti, comme André le Chapelain, Chrétien de Troyes et surtout l'auteur anonyme de la *Clef d'Amors*, avec laquelle le *Roman de la Rose* présente un air frappant de parenté. S'il s'était seulement contenté de suivre les sentiers battus, il aurait pu, tout aussi bien qu'un autre, reprendre les thèmes ovidiens et, travaillant en traducteur plus qu'en poète, enseigner doctrinalement l'art d'aimer en quatre points. Mais le bon clerc qu'était Guillaume ne se payait point de pédantisme et sa fraîche imagination s'en tenait malaisément à la lettre des grimoires. Ecrire un *Art d'Aimer*, soit; il le pouvait et le devait d'autant mieux qu'il était plus sûr de trouver des lecteurs et que la matière répondait à ses préoccupations; mais il fallait briser le cadre imposé par Ovide et qu'avait encore rétréci la scolastique du Chapelain. Il avait goûté sans doute la poésie rythmique du *Concile de Remiremont* et de l'*Altercatio Phyllidis et Florae*; il se rappelait les vers légers d'*Hueline et Eglantine*, de *Florence et Blanchefleur*. Il savait que la doctrine la plus aride s'entend avec plaisir quand elle est mise en action et que les interlocuteurs d'un débat amoureux captivent mieux leur auditoire qu'un prêcheur *ex cathedra*. A l'encontre de ses prédécesseurs et de ses émules qui négligeaient les ornements littéraires pour ne garder du poème d'Ovide que le résidu didactique, il y vit un prétexte à descriptions poétiques comme celle du Paradis d'Amour, et pour avoir lu Prudence et Martianus Capella, sans parler de leurs imitateurs français, il osa personnifier les abstractions psychologiques et multiplier ainsi les protagonistes du drame.

Ce drame, c'est le récit d'un songe que le poète dit avoir eu cinq ans auparavant, alors qu'il était en sa vingtième année. Le souvenir de Macrobe, de Raoul de Houdenc et sans doute aussi de la *Clef d'Amors* lui suggère une fiction qui justifie du même coup le recours aux allégories. C'est par un matin de printemps que Guillaume pénètre en rêve dans le beau jardin d'Amour entouré de hautes murailles, plein de chants d'oiseaux et de buissons fleuris. Tandis qu'il se tient en extase devant une rose plus belle que les autres, Amour, sans provocation, le frappe d'une flèche, « ou n'ot fer ne acier » et qui, pénétrant par l'œil, s'enfonce dans son cœur d'où jamais elle ne sortira. Dès lors, il n'a plus qu'un désir, celui de cueillir la Rose; il se met au service d'Amour qui lui dicte ses commandements. Mais avant d'atteindre son but, il rencontre Bel-Accueil qui faciliterait volontiers ses desseins, s'il n'avait pour ennemis Danger, Male Bouche, Honte et Peur. Danger l'écarte de la Rose et Bel-Accueil a disparu. Comme l'Amant se désespère, Raison, descendue de sa tour, vient l'arracher à sa passion :

> Tu doiz metre force e defense
> Encontre ce que tes cuers pense :
> Qui toutes eures son cuer croit,
> Ne puet estre qu'il ne foloit.

Mais l'Amant, qu'ennuie ce sermon, prête une oreille plus sympathique aux aimables propos d'Ami. Il ne doit pas se décourager, car on vient à bout de tels adversaires. Et de fait, Danger, d'abord intraitable, se laisse fléchir par Franchise et Pitié et rend à l'Amant la compagnie de Bel-Accueil, avec la liberté d'aller et de venir. Il s'approche donc de la Rose et la trouve « engroissiee » :

> Ele fu, Deus la beneïe,
> Assez plus bele espaneïe
> Qu'el n'iere avant e plus vermeille.

Comment se tenir, dans ces conditions, de lui prendre un baiser ? Avec l'aide de Vénus, c'est bientôt chose faite :

> Un baisier douz e savoré
> Ai pris de la rose erraument.

Voilà de quoi calmer momentanément les souffrances du jeune homme et lui faire oublier les épreuves passées. Mais ce n'est qu'une courte trêve. Male Bouche, qui veillait, a surpris le geste et l'a rapporté à Jalousie. Celle-ci accable Bel-Accueil de menaces et reproche à Honte et à Peur leur coupable négligence. Vite, on court réveiller Danger qui s'est endormi sous une aubépine. Honte ne lui ménage pas les sarcasmes, et Peur, plus posément, le met au courant des faits :

> Lors leva li vilains s'aumuce [coiffure],
> Frote ses iauz, si s'esberuce [se secoue],
> Fronce le nés, les iauz roïlle [roule],
> Et fu pleins d'ire et de roïlle [colère],
> Quant il s'oï si mal mener.

Et c'est sans douceur qu'il chasse l'Amant. Jalousie fait alors élever une tour où elle enferme Bel-Accueil sous la surveillance d'une horrible vieille. L'amant, désemparé, exhale ses plaintes dans un long monologue au cours duquel le poème s'interrompt.

Pas un instant, dans cette histoire, l'intérêt ne languit. Avec une rare connaissance du cœur humain et un sens avisé des nuances psychologiques, Guillaume a su donner à ses principaux personnages, l'Amant et la Rose, dont le rapprochement sans cesse différé fait tout le drame, une série de comparses qui personnifient les sentiments. Bien qu'il n'échappe pas toujours à l'imitation de ses devanciers, Guillaume sait rester lui-même et se maintenir à égale distance de la gravité didactique et de la préciosité. Ce poète de vingt ans, intelligent et sensible, étale librement dans son œuvre son âme juvénile et charmante, encore fleurie d'illusions.

L'œuvre de   Quarante ans plus tard, Jean Chopinel de Meun-
Jean de Meun. sur-Loire, clerc érudit et confortablement renté,
s'avisa de continuer le *Roman de la Rose*. Il n'est pas sûr que
Guillaume l'ait tenu pour inachevé, mais Jean de Meun n'était pas
seul à professer cette opinion, puisque certains manuscrits font
suivre le poème d'une conclusion apocryphe de quatre-vingts vers.
S'il s'était agi seulement d'apporter un terme logique aux mésaventures de l'Amant, nul n'eût été moins désigné que Jean de Meun :
son tempérament, ses goûts et sa culture en font tout l'opposé de
son prédécesseur. Il n'a ni la grâce, ni l'indulgence, ni le sourire de
celui-ci. Il possède en revanche une érudition encyclopédique et sait
assez bien le latin pour faire, en dehors du *Roman*, une belle carrière de traducteur; s'il méprise les artifices du style courtois, il manie avec aisance le raisonnement philosophique et adopte sans effort
le rude langage du polémiste. Tandis que Guillaume de Lorris écrit
dans l'ardeur d'une passion nouvelle pour celle

> ...Qui tant a de pris
> E tant est dine d'estre amee,

et garde l'espoir d'être lu par un cercle de grands seigneurs et de
dames friandes de récits érotiques, Jean de Meun, se faisant l'écho
des aspirations bourgeoises, ne songe qu'à mettre à profit ses connaissances et fixe par là même, en une large fresque, la pensée du
xiiie siècle finissant. Peut-être y fût-il aussi bien parvenu sans mêler
à ses dissertations l'intrigue désormais sans objet, qu'avait imaginée
Guillaume; il n'a point révélé ses intentions ni les raisons de ce
choix singulier. On voit assez qu'il ne s'intéresse guère aux allégories
qu'il ressuscite, quand, au lieu de créer de nouveaux épisodes, il reproduit sans vergogne ceux de la première partie. L'action dont il
renoue les fils n'est plus qu'un prétexte et son récit qu'un canevas
sur lequel il brode les digressions les plus imprévues. Et ces digressions qu'il prolonge à plaisir sont le vrai sujet du poème; elles en
feront le succès lors de son apparition et provoqueront, longtemps
après, discussions et polémiques.

Les plaintes de l'Amant rapidement liquidées, Raison descend à
nouveau de sa tour pour le chapitrer et, comme précédemment,
cette mercuriale a pour effet de le rejeter vers l'Ami dont l'éloquence
est moins austère. N'enseigne-t-il pas avec cynisme les divers moyens
de corrompre les femmes ? Vainement ces conseils sont mis en pratique, l'Amant n'obtient aucun résultat jusqu'au moment où
Amour intervient en convoquant sa baronnie. Après avoir délibéré,
on décide d'assiéger la tour où se morfond Bel-Accueil. Faux-Semblant et Abstinence-Contrainte costumés, l'un en Jacobin, l'autre

en Béguine, endorment la vigilance de Malę Bouche que Faux-Semblant étrangle en l'embrassant. Ce dernier personnage fournit l'occasion d'un long développement où les Mineurs et les Prêcheurs sont violemment pris à partie, leurs privilèges discutés et leur honnêteté mise en doute. L'assassinat de Male Bouche ayant ouvert aux assaillants l'accès de la tour, Courtoisie et Largesse se concilient les bonnes grâces de la Vieille qui prend soin, avant de le relâcher, d'édifier son prisonnier. Brodant sur un thème fourni par Ovide et popularisé par plus d'un fabliau, elle lui décrit l'amour spécial aux ribauds et aux filles de joie. Enfin l'Amant retrouve Bel-Accueil, lesté de bons conseils; il touche au but et va cueillir la Rose et le poème sera fini sans que l'auteur ait vidé tout son sac. Le rappel d'une ancienne situation va remédier à cet inconvénient. Danger, Peur et Honte, surgissant pour la seconde fois, enferment Bel-Accueil et chassent l'Amant. Mais celui-ci a des protecteurs. Comme dans la *Psychomachia* de Prudence, une bataille va s'engager entre les abstractions personnifiées. Les partisans de Danger auraient peut-être le dessus, si Vénus, rassemblant les troupes d'Amour, ne les lançait à l'assaut de la tour. Quittant le lieu du combat dont l'issue reste indécise, Jean de Meun nous transporte dans la forge de Vénus, ouvrière de vie et de mort, heureusement conseillée par son chapelain Génius, ordonnateur des créations naturelles. Elle se confesse à lui si longuement que Génius en vient à protester contre le bavardage des femmes. C'est que Nature gouverne un vaste empire dont la description nécessite l'emploi de toutes les connaissances. Dans l'organisation de ce monde immense, elle n'éprouve de difficultés qu'en présence de l'homme qui refuse d'obéir à ses lois et s'insurge actuellement contre les volontés d'Amour. Aussi délègue-t-elle auprès de ce dernier Génius muni d'une longue « chartre » qu'il lira devant les barons. L'assemblée, prise d'enthousiasme, acclame les paroles de Nature :

> Tuit a la sentence s'aerdent [*adhérent*]
> E respondent tost e viaz [*vivement*] :
> Amen, amen, fiaz, fiaz [*qu'il en soit ainsi*].

L'ennemi cède à la nouvelle attaque et s'enfuit en déroute, tandis que l'Amant, guidé par Bel-Accueil, peut enfin conquérir la Rose :

> Ainz que d'iluec me remuasse
> Ou, mon vueil [*à mon gré*] encor demourasse.
> Par grant jolieté coilli
> La fleur dou bel rosier foilli.
> Ainsinc oi la rose vermeille.
> Atant fu jourz, e je m'esveille.

Ainsi s'achève le poème par le dénouement prévu de l'action sentimentale. Mais les acteurs de Guillaume si vivants, si nuancés ont bien changé de caractère. Par le caprice de Jean de Meun, ils sont devenus d'inlassables bavards. Les convictions du poète, ses préjugés, ses goûts, ses haines aussi s'expriment par leur bouche, et l'art d'aimer qu'ils enseignent fait contraste avec celui de Guillaume. Aux sentiments chevaleresques, aux tendres couleurs de la vie courtoise s'oppose le dur réalisme d'un poète qui vient après les fabliaux et sur lequel a passé le grand courant de vulgarisation scientifique. Les arguments de Raison contre l'Amour cèdent à ceux de Male Bouche et la femme cessant d'être l'objet d'un culte unique, voit réduire son rôle à la satisfaction des plaisirs masculins, aux excès lubriques sur lesquels la Vieille s'attarde avec tant de complaisance. C'est le point de vue des bourgeois terre à terre opposé aux raffinements des cours; c'est l'assaut donné par le peuple raisonneur aux élégantes constructions suscitées par Aliénor d'Aquitaine; c'est une entreprise de démolition poursuivie d'ailleurs sans acharnement ni système, avec ces armes redoutables, le scepticisme et l'ironie. Ni plan ni méthode apparents, dans la seconde partie du *Roman de la Rose*. L'auteur saisit les idées au passage, les exploite et les rejette tour à tour, à mesure qu'une autre surgit, les retrouve à l'occasion pour les abandonner encore, au mépris des redites et des contradictions. Pourtant ce poète si peu poète, plus dialecticien qu'artiste, érudit jusqu'au bout des ongles, positif et sensé, n'avance pas sans fil conducteur. Il a sa philosophie qui assure l'unité de l'œuvre et dont l'exposé complet nous est fourni par la confession de Nature. On a justement remarqué qu'il ne fait qu'une place infime aux discussions théologiques. C'est un domaine réservé auquel il n'a pas accès; il lui suffit de croire en Dieu et sa foi robuste est à l'abri de toute atteinte. Mais ce penseur nourri de sève antique, qui cite avec orgueil Cicéron, Tite-Live, Suétone et Juvénal, ce lecteur assidu de Boèce et d'Alain de Lille, assez averti des doctrines néo-platoniciennes pour distinguer la foi et la raison, porte sa libre attention sur les réalités sensibles; il s'intéresse aux questions scientifiques et voit dans la science l'arme la plus efficace contre les préjugés et les superstitions,

Car il fait bon de tout savoir.

La science n'est donc pour lui qu'un moyen, non un but; ce qu'il a lu dans les livres, et notamment ceux d'Aristote, qu'il s'agisse d'alchimie, d'optique, de physique ou d'histoire naturelle a pourvu sa raison d'un aliment nécessaire, et son plus vif désir est d'en faire profiter ses contemporains. Le souci de se rendre utile a, chez lui, pour fin dernière, l'éducation morale. De là ses attaques contre les femmes qu'il n'entreprend

Ne par ivrece ne par ire,
Par haïne ne par envie
Contre fame qui seit en vie ;

1

2

3

4

Le Roman de la Rose

1°) *Le Vilain entre Danger et Male Bouche.*
2°) *Bel-Accueil, la Vieille et l'Amant.*
3°) *Le Dieu d'Amours tire ses flèches sur l'Amant.*
4°) *Me Jean de Meun s'excuse auprès des religieux et des femmes.*

(Bibliothèque de l'Arsenal. Ms. 3338)

mais pour

> Que nous e vous de vous meïsmes
> Poïssons quenoissance avoir.

De là ses tirades contre les ordres mendiants et la vanité de ceux
à qui la naissance n'a point conféré la noblesse, dans l'intention de
faire

> ...Quenoistre,
> Fussent seculer ou de cloistre,
> Les desleiaus genz, les maudites,
> Que Jesus apelé ypocrites.

Tant en matière philosophique que scientifique et morale, trois
domaines qui, nous l'avons vu, se pénètrent au moyen âge, il n'in-
nove pas, mais groupe et coordonne. Il prête à la pensée commune,
délayée et dispersée dans de fastidieuses compilations, l'appui de son
talent et de son éloquence. Aussi a-t-il bénéficié, dès l'apparition
de son livre, d'une popularité que jamais n'atteignirent les œuvres
du moyen âge auxquelles il avait puisé. Cette réussite prodigieuse
et sans précédent s'affirmera jusqu'au milieu du XVIᵉ siècle. On le
copie inlassablement, plus de deux cents manuscrits en témoignent,
et le moment venu, on l'imprimera sans cesse. Il n'est pas un auteur
sérieux qui ne le cite ou ne le pille; il fournit plusieurs générations
de sentences, d'arguments et de rimes; sa poétique savante et difficile, aux règles exigeantes, aura des imitateurs, à une époque où la
perfection technique paraît souvent préférable à la solidité du fond.
Dès 1290, Gui de Mori, prêtre picard, remanie le *Roman de la Rose*.
Deux rédactions en prose sont composées au XVᵉ siècle, dont l'une
par Jean Molinet qui ajoute à chaque chapitre une copieuse moralité. C'est en vain que les audaces de Jean de Meun, les excès parfois choquants de sa pensée réactrice lui suscitent des contradicteurs;
que, vers 1330, Guillaume de Digulleville le traite de plagiaire et
de corrupteur; qu'un traducteur du *Cantique des Cantiques* se
flatte d'écrire une œuvre en tout cas plus honnête; qu'en 1399, dans
son *Epistre au Dieu d'amours*, Christine de Pisan prend la défense
des femmes calomniées par le poète, ouvrant ainsi la fameuse querelle où elle aura de son côté Jean de Gerson, chancelier de Paris,
et, pour adversaires, Jean de Montreuil, prévôt de Lille, et les frères
Pierre et Gontier Col : même aux premiers temps de la Renaissance,
le *Roman de la Rose* garde son prestige et son autorité. Sibilet met
sur le même plan Alain Chartier et Jean de Meun; Ronsard l'oppose aux anciens, Baïf lui consacre un sonnet et Etienne Pasquier
pousse l'hyperbole jusqu'à le préférer à Dante et aux poètes d'Italie.
La diffusion s'en fait si vite en dehors des frontières qu'à la fin
du XIIIᵉ siècle on le traduit en néerlandais; Geoffroi Chaucer, au
XIVᵉ siècle, en donne une version anglaise dont n'ont subsisté que

de courts fragments, tandis que le Toscan Durante en condense
habilement la matière en deux cent trente-deux sonnets.

C'est que le *Roman de la Rose*, aux proportions monstrueuses, à
la composition flottante, aux développements diffus, aux hardiesses
surprenantes, avec ses qualités et ses imperfections, résume en lui
tout le vrai moyen âge. Si, dans sa première partie, il évoque la
période brillante où la haute société française accueillait les troubadours et, se mettant à l'école d'Ovide, subordonnait la vie mondaine au raffinement des rapports sentimentaux, il rappelle dans
la seconde l'effort immense et patient des humanistes du XIIe siècle
— le grand siècle — qui demandaient aux maîtres de l'antiquité
l'infusion d'un sang nouveau. L'effort de traduction et de vulgarisation inauguré par eux s'est poursuivi pendant tout le XIIIe siècle,
favorisé par les transformations politiques et l'élévation intellectuelle et morale de la bourgeoisie. Jean de Meun, le plus fécond
de nos anciens traducteurs, a versé dans son poème le contenu de
sa mémoire et, grâce à lui, les idées du siècle s'y trouvent fidèle-
lement représentées. Quoi d'étonnant, après cela, qu'un livre si
conforme à l'idéal du temps ait emporté tous les suffrages et que,
liquidant d'un seul coup le moyen âge crédule et précieux, il ait
orienté la pensée française vers une vue plus réaliste des choses,
préparant ainsi la belle moisson qui devait mûrir deux siècles encore,
avant d'être récoltée.

DU ROMAN DE LA ROSE
A VILLON

CHAPITRE PREMIER

NOUVEAUX ASPECTS DE LA LITTÉRATURE
TRANSFORMATION DE L'ÉTAT POLITIQUE ET SOCIAL
LES PRINCES ÉCLAIRÉS. APPARITION DE L'HUMANISME.

Décadence de l'aristocratie féodale. Progrès de la bourgeoisie. Au moment où l'auteur du *Roman de la Rose* interrompt, avant de disparaître, son activité littéraire, le premier de nos rois modernes, Philippe le Bel, débute au gouvernement. Son avènement inaugure une série d'initiatives et de transformations politiques, où la royauté, mettant à profit les erreurs de la noblesse, confisquera progressivement ses privilèges et cherchera de plus en plus à gouverner sans elle, en s'appuyant sur les bourgeois. Un personnel nouveau apparaît dans les conseils de la monarchie, les légistes, parmi lesquels Pierre Flote, Guillaume de Plaisians, Guillaume de Nogaret se montrent à la fois théoriciens et hommes d'action. D'origine roturière ou de petite noblesse, rompus à la pratique du droit romain, ils s'appliquent à donner au pouvoir royal un fondement juridique, afin de lui soumettre les forces concurrentes, l'Eglise et la féodalité.

Ainsi les aspirations confuses dont Jean de Meun avait lancé le manifeste, semblent parvenir aux oreilles du roi. Nul n'échappe à l'influence d'un livre où s'expriment avec passion les idées et les sentiments des classes moyennes, avec lesquelles il faut désormais compter. Le malheur est que ces idées soient complexes, parfois contradictoires et que leur choc n'aboutisse souvent qu'à la négation du présent. L'édifice intellectuel, social et moral du moyen âge s'en trouve ébranlé, sans que dans le chaos surgisse une lumière, sans que personne apporte aux problèmes posés de solutions immédiates et sûres. Le cadre des institutions monarchiques est toutefois assez résistant pour qu'une sage politique en perfectionne les organes

sans céder aux impatiences; mais avec des souverains comme Philippe VI et Jean le Bon, dominés par des préoccupations dynas-
tiques, des soucis financiers et des menaces extérieures, l'aristocratie
ramène au pouvoir les défauts et les qualités de l'esprit chevaleresque. Le pire est que les défauts l'emportent sur les qualités et
que le monde féodal apparaît comme un vieil arbre dont la sève
est épuisée. L'héroïsme dont se flattent les vaincus de Crécy, de
Poitiers et d'Azincourt n'a rien des solides vertus d'un Roland; il
n'a plus, pour le soutenir, l'idéal mystique qui dévorait de ses
ardeurs les compagnons du roi Arthur. Fanfarons de la gloire qui
prennent leur égoïsme pour du dévouement, leur témérité pour de
la vaillance, ces brouillons ne songent qu'à faire revivre les temps
révolus. Prêts à tremper dans toutes les intrigues pour satisfaire
leurs ambitions, déchirés en factions rivales, incapables d'un sursaut
contre l'ennemi extérieur, avec lequel trop souvent ils pactisent, assez
forts, au demeurant, pour retarder leur déchéance et contrecarrer les
desseins de la bourgeoisie, ils confondent, sans peut-être y prendre
garde, le bien public avec l'intérêt personnel. Quand un désastre militaire appelle prématurément le futur Charles V à faire face aux plus
lourdes responsabilités, il faut que les Parisiens égorgent ses conseillers et que le peuple des campagnes déchaîne son aveugle colère.
La succession rapide des événements, le renouvellement des dangers
qui menacent constamment la vie des individus et mettent en péril
l'existence même de la nation jettent l'inquiétude dans les cœurs
et le trouble dans les esprits.

Le Grand   En d'autres temps, l'Eglise impassible et sereine
Schisme.   eût offert aux âmes meurtries l'asile de ses sanctuaires et le soutien de sa doctrine; mais l'Eglise elle-même souffre
du malaise général. Depuis que le Pape et le Roi se sont dressés
l'un contre l'autre, que le transfert du Saint-Siège en Avignon a
provoqué le Grand Schisme qui, de 1378 à 1417, va déchirer la
chrétienté, les désordres et les scandales se succèdent sans répit.
Et pourtant, bien qu'en Angleterre, en Allemagne, en Italie même,
on assiste à des tentatives de rébellion dogmatique, la France garde
intacte sa foi religieuse et l'agitation de surface ne paraît troubler
en rien le calme des profondeurs.

La   Dans le domaine des idées, le désarroi n'est pas
Philosophie.   moins grand. L'effort constructif des théologiens
du XIIIᵉ siècle n'échappe pas à la critique. Même chez les Domini-
cains des contradictions s'élèvent pour discuter la valeur des syn-
thèses philosophiques et refuser d'admettre la coexistence dans un
même système des données de la science aristotélicienne et des vérités révélées. Au grandiose édifice construit par saint Thomas
d'Aquin et renforcé par Duns Scot, les Franciscains d'Oxford,

dédaigneux de concilier la foi et la raison, portent des coups redoutables. Guillaume d'Occam et ses disciples rendent désormais infranchissable le fossé qui sépare la philosophie de la théologie. En dépit de multiples condamnations, les commentateurs d'Averroès s'obstinent à formuler des propositions hérétiques, tandis que, déçues par les excès d'un nominalisme qui n'a rien résolu, les âmes pieuses se tournent, en désespoir de cause, vers la contemplation mystique. A travers ces instances contradictoires, la pensée philosophique marque pourtant de lents progrès. Les successeurs d'Occam, s'attachant à l'étude des mathématiques, de la physique et de l'astronomie, démontrent l'efficacité de la science expérimentale. Utilisant les résultats acquis par Buridan et Albert de Saxe, Nicole Oresme découvre les lois de la chute des corps, la rotation de la terre et le principe de la géométrie analytique. Ainsi la philosophie, répudiant toute attache métaphysique, prétend fonder l'explication du monde sur l'observation des faits sensibles. La réalisme et l'esprit critique dominent de plus en plus la spéculation philosophique et s'étendent de là à d'autres domaines, la politique, l'art et la littérature.

Les princes   La politique, s'attachant à la poursuite des résul
éclairés   tats pratiques, hors de toute idée préconçue,
cherchera désormais à justifier ses actes en s'appuyant sur les écrits des théoriciens. Dès le temps de Philippe le Bel, l'organisation du royaume se fonde sur de nouveaux principes. La complication croissante des rouages de l'Etat interdit désormais au roi de France l'usage des méthodes administratives qui avaient suffi jusqu'alors. Pour orienter ses desseins et en assurer l'exécution, il lui faut s'entourer de conseillers sagaces aussi nourris de science et chargés d'expérience que doués d'intelligence et de finesse. Et quand il écoute les avis, non seulement de ses familiers, mais encore de hauts personnages réputés pour leur compétence, quand il réunit les assemblées où figurent, à côté des membres du clergé et de la noblesse, les représentants des bonnes villes, le souverain, loin de se diminuer, accroît au contraire son autorité. Mais, si bien conseillé soit-il, il ne peut se contenter de n'apprendre que par ouï-dire et de s'en remettre aux clercs pour tout ce qui le concerne. Il veut, lui aussi, comprendre et juger, ce qui suppose évidemment un degré d'instruction supérieur à celui d'un saint Louis qui pourtant connaissait plus que son psautier, possédait une assez riche bibliothèque, composée surtout d'ouvrages religieux, dont il avait permis l'usage à l'érudit Vincent de Beauvais. Philippe IV et ses successeurs, saisis dans le mouvement qui emporte leur siècle, contribuent pour une large part au développement de la culture. Ils achètent des livres et les collectionnent et, non contents de lire ceux qui existent, provoquent la rédaction de nouveaux ouvrages, attirant auprès

d'eux les clercs instruits, les scribes et les enlumineurs. Si certaines épîtres dédicatoires témoignent uniquement d'un sentiment de respect à l'égard du prince, d'autres nous apprennent qu'il n'est pas étranger au choix du sujet et que l'auteur n'a fait qu'obéir à ses instructions.

Pour n'être pas désintéressé, l'appui que Philippe le Bel accorde à la littérature n'est pas moins indiscutable. Bien qu'il sût le latin, il trouva bon de faire traduire par Jean de Meun l'*Art Militaire* de Végèce et les lettres d'Abélard et d'Héloïse; c'est à lui qu'est dédiée la traduction de Boèce, qui fournit à l'auteur l'occasion de rendre hommage à la culture du roi. L'archevêque de Bourges, Gilles de Rome, son ancien précepteur, composa à sa requête un traité du *Gouvernement des Princes*, qui fut traduit peu après par Henri de Gauchi. Ce monarque lettré, *sufficienter litteris eruditus*, possédait une compagne assortie, Jeanne de Navarre, qui commanda à Joinville son *Histoire de saint Louis* et fit traduire de latin en français le *Miroir des dames* de Durand de Champagne. Son fils, Louis X, partagea ses goûts; il posséda vingt et un livres français, parmi lesquels les *Vies des Pères* et les *Vies des Saints*, la *Bible*, les *Institutes*, le *Code*, le traité de Gilles de Rome, les fables d'Ovide moralisées. C'est sans doute pour Jeanne de Bourgogne, femme de Philippe le Long, que fut exécutée la traduction rimée et moralisée des *Métamorphoses*, qui fut longtemps attribuée à Philippe de Vitri, puis, non moins à tort à Chrétien Legouais, et une fille de ce roi, Blanche, religieuse à l'abbaye de Longchamp, posséda l'*Apocalypse* et le *Livre des Rois* en français. Si Charles IV fut moins cultivé ou n'eut pas le temps d'en laisser témoignage, sa femme, Jeanne d'Evreux, prit plaisir à réunir quelques livres précieux dont s'enrichira plus tard la librairie de Charles V. Avec Philippe de Valois s'ouvre une dynastie qui ne laissera point périr la tradition littéraire. Sa réputation de roi-chevalier, son insuffisance politique, la description laissée par Froissart de la vie qu'il menait en son château de Vincennes, toute en « festes, joustes, tournois et esbattemens », le reproche d'ignorance que lui adressait Pétrarque, ont fait longtemps méconnaître ses réelles qualités. S'il avait peu profité des leçons de latin de son précepteur Guillaume de Trie, il était loin d'être sans esprit ni culture. Ce qui est sûr c'est qu'il possédait l'*Ovide moralisé* et qu'il trouvait dans sa famille, chez son père Charles de Valois, qui avait chargé Girart d'Amiens de conter en vers l'*Histoire de Charlemagne;* chez sa mère, Marguerite d'Anjou qui avait fait traduire la *Vie de sainte Geneviève;* chez sa sœur, Jeanne de Valois, qui posséda sans doute un des premiers exemplaires des *Faits des Romains;* chez sa femme, Jeanne de Bourgogne, qui demanda à Jean de Vignai, religieux de Saint-Jacques-du-Haut-Pas, la traduction du *Miroir historial* de Vincent de Beauvais, des exemples à imiter. Fils d'une telle mère, Jean le Bon devait avoir le goût

Barthélemy L'Anglais

Traduction Française de Jehan Corbechon
Frontispice : Scènes de la création
(Bibliothèque Municipale d'Amiens. Ms. 399)

des livres autant que ses prédécesseurs. Il apprit à lire dans de *Très belles heures*, qui passèrent ensuite à son fils, le duc de Berri. Alors qu'il n'était encore que duc de Normandie, Jean de Vignai lui dédia une traduction des *Echecs moralisés* du Dominicain italien Jacques de Cessoles, en vantant dans sa préface son intelligence et sa curiosité. Son zèle littéraire ne se refroidit pas, quand il fut monté sur le trône. Il conçut même de plus vastes entreprises comme la traduction des trois *Décades* de Tite-Live, par le savant Pierre Bersuire, et la rédaction d'une *Bible historiale*, par Jean de Sy, auteur présumé d'une traduction de Boèce.

Le sage roi Charles V. Sa librairie, ses traducteurs. Mais si vive qu'apparaisse la curiosité littéraire du roi Jean, elle pâlit auprès de celle de son fils et successeur Charles V, que l'Histoire a qualifié de Sage, sur l'autorité de Christine de Pisan. Ce prince, en effet, témoigna dès sa jeunesse d'un goût particulier pour l'étude et la réflexion. Ce qui n'avait été, chez ses prédécesseurs, qu'un mérite accessoire, constitua pour lui le fond de sa nature et ce n'est pas sans vraisemblance que Christine le compare à l'empereur Hadrien. L'amour qu'il avait pour l'étude et la science,

...bien le demoustroit par la belle assemblee des notables livres et belle librairie qu'il avoit de tous les plus notables volumes qui par souverains auteurs aient esté compilés, soit de la Sainte Escripture, de theologie, de philosophie et de toutes sciences, moult bien escrips et richement aournés, et tout temps les meilleurs escripvains que on peüst trouver, occupez pour lui en tel ouvrage... Non obstant que bien entendist le latin... fist par solemnelz maistres, souffisans en toutes les sciences et ars, translater de latin en françois tous les plus notables livres.

Toujours soucieux de se bien conduire en son privé et d'administrer sagement son royaume, Charles V unit dans une même affection la science et la philosophie. C'est sur sa demande que Nicole Oresme, évêque de Lisieux, traduisit en 1370 les *Ethiques* d'Aristote, en 1371, la *Politique* et les *Economiques*, en 1377, le *Livre du Ciel et du Monde*, tandis qu'Evrart de Conti, « physicien » du roi, mettait en français le *Livre des Problèmes*. Jean Daudin, chanoine de la Sainte-Chapelle, traduisit les *Remedia utriusque fortunae* de Pétrarque, en 1374 et le *De eruditione puerorum nobilium*, de Vincent de Beauvais. Raoul de Presles, maître des requêtes au Parlement, jouit d'une légitime notoriété; c'est un homme de goût et un lettré qui, dans sa traduction commentée de la *Cité de Dieu*, fait preuve d'une culture classique très étendue. Les *Anecdotes mémorables* de Valère Maxime semblent au roi très capables d'inspirer les grands sentiments; aussi confie-t-il à Simon de Hesdin, chevalier de Saint-Jean de Jérusalem, le soin de les mettre en français. L'œuvre, interrompue à la fin du livre VI, sera terminée en 1401

par Nicolas de Gonesse. Rappellerons-nous Jacques Bauchant, auteur
des *Remedes ou confors des maulz de Fortune*, d'après le *De reme-
diis fortuitorum*, de Sénèque, Denis Foullechat, traducteur du *Polycraticus* de Jean de Salisbury, Jean Corbechon, « solennel maistre
en theologie », qui « mist et exposa *Le Livre des Propriétés des
choses* de latin en françois » et répandit l'œuvre et le nom de
Barthélemi l'Anglais, Jean Golein, traducteur fécond et varié et
les anonymes qui mirent en français le traité d'agriculture de Pierre
de Crescens ou les *Lettres à Lucilius* ? Il n'importe guère ici d'en
dresser le catalogue. Pris individuellement, on ne saurait calculer
leur influence sur le développement littéraire du xive siècle; considérés en groupe, ils le dominent, car ils ont fourni la matière de travaux originaux et reflètent, dans ses grandes lignes, le mouvement
général des idées.

La prose française et les traducteurs.	Ces compositions massives, ces longs traités didac-tiques, ces monuments restaurés de l'antiquité latine et grecque ne rebutent pas les lecteurs à qui on les destine. Aucun effort aussi n'est

épargné pour leur en faciliter l'intelligence et très souvent des gloses
copieuses éclaircissent les obscurités du texte. Par souci d'exactitude
autant que par commodité, les traducteurs s'expriment désormais
en prose, parce qu'elle permet mieux que les vers de garder les
nuances et le ton de l'original. Mais l'instrument, perfectionné
pourtant depuis un siècle, se montre parfois défaillant. Comme le
français ne possède ni la richesse de tours ni la ferme concision du
latin, il faut le contraindre à vêtir une pensée qui se dérobe, à traduire des notions qui n'ont plus de correspondant actuel. Le moyen
d'y parvenir, c'est d'accroître le vocabulaire par emprunt direct au
latin, de donner à la phrase plus d'ampleur et de souplesse, de
substituer au rythme un peu saccadé des anciens octosyllabes le
mouvement balancé des périodes. Ainsi, par la force des choses, les
traducteurs, au jour le jour, forgent l'outil qui leur est nécessaire
et découvrent le secret de cette belle prose harmonieuse à laquelle
Amyot, Balzac et Montaigne donneront, plus tard, le fini qui lui
manque.

La grande pitié du royaume et la littérature.	Le règne de Charles V, commencé dans le désor-dre, s'achève dans une stabilité relative. Favorisée par les initiatives royales, l'activité intellectuelle s'est brillamment manifestée pendant un quart de siècle. Mais avec la mort du roi, l'équilibre

est bientôt rompu. Monté sur le trône à l'âge de douze ans,
son successeur, douze ans plus tard, sombrera dans la folie.
Armagnacs et Bourguignons, se querellant pour des fins d'hégé-

monie politique, épaulent inconsciemment la manœuvre anglaise
contre le souverain légitime. Luttes extérieures et discordes civiles
epuisent les forces du pays. La cour elle-même est la proie des factions et le foyer des pires intrigues, et le temps n'est plus où le roi,
maître chez lui, honorait de sa protection et soutenait de ses deniers
les écrivains et les copistes. Non seulement la librairie du Louvre a
cessé de s'enrichir, mais on la met au pillage; c'est un trésor dont
chaque héritier veut sa part. Le roi dément ne saurait plus jouer
au mécène, les auteurs sont dispersés, le public a de plus graves
soucis. Si les polémistes ont encore la parole, si les historiens, officiels ou non, se multiplient, c'est que par eux s'expriment les passions
adverses, les haines obstinées, comme aussi parfois les justes révoltes
de la conscience nationale. Mais les patients traducteurs, les zélés
compilateurs, privés de soutien matériel, négligent ces travaux
ingrats, désormais sans profit. Ceux qui opèrent encore au début du
xvª siècle le font avec l'appui de quelque grand seigneur désireux
de perpétuer la tradition du « sage roi ». Le duc Jean de Berri, frère
de Charles V, et, après lui, le plus notable bibliophile du temps,
fait achever le *Valère Maxime* de Simon de Hesdin et charge un
chanoine du Mans, Jean Courtecuisse, de mettre en français le traité
de Martin de Braga. Dans la période qui précède le traité d'Arras,
un clerc troyen, Laurent de Premierfait, travaillant successivement
pour Louis de Bourbon, Jean de Bourges, Bureau de Dammartin,
conseiller, et Simon de Blois, valet de chambre du roi, révèle au
public français l'œuvre de Boccace, spécialement le *De casibus viro-*
rum illustrium et le *Décaméron*. Ce très soigneux traducteur, instruit à l'école des anciens, porte en même temps son effort sur
deux opuscules cicéroniens, le *De Senectute* et le *De Amicitia,* et
sur les *Economiques* d'Aristote. Il apparaît pourtant' que ces longs
travaux exigent, pour l'écrivain comme pour ses lecteurs, un minimum de loisirs, un détachement des contingences que les circonstances n'autorisent guère. En période d'instabilité politique et d'inquiétude morale, l'œuvre didactique ne peut réussir que si elle est
immédiatement efficace, si elle procure des arguments aux partis
qui s'affrontent, ou si elle apporte à l'élite des jouissances intellectuelles.

Apparition de   Si les traducteurs appointés par Charles V ont
l'humanisme.   fait connaître, à ceux qui ignoraient le latin, quelques auteurs anciens comme Aristote, Sénèque et Valère Maxime,
il serait abusif de les considérer comme des précurseurs de l'humanisme. Le roi lui-même, grand collectionneur de livres, accordait
sa préférence aux traités juridiques, politiques, historiques, moraux
et scientifiques et dédaignait la poésie, dépourvue à ses yeux d'utilité pratique. La qualité littéraire des œuvres lui était indifférente et,
comme toujours au moyen âge, il considérait la littérature classique

comme une mine inépuisable de sentences, une réserve d'autorités propres à fortifier la foi, comme à guider les princes et leurs conseillers dans l'exercice du pouvoir. Pourtant nous voyons sous Charles VI une curiosité plus vive et plus désintéressée se manifester dans certains milieux. Déjà le propre frère du roi Charles V, Jean de Berri, cherche à élargir son horizon. Peut-être subissait-il par l'intermédiaire de Gontier Col, son secrétaire, l'influence d'un groupe de lettrés qui se livraient avec enthousiasme à l'étude et à la défense des auteurs anciens. Un esprit nouveau, soufflant d'Italie, commençait à pénétrer en France, à la faveur des circonstances politiques et, notamment, du séjour en Avignon de la cour pontificale. Déjà Philippe de Vitri et Pierre Bersuire avaient rencontré Pétrarque à Vaucluse. Vers la fin du xivᵉ et au début du xvᵉ, les rapports s'intensifièrent entre clercs lettrés de France et d'Italie, que rapprochaient leurs affinités intellectuelles et notamment leur goût commun pour les chefs-d'œuvre de l'antiquité. Laissant aux docteurs de l'Université le soin de gloser les textes juridiques et philosophiques, ils cultivaient les Latins pour eux-mêmes, pour le charme des idées et l'agrément du style, échangeaient leurs impressions, recherchaient les meilleurs manuscrits. Certains d'entre eux méritent d'être cités.

C'est d'abord Gontier Col, né à Sens vers le milieu du siècle, qui prit vaillamment, avec son frère Pierre, la défense posthume de Jean de Meun auquel Christine de Pisan, avec l'appui du chancelier Gerson, reprochait sa misogynie et son immoralité. S'il intervint avec passion dans la fameuse querelle du *Roman de la Rose*, c'est qu'il tenait son auteur pour un fervent disciple des anciens et confondait sa cause avec la leur. Dans ce mémorable débat, les frères Col furent appuyés par Jean de Montreuil, secrétaire du roi et prévôt de Lille. Chargé, comme Gontier, de plusieurs missions, il avait séjourné en Italie et en Avignon. Il se prétendait lui-même philosophe, orateur et poète, ce dont ses contemporains l'ont parfois raillé; il est certain néanmoins qu'il possédait une vaste culture, citait les auteurs latins et cherchait à les imiter sans toujours y parvenir. Auprès de lui, Nicolas de Clamanges, d'origine champenoise, apparaît plus mesuré et sans doute plus savant. Après avoir enseigné longtemps au collège de Navarre, il passa au service de Benoît XIII. Rallié au gouvernement anglo-bourguignon, il y gagna de terminer ses jours en paix, honoré de nombreuses prébendes. Lettré délicat, latiniste éminent, il a beaucoup écrit, des poésies latines, des traités en prose et d'innombrables lettres.

Autour de ces protagonistes gravitaient des savants de moindre envergure, mais enflammés du même zèle, Laurent de Premierfait, traducteur de Cicéron et de Boccace, Nicolas de Baye, collectionneur de manuscrits, Jean de Nouvion et Jean Muret. Ces auteurs, férus d'antiquité, n'écrivaient guère en français, lui préférant le latin qu'ils savaient à merveille et citaient avec abondance. Grâce à eux se répandait dans les cercles lettrés une tournure d'esprit favorable à la connaissance réelle de la littérature classique. Si leur exemple avait été suivi, on eût peut-être assisté, dès le début du xve siècle, à un renouvellement de la pensée française. Mais la reprise des hostilités sur le sol national, les querelles intérieures et les troubles de l'Église allaient bientôt paralyser l'extension de ce mouvement. Tandis que les théologiens les plus en vue, comme Pierre d'Ailly et Gerson, abandonnant l'occamisme, pensaient trouver dans la contemplation mystique un remède à leurs déceptions, Nicolas de Clamanges s'avoue saturé des écrits des païens et se plonge avec délices dans la Bible et les commentaires patristiques, pour échapper à la réalité présente. D'ailleurs, l'unité de l'Église une fois rétablie, la cour d'Avignon plie bagages et ceux qui l'avaient animée de leurs colloques retournent chacun chez soi.

La fin   Ce n'est qu'après 1435 et l'établissement défi-
de la crise.   nitif du roi de Bourges sur son trône restauré que s'épanouit à nouveau l'activité littéraire et que les traducteurs reprennent leur effort de vulgarisation. C'est en 1439 que Jean de Rovroy, doyen de la faculté de théologie, dédie à Charles VII sa traduction des *Stratagèmes* de Frontin, précieuse surtout par le vocabulaire technique auquel l'auteur dut recourir pour rendre compte intégralement de son modèle. Dix ans plus tard, Jean le Bègue, clerc de la Chambre des comptes, met en français le *De primo bello gallico* de Léonard Bruni d'Arezzo, qui n'est qu'une amplification des *Punica* de Silius Italicus. Paraphrasant la deuxième décade de Tite-Live, que l'antiquité ne nous a pas transmise, ce texte complétait heureusement l'œuvre capitale de Bersuire. A ce corps d'histoire romaine en français vint s'ajouter, sous Charles VIII, le *César* de Robert Gaguin, général des Trinitaires. Enfin, en 1461, Anjourant Bourré, lieutenant du bailliage d'Orléans, traduisait pour Tanguy du Châtel le *De officiis* de Cicéron.

L'activité   Sur un plus vaste domaine et bien qu'ils soient
littéraire   au premier plan de l'activité politique, les ducs de
en Bourgogne.   Bourgogne, héritiers de Jean le Bon, se font les protecteurs des lettres et des arts et succèdent au roi de France dans la pratique du mécénat. Tandis que Paris, livré aux émeutes, puis subissant la contrainte de l'occupant, n'offre aux écrivains ni un asile sûr ni des ressources suffisantes, les ducs les accueillent avec empressement dans leurs résidences de Dijon, de Lille et de Bruges, où ils vivent dans l'éclat des fêtes et l'enivrement du succès. Devenus, par un étonnant coup du sort, plus puissants que le souverain, ayant su, par une habile diplomatie, se concilier les sympathies anglaises et se ménager des intelligences dans l'entourage du dauphin, assez

riches pour soudoyer des mercenaires et border leurs frontières d'un cordon de places efficacement défendues, ils maintiennent leur territoire à l'abri de l'invasion. C'est dans ces conditions qu'au milieu de la guerre peuvent fleurir les arts de la paix. Attirés par la prospérité des ducs, poetes, historiens, moralistes, traducteurs, joueurs de farces, artistes de tout acabit s'empressent de répondre à leur appel. Les livres de Charles V, émigrés en partie dans la bibliothèque ducale, s'y trouvent en belle et nombreuse compagnie. Comme leur oncle, Jean sans Peur et Philippe le Bon ont des traducteurs à gages, des historiographes, des scribes et des enlumineurs. Pour eux on recopie des livres anciens qu'orneront de riches peintures, on remanie en prose les poèmes épiques et les romans courtois, on traduit du latin ce qui mérite de l'être aux yeux de ces parvenus pressés de se mettre au niveau de leur nouvelle fortune. Quand on parcourt les inventaires de la librairie ducale et les comptes de la recette générale des finances, deux noms s'y répètent avec insistance, ceux de Jean Wauquelin et de Jean Miélot.

Jean Wauquelin.   Le premier, natif de Picardie, se qualifie de translateur et valet de chambre du duc. Il traduit en 1444, pour Antoine de Croy, l'*Historia regum Britanniae* de Geoffroi de Monmouth et, un peu plus tard, les *Annales de Hainaut*, de Jacques de Guise, où, dans le dessein de flatter son maître, il s'attache à faire savoir à tous, « oans et lisans, comment est descendus mondit tres redoubté et tres puissant seigneur du haut et excellent sang des Troyens », par sa femme, Marguerite de Bavière, héritière de Hainaut. Il refait, une fois de plus, la translation du traité de Gilles de Rome et, à la demande de Jean, comte d'Etampes, il célèbre le héros antique le plus admiré des Bourguignons, dans son *Livre des conquestes et faits d'Alexandre le Grant*, ouvrage curieux, un peu touffu, où l'histoire a la moindre part et qui nous peint la cour du roi macédonien sous les couleurs qui convenaient à celle de Philippe le Bon.

Jean Miélot.   Quelle qu'ait été la fécondité de Wauquelin, Jean Miélot la surpasse. Né aux confins de l'Artois et de la Picardie, on le trouve, à partir de 1448, attaché à la cour ducale; après la mort de Philippe le Bon, il travaille pour Charles le Téméraire et pour Jean de Luxembourg, comte de Saint-Pol. Fonctionnaire régulier, pourvu d'un salaire fixe, il fut tour à tour traducteur, copiste, directeur d'entreprise littéraire et même enlumineur. Les comptes de Bourgogne nous apprennent qu'il fut rémunéré à ces divers titres, mais ce fut avant tout un spécialiste de littérature didactique, religieuse et hagiographique. En 1448, il traduit le *Miroir de la salvation humaine* du chartreux Ludolphe de Saxe,

puis il écrit sa *Controversie de noblesse,* débat sur la vraie noblesse
entre Scipion et Flamininus, d'après Buonaccorso de Pistoie, un traité
sur l'*Oraison dominicale,* la *Passion de saint Adrien;* il traduit pour
Charles le Téméraire l'*Epître de Cicéron à son frère Quintus,* sur
les devoirs d'un gouverneur de province. C'est au même prince que
le Portugais Vasque de Lucène, digne d'être estimé « entre les
sachans, les experimentez et les recommandez » du temps, dédie ses
Histoires du grand Alexandre de Macédoine, traduites de Quinte-
Curce.

Et voilà comment, dans les pires traverses, quand la France aux
abois doutait de son destin, la vie intellectuelle, en dépit des obstacles,
parvint à subsister. Tantôt, profitant de l'appui d'un prince éclairé,
de ses largesses et des effets bienfaisants de sa politique, elle se déploie
librement; tantôt, chassée par la guerre de ses lieux de prédilection,
elle se replie sur elle-même et, l'occasion venue, se réfugie où la
paix dure encore, pour s'y épanouir à nouveau. L'orientation donnée
aux esprits par le *Roman de la Rose* résiste à la pression des événements. De plus en plus on se réfère aux exemples de l'antiquité, de
plus en plus la raison, nourrie de faits, tente d'exercer sa critique.
La philosophie de Jean de Meun, reflet des tendances générales, porte
ses fruits, mais le désarroi politique les empêche d'atteindre leur
pleine maturité. L'élan des écrivains groupés autour de Charles V est
brisé par la mort du roi, trop tôt pour qu'on puisse qualifier d'humanisme leur goût pour les lettres anciennes et l'idée de les faire
servir à la formation d'un idéal moral. On s'est mis en route avec
enthousiasme pour substituer à la civilisation courtoise un mode de
vie sociale plus conforme à la réalité, mais ce n'était qu'un faux
départ; on a voulu ruiner la scolastique et, se libérant des formules
abstraites, interroger la nature et surprendre ses secrets, mais ce ne
furent que des velléités; on a pris la peine de gloser Aristote et
l'on a pensé réformer l'Etat en s'inspirant de sa politique, mais
ce n'était qu'une illusion. Le sort du xive siècle est d'éprouver des
inquiétudes, de soulever des problèmes, d'en entrevoir la solution
et d'assister, après tant d'efforts, à de tristes avortements. Mais pourtant, malgré cet échec apparent, la marche vers les temps nouveaux
se poursuit au ralenti. A la cour pontificale d'Avignon, un dialogue
s'établit entre quelques lettrés français et les humanistes italiens,
que les événements viennent interrompre. Après l'effondrement de
Charles VI et l'occupation du royaume, quand tout paraît désespéré, les régions demeurées libres et prospères, et précisément la
Bourgogne, relèvent le flambeau qui s'éteint. Les protégés de Jean
le Bon et de Charles V ont ouvert aux profanes l'accès de Tite-Live,
de Sénèque, de Valère Maxime, de saint Augustin; il est normal que
Cicéron les suive et après lui Quinte-Curce et César. Le *Tite-Live*
de Bersuire est entrepris vers 1352 et Gaguin termine en 1485 sa

traduction des *Commentaires*. Ainsi se continue, avec de longs arrêts et de brusques reprises, l'effort encouragé par les premiers Valois. Par l'unité de leur dessein et l'étendue de leur œuvre patiente, les traducteurs embrassent les deux siècles; avec le temps et l'expérience, leur technique se perfectionne et, pour satisfaire aux besoins du genre, la langue s'enrichit de mots et de tournures. Enfin les idées contenues dans les œuvres antiques, adoptées et vulgarisées par les créateurs originaux, alimentent la pensée, modifient les perspectives, affinent le goût littéraire et préparent toute une élite à recevoir, avec profit, les prochaines sollicitations de la Renaissance italienne.

CHAPÌTRE II

LA LITTÉRATURE NARRATIVE

Derniers remaniements de la matière épique et des romans courtois.
La naissance du roman moderne :
Antoine de La Sale et les nouvellistes.

L'évolution
des genres
narratifs
du XII
au XIV siècle.*

Combattu par les tendances nouvelles dont Jean de Meun s'est fait l'éloquent interprète, l'esprit du moyen âge paraît à son déclin. Les genres narratifs où il avait trouvé pendant deux siècles sa plus fidèle expression, traînent encore une vie languissante, mais les circonstances ne se prêtent guère au succès d'une littérature où domine la convention. Pour qu'une poésie nationale, animée d'un souffle épique, ait des chances de s'imposer, il faut que l'état politique et social lui offre un terrain favorable et que les événements soient de nature à l'inspirer. Les chansons de geste reflétaient un idéal chevaleresque né dans le triomphe de la féodalité guerrière qui sut lier son sort à celui de l'Eglise et tirer l'épée pour son service. Nettement postérieures aux faits qu'elles rapportent, elles survécurent aux circonstances de leur genèse, grâce à l'éveil du sentiment national et à l'enthousiasme provoqué par les expéditions d'outre-mer. En même temps, avec l'adoucissement des mœurs s'établissaient des relations mondaines où la femme désormais tenait le premier rôle. Sur l'initiative de la reine Aliénor, la fusion des éléments littéraires empruntés à l'antiquité classique, à la lyrique méridionale et aux traditions celtiques engendrait la pensée courtoise et les romans où elle prit corps. On écrivit en octo-syllabes alertes et maniérés de longs poèmes où se nuançait la psycho-logie des personnages dont les épreuves indéfiniment renouvelées tenaient en suspens la curiosité des lecteurs. Le succès des romans courtois devait inspirer aux trouvères l'idée de remanier sur ce modèle les chansons épiques dont la veine s'épuisait. C'est ainsi que le XIIIᵉ siècle vit fleurir, à côté d'anciennes chansons adaptées au goût du jour, de nouvelles compositions destinées à compléter les cycles, en racontant les enfances et la fin des héros, ou les aventures de leurs épigones. Ces tard-venus ne rappelaient que d'assez loin leurs devanciers : à l'exaltation des sentiments les plus élevés, des passions les plus nobles, succédait le simple désir de plaire et d'amuser par un récit fertile en digressions inattendues. Ce qui rachetait parfois la pauvreté de l'invention, c'était la forme littéraire, l'ingéniosité, l'habileté technique, la vérité de certains traits et l'avantage de satisfaire une clientèle choisie de grands seigneurs qui n'exigeaient pas autre chose.

Décadence de l'épopée.   Au XIVᵉ siècle la clientèle change avec les transformations de l'état politique et des rapports sociaux. La bourgeoisie qui accède aux plus hauts emplois et est parvenue jusqu'à la cour, veut prendre part à ses divertissements. Mais pour elle et pour le peuple dont elle n'est que l'avant-garde, il est inutile de se mettre en frais. Avec l'esprit didactique qu'elle manifeste à tout propos et dans tous les domaines, elle n'est pas éloignée de voir dans la matière épique un témoignage sincère de la réalité. Et si, pour comble d'habileté, des poètes arrivent à la flatter en célébrant ses conquêtes et son triomphe éventuel, elle retient leur enseignement. Peu importe que le style soit lourd et que l'aventure se dilue en laisses interminables d'alexandrins monorimes; l'essentiel est que, dans le cadre élargi des chansons primitives, s'accumulent les épisodes les plus variés. Légendes épiques, romans bretons et romans d'aventures, contes populaires ou livresques, de provenance latine ou orientale, traditions écrites ou orales, tout est mis à contribution pour obtenir ce résultat.

« Rien n'est plus triste, dit Léon Gautier, que l'histoire d'une décadence », et c'est bien à une décadence que nous assistons depuis le règne de saint Louis. L'ascension de la bourgeoisie réaliste devait avoir pour corollaire la disparition des genres où la part donnée au merveilleux exigeait d'elle une crédulité qu'elle n'avait plus, et ses thèmes généraux, le respect d'un état social dont elle souhaitait la ruine. Et pourtant cette décadence n'entraîne pas l'anéantissement total. Il s'agit plutôt d'une transformation dont le moins qu'on puisse dire est que la littérature n'y a rien gagné.

« Galien le Restoré ».   Le plus souvent, s'emparant d'une branche dont les héros ont joui d'une grande célébrité, les remanieurs s'efforcent de la rajeunir par l'addition de nouveaux exploits. Telle est l'histoire de *Galien le Restoré*, ce fils d'Olivier, élevé à Constantinople, qui, devenu capable de porter les armes, se met à la recherche de son père et, le poursuivant en Espagne, rejoint l'armée de Charlemagne au moment même où retentit l'appel tragique du cor de Roland. Il accompagne l'empereur à Roncevaux où il parvient assez tôt pour embrasser son père et venger sa mort. Toute cette affabulation maladroite et confuse contredit la tradition et diminue les personnages. Le poète a réduit Roland à la mesure de ses lecteurs; plus d'enthousiasme héroïque et guerrier, aucun élan patriotique; l'esprit de sacrifice et de renoncement n'est l'affaire ni des hommes de loi ni des gens de négoce. Point n'est besoin d'évoquer pour eux le suprême entretien de deux combattants mortellement blessés : il leur plaît que Roland soit plus à leur portée et qu'Olivier ne reçoive de lui que de plates invitations :

« Olivier, beau compaings, a moi venés avant :
Tenés vous pres de moi, ne m'alés eslongnant,
Et pensés a l'amour que vous desirés tant,
Jaqueline la belle qui a le doulz semblant. »

Et l'on s'étonne encore plus quand on songe que ce poème insipide, où le neveu de Charles apparaît dépouillé de sa grandeur, la belle Aude, morne et passive, a plus fait pour perpétuer la tradition rolandienne que la rude chanson féodale.

Ce fastidieux remaniement suscita pourtant des imitateurs. Un poète, dont l'œuvre ne nous est connue que par une version allemande, développe dans son *Lohier et Maillart* l'histoire d'un bâtard de Charles, Lohier, qui, devenu le compagnon de Maillart, fils de Galien, accomplit avec lui d'admirables prouesses. Chargé, en 1300, par Charles de Valois, de remanier en vers toute la légende de Charlemagne, Girart d'Amiens combine en un corps monstrueux les vingt chansons qui la contiennent, avec des textes historiques. Mettant sur le même plan la réalité et les faits imaginaires, il compose un volumineux *Charlemagne*, du plus médiocre intérêt.

« *Baudouin de Sebourc* ». Tandis que les chansons du cycle de la croisade, déjà remaniées au XIII⁰ siècle, faisaient l'objet, au XIV⁰, d'une vaste compilation, un poète, originaire du Hainaut, composait vers 1350 une chanson originale, *Baudouin de Sebourc*, qui s'y rattache artificiellement. Il se peut que ce nom évoque Baudouin II du Bourg, fils du comte de Rethel, troisième roi de Jérusalem, mais il n'importe guère de l'assurer, car la matière du roman est entièrement fantaisiste : au cours de la croisade, le père de Baudouin, Ernout de Beauvais, trahi par son sénéchal Gaufroi, est livré à des pirates sarrasins et sa femme, Rose, est mise en demeure d'épouser le traître. Elevé par le seigneur de Sebourc, le jeune Baudouin, à peine adolescent, apparaît comme un luron dont la hardiesse ne s'embarrasse d'aucun principe. Il déshonore la fille de son bienfaiteur et, quand le père offensé vient exiger réparation, il déclare que son tempérament lui interdit d'être un mari fidèle :

« Che seroit foletez [*folie*]
Se j'espousoie femme, car je en trouve assez.
Li hons qui se marie, chertes. est rassotez ;
Se je me marioie, li prestrez couronnés
Me feroit fianchier, che est la veritez,
A tenir a ma femme et foy et loiautez :
Ainz qu'il passast un mois, seroie parjurés,
Car je trouve puchelles dont je sui alourdés [*abusé*] ;
Ensi mes seremens seroit tantost faussés. »

Il ne lui en faut pas plus pour soulager sa conscience et, abandonnant l'héritière de Sebourc, il s'enfuit avec Blanche de Flandre.
Pourtant ce galant sans scrupules, qui joue si impudemment avec
la vertu des femmes, n'hésite pas, s'il est nécessaire, à risquer sa
vie pour une bonne cause. Vaincu, il échoue à Bagdad et, dénué
de ressources, doit se mettre au service d'un sayetier. Mais bientôt
sa foi ardente et ses miracles provoquent des conversions et c'est
sous l'habit religieux qu'il revient dans sa patrie. Pendant cinq ans,
le pieux ermite Baudouin édifie les populations, tandis que son bâtard
poursuit Gaufroi pour en tirer vengeance. Comme le félon, après
avoir emprisonné le roi, a pris la couronne à sa place, Baudouin
surgit en justicier et tire vengeance de l'usurpateur.

Violemment satirique, interrompu d'éclats de rire sonores, étalant
un réalisme poussé parfois jusqu'à l'obscénité, ce roman en forme
d'épopée témoigne du chemin parcouru. A l'auditoire fruste et
naïf des premières chansons de geste s'était jointe, dans la seconde
moitié du XIIe siècle, la clientèle plus raffinée des chambrées seigneuriales et voici maintenant qu'un public nouveau attire le zèle
intéressé des jongleurs : c'est non seulement la bourgeoisie, mais le
peuple lui-même, volontiers irrespectueux à l'égard de toutes les
hiérarchies. L'auteur inconnu de *Baudouin de Sebourc* est plein de
considération pour le bourgeois qui paye et c'est lui qu'il tient à
voir au premier rang de ses auditeurs :

« Or vous traiez en cha, signour, je vous en prie :
Et qui n'a point d'argent, si ne s'asieche [*asseye*] mie.
Car chil qui n'en ont point ne sont de ma partie.
Signour, or entendez, franc nobile borgois,
Nulle mieudre [*meilleure*] canchon n'oïstes vous des mois. »

C'est ce qui explique en partie l'allure et le ton du poème; les
exploits chevaleresques y sont traités en parodie et Baudouin n'évoque
plus le guerrier que la mort étend sur son tombeau, les mains jointes
et l'épée au côté. Ce coureur de guilledou n'est point de ceux qui
collaborent aux *Gesta Dei per Francos*. Le souffle chrétien n'anime
point la chanson; le scandaleux héros, s'étant fait ermite, confesse
et absout, tandis qu'il rêve encore à sa maîtresse perdue. Nous
sommes loin des purs sentiments d'un Roland. La pensée des auteurs
s'est matérialisée pour répondre au goût d'une société qui préfère

la satisfaction de ses besoins urgents aux promesses différées de la vie éternelle.

Les chansons au service de la propagande. Les sentiments démocratiques exprimés par l'auteur de *Baudouin de Sebourc* ne sont pas inspirés seulement de la flatterie démagogique. A l'époque où l'ouvrage fut composé, d'autres écrivains, historiens et poètes, célébraient à l'envi les vertus de ce peuple qui, s'éveillant d'une longue torpeur, aspirait toujours à plus de liberté et supportait avec impatience la présence sur son sol de soudards étrangers. Quand tant de barons, mieux pourvus que lui, trahissaient leur serment et faisaient cause commune avec l'envahisseur, on avait vu les paysans et les gens de métier s'armer contre lui. Le dauphin ne pouvant, faute de ressources, engager ouvertement la lutte, encourageait à son profit cette résistance sporadique. Mais pour entretenir ces bonnes dispositions et combattre les insinuations de la propagande anglo-navarraise qui mettait en doute la légitimité de la dynastie, il fallait agir sur l'opinion par des moyens adéquats. C'est pourquoi, à côté des écrits polémiques qui réfutaient méthodiquement les prétentions anglaises à la couronne de France, des poèmes, qui n'ont d'épique que la forme extérieure et la division en laisses, enseignent, sous le couvert d'une action romanesque, que le souverain régnant n'est que le dernier maillon d'une chaîne ininterrompue, que son pouvoir est d'origine divine et qu'il ne peut triompher de ses adversaires qu'avec l'appui de toutes les classes sociales. Ainsi la chanson de *Hugues Capet* ne prend son véritable sens que si on la rapproche du contexte historique. Une légende, qui se trouve dans la *Divine Comédie* et ne saurait lui être antérieure, attribuait au premier Capétien une origine populaire. Ce prince sans envergure, élevé au trône par surprise, ne fait ici figure de héros que parce qu'il symbolise en quelque sorte la fusion du peuple et de l'aristocratie. Entendons bien en effet qu'il n'est pas entièrement plongé dans la roture. Si sa mère est la très belle fille d'un boucher fort prospère, son père est sire de Beaugenci. La dualité de ses antécédents le prédispose aux exploits chevaleresques et, plus tard, au commandement, en même temps qu'elle lui donne une liberté d'allures et une absence de scrupules favorable à ses desseins. Venu à Paris, il va trouver son oncle, le boucher Simon, qui lui propose de lui enseigner son métier :

> « Or demorez cheens, sy vous aprenderons
> A tuer un pourchiel, un buef ou un mouton.
> Et s'en serez marquans [*marchand*], waignerez affoison. »

A ces promesses alléchantes, Hugues répond sans hésiter :

> « Biaulz onclez », ce dist Huez, « j'ay aultre opinion. »

Cédant à ses gentillesses, l'oncle consent à lui donner deux cents
florins avec lesquels il mène joyeuse vie. Ce futur roi de France
est un libertin qu'aucun préjugé n'effleure, qui avoue parfois ses
erreurs, sans pourtant y renoncer :

> « Je servirai Amours, qui que m'en voist blamant,
> Coy que saige le tiengnent a oevré folliant. »

Fidèle à ses principes, il sert « Amours » partout où il passe,
en Hainaut, terre d'abondance, où il échappe miraculeusement à
la vengeance d'un père outragé, en Brabant, où il procrée plusieurs
enfants, en Allemagne, où il s'éprend de la fille du comte Sauvage.
Il fait son entrée à Paris au moment où l'empereur Louis, victorieux dés Arabes conduits par Gormond et Isembard, vient d'être
empoisonné par Savari de Champagne. Belle occasion pour Hugues
de se faire remarquer; c'est par lui que sont sauvées l'impératrice
Blanchefleur et sa fille Marie. Ce débauché, dont on ne compte
plus les fredaines, est capable d'héroïsme, ou plutôt l'héroïsme est
sa véritable nature. Il se met à la tête de la milice bourgeoise et
délivre Paris assiégé par les Allemands et les Bourguignons, à la
suite d'opérations qui rappellent les combats livrés en 1358 par les
Parisiens et l'armée royale aux bandes anglo-navarraises. Après bien
d'autres aventures, il conquiert le cœur de Marie qu'il finit par
épouser.

> Moult fu grande la joie ou palais de Paris.
> Quant Huon espousa Marie o le cler vis.

Ainsi s'achève ce poème farci d'éléments romanesques qui
n'ajoutent rien au thème principal. Mais ce qui vaut mieux que
le sujet lui-même, c'est l'exposé des idées dont il n'est que le prétexte. Œuvre de partisan, le poème d'*Hugues Capet* semble écrit sur
commande, ou dans l'espoir intéressé de plaire à la bourgeoisie dont
il encense les mérites et soutient les aspirations. C'est au surplus
une œuvre cohérente qui, malgré ses longueurs, se lit avec agrément. Dans le même esprit nous est contée l'histoire de *Charles le
Chauve*, un roi de Hongrie monté sur le trône de France, dont la
qualité principale est d'être le bisaïeul du roi Dagobert, fondateur
de Saint-Denis. Le héros d'une autre chanson, *Cipéris de Vignevaux*,
est, lui aussi, un pseudo-Mérovingien.

Parfois l'invention romanesque se tient à égale distance du poème
épique et du roman d'aventures. La cadre général est alors tiré d'un
conte populaire, parfois d'origine orientale, et les épisodes, comme
les personnages, réunissent tous les genres narratifs : légendes hagiographiques, chansons de geste, romans courtois. On peut citer dans
cette catégorie *Florent et Othevien*, adaptation d'un roman du
XIIIᵉ siècle, *Octavian*, à l'aide de sources diverses et, notamment, de

traditions relatives à Dagobert et à l'abbaye de Saint-Denis; le point de départ est fourni par le thème très répandu de la mère séparée de ses fils jumeaux. *Valentin et Orson* s'apparente à la légende des sœurs jalouses; *Florence de Rome*, remaniement d'une version plus ancienne, utilise le conte de la femme chaste convoitée par son beau-frère.

Si la plupart de ces œuvres sont plus ou moins habilement coulées dans le moule traditionnel, il leur manque, pour rivaliser avec les chansons de geste, la fraîcheur du sentiment. Toutes conçues dans un même esprit et sous une même influence, elles ne sont pas l'expression d'une émotion collective ni la traduction de souvenirs concrets conservés par la piété populaire. Destinées au peuple, elles n'en émanent pas. Pourtant, vers la fin du XIVe siècle, l'épopée vécue de Bertrand du Guesclin, connétable de France, soutien du trône vacillant et suprême espoir du pays, trouvera, pour la chanter, le dernier des jongleurs. Mais ce pauvre Cuvelier ne sait être ni un historien ni un poète; c'est maladroitement qu'il mêle en son récit les faits exacts et la légende. Mais si faible que soit sa voix, elle exalte avec conviction les exploits du connétable.

Derniers échos de la légende arthurienne. Il serait surprenant que les fictions celtiques et les héros fameux groupés autour d'Arthur se fussent évanouis dans leurs brumes natales, alors que résonnait encore l'écho des légendes épiques. Soit en prose, soit en vers, les romans de la Table Ronde étaient lus avec intérêt, bien que l'idéal chevaleresque et mondain dont ils nous offrent la peinture ait été relégué à l'arrière-plan par l'évolution historique et sociale. Les romans arthuriens en prose du XIIIe siècle, le *Lancelot*, le *Perceval* et le *Tristan*, sont fréquemment copiés au XVe, ce qui est la preuve d'une faveur persistante. Ils ont même encore assez de fidèles pour qu'on s'avise de leur donner des suites ou des contrefaçons. Froissart s'y emploie dans son poème de *Méliador*, œuvre si longue et si fastidieuse qu'il fut peut-être le seul à en parler. En prose, *Isaïe le Triste* continue l'histoire de *Tristan et Iseut* et réserve un rôle épisodique au petit roi de féerie Auberon. D'une ampleur démesurée, le roman en prose de *Perceforest*, composé entre 1314 et 1323 par un familier de Guillaume Ier de Hainaut, a pour sujet des événements qui se passent en Angleterre, antérieurement au règne d'Arthur. S'il emprunte ses éléments à la littérature antérieure, au *Lancelot* et au *Tristan* en prose, l'auteur sait tirer parti de sa matière et tant par son style que par l'agencement des épisodes, fait figure de créateur original; il nous présente un tableau vivant du monde chevaleresque à la veille de son déclin et, sans tomber dans l'abstraction, formule un idéal élevé où la pureté des mœurs s'allie aux aspirations religieuses.

Les mises   Si l'on ajoute à cela quelques romans d'aven-
en prose.   tures comme la *Mélusine* de Coudrette, abrégé du
roman en prose de Jean d'Arras, ou allégoriques, comme la *Panthère d'Amors* de Nicole de Margival, où s'accuse l'influence du
Roman de la Rose, on peut affirmer qu'au xive siècle l'effort des
narrateurs se borne à rajeunir la tradition médiévale, en s'efforçant
parfois de la détourner à des fins politiques. Ces initiatives prolon-
gent de plusieurs siècles l'agonie des genres littéraires dont la vogue
diminue depuis la fin du règne de saint Louis. On lit encore au
xve siècle les vieilles chansons de gloire et d'héroïsme, mais rarement elles ont gardé leur aspect primitif. L'état où les a mises le
xive siècle est encore archaïque. Le triomphe de la prose, préparé
par le développement de la littérature didactique et l'intelligent
labeur des traducteurs, s'observe aussi dans ce domaine. Un grand
nombre de chansons de geste et de romans sont dérimés pour satisfaire au goût nouveau et c'est un fait d'importance. Jusque-là,
abstraction faite d'un abrégé sur le cycle de la croisade, on n'écrivait pas de chansons en prose, parce que le vers et la tirade convenaient à la récitation publique. C'est parce que « les grans princes
et autres seigneurs appetent plus la prose que la rime », que les
auteurs l'adoptent dans leur propre intérêt. Si aucun de ces remaniements ne laisse oublier les modèles primitifs, il faut avouer qu'ils
marquent un progrès sur ceux du xive siècle, bourrés de chevilles et
de détails oiseux. Alors que l'emploi des laisses monorimes semblait
inviter les auteurs à parler pour ne rien dire, la prose fixe les idées,
facilite leur ordonnance et substitue au fatras la clarté d'une cons-
truction logique. C'est dans les domaines bourguignons que les ate-
liers littéraires fonctionnent avec le plus d'intensité. En Hainaut,
à Mons, à Valenciennes, les princes de Chimai et les sires de Créqui
favorisent ces travaux et c'est pour Jean V de Créqui que sont
exécutées les proses des romans d'*Octavien* et de *Blancandin*. C'est
vraisemblablement dans la même région mais à une date antérieure
que fut rédigé le *Bérinus* en prose d'après un poème du xiiie siècle,
en vers octosyllabiques, dont n'ont survécu que quelques fragments.
Jean Wauquelin achève pour Philippe le Bon un *Girart de Roussillon*
en cent quatre-vingt-dix chapitres et, dans le même temps, un anonyme compile, à l'aide de chansons de geste, une copieuse *Histoire
de Charles Martel et de Pépin*, où Girart de Roussillon joue un rôle
important. Le plus remarquable des copistes bourguignons, David
Aubert, exécute en 1458 un bel exemplaire des *Conquestes de Char-
lemaine,* où se trouve condensée toute la matière épique relative au
grand empereur. En 1462 paraît un *Renaut de Montauban* et en
1465, Bertrand de Villebresne met en prose le *Chevalier au cygne,*
dernier écho du cycle de la croisade. Jean Bagnyon, de Lausanne,
compose un *Fierabras* et divers anonymes publient successivement
des versions dérimées d'*Anseïs de Carthage*, de *Galien*, d'*Amis et*

Renaud de Montauban
(Bibliothèque de l'Arsenal. Ms. 5.072)

Amiles, de *Beuve d'Hanstone*, etc. Bientôt l'imprimerie va contribuer à leur expansion. Du *Fierabras* de 1478 au *Huon de Bordeaux* de 1516, la plupart des romans de chevalerie sont livrés aux presses et leur diffusion s'accélère. Ils sont désormais accessibles à tous; ils piquent la curiosité du public moyen et, sous cette forme abâtardie, flattent l'imagination des jeunes nobles et celle des simples bourgeois.

Mais il n'est plus question, en ces temps difficiles, où des victoires chèrement payées laissent le pays libre, mais ruiné, où l'on attend moins du courage militaire que du labeur pacifique et du talent des politiques, de chanter les exploits guerriers. L'épisode court et décisif de Jeanne d'Arc, dont l'intervention miraculeuse a chassé l'Anglais et rallié autour du roi légitime les énergies dispersées, pouvait inspirer un poète; mais il ne semble pas que les contemporains aient immédiatement saisi la beauté de cette figure. La triste fin de l'héroïne dit assez quelles intrigues s'efforcèrent à la fois d'interrompre son action et d'en masquer l'importance. Quand les Bourguignons l'ont prise et que les Anglais la tiennent, aucune voix ne s'élève pour réclamer sa délivrance et le roi, qui lui doit tout, ne tente rien en sa faveur.

En Bourgogne, les puissants ducs d'Occident, rivaux heureux du roi lui-même, ont de plus hautes ambitions. Ils respirent avec délices l'encens des flatteries et se plaisent à voir décrire en vers grandiloquents leurs exploits incomparables et le luxe effréné de leur cour. A deux reprises, dans la *Geste des ducs Philippe et Jean* et dans le *Pastoralet*, Jean sans Peur joue le rôle d'un héros de roman. La prise de Constantinople par les Turcs fait concevoir à l'entourage ducal un projet de croisade. Mais ce n'est qu'une intention qui se résoudra en cérémonies somptueuses où les croisés éventuels prononceront les Vœux du Faisan, réédition des fêtes de Bruges au cours desquelles, en 1431, Philippe le Bon avait tenu le premier chapitre de la Toison d'Or, dans un décor de théâtre. L'activité des Wauquelin, des Miélot et des Aubert porte ses fruits et ces assemblées mémorables ne sont que l'illustration fastueuse et puérile de quelque épisode romanesque. Ce n'est pas le duc de Bourgogne qui inspire la littérature; c'est celle-ci qui lui suggère ses attitudes les plus sublimes.

Nouvelles tendances de la littérature narrative. Antoine de la Sale. Et pourtant, le jour où, la paix rétablie, le royaume entre en convalescence, la littérature s'adapte à cette nouvelle situation. Tournant le dos aux ruines des temps révolus, elle se dispose à refléter la réalité présente, l'image de la société que cent ans de guerre ont façonnée. S'il s'y trouve, çà et là, des survivances du passé, c'est que précisément la rivalité se poursuit

entre l'idéal des châteaux et celui des hôtels bourgeois. Depuis le
sacre de Reims et surtout le traité d'Arras, la situation du roi n'a
cessé de s'améliorer et il agit en souverain, même vis-à-vis du duc
de Bourgogne. Paris, bien qu'il n'y réside qu'en passant, est pour
la province et l'étranger le centre vers lequel se tournent les intelligences et la langue qu'on y parle s'impose à tous les écrivains. Il
n'y a plus dès lors de foyers régionaux et le courant littéraire coule
indifféremment sur tout le territoire. Un Provençal, Antoine de la
Sale, né dans le diocèse d'Avignon, entre au service des ducs d'Anjou, dès le début du xve siècle, voyage en Italie et en Flandre, parti-
cipe en 1415 à la croisade dirigée par Jean Ier de Portugal contre
les Infidèles du Maroc. Il fait l'éducation du fils du roi René, Jean
de Calabre, puis celle des enfants du comte de Saint-Pol, et nous
le retrouvons auprès de Jean sans Peur, de Philippe le Bon et de
Louis XI. Dans cette vie mouvementée, dont le décor change sans
cesse, il y a place, à côté des voyages et des expéditions de guerre,
pour une brillante activité littéraire. Il n'y débute guère, il est vrai,
que la cinquantaine passée, quand il s'est voué, auprès des princes
qui l'entretiennent, à des fonctions d'éducateur. De là vient que
ses premiers ouvrages ne sont que des compilations didactiques dans
le goût du temps, comme *La Salade* qu'il écrivit « pour eschever
oysiveté », au moyen d'exemples tirés d'auteurs anciens, dont il fit
« un petit livret », ainsi nommé « parce que en la Salade se met
plusieurs bonnes herbes ». Tout l'intérêt de *La Salade* se réduit aux
parties descriptives, le Paradis de la Sibylle et le voyage aux îles
Lipari, où une vive imagination s'unit au sens réaliste le plus affiné.
La Salle, écrite peu après, est une œuvre indigeste, de tour didactique encore plus accentué, avec, au début, cependant, un chapitre sur le mariage, inspiré de Théophraste.

Mais ni *La Salle*, ni *La Salade* n'auraient valu à Antoine la moindre
renommée, s'il n'avait eu le bon esprit d'écrire avant 1456, alors qu'il
résidait à Châtelet-sur-Oise, *l'Hystoyre et plaisante cronicque du
petit Jehan de Saintré et de la jeune dame des Belles Cousines.* Les
qualités qu'on a pu reconnaître à certaines parties des œuvres précédentes éclatent dans ce petit chef-d'œuvre, « le premier roman
moderne », comme on l'a dit avec raison. Ce n'est pas qu'il soit aisé
d'en fixer le caractère. Sur un mince thème narratif, léger comme un
conte de Boccace, l'auteur trouve moyen d'introduire de graves dissertations, des conseils moraux, des règles de pédagogie; mais cela n'est
pas très sérieux. Quand la Dame des Belles Cousines donne à ce Ché-
rubin de Saintré sa « leçon d'amour dans un parc » elle s'applique
à le déniaiser et se laisse prendre au jeu. Puisqu'il s'agit d'en faire
un cavalier parfait et d'éveiller chez ce timide les sentiments de son
âge, à commencer par l'amour, il est naturel que l'initiatrice prenne
le ton doctoral et fasse appel à l'autorité des anciens. Mais spirituellement coquette et délicatement sensuelle, elle poursuit plutôt

son propre plaisir que l'intérêt du jouvenceau; et comme elle n'a vu dans cette aventure qu'un divertissement passager, elle a tôt fait d'oublier le héros. Tandis qu'il guerroie en Prusse et multiplie les prouesses, grâce à la mise en pratique des enseignements qu'il a reçus, « ma dame » aussi bien les néglige, y compris ce vœu de chasteté qu'elle justifiait par des citations de Virgile et de saint Jérôme. Damp Abbé, gras et papelard, optimiste et bon enfant, aussi plongé dans la matière que Jehan dans l'illusion, lui succède inopinément dans la faveur de la dame aux goûts changeants et au cœur insatiable. Cette catastrophe a surpris et choqué bien des critiques. Pour en excuser la dame, on l'a mise sur le compte du dépit qu'elle éprouve à quitter le petit amant qu'elle avait si bien façonné. N'y faut-il pas voir plutôt une intention satirique ? Cette volte-face imprévue, c'est en résumé le cœur féminin capricieux et frivole, passant d'un enthousiasme à l'autre, assez aveugle, bien souvent, pour lâcher la proie pour l'ombre. On peut épiloguer long-temps sur le sens de *Jehan de Saintré* qui, sous un autre nom, n'est encore qu'une *Salade,* mais d'un intérêt supérieur, parce que le récit l'emporte sur la doctrine et que l'auteur a su nous peindre des êtres de chair et de sang. A le prendre à ce point de vue, c'est un document pour servir à l'histoire des mœurs contempo-raines, car les deux parties qu'on y distingue symbolisent le double aspect de la société à la fin du règne de Charles VII. Si la Dame des Belles Cousines fait à son disciple un tableau complet des vertus chevaleresques, c'est avec un luxe d'exemples et de clichés qui ne trompent personne, et l'auteur moins que quiconque. Ces mœurs-là sont d'un autre siècle et ceux qui les pratiquent encore n'en offrent qu'un pâle reflet. Derrière l'écran des théories et des formules, c'est le déchaînement scandaleux des égoïsmes et l'hypocrisie mas-quant la licence. Il y a chez la dame plus de sensualité que son langage n'en comporte et cela fait pressentir ses futurs écarts de conduite. Il est vrai que la religion ne lui apporte aucun secours et que Damp Abbé, malgré ses oraisons, n'est qu'un cynique épicurien. Quand la Dame entre en contact avec lui, c'est pour lui avouer les infractions qu'elle a commises aux commandements de Dieu. C'est une excellente occasion : Damp Abbé la reçoit dans sa chambre et, prolongeant l'entretien, la confesse « très doulcement ». Immora-lité chez les grands, immoralité chez les clercs, ce sont les lieux communs de la satire bourgeoise, telle qu'elle apparaît dans les fabliaux et chez les moralistes qui se sont évertués à peindre les « Etats du Monde ». Dès lors le *Petit Jehan de Saintré* rejoint par ce côté la littérature didactique. La matière n'est pas neuve; mais ce qui donne au roman son attrait singulier, ce qui l'isole au milieu du siècle, ce qui en fait le point de départ d'un genre littéraire aujourd'hui prédominant, c'est la variété du récit, l'analyse des caractères, le naturel du style et, d'une façon générale, le réalisme des peintures où, sous couleur de châtier les mœurs, l'auteur les étale au grand jour avec leurs tares et leurs faiblesses.

« Les Quinze **Les mérites** exceptionnels du *Petit Jehan de Sain-*
Joyes *tré* ont conduit plus d'un critique à mettre sur
de mariage. le compte de son auteur quelques œuvres anonymes qui, par le sujet et le style, paraissent s'en approcher. L'attribution a Antoine de la Sale des *Quinze Joyes de mariage* n'est plus
guère de mode, mais on a pu risquer l'hypothèse, sans du moins le
désobliger. L'auteur de cet aimable livre, imitateur de Théophraste,
s'en prend, comme tant d'autres, à l'institution du mariage. Mathieu
le Bigame, en ses *Lamentations*, Eustache Deschamps, dans son *Miroir*,
l'avaient fait avant lui. Malgré la campagne de Christine de Pisan,
l'antiféminisme de Jean de Meün avait gardé ses partisans et tout
porte à croire que la réalité justifiait ce pessimisme. L'auteur des
Quinze Joyes, conteur autant que moraliste, nous offre, au lieu d'une
théorie abstraite ou d'une fielleuse diatribe, un pittoresque tableau de
la vie journalière. Son attitude, évidemment partiale, n'empêche pas
ses personnages, évoluant dans un cadre réel, de respirer la vérité.
Rien de plus vigoureux que ces scènes de ménage, dans l'atmosphère
tendue des manoirs provinciaux; les acteurs, bien campés, ne sont
ni des fantômes ni des caricatures, mais ils vivent et s'expriment
avec un naturel frisant la comédie. C'est le pauvre mari berné, à
qui sa femme extorque de l'argent pour satisfaire ses caprices. N'a-
t-elle pas, en assistant à une fête, constaté avec désespoir qu'elle
était la plus mal vêtue de toutes les femmes de sa condition ?

> « Il n'y avoit si petite de l'estat dont je suis qui n'eust robe d'escarlate,
> ou de Malignes, ou de fin vert, fouree de bon gris ou de menu vair, a
> grants manches et chaperon a l'avenant, a grant cruche, avecques un tessu
> de soye rouge ou vert, traynant jusques a terre et tout fait a la nouvelle
> guise. Et avoie encore la robe de mes nopces, laquelle est bien usee et bien
> courte, pour ce que je suis creue, depuis qu'elle fut faicte ; car je estoie
> encore jeune fille, quant je vous fus donnee. »

Ce sont aussi les époux en proie aux difficultés de la vie conjugale, couches laborieuses, coûteuse éducation d'enfants insuppor-
tables, troubles sentimentaux, soupçons qui aigrissent les caractères
les mieux trempés; c'est le soldat qui revient de la guerre et qui
trouve sa place prise et sa femme remariée; c'est l'homme enfin se
débattant au milieu des ruses féminines qui absorbent son effort et
ruinent sa dignité. Les *Quinze Joyes* sont, par antiphrase, « les plus
grands tourments, douleurs tristes et les plus grands maleuretez
qui soient en terre, esquelles nules autres paines, sans incision de
membres, ne sont pareilles a continuer. » Et cette critique du mariage qui pourrait être banale, vaut par la vigueur de l'accent et
l'acuité des traits de satire. Observateur profond de la vie bour-

geoise, l'auteur, sous de plaisants dehors, cache une réelle pitié pour l'époux bafoué, humilié, ridicule, dont le seul tort est d'avoir cru trouver dans l'union légitime un appui matériel et un soutien moral.

« Les Cent nouvelles nouvelles ». C'est faire tort en revanche à Antoine de la Sale que de lui imputer les *Cent nouvelles nouvelles*, sous le prétexte insuffisant que l'une d'entre elles est placée sous son nom. Que l'auteur de *Saintré* ait paru plus désigné que tout autre pour introduire en France ce genre littéraire, c'est une opinion plausible, mais il faudrait une autre preuve pour affirmer l'attribution. L'origine bourguignonne des *Cent nouvelles nouvelles* n'autorise pas non plus à choisir Antoine de la Sale parmi les nombreux écrivains qui furent à la solde de Philippe le Bon. Cet auteur, au demeurant, apte à traiter tous les sujets, à qui tous les genres étaient familiers, et dont le scepticisme érudit s'accommodait des fantaisies de ses protecteurs, ne se révèle nulle part ailleurs comme un amateur d'indécences. Or les *Cent nouvelles*, dont le plan seul rappelle le *Décaméron*, sont un recueil d'anecdotes grivoises, contées à la fin d'un repas, par le duc et ses compagnons. On y sent l'abandon de gens heureux de vivre. Chacun, à tour de rôle, imagine une histoire qu'il croit savoureuse, et successivement défilent les vieux thèmes érotiques chers aux rimeurs de fabliaux, et ces types conventionnels dont l'apparition déchaîne le rire, maris trompés, moines impudents, femmes infidèles, peints de couleurs vives, sous une lumière crue, à grand renfort d'allusions grossières. C'est tout au plus si quelque conte moralisant vient interrompre ces obscénités; et ce n'est pas le genre où l'auteur excelle. Mais il déploie son talent à nous conter des gaillardises, sans dissimuler toutefois ses dons de narrateur, habileté de la mise en scène, ingénieux arrangement des situations, ménagement des effets qui préparent le trait final, puissance des allusions comiques, recherche du contraste entre mari et femme, honnête homme et fripon, épouse aveugle et fine mouche. Mais qu'il s'agisse de contes sérieux ou de scabreux récits, ils sont tous imprégnés de vie, de réalisme, et vibrent, le cas échéant, d'une gaîté étourdissante obtenue par la vivacité du dialogue et la saveur d'un style qui emprunte ses éléments à l'usage quotidien.

« Les Arrêts d'Amour ». Voici maintenant une œuvre narrative dont l'auteur n'est point contesté, les *Cinquante et un arrests d'Amours* composés vraisemblablement entre 1460 et 1466, par Martial d'Auvergne, procureur au Parlement de Paris, qui doit une autre part de sa réputation à un long poème historique, les *Vigilles de Charles VII*. C'est sans doute à tort qu'on a parfois classé les *Arrêts* dans la littérature didactique. En appliquant à des problèmes de casuistique amoureuse « les voies et moyens de la jurisprudence », Martial songeait surtout à divertir les familiers du Palais, ses collègues, les conseillers, les procureurs et clercs de toute espèce, rompus à la pratique du style judiciaire et toujours prêts à s'en gausser. Aux éléments juridiques qui forment le cadre du livre, s'ajoutent des thèmes purement littéraires qui, malgré certains rapports avec les jugements d'amour d'André le Chapelain, se rattachent plus directement à cet ensemble de poèmes érotiques qui constituent, autour du poème fameux d'Alain Chartier, le cycle de la *Belle dame sans merci*. Tantôt un seul personnage, le Prévôt de Deuil, le Bailli de Joie, le Viguier d'Amour ou le Conservateur de ses hauts privilèges forme le tribunal; tantôt les débats se déroulent en présence de plusieurs juges, la Cour de céans, les Dames du conseil d'Amour, la Cour ou Eschiquier d'Amour. C'est là, quant au fond, toute la nouveauté, en admettant que l'auteur ait inventé la fiction juridique. Mais le poème de Blosseville, l'*Eschiquier d'Amour*, mais le *Parlement d'Amour* d'Alain Chartier ont pu la lui suggérer, comme ils suggérèrent à Guillaume Coquillart l'idée de ses *Droictz nouveaux* et du *Plaidoyer d'entre la simple et la rusée*. Si Martial d'Auvergne peut être considéré comme un auteur original c'est apparemment pour d'autres raisons.

La plupart des *Arrêts d'Amour* sont divisés en trois parties. Après l'énoncé de la cause, le débat s'ouvre entre les deux parties, chacune à tour de rôle présentant ses arguments. Et comme les faits en litige intéressent les droits d'Amour, ses gens sont conviés à se joindre à celle des parties qui en prend la défense, avant la lecture de l'arrêt. Ainsi le dix-septième arrêt oppose un « gracieux amoureux » au mari de son amie, Dangier, et à sa gouvernante, Chagrin. Comme ce galant avait l'habitude de rôder devant la maison de sa dame et de lui faire les yeux doux, Dangier et Chagrin lui ont fait interdire par exploit de passer devant la porte de la dame et de lui adresser la parole. C'est de cette décision brutale que l'Amour fait appel devant la cour. La partie adverse soutient qu'ayant le devoir de veiller sur la jeune personne, elle a agi de son plein droit en interrompant un manège moins innocent que le prétend le demandeur, dont les intentions ne sont pas des plus pures. « Sy concluoient par ses moiens affin de non recevoir, *alias* mal appellé, et demandoient despens ». A cela l'appelant répondait en protestant contre une mesure qui frappait injustement la dame et une prohibition d'autant moins légitime que la rue est à tout le monde.

Et quant est de la rue, disoit ledit appellant qu'elle n'apartenoit pas aus dits intimés ne n'i avoient fait faire les carreaulx qui y estoient, par quoy d'avoir deffendu qu'il n'y marchat et passat nullement. la deffense estoit torçonnière [*inique*] et son appellacion [*appel*] bien recevpable.

Les parties entendues, la Cour donne satisfaction à l'appelant qui pourra désormais circuler jour et nuit sous les fenêtres de sa belle, à condition toutefois de ne pas lui parler « sans la presence dudit Dangier ou de ses commis ».

On voit par cet exemple que les *Arrêts* ne sont pas un code de l'amour courtois et que le traité du Chapelain n'est pour rien dans l'affaire. C'est simplement un recueil d'aventures galantes d'assez pauvre invention. Et pourtant toute originalité n'en est pas absente. Réaliste, comme il convient à un magistrat, Martial d'Auvergne introduit dans l'enceinte du Parlement de Paris les procès amoureux et leur jurisprudence; mais il ne s'agit pas de casuistique courtoise; les personnages sont bien réels. Les amants et leurs dames, chacun peut les croiser dans les rues de Paris, prenant leurs ébats ou vidant leurs querelles. Et si le mari soupçonneux se nomme Dangier, en souvenir du *Roman de la Rose*, il n'a rien d'allégorique. Il se peut que l'auteur introduise dans la description des mœurs sentimentales une large part de convention, mais ce qui est bien réel, ce sont les détails plaisants, les traits satiriques, les effets de contraste entre le jargon des cours de justice et la futilité des causes débattues. Les problèmes du cœur, traités suivant l'esprit bourgeois, ne sont pas pris au tragique. Quant au style, il se ressent de la forme adoptée et garde, en ses mouvements, la lourdeur solennelle des assises judiciaires.

Il est frappant de voir comme, à la fin du xvᵉ siècle, en dehors des chansons dérimées, le public préfère aux longues actions des récits de quelques pages. Le roman cède volontiers la place à la nouvelle que les siècles précédents n'ignoraient pas absolument, mais qui nous vient surtout de Boccace et des conteurs italiens. C'est tout profit pour le lecteur qui n'a plus de temps à perdre et pour qui l'agrément se mesure à la durée de ses loisirs. Avec son intrigue réduite, ses personnages aux traits francs, sa conclusion souvent piquante et parfois inattendue, la nouvelle charme et saisit, et laisse un souvenir qui dure. Il n'est pas toujours nécessaire d'y répandre des grivoiseries, témoin l'honnête et médiocre Sénonais qui rédigea un recueil ou de plaisantes histoires, pourvues toutefois d'une moralité, se mêlent à des contes pieux tirés de la *Vie des Pères* et à des exhortations spirituelles.

« Le Jouvencel. » La rareté des œuvres de longue haleine caractérise essentiellement la production narrative originale et si nous rencontrons des écrits plus volumineux, ils se trouvent sur les confins de l'histoire et du roman. Le *Livre des faits du bon chevalier messire Jacques de Lalaing* offre l'aspect d'une chronique, malgré des rapports certains avec *Jehan de Saintré*. Le *Jouvencel* de Jean de Bueil, situé lui aussi à égale distance de la fiction et de la réalité, est composé comme un roman biographique. Nous y suivons pas à pas l'initiation d'un jeune noble à l'art de la guerre; mais ce traité d'instruction militaire n'a rien d'abstrait ni de sévère, car tout enseignement comporte des exemples et s'appuie sur des allusions historiques. Sans autre fortune que ses dons naturels, le Jouvencel s'élève aux plus grands honneurs en franchissant trois étapes : la monostique, où le jeune homme est soumis au dressage individuel; l'économique, où il apprend à se diriger lui-même et à faire bon usage de son autorité; la politique, enfin, où les charges qu'il détient lui permettent de déployer la plénitude de ses talents. Ecrivant pour occuper les loisirs de sa disgrâce, Jean de Bueil est trop dépourvu d'expérience littéraire pour éviter la prolixité et renoncer à prendre un ton doctoral quelquefois irritant. Mais il a des dons de conteur, ne manque pas d'éloquence, sait dessiner les caractères et situer chaque scène dans le cadre qui lui convient. On cite souvent l'émouvant tableau d'une région dévastée par la guerre, par lequel s'ouvre le livre. On pourrait vanter aussi la netteté de certaines formules, la vivacité de l'action, la sincérité des convictions. Ce guerrier ne craint pas d'aimer la guerre, car c'est « joyeuse chose ». Et il ajoute : « Quant elle est en bonne querelle, c'est justice, c'est deffendre droicture ».

« *Jehan*   Pour trouver l'équivalent du *Petit Jehan de Sain-*
de Paris. »   *tré*, il faut arriver aux dernières années du siècle.
C'est le roman de *Jehan de Paris*, d'auteur inconnu, où s'épanouit l'art délicat des nouvellistes. La matière en paraît immense, si l'on songe que le héros, pris à trois ans, est suivi jusqu'à sa mort. En fait la jeunesse de Jean se liquide en quelques chapitres et les événements postérieurs à l'épisode principal sont résumés en quelques lignes. Le véritable sujet c'est le voyage en Espagne de Jean, roi de France et le mariage de celui-ci avec l'héritière du pays. Ce qui précède n'est que pour nous apprendre qu'ils avaient été tout enfants promis l'un à l'autre, mais que, l'oubli s'étant fait avec le temps, la jeune fille est sur le point d'épouser le roi d'Angleterre. Celui-ci, passant par Paris, est reçu par la reine mère qui, se souvenant des anciens projets, prévient son fils de ce qui se trame. Piqué au vif, le jeune roi ira souffler sa fiancée au barbon qui la lui dispute; et le voilà en route pour Burgos, accompagné d'une armée entière et de chariots portant ses richesses. S'écartant des siens, il s'arrange pour voyager avec le roi d'Angleterre auprès de qui il se fait passer pour un riche bourgeois de Paris. L'ironie, continuellement, perce dans ses propos; parfois son langage est énigmatique, soit qu'un jour de pluie, il ait revêtu avec ses gens d'épais manteaux et dise au roi dont l'escorte est trempée : « Sire, deüssiez faire porter a vos gens maisons pour eulx couvrir en temps de pluye. »; soit qu'au passage d'une rivière, beaucoup d'Anglais s'étant noyés, il s'écrie : « Je m'esmerveille de vous qui estes si puissant et riche roy, que vous ne faictes porter ung pont pour passer vos gens. »; soit enfin qu'interrogé sur les motifs de son voyage,

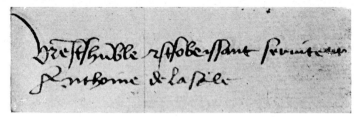

Signature d'Antoine de la Sale
(Bibliothèque Nat. Ms. Nouv. acq. fr. 10.057)

Le petit Jehan de Saintré
(Bibliothèque Nat. Réserve Y² 154)

il réponde : « Il y peult avoir environ quinze ans que feu mon pere, a qui Dieu face mercy, vint chasser en ce pays et, quand il s'en partit. il tendit ung petit las a une canne; et je me viens esbattre icy pour veoir si la canne est prinse. » Ce roi facétieux qui « gabe » comme un pair carolingien, ne donnera la clef de ces énigmes qu'à son arrivée à Burgos. Il y fera une entrée solennelle, au grand dépit de son rival, mais à la grande joie de l'infante, ravie d'échapper à un mariage qui lui répugne et d'épouser le prince charmant. L'action proprement dite est, comme on le voit, des plus simples; elle se noue et se dénoue en quelques jours et peu de personnages y participent; mais ils sont entourés d'une importante figuration. Un jeune homme, pour reconquérir sa fiancée, accompagne le mari qu'on lui destine et finit par l'évincer en se montrant supérieur à lui : voilà le thème principal. La logique veut que, d'un bout à l'autre du développement, Jean l'emporte sur son rival, ce qui suppose une série d'épreuves où l'imagination du narrateur pourra librement s'exercer : ce sont, au cours du voyage, les ébahissements successifs de l'Anglais; c'est l'arrivée à Burgos, où il pousse la candeur jusqu'à vanter les mérites de son compagnon de route et créer autour de lui, avant même qu'il ait paru, une atmosphère de sympathique curiosité; c'est enfin l'arrivée théâtrale du héros, admirablement montée, graduée, distillée, de façon à tenir le lecteur en suspens et la princesse dans une extase grandissante. Ayant gardé auprès d'elle un page du bel inconnu, elle lui demande avec insistance : « Helas ! mon amy Gabriel, viendra encores Jehan de Paris ? » question qu'elle reprend sous une forme nouvelle, chaque fois que passe un brillant cavalier. Le défilé se poursuit avec une lenteur solennelle et l'auteur s'attache à décrire les groupes divers qui se succèdent. Et tout à coup, sans s'attarder sur les détails, le page signale en quelques mots l'arrivée de son maître : « Ma damoiselle, regardez la en bas celuy qui porte ung petit baton blanc en sa main et ung colier d'or au col; l'or de son colier ne luy change point la couleur de ses cheveulx. » En l'apercevant, la demoiselle est saisie d'admiration et perdant toute retenue, elle lui tend au passage « ung couvrechef de plaisance qu'elle avoit en sa main, en le saluant bien doulcement ». Et le gentil roi, de la voir si belle, « si fut feru de ung dart d'amours, comme vous aultres messeigneurs les amoureux sçavez bien. »

C'est calomnier l'auteur de ce charmant ouvrage que d'en faire un strict imitateur du roman de *Jehan et Blonde* de Beaumanoir. Il écrit, semble-t-il, après 1491, encore sous l'impression que lui avait causée le mariage de Charles VIII avec Anne de Bretagne, après qu'eut été mis hors de cause le vieil archiduc Maximilien. C'est un adroit miniaturiste qui se plaît à peindre à touches légères un milieu choisi, à faire jouer sur un fond d'arabesques chatoyantes, les cheveux d'or de son héros. C'est un Parisien que tourmente encore le souvenir des temps lointains où l'Anglais régnait sur la ville, et qui, pour dresser de son roi cette silhouette avantageuse, devait appartenir lui-même au monde de la cour.

Le roman de *Jehan de Paris*, comme le *Petit Jehan de Saintré* et les *Quinze Joyes de mariage*, trois œuvres sans prétention, écrites pour le plaisir, avec des matériaux d'emprunt, occupent, sans que leurs auteurs aient pu prévoir un tel destin, une place importante dans la production littéraire du xvᵉ siècle. Les mœurs féodales s'y déploient dans leur dernier état qui n'est que caricature et puérile convention, et s'y heurtent au réalisme de la bourgeoisie dirigeante. Ce n'est pas que les bourgeois soient aussi dévergondés qu'on nous les peint et que leur vie intime et conjugale connaisse toujours les orages qu'a décrits l'auteur des *Quinze Joyes*. S'ils échangent volontiers entre hommes de lourdes plaisanteries, s'ils ont après boire le rire facile et le goût sans délicatesse, ils témoignent en leur privé de solides vertus; et quand ils sont chargés des grands intérêts du royaume, ils y apportent la même prudence et la même sagacité qu'à leurs propres affaires. Marquant l'apogée de leur ascension, le roi Louis XI a pris leurs manières et c'est dans leur classe qu'il a choisi ses familiers. Désormais, le plus bel éloge qu'un bourgeois puisse faire d'un prince, c'est de le comparer à un bourgeois, par l'alacrité des propos, le sens pratique et l'amour des richesses, c'est d'en faire un *Jehan de Paris*, qui ne déchoit pas à prendre ce rôle. Aux compositions narratives du moyen âge dont le succès atténué continue cependant, grâce aux remaniements en prose, succède ainsi le roman d'observation, à l'intrigue plus ramassée, aux traits plus vifs et plus réels. Il ne fait qu'une apparition, trop brève pour qu'on la retienne, et que le xvıᵉ siècle oubliera. Mais, après avoir cheminé sous terre, le genre inauguré par Antoine de la Sale renaîtra sous la plume de Charles Sorel, de Scarron, de Furetière et poursuivra dès lors, jusqu'à nos jours, sa féconde évolution.

CHAPITRE III

LA POÉSIE LYRIQUE

La nouvelle poétique : Machaut, Deschamps, Froissart
et Christine de Pisan.
Importance accrue de l'élément subjectif : Alain Chartier
et Charles d'Orléans.

Les arts de seconde rhétorique. L'essor de la poésie lyrique, au début du XIVᵉ siècle, était lié à l'état des mœurs et de la civilisation. Genre éminemment aristocratique, la chanson française avait connu sa plus grande vogue au temps où la société courtoise acclimatait dans la France du Nord la doctrine littéraire des troubadours et leur idéal moral. Pendant de longues années les rois et les princes attirèrent auprès d'eux les mieux doués des poètes; certains même, à l'exemple des barons méridionaux, se plurent à rivaliser avec les trouvères de profession. Mais les sources d'inspiration de la lyrique courtoise, alimentées essentiellement par une théorie singulière de l'amour, commençaient à s'épuiser vers la fin du XIIIᵉ siècle, alors que d'autres goûts et d'autres modes occupaient les esprits dégagés d'une tradition moribonde. « Vray que, écrit Etienne Pasquier dans ses *Recherches de la France*, toutes choses se changent selon la diversité des temps, aussi après que nostre Poésie françoise fut demeurée quelques longues années en friche, on commença d'enter sur son vieux tige certains nouveaux fruits auparavant inconnus a tous nos anciens poètes : ce furent Chants royaux, Ballades et Rondeaux ». Ce jugement, peut-être un peu sommaire, est juste dans ses grandes lignes et il est bien vrai que nous devons aux deux derniers siècles du moyen âge la découverte et l'expansion de « ces épisseries qui corrumpent le goust de nostre langue » et que du Bellay renverra sans pitié « aus jeux floraux de Thoulouze et au Puy de Rouen ».

Alors que les théoriciens de l'art poétique n'avaient considéré jusque-là que la poésie latine, on va se préoccuper désormais de soumettre la poésie en langue vulgaire à des procédés plus rigides. Bientôt vont se multiplier les traités didactiques enseignant l'*Art de seconde rhétorique*, c'est-à-dire l'art de rimer « en langaige rommant ». Ces écrits, dont une partie seulement a survécu, ont pour objet essentiel de définir les lois de la versification française, si rigoureuses et si complexes qu'elles apporteront de sérieuses entraves à la libre inspiration. Mais il serait faux de croire que ces manuels, uniquement consacrés à la description des formes, ignoraient absolument les éléments intellectuels de la création poétique. Eustache Deschamps, à qui nous devons le plus ancien traité qui nous soit parvenu, l'*Art de dictier*, se garde bien de confondre la poésie, expression des idées et des émotions, avec la versification, simple agencement matériel de rythmes et de rimes. Au début du XVᵉ siècle, le religieux augustin Jacques Legrand, auteur de l'*Archiloge Sophie*, affirmera encore en termes catégoriques que « poetrie et poesie se distinguent de la science de versifier ».

Il n'en reste pas moins que, malgré ces nuances, la connaissance des règles techniques apparaissait aux amateurs nobles et laïques comme suffisante pour composer à peu de frais des poésies et des chansons. Rien n'était en effet plus aisé que de traduire en vers prosaïques, au moyen de quelques recettes, les lieux communs de la morale, de la religion et de la mythologie. De là une foule de compositions médiocres qui ne méritent pas d'être citées; mais au-dessus de ces rimailleurs sans talent émergent pour notre plaisir quelques chefs de file dont les œuvres doivent être connues tant pour leur valeur intrinsèque que parce qu'elles nous fournissent un précieux témoignage des idées et des mœurs de l'époque où elles sont nées.

L'auteur anonyme des *Règles de seconde rhétorique* nous fait connaître ceux qu'on tenait à son époque pour les plus notables poètes. Il cite en premier lieu Philippe de Vitri « qui trouva des motets et des balades, et des lais et des simples rondeaux et la noveleté des proporcions. Après vint Mᵉ Guillaume de Machaut, le grant retthorique de nouvelle fourme, qui commencha toutes tailles nouvelles et les parfais lays d'amours. » Il ne s'ensuit pas de ces éloges que Machaut soit l'inventeur de cette « nouvelle fourme ». Dès le début du XIVᵉ siècle, plusieurs poètes s'y sont essayés, comme Chaillou de Pestain qui, en 1316, introduisit dans le roman de *Fauvel* des motets, lais, ballades et rondeaux, comme Jean Acart de Hesdin qui, en 1323, joignit à son *Amoureuse prise* des morceaux de même facture, comme le romancier de *Perceforest* qui, à la même date, émaillait son texte en prose de poèmes ingénieusement versifiés.

Guillaume de Machaut. Mais des moules étriqués et divers que ses devanciers lui avaient laissés, Machaut sut tirer plus d'une précieuse épreuve. Il était né vers l'an 1300, dans la Champagne ardennaise. Entré de bonne heure au service de Jean de

Luxembourg, roi de Bohème, admis dans la société de Louis de
Mâle et d'Amédée de Savoie, il dut à ces hautes protections le titre
de chanoine de Reims. Il entretint jusqu'en 1357 des rapports ami-
caux avec Charles le Mauvais, mais vécut toujours en bons termes
avec Charles V et le duc de Berri. Admirateur du *Roman de la
Rose*, il s'en inspire très largement et toute la partie narrative de
son œuvre n'en est que le commentaire. Le *Dit dou Vergier* nous
conduit au verger d'Amour chanté naguère par Guillaume de Lorris
et la lutte soutenue par le dieu contre Danger, Peur et Honte nous
rappelle les épisodes les plus typiques du roman. Avec le *Jugement
du roi de Behaingne* et celui du *Roi de Navarre*, c'est le vieux débat
lyrique renaissant sous une forme à peine évoluée qui n'est pas sans
rappeler l'*Altercatio Phyllidis et Florae*. Mais, comme il a soin de
nous en prévenir, dans un prologue où il résume les divers aspects
de sa production, son principal mérite est de connaître à fond l'*Art
de Rhétorique* qui enseigne à composer de si jolis vers :

> Nouviaus et de metres divers :
> L'un est de rime serpentine,
> L'autre equivoque ou leonine,
> L'autre croisee ou retrograde,
> Lay, chanson, rondel ou balade.

S'il est familier de la poésie courtoise et de ses subtilités, il partage
avec les hommes de son temps le goût du concret et de l'actualité
et son secret consiste à marier ensemble ces points de vue contradictoires. Dès le *Jugement du roi de Behaingne*, il nous révèle ces
deux tendances; tout en adoptant le thème traditionnel du débat
d'amour soumis au jugement d'un arbitre, il mêle à l'analyse des
sentiments les descriptions réalistes; il se met lui-même en scène,
ses personnages sont vivants et s'il leur adjoint parfois des comparses allégoriques, le cadre où ils évoluent est dessiné d'après nature.
Par un beau matin de mai, le poète se promène à travers champs,
séduit par l'éclat du soleil printanier et par le chant des oiseaux.
Pour les mieux écouter, il s'assied au bord d'un ruisseau, à l'abri
d'un buisson. C'est alors qu'il voit venir, par un étroit sentier, une
dame à l'air mélancolique, accompagnée d'un petit chien et suivie
par un chevalier de fière allure. Celui-ci rejoint la dame et la salue,
mais elle passe, indifférente. Comme il insiste, elle consent à lui
révéler la cause de sa tristesse. La dame avait un ami en qui elle
avait mis « son cœur, son amour, son désir ». Mais il était mort
brusquement et l'amante endeuillée n'aspirait plus qu'à le rejoindre.
Ayant terminé son récit, la pauvre affligée se pâme et le chevalier,
tout ému, s'efforce de la ranimer.

> Lors en sa main cueilli de la rousee
> Sus l'erbe vert ; si l'en a arrousee
> En tous les lieus de sa face esploursee
> Si doucement...

qu'elle ouvre les yeux et reprend conscience. Le jeune homme la console et, sur sa demande, lui raconte sa propre histoire. Après l'avoir longuement priée, il avait gagné le cœur de la plus belle fille du monde, aux cheveux blonds, au front poli, aux sourcils fins comme un fil noir tranchant sur la peau blanche. Mais cœur de femme souvent varie et le chevalier vient d'apprendre la trahison de sa belle :

> « Que je say bien et voy tout en apert
> Que ma dame, qui tant a cors apert,
> Que mes cuers crient, aimme, obeïst et sert,
>   A fait ami
> Nouvellement, sans cause, autre que mi. »

Après cette conversation menée sur un ton naturel, non toutefois sans recourir au vocabulaire et aux arguments de la rhétorique courtoise, le débat va s'engager entre ces deux interlocuteurs qui sont des êtres bien réels. La dame soutient que son sort est de beaucoup le plus cruel, car son mal est sans remède et ne fera que croître avec le temps. Celui du chevalier n'est pas incurable, car il aime encore l'infidèle et peut escompter son repentir :

> « Mais la mienne [*ma douleur*] jour et nuit monteplie
>   Sans nul sejour
> Et toudis croist li ruissiaus de mes plours. »

Pourtant le chevalier n'est pas convaincu, car lui aussi a perdu tout espoir. L'expérience lui a prouvé que le cœur de sa belle est incapable de se fixer. La plaie dont il souffre ne saurait se cicatriser, tandis que l'oubli atténuera peu à peu la douleur de la dame. Afin de résoudre ce délicat problème, à savoir qui des deux est le plus malheureux, ils décident de le soumettre à un arbitre. Le poète se découvre alors et rapportant à la dame le petit chien qui s'est jeté sur lui, il avoue qu'il a été le témoin indiscret de l'entretien et il leur propose un juge impartial, le bon roi de Bohème. Il s'offre à les guider jusqu'à sa résidence, ce beau château de Durbuy que Machaut connaît bien et qu'il décrit avec complaisance. Ils y sont accueillis par les personnages allégoriques de la poésie courtoise. Les vertus personnifiées conduisent les visiteurs dans la chambre du roi. Mis au courant des faits celui-ci consulte ses familiers, notamment Raison et Amour, et prononce sa sentence en faveur du chevalier :

> « Et pour ce di mon jugement et doing
> Qu'il a plus mal qu'elle n'a, plus de soing
>   Et de grevance. »

Ce mélange de réalisme et de fiction allégorique s'observe dans la plupart des œuvres de Machaut, mais la part du premier ne cesse de s'accroître. Nous le voyons, dans le *Confort d'ami*, s'adresser au roi de Navarre, dont il relève le courage ébranlé. Dans le *Remède de Fortune*, qui procède si évidemment de Jean de Meun et, à travers lui, de Boèce, il trouve le moyen d'innover, en relatant ses propres aventures avec de nombreux détails concernant la vie seigneuriale. Le *Voir Dit*, comme son nom l'indique, s'offre, sincèrement ou non, comme un roman vécu, où alternent la prose et les vers. Dans ses ballades même, Machaut adopte volontiers le ton personnel et les allusions qu'il déploie donnent à sa poésie, malgré la rigidité de l'armature, un accent de fraîcheur et de vérité. Surtout et c'est peut-être ce qu'admiraient le plus ses contemporains, il excelle à manier les rythmes, à tirer de leurs combinaisons les plus gracieux effets. Aussi habile musicien qu'ingénieux poète, innovateur en ce domaine, il compose pour ses ballades et ses motets des mélodies originales que plusieurs manuscrits nous ont conservées. On conçoit après cela qu'il ait eu des imitateurs et que tant de poètes s'en soient réclamés.

Le « *Livre des Cent Ballades* ».   C'est apparemment le souvenir de Machaut qui survit à la fin du siècle dans le recueil des *Cent Ballades* où les artifices du genre courtois décorent le récit le plus authentique. C'est sur le bord de la Loire, entre Angers et les Ponts-de-Cé, que la chose advint à l'auteur, un jour qu'il chevauchait solitairement. Un chevalier qu'il croisa, surprenant sa mélancolie, diagnostiqua le mal d'amour et lui apprit assez longuement qu'à ce propos, comme à la guerre, c'est Loyauté qu'il faut suivre et non Fausseté. Quelques mois après, se promenant avec une dame au bord du fleuve, il l'entend médire de la fidélité et faire l'éloge de l'inconstance. Il y a conflit entre les deux thèses; c'est donc un débat qui s'engage, et qu'on soumet, selon la règle, à des arbitres, le comte d'Eu, Boucicaut et Crésecque, trois partisans de Loyauté. « Je m'aperçus, dit le poète :

> Qu'en loiauté sont instruiz
>   Et aduiz,
> N'autre amour ne leur peut plaire.
> ʿPar nous fu ce livre estruiz ;
>   Mais je y luiz
> A toute loiauté faire !

Cent ballades à la louange de la chevalerie, c'est beaucoup, si l'on songe que le thème est rebattu, qu'il est devenu pure convention, et qu'à la fin du XIVe siècle, le principal discoureur, le vieux chevalier Hutin, fait figure d'anachronisme. Mais on excuse Jean le Sénéchal, ʾauteur probable du recueil, pour la fraîcheur de son inspiration, le talent qu'il a déployé, la sincérité qu'il témoigne dans la défense des nobles traditions, l'art délicat de ses peintures, le naturel aisé de ses propos; on lui sait gré d'avoir eu l'esprit assez

détaché des contingences pour débattre avec le comte d'Eu et ses
chevaliers un pareil sujet, alors qu'ils étaient, au Caire, les captifs
du sultan d'Egypte.

**Eustache
Deschamps.**   Toutefois le plus direct héritier de Machaut,
c'est son disciple, son parent peut-être, Eustache
Deschamps, personnage actif, écrivain disert, dans l'œuvre duquel
se reflètent, avec une frappante exactitude, les idées, les mœurs et
les événements de son siècle. C'est une bien curieuse figure que celle
de ce Champenois, né sans doute en 1346, attaché de bonne heure
à Philippe d'Orléans, puis à son fils Louis, duc de Touraine, ainsi
qu'à l'émouvante Valentine Visconti. Les services qu'il rendit à
ces princes et la fidélité qu'il leur témoigna ne lui valurent d'ailleurs
qu'une fortune modeste dont le plus bel ornement était le bailliage
de Valois. Il dut résigner d'ailleurs prématurément cette charge,
quand l'âge ne lui permit plus d'en remplir les obligations et que,
d'autre part, la rancune du duc d'Orléans l'eut dépouillé progressivement de toutes ses fonctions. Tout porte à croire qu'au temps
même de sa plus grande faveur, il ne les exerça le plus souvent que
par personne interposée. Ses liens avec Machaut impliquent des ambitions que ne pouvait satisfaire une carrière administrative. Il fut
avant tout poète et sut, comme son maître, concilier le dévouement
aux Muses avec son intérêt matériel.

Conquis à la nouvelle rhétorique dont les moindres secrets lui
étaient familiers, il rédige, en 1392, son *Art de dictier* dont, comme
il sied, plus d'un exemple est tiré de l'œuvre de Machaut. Tout
comme lui, il sait puiser aux bonnes sources et se garde de répudier
la tradition du moyen âge. Il sait chanter l'amour en poète courtois,
décrire avec préciosité les tourments d'un cœur qui s'afflige, invoquer la tristesse des départs, la mélancolie des longues séparations,
les angoisses de la jalousie, d'où naît pourtant l'affection la plus
durable. S'il s'avise de définir son idéal féminin, c'est en termes
convenus que n'eût pas désavoués Benoît de Sainte-Maure :

> Gente de corps, face a droit coulouree.
> Humble regart, front hault et bien assis.
> Entr'ueil plaisant, bouche bien ordonnee,
> Petit menton, lefres et nez traitis.
> Voz joettes font deux fosses toudis [*toujours*],
> En soubzriant, o belle plus que belle !

Il professe une évidente admiration pour le *Roman de la Rose*,
dont il ressuscite à plusieurs reprises les héros abstraits, Male-Bouche,
Doux-Regard, Bel-Accueil, Faux-Semblant et, après Jean de Meun
et Matheolus, il reprend à son compte, dans le *Miroir de mariage*,
les attaques traditionnelles contre les femmes. C'est ainsi qu'il imagine les regrets « d'un gentil homme marié en aage moyen » : « J'ai

Les Cent Ballades

Le vieux Chevalier, la dame et le dieu d'Amours
(Bibliothèque Nationale. Ms. fr. 2360)

été, dit-il, esclave des Sarrasins, j'ai fait naufrage sur la mer, j'ai fait la guerre et lutté dans le désert contre un lion sauvage, j'ai été malmené par des larrons, j'ai subi sans broncher le tir des canons dans une place assiégée, je me suis exposé aux plus rudes épreuves et je m'en suis toujours tiré,

Mais femme avoir m'a trop plus fait dommage. »

S'il s'était contenté d'être un habile versificateur, un théoricien précis, un moraliste infatigable, Deschamps ne mériterait point de passer pour un chef d'école. Mais il s'entend à rafraîchir les lieux communs qu'il utilise par des réflexions personnelles et de pittoresques détails; surtout, sa vie mouvementée lui fournit des souvenirs variés et marque son œuvre entière d'un précieux cachet d'originalité. C'est Deschamps lui-même qui se met en scène, tantôt joyeux compagnon, franc buveur, « empereres et sires des Fumeux », tantôt pitoyable victime, écœuré par les déceptions et souffrant de difficultés financières qui lui font dire :

Jamais n'aray, c'est ma conclusion,
Sur tout mon corps ne maille ne denier.

Les excès de la jeunesse ne lui ont laissé dans l'âge mûr qu'un arrière-goût d'amertume; le mariage lui a apporté des conditions de vie plus dures, avec le souci des enfants; la vieillesse est là maintenant qui le menace, vieillesse prématurée dont il se plaint à quarante ans et qui l'achemine doucement vers une mort qu'il appréhende. Ses infirmités et tous ses déboires font souvent de lui un grincheux qui s'irrite des moindres ennuis de l'existence, des pillards qui l'ont dévalisé à Bitche, d'une écorchure qu'il a reçue dans un tournoi, des mauvais lits, en voyage, de la cuisine allemande et même du jargon incompréhensible de ces gens qui s'obstinent à ne parler que « thioys ». Mais à nous mettre au fait de ses mésaventures, de ses inquiétudes et de ses accès de bile, en même temps qu'il se prononce sur les événements dont il est témoin, Deschamps donne à sa poésie l'intérêt d'une chronique. On l'a qualifié un peu sommairement de journaliste; il est tout cela et autre chose encore, poète courtois, historien, polémiste et surtout un homme pétri de chair vivante, avec ses passions et ses préjugés, ses vues courtes et personnelles, et les défaillances communes à tous les êtres périssables.

Froissart. Plus gracieux, par contre, plus soucieux de l'effet produit, plus artiste, en un mot, Froissart prélude par la poésie à sa carrière de chroniqueur. Il écrit tout bonnement pour « louer Dieu et servir le monde » et poursuivra le même objet, quand il entreprendra d'écrire en belle prose l'histoire de son

16

temps. Dans ses poèmes où les fictions courtoises se mêlent à l'érudition cléricale, il excelle à peindre de couleurs tendres le monde chevaleresque où il se plaît tant, la vie champêtre qui repose du commerce
assidu des grands et, par-dessus tout, l'amour dispensateur de

Toute joie et toute honours.

Avec l'aide de Plaisance et d'Espérance, il retrouve dans le *Paradis
d'Amour* le beau verger décrit par Guillaume de Lorris. C'est là que
résident les amants légendaires, de Troïlus à Perceval, dans un
perpétuel divertissement. Le dieu promet au poète, qui l'a régalé
d'un lai, tout son appui pour obtenir les faveurs de son amie qu'il
a la surprise d'apercevoir dans une prairie. Il l'assure de son amour
et de sa fidélité et elle consent à lui donner son cœur. « Ami, dit-elle,
avez-vous rien fait de nouvel? » Et le voilà qui déclame, dans un
cercle d'amants accourus pour l'entendre, une ballade de circonstance :

Sur toutes flours tient on la rose a belle,
Et en aprés, je croi, la violette;
La flour de lys est belle et la perselle ;
La flour de glay [glaïeul] est plaisans et parfette
Et li pluisor aiment moult l'anquelie,
Le pyone, le muget, la soussie.
Cascune flour a par li son merite ;
Mes je vous di, tant que pour ma partie,
Sur toutes flours j'aime la margherite.

Il intervient personnellement dans l'*Epinette amoureuse*, pour
nous conter une aventure de jeunesse avec cette mystérieuse Marguerite dont il n'a révélé que le nom. Par la suite, comme il a
tenté plus d'une expérience et sait à quoi s'en tenir sur la valeur
des sentiments, il établit, dans l'*Horloge amoureuse*, un subtil parallèle entre le mécanisme d'une horloge et le fonctionnement délicat
du cœur humain. Sensiblement postérieure, la *Prison amoureuse*
évoque le souvenir de Guillaume de Machaut et plus spécialement
du *Voir Dit*. Il s'agit d'une correspondance fictive entre Wenceslas
de Luxembourg, alors prisonnier du duc de Gueldres, et Froissart
lui-même. L'objet de cet échange de lettres auxquelles s'ajoutent
quelques pièces lyriques est essentiellement l'art d'aimer dont le
poète illustre l'enseignement par des souvenirs mythologiques et le
rappel de faits d'actualité. Les poésies de Froissart, dont quelques-
unes sont d'attribution douteuse, constituent une partie importante
de son œuvre. Leurs qualités sont telles qu'on peut le classer à bon
droit parmi les meilleurs représentants du nouvel « art de dictier ».
Comparé à Machaut et à Deschamps, il paraît plus soucieux d'adapter les moyens techniques aux effets recherchés, plus artiste, en
un mot. Spécialisé dans la peinture de la société mondaine et des
rapports sentimentaux entre ses membres, il est tout pénétré du

Roman de la Rose, dont les abstractions personnifiées peuplent son imagination. Mais en réalité c'est toute sa vie de ménestrel au service des grands seigneurs qui se déroule dans ses poèmes. Tandis que, dans ses chroniques, il livre à la postérité le souvenir des exploits guerriers de la chevalerie déclinante, il évoque dans ses vers la vie pacifique et galante des dames et des chevaliers. L'amour qu'il nous peint n'a rien d'une passion malfaisante et mortelle; c'est un jeu de société qui fait oublier les tristesses de l'heure. Dans cette œuvre distinguée, tout est grâce et mesure, jamais la moindre allusion grivoise, la moindre gaillardise ne vient troubler l'harmonie de cette rhétorique sentimentale.

Christine de Pisan. Ainsi les poètes du XIVᵉ siècle, comme le Janus de la fable, nous apparaissent pourvus d'un double visage, tantôt tournés vers le passé, tantôt préparant l'avenir et le triomphe du lyrisme personnel. A mesure que nous avançons, l'équilibre entre ces deux tendances semble se rompre en faveur de la dernière et de plus en plus les poètes s'introduisent dans leurs œuvres; le fait déjà sensible avec Deschamps, toujours présent dans ses ballades, ne fera que s'accentuer chez Christine de Pisan. Il faut convenir que la fille du docte Thomas de Pise, la veuve éplorée d'Etienne de Castel était bien faite pour comprendre l'acrimonieux bailli de Valois et pour en être comprise. Demeurée « seulette » à vingt-cinq ans, privée d'appui, en proie à d'inextricables difficultés matérielles, elle veut rester fidèle à son premier amour et s'engage virilement sur le *Chemin de long Estude*. Comme elle écrit pour-vivre, il est fatal que son œuvre reflète les vicissitudes de sa destinée. Elle rime ses premières ballades aussitôt après la publication de l'*Art de dictier*, guide excellent pour son inexpérience et, tout de suite, elle se pose en disciple de Deschamps. Quand elle lui adresse une longue épître, elle se montre déjà plus experte que lui dans l'art d'appliquer les règles de la rhétorique et d'enfiler les rimes équivoquées. Mais, surtout, elle a des pensées de même teinte que les siennes, une sombre humeur devant laquelle rien ni personne ne trouve grâce, une complaisance à dénoncer l'ingratitude du monde qui ne lui fait pas la part qu'elle mérite. C'est qu'il est dur de vivre en un temps où

> ... Chascun s'efforce d'avoir
> Par grant convoytise d'avoir
> Malice frauduleuse et cure
> De decepvoir, et nul n'a cure
> De vertueux prouffiz acquerre.

Et l'on arriverait à s'attendrir sur la « lasse vefve » et les « povres orphelins », si elle y mettait moins d'emphase. Mais elle décrit ses « adversitez » avec tant de lourdeur et de complication qu'elle demeure, quoi qu'on en ait dit, fort au-dessous de son maître.

C'est même, à vrai dire, ce qui les distingue. Christine de Pisan, « ancelle de science », est érudite comme un clerc, laborieuse comme une bourgeoise, d'autant plus qu'avec la décision qu'elle a prise de se subvenir par ses propres moyens, c'est pour elle une question de vie ou de mort. Mais son œuvre, et notamment ses traités en prose, de portée historique, comme le *Livre des fais et bonnes mœurs du sage roi Charles le Quint;* morale, comme les *Epistres sur le Roman de la Rose,* le *Livre de la Cité des Dames* et celui *des Trois Vertus;* ou philosophique, comme l'*Epistre de prison de vie humaine,* ne portent point la marque d'une vive originalité. La science de Christine est plus étendue que profonde et il s'en faut qu'elle ait toujours assimilé le contenu de ses lectures. Professionnelle du métier d'écrire, elle tient boutique d'ouvrages en tous genres et le caractère vénal de sa tâche en altère parfois l'esprit. Même quand elle écrit en vers, elle ne fait que répéter, sous une forme plus sentencieuse, les lieux communs usés par ses prédécesseurs. Mais comme il lui arrive à tout instant de se raconter elle-même, d'exhaler son amertume ou d'exprimer ses espoirs, elle a glissé dans ce fatras un certain nombre d'idées neuves et d'observations profondes. L'*Epitre au Dieu d'Amours* et le *Dit de la Rose,* armes forgées pour la lutte entreprise contre Jean de Meun, le *Débat des deux amants,* le *Dit de Poissy* et celui de la *Pastoure* se recommandent soit par la gravité du ton, soit par la distinction de la pensée, soit par la délicatesse des peintures et l'élégance de la forme. Par une belle matinée d'avril, en l'an 1400, Christine se rend à Poissy, en aimable compagnie. Le temps est clair et l'herbe fraîche est semée de fleurs. Après avoir traversé la Seine, on arrive

> Ou bel chastel qui a nom Saint Germain,
> Qu'on dit en Laie.

Les voyageurs s'engagent sous les arbres de la forêt, à l'orée de laquelle s'étend le bourg de Poissy. On s'installe à l'auberge, chacun refait toilette pour rendre visite au couvent. D'élégantes religieuses viennent accueillir les visiteurs :

> La trouvames dames de belles sortes,
> Car il n'y eut contrefaites ne tortes
> Mais moult honnestes
> De vestements et des atours de testes,
> Simples, sages et a Dieu servir prestes.

La propre fille de Christine, s'éloignant de ses compagnes, vient s'agenouiller devant sa mère qui la baise tendrement, puis tout ce beau monde se rend à l'église. Après la messe, Christine et ses amis sont reçus par la prieure, Marie de Bourbon, tante du roi, entourée de maintes nobles dames. Ces religieuses de haute naissance obéissent pourtant à une règle sévère, mais le repas qu'elles servent à leurs

hôtes, somptueusement ordonné, excite leur admiration. On se lève
de table pour visiter le domaine qui est un véritable paradis terrestre, le cloître aux fines colonnettes, les bâtiments de l'abbaye,
sans oublier les dortoirs.

> Mais en ce lieu de noz hommes n'entrerent
> Nul, quel qu'il fust, car hommes ne monterent
> Onques mais la.

Le lendemain matin, l'élégante compagnie prend le chemin du
retour, chacun chevauchant à sa guise et devisant avec son voisin. A
peine le cortège s'est-il engagé dans la forêt, qu'une jeune dame,
retenant sa monture, cherche à s'éloigner du groupe. Christine,
accompagnée d'un jeune seigneur, la rejoint et lui demande la raison
de son attitude. Nous apprenons que depuis sept ans, la dame a
élu pour ami le meilleur chevalier du monde. Malheureusement il
a été fait prisonnier à Nicopolis et ses parents refusent de payer
sa rançon. Désormais la pauvre fille ne sait plus si elle doit pleurer
ou rire et si elle s'efforce de faire bon visage, son cœur n'en est
pas moins cruellement déchiré. Prenant la parole à son tour, le
chevalier tente de la consoler en l'attendrissant sur son propre sort.
Epris depuis cinq ans d'une beauté parfaite, il n'a point osé la
prier d'amour et la dame, lassée d'attendre, ne lui témoigne plus
que du mépris. Une telle déconvenue n'est-elle pas plus douloureuse
que l'exil d'un ami qui reviendra sans doute et dont les sentiments
n'ont jamais varié. Pourtant la jeune femme s'obstine à se considérer
comme la plus malheureuse et, toujours prudente, Christine suggère
aux deux affligés de soumettre leur cas à l'arbitrage du sénéchal de
Hainaut.

Il est clair que la poétesse n'a fait, dans le *Dit de Poissy*, que
s'inspirer de modèles antérieurs et notamment du *Jugement du Roi
de Behaingne*. Mais il semble bien que le débat d'amour ne soit ici
qu'un prétexte et qu'elle se désintéresse de sa conclusion. Elle a
donné tous ses soins au préambule, au récit d'une excursion qu'elle
a faite réellement, à la description poétique des paysages printaniers
et des splendides architectures de l'abbaye. Ce qu'il y a de plus
précieux dans les œuvres de Christine, ce sont ses dits narratifs et
les pièces lyriques où elle déploie toutes les ressources de son art.
Sans doute peut-on lui reprocher l'emploi de procédés uniformes et
l'abus d'une érudition puisée dans les livres. Il n'est pas douteux
qu'elle demeure encore fidèle à la tradition courtoise et à l'enseignement de ses maîtres, Machaut et Deschamps, mais beaucoup plus
qu'eux qui en ont pourtant donné le signal, elle ouvre la porte au
monde extérieur et traduit, non sans adresse, sa réaction personnelle en face des événements contemporains. On rappelle volontiers
qu'elle fut, dans notre histoire littéraire, le prototype du bas-bleu,

la première en date et la plus insupportable de nos femmes savantes.
Mais n'oublions pas, avant d'en médire, qu'elle y fut poussée par
la nécessité et que cette héroïne des luttes intellectuelles sut glorifier
avec émotion sa contemporaine, la « pucelle beneürée » :

> Chose est bien digne de mémoire
> Que Dieu, par une vierge tendre,
> Ait adés voulu, chose est voire,
> Sur France si grant grace estendre.

Alain Chartier. La carrière poétique de Christine de Pisan s'achève
sur cette consolation. Mais avant que luise
ce rayon d'espérance, elle a connu les jours sombres où la France
semblait perdue. Le pays, divisé entre deux factions, la chevalerie
captive ou tuée à Azincourt, le Bourguignon fraternisant avec l'Anglais, c'est le désastre qui s'annonce. Le pauvre roi sans raison signe,
avec le traité de Troyes, sa déchéance et le dauphin déshérité ne
paraît pas capable de reconquérir son royaume. C'est pourtant au
milieu des épreuves, dans cet abîme où s'anéantit l'édifice des Capé-
tiens et des Valois, que l'âme française prend conscience d'elle-
même et manifeste sa vitalité. Un homme exprime mieux que quiconque le réveil de la race et de ses énergies et, sans diminuer en
rien le miracle de Jeanne d'Arc, il faut avouer que les esprits se
trouvaient préparés à l'accueillir par les appels de Me Alain Chartier. Ce petit bourgeois de Bayeux, devenu secrétaire du roi et
chanoine de Notre-Dame, est communément cité comme l'auteur
de la *Belle dame sans mercy*. Il s'y révèle poète de l'amour, analyste
avisé du cœur féminin, pénétrant observateur des façons des amoureux, dont il décrit les attitudes avec tant de complaisance, dont il
sait peindre avec tant de délicatesse les tourments et les joies. Disciple de Machaut et d'Othe de Granson, autre parfait commentateur
des faits d'amour, il a le singulier mérite d'avoir fait revivre dans
une époque de privations et de misères, les raffinements de la courtoisie, d'avoir aiguillé les divertissements de la cour delphinale sur
une voie moins périlleuse que celle où s'engageaient follement les
commensaux du duc Philippe. Chez lui, nulle grossièreté, point de
cynisme, rien qui rappelle de près ou de loin la saveur épicée des
Cents nouvelles nouvelles.

C'est une fête dans un verger fleuri, où deux ménétriers accordent
leurs vielles. Dames et demoiselles y sont servies par leurs amants.
L'un deux qui

> Trop bien homme ressembloit
> Qui n'a pas son cueur en franchise,

pousse de profonds soupirs, en couvant l'une des dames de ses
regards mouillés. De temps en temps il lui parle, et ce sont des
plaintes et des prières qui ne touchent point cette insensible. La

menace traditionnelle des amoureux courtois, qui font de leur vie
l'enjeu de leurs entreprises, n'obtient pas plus de résultat. En vain
s'écrie-t-il :

> ... Mort, vien a moy courant.
> Ains que mon sens se descongnoisse,
> Et m'abrege le demourant
> De ma vie pleine d'angoisse !

La « Belle dame sans mercy » persiste dans l'indifférence et finira
par l'oublier.

Les véritables héros de ces fêtes galantes étaient les chevaliers
exilés à Bourges, qui cherchäient le plaisir à tout prix, pour tromper
leur inaction. La publication du poème est un beau prétexte à
discussion pour ces oisifs et leurs compagnes : réponses et réfu-
tations se multiplient et l'auteur lui-même est cité devant la cour
des dames. Le moment paraît favorable pour remettre sur le tapis
les vieux débats doctrinaux où se complaisait Aliénor d'Aquitaine.
A bon compte, Alain Chartier fera figure de novateur, car ce n'est
point un sujet neuf que celui, par exemple, du *Débat des deux chevaliers sur les plaisirs et les dolleurs qui peuvent estre en amours.*
Ovide avait envisagé le problème sous toutes ses faces et le moyen
âge l'avait pris pour maître. Mais ce qui importe ici, c'est le cadre
et la manière, la description d'un château berrichon où se presse
une élégante compagnie dont l'auteur, dolent et pensif, écoute les
propos légers. Des chevaliers de toute humeur et de tout caractère
définissent l'amour, le célèbrent ou le maudissent, tous également
courbés sous ses lois. Mais quelqu'un pose la question brûlante : la
somme des biens, en amour, l'emporte-t-elle sur le total des maux ?
Un gros chevalier, gonflé d'optimisme, opine formellement dans ce
sens, tandis qu'un autre, maigre, pâle et vêtu de noir, soutient qu'en
échange du plaisir d'aimer, il a failli perdre la vie. Chacun restant
sur ses positions, une dame propose de s'en remettre à l'arbitrage du
comte de Foix.

Qu'il y ait dans les poèmes amoureux d'Alain Chartier une exacte
peinture de l'entourage du dauphin Charles, qu'il s'y montre fin
psychologue, ingénieux versificateur, c'est ce que personne ne conteste; mais cela n'aurait pas suffi pour lui donner, de son vivant
même, une renommée de bon aloi. Pour tout dire, quand on envisage dans son ensemble l'œuvre considérable d'Alain, on oublie un
peu qu'il fut poète pour ne retenir que la partie sérieuse de sa production. Car ce fut avant tout un orateur politique, un ardent
pamphlétaire, un clairvoyant patriote, un défenseur passionné du
bien public. Ecrivant tantôt en latin, tantôt en français, tantôt
traduisant en langue vulgaire ses propres compositions latines, il
fut, ce mystique qu'une flamme intérieure dévorait au point d'abré-
ger ses jours, l'éloquent porte-parole de la patrie en danger. Le

jeune clerc qui écrivit le *Livre des quatre Dames* avait senti passer
le vent de la catastrophe, en cette sombre journée du 24 octobre 1415,
où le sort de l'armée française se joua devant Azincourt. Trop
faible pour porter l'épée, il n'en a pas moins suivi par la pensée
les phases terribles du combat. Il a jugé à sa valeur cette noblesse
présomptueuse qui n'a point su tenir contre un ennemi inférieur
en nombre, parce que la vie dissolue qu'elle menait ne l'avait point
préparée à cette tâche périlleuse. Les quatre dames qu'il rencontre
dans un cadre printanier, sous un ciel lumineux d'azur et de soleil,
sur un tapis d'herbes fleuries, ne participent pas à la joie des choses.
Un rude chagrin les accable et chacune s'imagine qu'elle est la plus
éprouvée. L'une a perdu son ami dans la bataille où il déploya une
bravoure

> Dont il fit grant honneur en France.

mais que la lâcheté de ses compagnons ne permit point d'utiliser;
la seconde pleure son ami captif, de l'autre côté de la mer, dont
elle ne sait quand reviendra; la troisième, rongée d'inquiétude,
ignore si le sien est mort ou vivant. Quant à la dernière, elle possède
une affreuse certitude : son doux seigneur fut de ceux dont

> ...les fuites deshonnorables
> On fait mourir tant de notables
> Presque a milliers.

A celle-là rien ne demeure, ni la douceur d'un bel espoir, ni la
consolation d'un glorieux souvenir. Elle est donc la plus malheureuse. Mais le poète refuse de trancher le débat et en remet la
solution à la dame de ses pensées.

Les conséquences d'Azincourt ne tardent pas à se faire sentir.
Les angoisses d'Alain se précisent et sa résolution se fixe quand,
loin de la capitale, vivant à cette cour de Bourges qu'il nous peindra
dans le *Curial*, quelques années plus tard, il rédige simultanément
un court débat patriotique en vers et, dans une prose éloquente,
le *Quadrilogue invectif*. Solennellement, il s'adresse à la nation tout
entière, courbée sous le poids de ses erreurs. Comme, les uns après
les autres, les grands empires ont péri par la volonté de la Providence, la France, à son tour, sent peser sur elle la main de Dieu.
Cette longue suite de malheurs n'est pas un châtiment immérité et
la patrie personnifiée sait reprocher à chacun le mal qu'il lui a fait :

« Qu'est devenue la constance et loyauté du peuple françois, qui si
longtemps a eu renom de perseverer loyal, ferme et entier, vers son naturel seigneur, sans querir nouvelles mutacions ? Je me doute que tous
trois soient rabaissiez et avillez de la dignité et devoir de leur estaz.
Plusieurs de la chevalerie et des nobles crient aux armes, mais ils
courent a l'argent; le clergé et les conseilliers parlent a deux visaiges
et vivent avecques les vivans; le peuple veult estre en seurté gardé et
tenu franc, et si est impacient de souffrir subgection de seigneurie. »

1

2

3

4

Guillaume de Machaut

1°) *Le Jugement du roi de Behaigne.*   3°) *Fortune aux deux visages.*
2°) *Le remède de Fortune.*   4°) *Le dit du Vergier.*

(Bibliothèque de l'Arsenal. Ms. 5203)

Discutant leurs responsabilités respectives, le peuple, le chevalier et le clergé invectivent en vain les uns contre les autres. Le mépris de la loi morale, la soif des richesses, le désir immodéré des jouissances faciles, les jalousies et les divisions qui s'ensuivent sont les fléaux qui ruinent le pays de France, alors que tous devraient s'unir contre le danger commun. Tout est perdu désormais, si aucune voix ne s'élève et c'est pourquoi le bon clerc nourri de Sénèque, instruit des plus nobles maximes, mettra sa plume vigoureuse au service de la France et de la monarchie dont il rappelle le fondement divin, au moment même où elle s'écroule.

Auprès d'Alain Chartier paraît bien pâle l'excellent prévôt de Lausanne, Martin le Franc, qui composa de 1440 à 1442 son *Champion des Dames* et de 1447 à 1448, l'*Estrif de Fortune et de Vertu*. C'est un moraliste sévère qui prend le contre-pied de Jean de Meun et de Matheolus, mais a goûté suffisamment le *Roman de la Rose* pour lui emprunter sa fiction et ses allégories.

Poètes provinciaux et rhétoriqueurs. L'invasion et l'occupation du territoire par les armées anglaises, la lutte inexpiable entre Armagnacs et Bourguignons ont, entre autres effets, celui de décentraliser l'activité littéraire. L'exode, en 1418, d'une partie de la haute société parisienne favorise dans les régions moins exposées aux ravages de la guerre la création de foyers parfois brillants de vie mondaine et intellectuelle qui survivront à la paix rétablie. Ainsi de nombreux poètes, qui ne sont pas tous négligeables, exercent leurs talents loin de Paris au service de quelques grands seigneurs soucieux d'aviver l'éclat de leurs cours par le culte des arts et des lettres.

Grâce à son alliance avec l'Angleterre et aux profits qu'il en tire, le duc de Bourgogne fait figure de souverain en face du roi légitime, chassé de sa capitale. Bien protégé sur ses frontières par un cordon de places solidement tenues, enrichi par les échanges commerciaux entre les régions soumises à son autorité, Philippe le Bon consacre une large part de ses deniers à parfaire les attributs de sa puissance. Ses goûts fastueux l'inclinent à reconstituer dans ses résidences le décor périmé de la vie chevaleresque et à confier à des serviteurs choisis le soin d'organiser ces fêtes magnifiques dont les chroniqueurs nous ont conservé l'écho : joutes, tournois, pas d'armes, entrées solennelles, spectacles dramatiques. Pour évoquer les personnages historiques ou légendaires, dont il se prétend l'héritier et célébrer sa propre gloire, il entretient parmi ses « domestiques » des poètes toujours prêts à chanter ses louanges.

Michaut le Caron, dit Taillevent, qualifié dès 1426 de joueur de farces et valet de chambre, est au premier rang de ces thuriféraires. Attaché à la cour ducale, il la suit dans ses déplacements et commente en vers les hauts faits du règne. Son œuvre abondante a été longtemps confondue avec celle de son homonyme, Pierre Michaut. Poète officiel, imitateur maladroit d'Alain Chartier, dont il ne possède ni la vaste culture ni le talent, il compose, à l'occasion du premier chapitre de la *Toison d'or*, récemment créée, un *Songe de la Toison d'or*, trop chargé d'allégories, mais qui nous offre un tableau précis des cérémonies et des rites auxquels participent les dignitaires de l'ordre. Son langage nous touche plus profondément quand il nous conte avec verve ses aventures personnelles. La *Destrousse Michault Taillevent* est le récit d'un incident auquel il fut mêlé au cours d'une de ses nombreuses chevauchées. Assailli par des voleurs de grand chemin, il ne s'en tira pas sans quelques horions et, comme il avait perdu dans la bagarre tout ce qu'il possédait,

> Chaperon, espee, bourse et gaing.

il offre son poème au duc pour lui demander audience et obtenir un dédommagement.

Une autre fois, chargé de mission par son maître, il rédige en vers une relation de sa traversée du Jura, rappelle, dans un style vivant et réaliste, les périls du voyage et ses agréments, les affreux précipices au fond desquels écument les torrents et le bon vin de Poligny. Ecrivain sans prétention, il n'exagère pas son mérite et s'excuse modestement de la médiocrité de son ouvrage :

> Et s'il n'est aussi bien dicté
> Que de Mehun ou de Machaut,
> On preigne en gré : c'est de Michaut.

S'il ne peut en effet rivaliser avec ses grands devanciers, ce n'est pas qu'il soit incapable, à l'occasion, d'élever le ton et d'atteindre une sorte de grandeur épique quand, par exemple, il exhorte ses compagnons à la prise de Luxembourg :

> Or avant, avant, compaignons !
> Il est haulz temps d'honneur conquerre.
> Picars, Hennuiers Bourguignons,
> Sans plus avant du fait enquerre,
> Pour haulte renommee acquerre,
> Gouvernés vous en tous vos faits,
> A la guerre comme a la guerre
> Et a la paix comme a la paix.

Il lui arrive également de traduire en termes adroits et justes les réflexions que lui suggère l'attitude de ses contemporains. Si, dans ses compositions officielles, il joue parfois au sermonneur, il le fait plus nettement encore dans ses poésies familières, le *Psautier des Vilains*, réplique au *Bréviaire des Nobles* d'Alain Chartier, le *Régime de Fortune*, le *Congé* et surtout le *Passe-temps*, le plus remarquable de ses poèmes, le seul qui fut imprimé dès le XVIᵉ siècle. Annonçant

Villon, il regrette comme lui d'avoir gâché sa jeunesse et faute de
prévoyance, de subir, l'âge venu, les tourments de la pauvreté :

> Se j'eusse fait com le fourmy
> Qui l'esté pour l'yver assemble,
> J'eusse bien ouvré, ce me semble,
> Et si passasse mieulx l'yver.

Les poètes qui, après Michaut, se chargeront de glorifier les ducs,
seront aussi des chroniqueurs et le resteront, même quand ils écri-
ront en vers. Olivier de la Marche décrit en lourds alexandrins la
pompe funèbre de Philippe le Bon et déplore dans le *Chevalier délibéré* la fin tragique de Charles le Téméraire. Georges Chastellain
compose des vers éloquents mais d'un style si contourné qu'ils en
deviennent parfois inintelligibles. Son successeur aux fonctions d'historiographe de la maison ducale, Jean Molinet, réunit dans ses
Faictz et Dictz des pièces de caractère varié qui, par les allusions
qu'elles contiennent, doublent en quelque sorte sa chronique. Ces
poètes, auxquels il faut joindre Jean Lemaire de Belges, plus soucieux de raffiner sur la forme extérieure que d'exprimer simplement
des idées claires, constituent l'école des rhétoriqueurs, qui se déve-
loppera même en France, avec Guillaume Cretin et Jean Marot.

En Bretagne, Jean Meschinot, écuyer de quatre ducs successifs,
s'attache à célébrer leur gloire éphémère. Censeur inflexible des
mœurs, souvent pessimiste et grognon, il excelle à trouver des rimes
riches et à combiner des rythmes variés. Il se propose, dans les
Lunettes des princes, d'instruire de leurs devoirs ceux qui ont la
charge de gouverner les hommes et prend prétexte du sombre destin
de ses maîtres pour déplorer la misère de la condition humaine. Lui-
même, prématurément vieilli, perclus de douleurs qui le rendent
impropre à l'exercice de sa charge, il se sait voué à une mort prochaine :

> Je m'esmerveille comme sur pieds me porte
> Et que la mort a tout coup ne m'emporte,
> Qui, longtemps a, m'a tenue sa choisie.
> Je veille en pleurs, je dors en frenesie,
> Il n'est chose qui ma douleur supporte :
> Pire est mon mal que n'est paralysie,
> Ma jeunesse est de tout bien dessaisie.

Les *Lunettes des princes* nous révèlent en Meschinot, sinon un
grand poète, du moins un esprit grave et pondéré, un cœur sensible,
attentif au sort des petits et des faibles, assez courageux pour dire
leur fait aux privilégiés de la naissance et de la fortune qui abusent
de leur pouvoir pour opprimer les pauvres gens.

Dans les domaines d'Anjou-Provence, où la vie littéraire se déploie
avec éclat depuis le XIVᵉ siècle, voici que le roi René, non content de
patronner les artistes et les poètes, se met à rimer à son tour. Sous

sa plume renaît la poésie courtoise, soit en des compositions mêlées
de prose et de vers, comme le *Mortifiement de vaine plaisance*, et
l'*Abuzé en court*, soit en de longs poèmes, comme *Regnault et Jane-
ton* où, combinant la pastourelle et le débat d'amour, il met en
scène des personnages réels. La tradition médiévale y survit avec
ses abstractions personnifiées et le cadre emprunté à la lyrique
courtoise. Mais le développement s'inspire des *Bucoliques* et les descriptions du printemps, de l'aube et du crépuscule font pressentir,
par leur précision réaliste, le naturalisme de la Renaissance.

*Charles
d'Orléans.*   Les méditations de Pierre de Nesson, qui nous
a laissé, dans ses *Vigiles des Morts*, le tableau le
plus sombre et le plus saisissant des fins dernières de l'homme,
expriment tout le pessimisme d'une époque affreuse où le poète,
détaché d'une vie sans espoir, s'en va chercher dans les cimetières,
devant les charniers où la *Danse Macabré* déroule la plus sinistre
sarabande, une funèbre inspiration. Par ces temps d'invasion, de
pillages et de massacres, où la vie humaine a perdu son prix, où la
liberté n'est plus qu'un vain mot, nombreux sont les poètes qu'as-
siège une mélancolie profonde et qui ne gardent du monde qu'une
vision désenchantée. Il en est dont l'œuvre, conçue en exil, est le
fruit des loisirs d'une captivité dont la durée se prolonge à l'excès.
Un bourgeois comme Jean Régnier, bailli d'Auxerre, écrit ses *Faicts
et adversitez* dans sa geôle de Beauvais. Un prince, comme le duc
Charles d'Orléans, compose ses poésies à Londres, à Windsor, à
Fotheringay, à Bolingbroke, à Ampthill, sous la surveillance de ses
gardiens anglais. L'un et l'autre, au milieu des pires infortunes,
doutant de l'avenir le plus immédiat, se consolent en prenant la
plume. Mais tandis que le bourgeois « couché dessus la paille »,
nourri de pain et d'eau et rongé de vermine, inventorie ses tourments et déplore, en un tel état, l'état pire du royaume, le prince,
qui fut vingt-cinq ans captif, trompe l'ennui en chantant l'amour.
C'est là vraiment le plus curieux de l'aventure. Charles d'Orléans
subit son infortune sans en être accablé. Né et élevé parmi les
fleurs de lis, il a vu tomber son père sous la hache des Bourguignons;
il a entendu sa maison résonner des cris déchirants de sa mère,
l'inconsolable Valentine; il a poursuivi la vengeance paternelle sous
l'impulsion du connétable d'Armagnac et, tenant fidèlement le parti
du Dauphin, dès sa première rencontre avec les Anglais, il est resté
entre leurs mains. Ce n'est point d'ailleurs qu'il accepte son sort
avec une parfaite résignation; il souhaite d'autant plus la fin de ses
épreuves que sa condition matérielle empire de jour en jour et qu'il
ne vit plus que d'emprunts. Mais en attendant une paix qu'on tarde
à conclure, le prince, malgré son désir

De veoir France que mon cueur amer doit.

se réfugie dans la lecture et, quand il est las de lire, la poésie lui
sert de passe-temps, comme à Jean Régnier et aux autres prisonniers « desconfortez ». Pour meubler son isolement, il crée autour
de lui un monde artificiel de pensées tristes ou gracieuses qui
charment sa nostalgie et calment son impatience. Et la pauvre vie
qu'il mène, sans honneur et sans espoir, il l'ennoblit par ses chansons.
N'a-t-il point laissé là-bas, sur l'autre rive du détroit, son épouse,
Bonne d'Armagnac, pour laquelle il avait déjà rimé ? C'est elle
sans doute qu'il évoque en ses vers mélancoliques, c'est elle qu'il
attend fiévreusement, jusqu'au jour où il apprend sa mort et ense-
velit sa mémoire au sépulcre de son cœur. Cette fidélité n'est pas
sans éclipses. Il y a, dans les vers du poète composés en Angleterre,
des bruits de baisers, des glissements furtifs, et l'appréhension des
périls qui menacent les amants clandestins. Quand, en 1440, le bon
duc revient en France, il commence à grisonner, mais il semble
que son cœur ait gardé toute sa jeunesse. Après quelques velléités
d'action politique, il se retire définitivement en ses états, et le
voilà qui rime de plus belle, dans la douceur des lendemains assurés.
Nulle amertume, nul regret; les maux du royaume ont glissé sur
lui comme les siens propres, et de son château de Blois, où les poètes
sont assurés d'un confraternel accueil, s'envolent des refrains de
rondeaux et de chansons. Définitivement conquis aux charmes de
« Nonchalance », ce grand enfant poursuit son rêve épicurien, ne
s'interrompant de philosopher que pour jouer « aux tables » et
pincer de la harpe. Sans cesse, il accroît de nouveaux cahiers son
« livre de pensées » où sa lourde écriture se mêle à celle de ses
secrétaires, édifiant peu à peu son œuvre charmante faite de menues
pièces et de minces sujets. François Ier, qui découvrit Villon, dédai-
gna le duc d'Orléans, et c'est seulement au XVIIIe siècle que l'abbé
Sallier le tira de l'oubli. On doit à la critique moderne d'avoir fait
comprendre la valeur et le caractère de ces poésies. Les ballades et
rondeaux de Charles d'Orléans ne valent point que par leurs qualités
littéraires. S'il est juste d'en admirer la simplicité verbale, le tour
gracieux et la parfaite aisance, il faut y chercher aussi la traduction des sentiments intimes de l'auteur. C'est la vie du prince qui
s'y reflète, tantôt triste, tantôt joyeuse, au fil des heures. La mort
de sa bien-aimée fut le plus cruel moment d'une captivité fertile
en épreuves; s'il célèbre sa mémoire, c'est en strophes harmonieuses
auxquelles on ne peut reprocher qu'un excès de préciosité :

> J'ai fait l'obsèque de ma Dame
> Dedens le moustier amoureux,
> Et le service, pour son ame,
> A chanté Penser Doloreux ;
> Mains sierges de Soupirs Piteux
> Ont esté en son luminaire ;
> Aussy j'ay fait la tombe faire
> De Regretz, tous de lermes pains ;

> Et tout entour, moult richement
> . Est escript : Cy gist vrayement
> Le tresor de tous biens mondains.

Ce goût du symbolisme, qu'il doit à ses prédécesseurs, n'exclut point chez lui le sentiment du vrai. S'il subit, à ses débuts surtout, l'influence du *Roman de la Rose*, de Machaut et de Christine, il ne se croit pas tenu de les imiter servilement. Ce poète, qui fait assaut de mièvreries avec le roi René d'Anjou, sait concevoir les abstractions sur le plan réaliste et les incorpore à la vie. Il serait vain de protester contre l'esprit dont il déborde et qui n'est souvent que du bel esprit, contré ses allusions, ses pointes, ses jeux de mots et ses métaphores amoureusement filées. Ce ne sont là que fantaisies à la mesure de son âme futile, où les plus graves pensées se déforment et s'amenuisent. Le rêve, l'artifice et la réalité s'y mêlent sans effort et si complètement que la couture est invisible.

> Je meurs de soif auprés de la fontaine,

écrit-il, comparant les déboires de sa vie à l'eau du puits qui ne monte plus. Et comme des malavisés ont fait courir le bruit de sa mort, il leur donne un spirituel démenti :

> Jeunesse sur moy a puissance,
> Mais Vieillesse fait son effort
> De m'avoir en sa gouvernance ;
> A present faillira son sort :
> Je suis assez loing de son port.
> De pleurer vueil garder mon hoir ;
> Loué soit Dieu de Paradis
> Qui m'a donné force et povoir
> Qu'encore est vive la souris.

Mais la souris, avec le temps, perdra beaucoup de sa vigueur. Au moment où il écrit le plus, Charles d'Orléans frise la soixantaine. C'est un vieillard qui « peut peu de choses ». Pourtant, si le corps a subi l'atteinte des ans, le cœur et l'esprit sont intacts.

> Asourdy de Nonchaloir,
> Aveuglé de Desplaisance,
> Pris de goute de Grevance,

le poète cherche encore à plaire, avec une coquetterie toute fémi-nine. Habitué par sa disgrâce à vivre en lui-même, il y trouve toujours pleine sa réserve de pensées. Une philosophie sereine, à la-quelle nous reprochons quelque égoïsme et certaines réflexions patrio-tiquement condamnables, le cuirasse contre le désespoir et la misan-thropie ; son parti pris d'indifférence et d'oubli le met à l'abri des retours du passé, et l'émotion ne dure pas qu'il éprouve à relire

> La vraye histoire de douleur,
> De larmes toute enluminee.

Il vit le présent de son mieux, ouvrant largement sa porte à des commensaux qu'il étonne par sa libéralité. Les saisons lui offrent chaque année l'enchantement de leur alternance et le renouveau lui inspire le plus exquis de ses rondeaux :

> Le Temps a laissié son manteau
> De vent, de froidure et de pluye
> Et s'est vestu de broderie
> De souleil luyant [*luisant*], clair et beau.

> Il n'y a beste ne oyseau
> Qu'en son jargon ne chante ou crie :
> « Le Temps a laissié son manteau
> De vent, de froidure et de pluye. »

> Riviere fontaine et ruisseau
> Portent en livree jolie
> Gouttes d'argent d'orfavrerie ;
> Chascun s'abille de nouveau.

> Le Temps a laissié son manteau
> De vent, de froidure et de pluye
> Et s'est vestu de broderie
> De souleil luyant, clair et beau.

Pour comprendre et aimer Charles d'Orléans, il ne faut point l'aborder avec nos idées modernes. Il faut l'imaginer d'après les miniatures des manuscrits et des livres d'heures, dans ce décor un peu factice qu'il sut peindre avec un art méticuleux ; d'après les tapisseries de haute lice où les dames haut coiffées, les seigneurs en longues robes, et les jeunes gens en manches tailladées se détachent, accompagnés de lévriers graciles, sur un fond d'arabesques et de fleurs aux tons passés. Avec lui s'éteint le dernier représentant de la noblesse médiévale, qui possédait les grâces de l'esprit, le sens inné de la mesure, une indulgente raison, mais à qui manquèrent parfois les ressorts du cœur et l'énergie de faire passer avant ses propres jouissances l'intérêt de la nation. Sur l'homme, il y aurait beaucoup à dire et certains actes de sa vie, certains traits de son caractère ne commandent point l'admiration. Mais le poète sut trouver de si fraîches images et de si clairs accents qu'on se plaît encore à l'entendre chanter. Il fut trop insouciant pour cultiver la douleur qui féconde le génie ; mais peut-être aperçut-il la flamme d'une inspiration plus haute briller dans les yeux du rimeur vagabond, en délicatesse avec la justice, qui fut son hôte passager.

CHAPITRE IV

FRANÇOIS VILLON

L'homme et le poète.

Du « Lais »   « L'an quatre cens cinquante-six », au temps
au   de Noël, un pauvre écolier parisien, François Vil-
« Testament ». lon, écrivait dans sa chambre mal close, à la lueur
d'une chandelle, le premier en date de ses grands poèmes, le *Lais*, parfois intitulé le *Petit Testament.* Mais est-ce bien un testament ? Ce
garçon de vingt ans n'a pas encore suffisamment joui et souffert de
la vie, pour envisager la mort. Il a seulement commis quelques fredaines et malmené un certain Philippe Sermoise qui l'avait, dit-on,
provoqué; geste fâcheux qui lui valut un exil de courte durée, sous
les ombrages de Port-Royal. Et voici maintenant qu'après un an
de répit, il lui faut reprendre la route, et sans tarder. Avec un
groupe de chenapans, escrocs, buveurs, trousseurs de filles et cro-
cheteurs de serrures, il a forcé la caisse du collège de Navarre et,
bien que l'opération ait été conduite dans le plus grand secret, il
sent déjà peser sur lui la main de la justice. Avant de quitter Paris
pour Angers, où il se prépare sans doute à commettre de nouveaux
larcins, il répartit quelques souvenirs entre ses ennemis comme entre
ses amis. Il ne s'agit, bien entendu, que de legs fictifs ou burlesques,
qui servent de prétexte à de faciles plaisanteries et lui procurent
l'occasion d'égratigner tel ou tel, d'exercer sa verve aux dépens de
personnages qui n'en sauront rien ou qui, s'ils le savent, n'en souf-
friront pas à l'excès.

Mais à travers ces facéties, ces éclats de rire et ces boutades, nous
devinons déjà l'âme en révolte contre toutes les iniquités ; nous
sentons poindre une amertume que le malheur entretiendra. C'est

que François de Montcorbier, ou des Loges, est de très humble naissance. « Je suis pauvre », écrira-t-il plus tard.

> Povre je suis de ma jeunesse,
> De povre et de petite extrace ;
> Mon pere n'ot oncq grant richesse.
> Ne son ayeul, nommé Orace.

Il eût été, sans doute, encore plus misérable, s'il n'avait été recueilli dès le jeune âge par maître Guillaume de Villon, chanoine de Saint-Benoît le Bétourné, prêtre aussi savant que dévot, qui veilla sur sa première éducation. Ainsi l'orphelin mena-t-il d'abord, dans la demeure tranquille de son protecteur, une vie exempte de souci, jalonnée par la succession des fêtes canoniques, auxquelles il participait sur les marches de l'autel. Mais dans ce Paris qu'occupait encore une garnison anglaise, où la misère sévissait dans le peuple, tandis que maint habile homme, comme il arrive toujours en pareil cas, édifiait une subite et arrogante fortune sur l'appauvrissement de la noblesse et les privations des déshérités, où le clergé des paroisses, en dépit de ses droits séculaires, subissait de mauvaise grâce la concurrence des ordres réguliers, l'enfant sentait germer en lui le sentiment d'une injustice impitoyable et fatale, contre laquelle, lui, chétif, il n'avait aucun recours. Cette impression s'accentua quand, après avoir appris le rudiment sur les genoux de son « plus que père », il dut suivre les leçons de la Faculté des Arts, où s'enseignaient alors la grammaire de Donat et la logique d'Aristote. Il y fit assez bonne figure pour obtenir, quelques années plus tard, le titre de *maître* qui attestait la profondeur de sa science. Tout porte à croire, cependant, qu'il ne prenait guère au sérieux la scolastique, dont il parodie, à la fin du *Lais*, le langage prétentieux :

> Lors je sentis dame Memoire
> Reprendre et mettre en son aulmoire [*armoire*]
> Ses especes collaterales,
> Oppinative faulce et voire
> Et autres intellectualles.
>
> Et mesmement l'estimative
> Par quoy prospective nous vient;
> Similative, formative...

C'est du moins à l'Université qu'il entama des relations avec ceux qui devaient être, par la suite, ses initiateurs et ses mauvais génies. Dans ce milieu troublé par les luttes civiles, imprudemment gagné aux Bourguignons d'abord, puis aux Anglais, on tenait pour regrettable l'avènement de Charles VII. Le roi, par ailleurs, suivant les avis de ses conseillers bourgeois, ne songeait qu'à réprimer l'indépendance des étudiants et à mater l'orgueil du corps professoral. Mais plus on sévissait contre elle, moins il était aisé de réduire une jeunesse qui s'était fait une gloire et une spécialité de brimer les gens de négoce. De perpétuels conflits avec la police, des escarmouches quotidiennes avec les archers du prévôt, une effervescence qui ne se calmait que pour reprendre de plus belle, avaient accoutumé les écoliers à ne plus respecter d'autre loi que la leur, et les maîtres à soutenir leurs disciples inculpés, dans les cas les moins défendables. Ajoutez à cela que l'instabilité de la vie politique ne se prêtait guère à la continuité dans l'enseignement, et qu'il était par trop aisé de fuir l'école,

> Comme fait le mauvais enfant.

S'il s'en était tenu à la fréquentation des amis du chanoine et de ces clercs des finances qui gravitaient autour de Saint-Benoît, la vie de François Villon n'eût pas suivi le même cours et nous n'aurions ni à déplorer ses faiblesses ni à commenter sa gloire. Mais les instincts du jeune homme répugnaient au bonheur tranquille et casanier; il lui fallait l'aventure avec ses risques d'autant plus grands qu'il n'avait aucune volonté pour résister aux entraînements. Avec Régnier de Montigny, Colin de Cayeux, Guy Tabary, d'autres encore, il vivait en quête de mauvais coups à faire, en passant du simple larcin à l'escroquerie et au cambriolage, la dague à la main: vie d'alarmes, vie de délices, pour un écolier sans argent, recueilli par charité, qui ne se sent tenu ni par les liens de la famille, ni par la dignité de son état. Sans doute il a bien sa vieille mère qui tremble pour lui et qu'il aime, mais qui finira par mourir un jour :

> Et le scet bien, la povre femme,
> Et le filz pas ne demourra.

Il se réfugie parfois auprès d'elle, et c'est à sa requête qu'il écrit une ballade en forme de prière à Notre-Dame ; mais, tandis qu'elle lui parle affectueusement et qu'il tâche à retenir les mots que lui dicte sa tendresse, les autres sont là qui l'appellent, les sinistres compagnons qui l'entraînent à la Pomme de pin, dans les tripots où l'on se querelle après boire. Assis sur les bancs crasseux, dans l'ombre complice, les coudes sur la table que poisse un vin grossier, on organise, dans le jargon des Coquillards, les futures expéditions.

Les âmes, après tout, sont-elles moins sombres que les actes ? Et, spécialement chez notre poète, à côté des passions mauvaises, s'éveille-t-il des sentiments plus purs ? L'amour ne demanderait qu'à fleurir dans son cœur, pourvu qu'il n'eût point à subir d'inquiétantes promiscuités. Mais, né dans une atmosphère de révolte et souillé d'amère ironie, c'est un amour sans allégresse. Et n'est-ce point, pour un amant, une disgrâce irrémédiable que d'être pauvre et sans beauté ?

> Sec et noir comme escouvillon.

S'il réussit, à l'occasion, parce qu'il sait l'art de bien dire, à faire s'entrebâiller la porte d'un cœur, c'est pour éprouver la coquetterie des femmes qui promettent plus qu'elles ne tiendront jamais. Qu'il s'attache à Catherine de Vausselles qui le fit battre de verges, ou jette les yeux sur quelqu'une de ces marchandes effrontées qui s'appellent la belle Gantière, Blanche la Savetière, la gente Saulcissière qui savait si bien danser, Guillemette la Tapissière, Jeanneton la Chaperonnière et cette rusée Catherine la Boursière qui se vantait d'envoyer « les hommes paistre », ce ne sont pour lui que déconvenues. Il n'a pour fiche de consolation que de s'en venger par la plume, en leur adressant les *Regrets de la belle Heaulmière*, dont l'effroyable décrépitude conseillait à ces orgueilleuses l'indulgence et la modestie :

> « Qu'est devenu ce front poly,
> Cheveulx blons, ces sourcils voultiz,
> Grant entroeil, ce regart joly,
> Dont prenoie les plus soubtilz;
>
> Ce beau nez droit grant ne petiz,
> Ces petites joinctes oreilles,
> Menton fourchu, cler vis traictiz,
> Et ces belles levres vermeilles ? »

« Tous mes charmes s'en sont allés ; ainsi s'en iront les vôtres, et de cette beauté qui vous rend si fières, que restera-t-il, quand ridées et décrépites, parcheminées, recroquevillées, vous évoquerez, la tête branlante, le bon temps qui ne reviendra plus ? »

> « Ainsi le bon temps regretons
> Entre nous, povres vielles sotes,
> Assises bas, à crouppetons,
> Tout en ung tas comme pelotes,
> A petit feu de chenevotes,
> Tost allumees, tost estaintes;
> Et jadis fusmes si mignotes !...
> Ainsi en prent a mains et maintes. »

En attendant, le triste rimeur famélique, qui traduit en vers ses déconvenues, risquerait d'ignorer l'amour, s'il n'avait une suprême ressource. L'homme qui hante les bas-fonds, parmi les dévoyés et les tranche-gousset,

> Tout aux tavernes et aux filles,

le réprouvé à qui sont interdits les amours franches et les galants
propos, trouve asile auprès de la grosse Margot, « fillette » au
cœur multiple et charitable, dont l'ignominie vaut la sienne et
qu'il exploite cyniquement :

> Ordure amons, ordure nous assuit ;
> Nous deffuyons onneur, il nous deffuyt.

Voilà qui nous entraîne loin des subtilités courtoises ; l'amour
lui-même s'avilit sous la plume du malchanceux qu'une misère
sans remède accule aux solutions désespérées, Or, la misère est
mauvaise conseillère : la faim chasse le loup du bois, mais le loup
se heurte aux chiens. Compromis à plusieurs reprises, le pauvre
Villon vit en suspect, continuellement traqué par les gens du
prévôt. Quitter la ville et cheminer, vêtu de loques, sur les routes
interminables, vagabond que la foule hostile chasse et redoute,
tenter par quelques chansons de gagner honnêtement sa subsis-
tance, en un temps qui se fait cruel aux jongleurs errants, se lier
à cette franc-maçonnerie des « enfants-perdus » qui, s'ils partagent
leurs gains inavouables, sont également solidaires au regard de la
justice, c'est reculer pour mieux sauter :

> Se vous allez à Montpipeau
> Ou à Rueil, gardez la peau :
> Car, pour s'esbatre en ces deux lieux,
> Cuidant que vaulsist le rappeau [l'appel],
> Le perdit Colin de Cayeux.

Villon, ayant pris part à cette expédition, faillit aussi perdre la
vie et trembla de subir le châtiment suprême, entre les murs d'un
noir cachot. S'il y gardait le courage de braver l'évêque d'Orléans,
Thibaud d'Auxigny, qui le retenait captif, il implorait aussi le cercle
de ses amitiés, les pauvres clercs mal réputés et les seigneurs puissants qui avaient goûté ses rimes, le gracieux Charles d'Orléans et
le généreux duc de Bourbon.

> Aiez pitié, aiez pitié de moy.
> A tout le moins, si vous plaist, mes amis !
> En fosse gis, non pas soubz houx ne may,
> En cet exil ouquel je suis transmis
> Par Fortune, comme Dieu l'a permis.
> Filles, amans, jeunes gens et nouveaulx,
> Danceurs, sauteurs, faisans les piez de veaux,
> Vifz comme dars, agus comme aguillon,
> Gousiers tintants cler comme cascaveaux [grelots].
> Le lesserez la le povre Villon ?
>
> Chantres chantans a plaisance, sans loy,
> Galans, rians, plaisans en fais et dis,
> Courens, alans, francs de faulx or, d'aloy.
> Gens d'esperit, ung petit estourdis,

Trop demourez, car il meurt entandis [*pendant ce temps*].
Faiseurs de lais, de motetz et rondeaux,
Quant mort sera, vous lui ferez chaudeaux !
Ou gist, il n'entre escler ne tourbillon :
De murs espoix on lui a fait bandeaux.
Le lesserez la, le povre Villon ?

Venez le veoir en ce piteux arroy,
Nobles hommes, francs de quart et de dix,
Qui ne tenez d'empereur ne de roy,
Mais seulement de Dieu de Paradis :
Jeuner lui fault dimenches et merdis,
Dont les dens a plus longues que ratteaux ;
Après pain sec, non pas après gasteaux,
En ses boyaulx verse eaue a gros bouillon;
Bas en terre, table n'a ne tresteaulx.
Le lesserez la, le povre Villon ?

Princes nommez, ancïens, jouvenceaux,
Impetrez moy graces et royaulx seaux,
Et me montez en quelque corbillon.
Ainsi le font, l'un a l'autre, pourceaux.
Car, ou l'un brait, ils fuyent a monceaux.
Le lesserez la, le povre Villon ?

Si l'imminence du péril arrache à Villon ce cri de détresse, si l'horreur de sa situation l'amène à se départir d'une attitude fanfaronne, vite il se hâte de ravaler ses larmes et le sanglot qu'il ébauchait se termine en éclat de rire.

L'avènement du roi Louis XI lui ouvre les portes de la prison. Mais s'il foule à nouveau le pavé de Paris, c'est tout à fait provisoirement. Il y retrouve les mauvais garçons qui l'ont conduit à deux doigts de la mort, ces insensés qu'il juge à leur valeur, mais dont il subit l'influence. Arrêté pour vol en 1462, il est soumis à une enquête qui fournit à la justice l'occasion d'exhumer l'affaire du collège de Navarre. Il s'en tire sans trop de dommage, mais c'est pour aller prendre part à une querelle avec les clercs de Me François Ferrebouc, notaire pontifical. Le sang coule et voilà notre homme une fois de plus au Châtelet. Il s'agit d'une affaire grave et Villon, simple témoin, subit la question de l'eau et s'entend, avec surprise, condamner au gibet. Il échappera cependant au triste sort qu'il appréhende et n'ira pas se balancer aux fourches patibulaires, parmi ces pendus repentants qui font eux-mêmes le poignant tableau de leur détresse :

La pluye nous a debuez et lavez,
Et le soleil dessechiez et noircis ;
Pies, corbeaulx, nous ont les yeux cavez,
Et arrachié la barbe et les sourcis.
Jamais nul temps nous ne sommes assis;
Puis ça, puis la, comme le vent varie,
A son plaisir sans cesser nous charie,

Plus becquetez d'oiseaulx que dez a couldre.
Ne soiez donc de nostre confrairie ;
Mais priez Dieu que tous nous vueille absouldre !

Le Parlement, en appel, réduit sa peine au bannissement, et
dès les premiers jours de 1463, l'indésirable Villon reprend, pour
la mener sans doute jusqu'à la date inconnue de sa mort, la vie
inquiète des interdits de séjour. Mais au moment où il disparaît,
il laisse au monde, dont il prend congé, la principale et la plus
belle de ses œuvres, le *Testament*.

Le   Deux ans plus tôt, à son retour de Meun, il
« *Testament* ». s'était remis à écrire et, sentant ses forces dé-
croître, bien qu'il eût à peine trente ans, à réfléchir sur son destin.
De cette vie humiliée qui s'écoule successivement dans le cloître de
Saint-Benoît, dans l'alcôve des filles perdues et dans les geôles
parisiennes et provinciales, il a fait un poème tel que nul, en
France, n'en avait encore écrit. Sa culture antérieure explique en
partie l'aisance de son style, la correction de ses huitains et de
ses ballades ; mais s'il dépasse de si haut ses contemporains, c'est
qu'il ne s'embarrasse point de conventions et de formules.
N'ayant rien ni personne à ménager, il peut dire tout ce qu'il
pense ; il ne saurait tomber plus bas. Avec une sincérité qui ne
recule ni devant le mot propre, ni devant les aveux cyniques, il
étale sur le papier ses désespoirs et ses rancœurs. On devine ce
que l'œuvre y gagne en puissance et en vérité ; ces « chants
désespérés », d'un style ferme, pittoresque et nourri d'images, sont
la transcription savoureuse des sentiments d'un cœur qui s'analyse.
Continuellement aux prises avec la vie la plus difficile, Villon ne
veut rien connaître en dehors d'elle, et son ventre qui bat la
charge, lui interdit le jeu des abstractions. Il n'a pas le loisir de
se soustraire à la réalité, et comme elle s'impose à lui sous la
forme la plus cruelle, il la peint telle qu'il la voit. Dès lors, le
Testament de Me François Villon, si l'on en néglige la forme parodique qui n'est pas de son invention et qu'avant lui Eustache
Deschamps avait utilisée, est, en même temps qu'une œuvre littéraire, un document historique. A chaque vers s'évoque à l'esprit
du lecteur averti par la critique moderne, le curieux Paris de la
fin du XVe siècle, avec ses ruelles étroites, ses pignons à tourelles,
ses églises et ses couvents, ses boutiques et ses échoppes et, grouil-
lant sur les pavés inégaux, une foule de religieux cossus ou de
clercs dépenaillés, d'écoliers en rupture d'école, de marchands actifs
et de marchandes au « bon bec », faisant l'article aux bourgeois
enrichis, vêtus de robes longues et douillettement fourrées.
C'est une période d'étonnante prospérité succédant à la plus
effroyable des crises. 'Tout a sombré de l'ancienne économie.

Charles VII a pris en main la gestion de son royaume, s'entourant de bourgeois experts en finances, qui font les affaires du roi, sans négliger les leurs. Tandis que ceux-là s'enrichissent parfois au-delà de toute mesure, les pauvres gens à la bourse plate se sentent plus gueux que jamais, et leur convoitise engendre la haine contre les profiteurs de l'occupation. Ces sentiments qu'il n'est pas seul à éprouver, Villon les exprime avec véhémence et, passant du sarcasme à l'invective, crie aux heureux du jour sa rancune et son mépris. Il n'a rien toutefois d'un meneur de foules; il ne se fait point l'interprète des indignations populaires. Il se trouve que sa façon de voir est partagée par beaucoup d'autres, mais c'est en son nom seul qu'il parle; nul autre ressort ne le fait agir que son expérience personnelle. De là cette galerie de sots, d'égoïstes et d'hypocrites qui forme la trame du *Grand Testament*. C'est en raison de griefs particuliers que Villon gratifie de ses dons ironiques Pierre de Saint-Armand, clerc du Trésor, Jehan Cornu, secrétaire du roi, Robert Turgis, le tavernier qui lui réclame en vain son dû, Jehan Raguier, sergent du prévôt, et bien d'autres, dont il éprouva l'injustice, l'avarice et la cruauté.

Ce faisant, il nous révèle une âme terrible et un cœur martyrisé. Endurci par tant de misères, s'il possède encore la notion du bien, du moins ne se croit-il pas tenu de le faire : cela ne changerait rien à sa condition. Moins heureux que Diomédès, il n'a point rencontré de « piteux Alexandre », pour le tirer, d'une main secourable, hors du cloaque où il s'enlisait. Fortune, la meurtrière, le manie comme un jouet et, pour s'en consoler, il lui faut reconnaître que son cas n'est point isolé, que d'autres ont subi l'inconstance du sort, sans importuner le ciel de leurs lamentations. C'est ce que lui dit Fortune elle-même, dans une célèbre ballade :

> Fortune fus par clers jadis nommee,
> Que toy, Françoys, crie et nomme meurtriere.
> Qui n'es homme d'aucune renommee.
> Meilleur que toy fais user en plastriere,
> Par povreté, et fouyr en carriere;
> S'a honte vis, te dois tu doncques plaindre ?
> Tu n'es pas seul ; si ne te dois complaindre.
> Regarde et voy de mes fais de jadis,
> Mains vaillans homs par moy mors et roidis ;
> Et n'es, ce sçais, envers eulx ung souillon.
> Appaise toy, et mets fin en tes dis.
> Par mon conseil prens tout en gré, Villon !

S'il écoute parfois ces prudents avis, le poète plus souvent s'indigne. Trop de richesse autour de lui et si peu d'argent dans sa poche, voilà qui lui inspire d'amères comparaisons. Mais à bien y réfléchir, faut-il tant s'en affliger ? Une visite au charnier des Innocents, un instant de recueillement devant les crânes qui s'amoncellent, lui procurent une consolation. Qu'importe, après

Le grand Testament Villon
(Frontispice de l'édition de Pierre Levet, 1489)
(Bibliothèque Nationale. Réserve Y^e 245)

tout, qu'en cette vie transitoire, les inégalités sociales élèvent
entre les humains des barrières artificielles ; la mort se chargera
de tout unifier.

> Je congnois que povres et riches,
> Sages et folz, prestres et laiz,
> Nobles, villains, larges et chiches,
> Petitz et grans, et beaulx et laiz,
> Dames a rebrassez colletz,
> De quelconque condicion,
> Portans atours et bourreletz,
> Mort saisit sans exception.

Ce n'est pas que l'idée soit neuve, mais comme il a su lui
donner la vigueur et le relief ! S'il cède à peine au désir d'utiliser
discrètement les souvenirs du maître ès-arts, comme il peint de
traits véritables, lui qui a tant vu mourir de pauvres hères, aban-
donnés sur leur grabat, les affres de l'agonie, et comme il accroît
l'effet pathétique, en faisant d'un corps féminin la victime de ce
suprême combat !

> Et meure Paris ou Helaine,
> Quiconques meurt, meurt a douleur ;
> Telle qui pert vent et alaine,
> Son fiel se creve sur son cuer,
> Puys sue, Dieu scet quelle sueur !
> Et n'est qui de ses maux l'alege :
> Car enfant n'a, frere ne seur,
> Qui lors voulsist estre son plege.

> La mort le fait fremir, pallir,
> Le nez courber, les vaines tendre,
> Le col enfler, la chair mollir,
> Joinctes et nerfs croistre et estendre.
> Corps femenin qui tant es tendre,
> Poly, souef, si precieux,
> Te faudra il ces maux attendre ?
> Oy, ou tout vif aller es cieulx.

S'attachera-t-on désormais à la possession des biens périssables,
à la fortune, à la gloire, à tous les prestiges qui mourront avec
le corps ? Que sont devenues les dames du temps jadis, dont on
célèbre encore la gloire et la beauté ?

> Mais ou sont les neiges d'antan ?

Que reste-t-il des héros d'autrefois, d'Alphonse d'Aragon et du
roi Arthur, et même du bon Charles VII ?

> Mais ou est le preux Charlemaigne ?

Tous, papes, rois et fils de rois ont été réduits en poussière et,
malgré l'apparat des riches sépultures, leur corps vaut pis que
celui d'un « pauvre mercerot de Renes ».

Ce monde n'est perpetuel

Ceux à qui il n'apporte que détresse et privations doivent prendre leurs maux en patience. La mort y mettra fin, et le pauvre a moins de raisons de la redouter que le riche.

> Mourroy je pas ? Oy, se Dieu plaist;
> Mais que j'aye fait mes estrenes [*eu du bon temps*],
> Honneste mort ne me desplaist.

N'offre-t-elle pas à ces vaincus la plus merveilleuse espérance ? Elle leur ouvre la perspective d'une éternité sans misères, d'une revanche sur le sort. Pour avoir vu, « painct au moustier », ce Paradis « ou sont harpes et luz », ils ne doutent point d'y trouver, parmi les anges et les saints, la compensation de l'enfer que fut leur existence terrestre. Au moment où les préceptes de la morale traditionnelle semblent démentis par les faits, on ne s'étonnerait point d'entendre blasphémer. Or, ni les puissants, parmi leurs richesses, ni les réprouvés, au fond de leurs taudis, ne prononcent une parole qui fasse douter de leur foi. Bien plus, si François Villon, ayant bu toutes ses hontes, désabusé de tout et capable de tout, au lieu d'évoquer à nos yeux une inquiétante silhouette d'escarpe, nous apparaît comme un homme infiniment digne de pitié, c'est que les mauvais instincts, entretenus par la misère, n'ont point étouffé dans son cœur la flamme de l'amour divin. Ce « poète maudit » chez qui se trouvent réunies l'âpreté morbide d'un Baudelaire, la juvénile audace d'un Rimbaud, comme aussi la piété naïve d'un Verlaine, redevient petit enfant quand il écrit pour sa mère une prière à Notre-Dame et que, pécheur invétéré, il implore la « haute déesse » miséricordieuse,

> A qui pecheurs doivent tous recourir.

Et comme la vieille femme illettrée qui marmotte ses oraisons en égrenant ses « patenôtres », il peut dire, dans tout l'élan de sa ferveur :

> Nostre Seigneur tel est, tel le confesse,
> En ceste foy, je vueil vivre et mourir.

Dès 1489, alors que le poète était mort sans doute depuis quelque temps, *Le grand testament Villon et le petit, son codicille, le jargon et ses ballades* furent imprimés avec succès, par l'éditeur Pierre Levet. Ce ne fut pas une raison pour que son style et sa manière eussent d'emblée des imitateurs. Maître Henri Baude et Jean Marot s'y essaieront sans y atteindre. Les circonstances exceptionnelles qui avaient produit Villon ne pouvaient se reformer au gré du premier venu. Cette poésie toute neuve, échappée des blessures d'un cœur déshérité, n'était en somme

qu'un accident. La faveur du public allait à des productions plus
unies, qui n'exigeaient point tant de génie chez les auteurs, ni
beaucoup d'intelligence chez ceux à qui elles étaient destinées. Les
procédés techniques exposés dans les *Arts de seconde rhétorique*
permettaient à des poètes médiocres de faire une carrière honorable.
Villon n'était pas un « rhétoriqueur » ; la cour de Bourgogne lui
préférait sans doute Jean Molinet, esprit moyen, habile ouvrier
des mots et des rythmes, intarissable et banal ; la Bretagne tressait
des couronnes à Jean Meschinot, loyal serviteur de ses ducs, et
l'auteur des *Lunettes des Princes,* dont le succès en librairie égala
celui des *Testaments,* tandis que la France de Charles VIII et de
Louis XII accordait ses faveurs à Andry de la Vigne, émule de
Jean Le Maire de Belges et de Guillaume Crétin. Mais c'est en vain
que cette poésie artificielle, encore goûtée de l'aristocratie, cherche
à perpétuer, comme un défi au bon sens, la rhétorique usée du
moyen âge. Villon qui n'ignora pas ses prédécesseurs et dont l'éducation universitaire eut pour base la scolastique, a condamné, par
son œuvre, les survivances de ce passé et ce genre littéraire qui
réduit la poésie à l'usage d'un mécanisme. Il a jeté par-dessus bord
l'érudition cléricale, l'ithos et le pathos de l'Université, avec les
raffinements de la versification savante. Se contentant d'être sincère
et de dire simplement ce qu'il ressentait, il a prouvé que le poète
pouvait toucher le cœur du public en laissant parler le sien. D'autres,
avant lui, l'avaient pressenti ; mais il fut le seul à le faire entièrement, créant, sans y penser, une poésie nouvelle. Et voilà pourquoi, sans doute, sa renommée ne subit point d'éclipse, pourquoi
Marot, qui l'édita, célébrait, un siècle plus tard, « son gentil entendement », pourquoi il obtint de Boileau lui-même un traitement
de faveur que Ronsard et la Pléiade n'eurent pas la chance de
mériter.

CHAPITRE V

LA LITTÉRATURE HISTORIQUE [1]

L'érudition au XIVe siècle. L'histoire contemporaine.
Biographes et chroniqueurs : Froissart.
La France déchirée entre les partis : Chroniqueurs armagnacs
et bourguignons. Philippe de Commynes.

Caractères nouveaux de l'historiographie. Connaissance de l'antiquité. Le développement exceptionnel de la littérature historique, au XIVe et surtout au XVe siècle, nous est attesté par la masse énorme des chroniques qui sont parvenues jusqu'à nous. La langue vulgaire y prédomine. Les clercs eux-mêmes, quand ils écrivent, n'ont plus exclusivement recours au latin. La chronique rimée, qui fleurit encore avec Guillaume Guiart et Geoffroi de Paris, dans les premières années du XIVe siècle, tombe peu à peu en désuétude et les auteurs qui lui demeurent fidèles, comme Jean Cuvelier, dans sa *Vie de Bertrand du Guesclin,* ou Martial d'Auvergne, dans ses *Vigilles de Charles VII,* ne réussissent pas à lui rendre sa vogue. La prose, dont les progrès s'affirment dans tous les domaines, trouve assurément dans l'histoire son emploi le plus légitime.

L'Histoire de caractère universel et rétrospectif n'occupe plus désormais la première place. Les compilations d'histoire ancienne ou nationale appartiennent au genre didactique et contribuent comme les traités moraux et scientifiques, à l'instruction générale. Elles fournissent même à ces derniers une précieuse mine d'exemples. Mais l'idée n'apparaît point encore qu'on peut étudier l'Histoire pour elle-même et pour mieux connaître la vie du passé. Le chevalier de la Tour Landry, aimable éducateur de ses filles, leur conseillait l'étude de l'antiquité qui offre tant de modèles à suivre. Les princes eux-mêmes qui, pour être dignes de régner, en vertu de la

---

1. Par M. André Bossuat.

maxime : *Roy sans clergie est asne couronné*, doivent commencer
par s'instruire, puiseront chez les auteurs classiques d'utiles préceptes de gouvernement. Aussi, tandis qu'auparavant on recueil-
lait avec empressement les fables les plus extravagantes et les anecdotes merveilleuses sur les Grecs et sur les Romains, voici maintenant
qu'on se réfère aux sources réelles de leur histoire. Jean le Bon,
Charles V et bientôt les ducs de Bourgogne, voudront posséder
dans leurs librairies Tite-Live, César et Quinte-Curce en français.
Ces traductions ne sont pas toujours sans défaut et surtout les
écarts chronologiques ne sont pas toujours respectés ; la perspective
fait défaut et l'on assimile naïvement le passé au présent. Il suffit,
pour s'en convaincre de contempler sur les miniatures, qui décorent
de nombreux manuscrits, les Romains équipés comme les combattants d'Azincourt et les Romaines coiffées de volumineux hennins.

L'actualité   Mais c'est déjà beaucoup que les Français du
dans les   temps aient pu s'intéresser à des faits si lointains,
chroniques.   en dépit des réalités terribles au milieu desquelles
ils vivaient. Plus que l'antiquité, d'ailleurs, plus même que le passé
national, les événements contemporains retiennent l'attention du
public et suscitent l'activité des historiens. L'Histoire ainsi limitée
envahit la vie quotidienne ; elle réside surtout dans les faits de
guerre et la guerre intéresse le pays tout entier. Il n'est pas un coin
de terre qui n'en souffre ou n'en ait souffert, pas une classe sociale
qui n'en subisse le contre-coup. Quand, au XIIᵉ siècle, Louis VII
et Philippe-Auguste résistaient aux attaques des Plantagenêt, on
avait l'impression d'un duel entre familles rivales et la guerre
semblait une affaire privée. La lutte entre Philippe VI et Edouard III
garde encore la physionomie d'une simple querelle dynastique compliquée par la casuistique féodale. A la fin du XIVᵉ siècle, on parle
encore de « la guerre des deux rois » ; mais déjà c'est bien la
France elle-même qui défend son existence contre les assauts de
l'étranger. Durant cette crise interminable, les institutions monarchiques, à peine organisées, donnent des signes de faiblesse. A tout
moment s'élèvent des revendications populaires que la royauté
n'élude pas toujours. De grandes seigneuries, nées des apanages, se
constituent et les féodaux, laborieusement matés par les rois du
XIIIᵉ siècle, recouvrent en partie leur indépendance et la guerre
étrangère se double, au début du XVᵉ siècle, d'une rivalité fratricide
entre Armagnacs et Bourguignons. Ces deux factions, divisant la
France, cherchent des partisans pour appuyer leur politique non
seulement par les armes, mais par la plume. Français, Anglais, Bourguignons s'efforcent de prouver leur bon droit et les pamphlets se
multiplient. Privées de communications entre elles, séparées les unes
des autres par le passage incessant des bandes ennemies, ou nour-
rissant chacune à l'égard de sa voisine des sentiments de défiance

et d'hostilité, les provinces ont tendance à se replier sur elles-mêmes et à vivre d'une vie séparée, ce qui remet en faveur les chroniques locales. Mais si l'horizon, d'un côté, se resserre, de l'autre, il s'élargit. La guerre franco-anglaise a des répercussions lointaines ; les belligérants cherchent des alliances en Écosse, en Espagne, en Italie, en Allemagne ; pendant près de quarante ans le schisme déchire la chrétienté, et les chroniqueurs, pour suivre les événements et les comprendre, doivent porter leur regard au-delà des frontières. Même à plusieurs reprises, le contre-coup des invasions turques se fait sentir jusque dans nos pays. En 1389, une véritable croisade s'organise, qui aboutit au désastre de Nicopolis. Au XVe siècle, c'est le duc de Bourgogne, Philippe le Bon, qui rêve de chasser les Turcs, maîtres depuis peu de Constantinople et l'écho des événements d'Orient tient une large place dans les chroniques du temps.

Les Biographies. Enfin, la guerre engendre les exploits militaires. Pour beaucoup, d'ailleurs, elle n'est qu'une occasion d'accomplir de beaux faits d'armes, dont ils tiennent à conserver le souvenir, une façon de perpétuer par l'exemple les vieilles traditions de la chevalerie. L'écuyer de Jean de Bueil fait un mérite à son maître de n'avoir pas, comme tant d'autres, payé pour faire inscrire son nom dans les chroniques. Mais tous n'ont pas les mêmes scrupules. La plupart des grands hommes, du Guesclin, Boucicaut, Richemont, Gaston de Foix, le duc d'Alençon, trouvent dans leur entourage des biographes intéressés et la mère du maréchal de Boussac prétendait que les exploits de son fils méritaient d'être couchés, par écrit, « à la loange de ses enfants et successeurs ».

Biographes et chroniqueurs ne sont plus désormais des clercs, car le clergé a perdu depuis longtemps le monopole d'écrire l'histoire. Déjà Philippe Mousket et Guillaume Guiart étaient de purs laïques. Si Jean le Bel fut chanoine de Saint-Lambert de Liège et Froissart curé des Estinnes, il est certain qu'avant d'être d'église, ils avaient mené la vie du siècle. De plus en plus les historiens sont des écrivains de profession qui se piquent de raconter dans un style élégant les événements de leur époque. Au XVe siècle, les personnages les plus divers se rencontrent parmi eux : des clercs qui, dédaignant le latin, confient au parchemin ce qu'ils savent de l'actualité, des hommes de guerre qui lâchent l'épée pour la plume, en se retirant de la vie active, des écuyers, des hérauts d'armes, des familiers des princes, qui travaillent sur commande. De grands seigneurs, comme les ducs de Bourgogne, entretiennent à leur cour des historiographes attitrés.

Les écrits que nous devons à ces auteurs d'origine si diverse, s'ils sont plus nombreux qu'aux siècles précédents, sont aussi plus variés, plus personnels et sans doute plus captivants. Les chroniques locales et domestiques, écrites par des gens qui n'en prévoyaient pas la diffusion, nous charment par des digressions inattendues, par la richesse et la précision des détails. Quant aux auteurs de chroniques générales, ils ne peuvent se contenter de ce qu'ils ont vu directement ; il leur faut se renseigner, mener de vastes enquêtes, voyager au loin pour compléter leur information. Beaucoup d'entre eux, par souci d'exactitude, analysent ou reproduisent des pièces diplomatiques et joignent au récit des faits le texte authentique des accords ou des traités.

L'esprit de parti.   D'autre part, et plus particulièrement au XVe siècle, l'historien cesse d'être objectif. Il n'écrit plus seulement pour divertir un cercle d'amateurs lettrés, mais pour défendre une cause, renseigner des amis ou convaincre des adversaires, et la passion politique donne aux chroniques un accent personnel inconnu jusqu'alors à pareil degré. Il est facile, à plus d'un trait, de déterminer à quel parti, armagnac ou bourguignon, appartiennent les auteurs, de savoir s'ils soutiennent ou combattent les prétentions anglaises. Peu soucieux d'impartialité, ils affirment leurs convictions, sincères ou intéressées, et si l'historien moderne doit n'en user qu'avec prudence, leurs chroniques offrent souvent, au point de vue littéraire, un exceptionnel intérêt.

L'Histoire officielle : « Les Grandes Chroniques ».   Cette tendance nouvelle se manifeste clairement dès le milieu du XIVe siècle et jusque dans l'historiographie officielle. Les *Grandes Chroniques de France* changent en effet de caractère. Les moines de la vieille abbaye, après la mort de Guillaume de Nangis, continuent sans doute de joindre au *corpus* latin le récit de chaque règne qui s'achève. Mais à partir de 1350, les compilateurs des Chroniques françaises cessent d'utiliser les chroniques latines de Saint-Denis. C'est qu'il ne s'agit plus seulement de faire connaître à la postérité les fastes de la monarchie ; il faut prouver à tout prix que, dans la lutte engagée entre les Valois et la maison d'Angleterre, le bon droit est de notre côté. Tandis qu'il charge ses capitaines de le faire triompher par la force des armes, Charles V, le sage et prudent roi, confie à son chancelier, Pierre d'Orgemont, le soin de le défendre par la plume. Le règne de Charles V, conté par Pierre d'Orgemont, continue les *Grandes Chroniques*; le récit du règne de Charles VI est emprunté à Jouvenel des Ursins et au Héraut Berri. C'est seulement une fois la paix rétablie qu'on revient à la tradition dionysienne en confiant de nouveau à un religieux de Saint-Denis, Jean Chartier, le soin d'écrire en latin et de traduire en français la vie de Charles VII. Mais au temps de Charles V, les nécessités politiques exigeaient que l'Histoire répondît aux vues personnelles du souverain ; elle tendait à devenir un moyen de gouvernement.

Jean le Bel. Jean le Bel et Froissart ignorent pourtant ces préoccupations. Ils n'ont pas la froide prudence des historiens officiels et, d'ailleurs, le côté pittoresque des événements les intéresse beaucoup plus que le sens qu'ils pouvaient avoir ou l'interprétation qu'on en pouvait donner. Ce qu'ils ont voulu peindre, c'est la société chevaleresque brillant alors d'un splendide et dernier éclat. Bien qu'il fût chanoine de Saint-Lambert de Liège, Jean le Bel avait suivi d'abord la carrière des armes et, devenu prêtre, n'avait point cessé ses relations avec la noblesse du temps. Il a connu Jean de Bohème « le vaillant roy... qui tout aveugle voult estre des premiers a la bataille et commanda, sur la teste a coper, a ses chevaliers qu'ilz le menassent si avant, comment que ce fust, qu'il peut ferir ung cop d'espee sur aucun des anemis ». Il a pris part, avec l'armée anglaise, à l'expédition contre les Ecossais et c'est le comte Jean de Beaumont qui l'a déterminé à écrire sa chronique, afin de substituer un récit véridique aux « grandes faintes et bourdes controuvees », qu'un fâcheux poète avait répandues. En fait, il a voulu conter l'histoire des rois d'Angleterre à partir d'Edouard Ier, mais il n'a pu résister au plaisir d'y joindre les événements mémorables survenus en d'autres pays. Très exactement informé, il s'attache à rester impartial, malgré son évidente sympathie pour les Anglais. Il se fait de sa mission d'historien une trop haute idée pour altérer la vérité ou seulement passer sous silence tel incident défavorable à son héros principal, Edouard III; et le souci qu'il a d'animer ses descriptions et de donner la vie à ses personnages, ne l'empêche pas de proscrire tout excès d'imagination. Au strict point de vue littéraire, par l'élégante sobriété de ses peintures, la vivacité réaliste de ses dialogues, Jean le Bel mérite de figurer au premier rang des chroniqueurs, et tout à côté de Froissart.

Jean Froissart. Avec celui-là, nous avons affaire avec un professionnel de la littérature. Né à Valenciennes, vers 1337, d'une famille bourgeoise, il reçut une bonne éducation et sa culture était suffisante pour qu'il fût sensible aux joies intellectuelles. La vie d'ailleurs ne cessa de lui sourire. Clerc bénéficier, toujours à la solde de quelque prince, il put aisément satisfaire ses penchants égoïstes, son goût du luxe, de la bonne chère, voire de la galanterie. Quoique batailleur dans sa jeunesse, la peur des coups le tint peut-être éloigné des combats, mais il vécut dans l'entourage des nobles et se fit l'historien de leurs prouesses. Les autres classes sociales tiennent assez peu de place dans son œuvre. Peut-être est-il injuste de lui en faire grief. Il n'a connu que la vie chevaleresque, dont il est demeuré ébloui et qu'il croit la meilleure possible. Commensal d'Edouard III, du Prince Noir, de Guy de Blois ou de Gaston de Foix, il a vu de près et profondément admiré cette haute noblesse du XIVe siècle qui savait si bien allier la plus exquise politesse à la pire brutalité. Dans leur sillage, la guerre avait engendré toute une race de soldats, mercenaires venus de tous les pays, surtout de Bretagne et de Gascogne, qui couraient le monde en quête d'aventures et de pillages et, comme le fameux Aymerigot Marchès, ne craignaient rien tant que la paix. Il y avait là matière à de plaisants récits, pour un auteur épris de pittoresque. Si, comme on l'a justement noté, Froissart avait vécu au XIIIᵉ siècle, il aurait chanté les exploits des héros de la Table Ronde ; un siècle plus tard, il écrivit ceux de ses contemporains, et la réalité valait bien la fiction.

Pas plus que Jean le Bel, Froissart ne s'intéresse à la diplomatie ou à la tactique. Des grands événements qui ébranlent jusqu'en ses fondements l'Europe occidentale, il ne retient que les fêtes et les glorieux faits d'armes ; mais il a puisé ses renseignements auprès des acteurs les plus qualifiés du drame. Dès l'âge de vingt-quatre ans, il entre, en Angleterre, au service de la reine Philippine de Hainaut, et fait apprécier à la cour ses premiers essais poétiques. Il profite de son séjour à Londres pour visiter le pays de Galles et l'Ecosse. En 1367, il est à Bordeaux, auprès du Prince Noir, et, l'année suivante, il accompagne en Italie le duc de Clarence qui allait épouser la fille du duc de Milan. Il parcourt la péninsule, voit à Rome l'empereur de Constantinople, et reçoit du pape Urbain V des témoignages de sympathie ; puis il revient à Valenciennes en traversant l'Allemagne. Jusque-là, il n'a guère fréquenté que les princes anglais. Le voici maintenant à la solde de Wenceslas de Luxembourg, duc de Brabant, et de Guy de Blois, tous deux protecteurs des poètes et amis des Valois. Il vit en leur compagnie de 1370 à 1388, en Hainaut, en Flandre et dans le Blésois, confortablement appointé, et partageant son temps entre la composition de *Méliador* et la correction des œuvres poétiques de Wenceslas. En 1388, il paraît à la cour d'Orthez où règne le comte de Foix, Gaston Phœbus, un des seigneurs les plus fastueux du siècle. Il lui lit ses poésies, donne son avis éclairé sur celles de son hôte, s'enquiert des événements survenus dans le Midi et en Espagne. Il quitte le Béarn dans la suite de Jeanne de Boulogne, pupille du comte de Foix, qui allait épouser le duc Jean de Berry ; il passe à Avignon, en Auvergne, séjourne à Paris, en Flandre, en Hollande, et débarque à Douvres en 1394. Il ne retrouve en Angleterre aucun des amis qu'il y avait laissés, se fait apprécier par le nouveau roi, Richard II ; puis il revient en Hainaut où il meurt, sans doute, dans les premières années du XVᵉ siècle.

Froissart doit beaucoup à Jean le Bel, mais la majeure partie de son livre est faite de renseignements qu'on lui a fournis. Sa curiosité, plus que les circonstances, l'a conduit à travers le monde, pour apprendre ce qui s'y passait. Aussi, le plus souvent, sa partialité est-elle imputable à ses informateurs. Partisan des Anglais, quand il utilise des sources anglaises, il juge mieux les Français, et spécialement les Valois, quand il vit aux côtés de Wenceslas de Luxembourg ou de Guy de Blois. C'est ainsi qu'à deux reprises il remanie le premier livre de sa chronique et qu'on a pu parler de « sa loyale partialité » et le qualifier de « narrateur fidèle et partial ». Au demeurant, il raconte plus qu'il ne juge ; les causes des événements lui échappent presque toujours, car il ne s'intéresse qu'à leur aspect extérieur. On aurait tort de lui demander autre chose, mais ce qu'il nous donne séduit par une verve toute personnelle qui se rencontre rarement chez les historiens du moyen âge. L'aventure de la comtesse de Salisbury est, pour Jean le Bel, un épisode dramatique ; elle prend, chez Froissart, un ton romanesque et courtois. Mêlant avec complaisance la fiction et la réalité, c'est avec le même plaisir et la même verve qu'il raconte l'histoire du sire de Corase et de son lutin favori, le combat des Trente ou les tragédies familiales de la cour d'Orthez. Il sait animer une scène, camper ses personnages et les faire parler, peindre, dans tout l'éclat de son faste, telle ou telle de ces brillantes cérémonies où les princes le convièrent. Il s'est décrit lui-même chevauchant en quête de renseignements, interrogeant ceux qu'il rencontre au hasard du voyage, et les pressant de questions, comme ce serviteur du comte de Foix qui lui fournit, bon gré mal gré, tant de détails savoureux sur son maître. Ce sont ces témoignages patiemment recueillis que nous trouvons dans sa chronique ; ses interlocuteurs nous parlent comme ils lui ont parlé. L'entretien se poursuit sans effort, avec une telle aisance, un tel accent de vérité que le lecteur attentif se sent tout proche du passé, même quand l'auteur donne l'impression de broder sur les faits.

Près de la Chronique de Froissart, le livre consciencieux que Christine de Pisan consacra aux *Fais et bonnes meurs du sage Roy Charles V*, fait une assez pauvre figure. On a peut-être abusé vis-à-vis d'elle de ce reproche de pédantisme sous lequel on croit l'accabler. La gravité didactique et l'abus des citations correspondaient au goût du temps et procédaient logiquement de sa formation savante. Du moins son style « clergial », lourd et conventionnel, a-t-il fait tort à son ouvrage ; le *Livre de Fais et bonnes meurs* est pourtant d'une lecture plus facile et plus divertissante que le poème interminable et monotone de l'honnête Jean Cuvelier sur Bertrand du Guesclin.

L'Histoire après Charles V.   Cependant, Charles V est mort et la guerre, en se prolongeant, perd peu à peu ce caractère de tournoi chevaleresque que Froissart s'était plu à nous représenter. Malmenées par les gens d'armes, les populations en subissent toutes les misères et de simples particuliers, des hommes d'église, des bourgeois, s'improvisent historiens pour retracer les malheurs de leur cité ou de leur province. Ils écrivent pour eux-mêmes ou pour un cercle restreint, sans art ni ambition littéraire, et la plupart sont restés anonymes. La plus célèbre de ces œuvres est, à juste titre, le *Journal d'un bourgeois de Paris de 1409 à 1449*. L'auteur, peut-être un homme d'église, y passe, sans transition, du prix des denrées au récit des événements politiques, enregistrant les faits du jour, ne ménageant pas ses critiques au gouvernement, quel qu'il soit, et nous donnant, en fin de compte, une vision sincère et poignante des maux qui s'abattirent alors sur les populations françaises.

Biographies du XVe siècle. Les biographies, également, se multiplient au XVe siècle, car les auteurs de l'Histoire supportent malaisément l'anonymat. Au XIIIe siècle, Robert de Clari, Joinville, Villehardouin même, insistent plus sur les exploits de leurs compagnons que sur leurs propres faits d'armes ; les combattants du XVe siècle ont, tout au rebours, le souci de leur gloire ; leurs prouesses, et leurs vertus, à l'occasion, ne doivent pas rester ignorées. Beaucoup d'entre eux ont des chroniqueurs à gages. C'est ainsi que Jean Cabaret d'Orreville nous raconte la vie du bon duc Louis de Bourbon, que celle d'Arthur de Richemont nous est rapportée par son serviteur Guillaume Gruel qui, malgré toute sa complaisance, n'a pas réussi à rendre au connétable une réputation sans tache. Un familier de Jean de Bueil, amiral de France, a romancé sa vie d'après ses souvenirs, en dissimulant l'identité de son héros sous le nom de *Jouvencel*. Théoriquement, c'est un traité d'art militaire à l'intention des jeunes nobles qui se destinent à la carrière des armes ; pratiquement, c'est un récit souvent humoristique et plaisant des guerres du temps de Charles VII, où le rôle de Jean de Bueil se trouve singulièrement grossi.

Les Pamphlets. Avant d'en venir aux histoires véritables, il nous faut dire un mot des pamphlets si nombreux, par lesquels Armagnacs, Bourguignons et Anglais prétendirent influer sur l'opinion publique. La plupart, surtout du côté bourguignon, colportent de basses injures ou d'odieuses calomnies contre le parti adverse. Ni le *Songe véritable,* ni le *Pastoralet* où la haine se dissimule sous les fadeurs d'une innocente bergerie, ni le *Livre des trahisons* ne font honneur à ceux qui les conçurent. La pauvreté du style n'y rachète pas l'indigence du fond. Il semble que la violence et l'invective aient été pour ces ouvrages la seule condition du succès. Du côté des Armagnacs, les compositions de ce genre sont en général moins longues et plus modérées ; certaines mériteraient d'être mieux connues. Il s'agit avant tout pour les Valois d'affirmer leurs droits à la couronne de France contre les prétentions anglaises, plus tard de défendre la position de Charles VII, puis de justifier ses victoires. Dès le règne de Charles V, un secrétaire du roi, Jean de Montreuil, compose en latin un traité des droits de la France, bientôt suivi d'une rédaction en langue vulgaire, qui lui assure une plus large audience. Cette œuvre, qui n'est pas isolée, s'insère évidemment dans la campagne de propagande menée par le gouvernement sous des formes multiples. Elle connut un très grand succès. Au xv⁰ siècle, les pamphlets et les mémoires inspirés des mêmes préoccupations sont plus nombreux encore. Ecrite après 1420, une *Complainte des bons et loyaux Français* contient une éloquente protestation contre le traité de Troyes qui livre la France au roi d'Angleterre. Le *Quadrilogue invectif* d'Alain Chartier peut être rangé lui aussi parmi les écrits rédigés dans l'entourage du roi et sur son initiative. Les auteurs sont le plus souvent ses conseillers ou ses secrétaires qui reprennent, en les amplifiant à l'aide d'arguments nouveaux tirés des circonstances, les idées de Jean de Montreuil. Jean Jouvenel des Ursins, archevêque de Reims, rédige sur l'ordre du roi, des mémoires renforcés de documents précis, pour servir aux négociations en cours, et consacre à la rupture des trêves, en 1449, et à la délivrance du royaume un véritable traité encore utilisé par les diplomates à l'extrême fin du xv⁰ siècle. De la même manière, pour exalter la couronne de France et confondre ses adversaires, un secrétaire de Charles VII, Noël de Fribois, compose une œuvre assez confuse, mais où le sentiment national s'exprime avec une ardente sincérité.

Chroniqueurs armagnacs. Quant aux chroniques véritables, sous une apparence trompeuse d'impartialité, elles se ressentent aussi des passions politiques qui animent leurs auteurs. Chaque parti, sentant le besoin de soutenir sa propre cause, a ses interprètes officiels. Tandis que Jean Jouvenel écrit l'histoire de Charles VI, en utilisant la chronique latine dite du *Religieux de Saint-Denis*, le règne de Charles VII inspire tout d'abord Gilles le Bouvier, dit le Héraut Berri, qui doit à sa fonction d'être bien renseigné Par là comme par ses qualités proprement littéraires, sa chronique est bien supérieure à celle du chroniqueur en titre du royaume. Jean Chartier, moine de Saint-Denis, qui nous a laissé de son œuvre d'abord rédigée en latin, une version française.

Chroniqueurs bourguignons. Dans le royaume divisé par la guerre et les troubles civils, subsistent ou naissent de grandes seigneuries, Bretagne, Bourbonnais, Anjou, Bourgogne, Alençon, où se maintiennent les dynasties princières. Affirmant leur indépendance, celles-ci rivalisent entre elles par l'étalage d'un luxe souvent hors de proportion avec leurs ressources. Les princes entretiennent de véritables cours, construisent des châteaux, entretiennent des écrivains et des artistes. Cet orgueilleux souci de prolonger leur gloire les pousse à faire rédiger les fastes de leur lignage, pour légitimer leur conduite aux yeux de la postérité. Les ducs d'Alençon ont ainsi trouvé un dévoué panégyriste en Perceval de Cagny dont la chronique, bien que tendancieuse, n'est pas sans mérite. Le roi René, duc d'Anjou, fait rechercher dans ses archives les documents propres à écrire son histoire et celle de ses prédécesseurs. Un familier du comte de Foix, Gaston IV, Guillaume Leseur, s'institue son historiographe.

Mais de tous ces grands feudataires, les ducs de Bourgogne ont été les plus favorisés. Peut-être payaient-ils mieux leurs serviteurs. Ce qui est sûr, c'est qu'ils n'en manquaient pas. Certains, parmi leurs chroniqueurs, témoignent d'une relative impartialité. Le dessein d'Enguerrand de Monstrelet fut de continuer Froissart et d'écrire l'histoire militaire de son temps ; il le fit sans se dépouiller entièrement de tout préjugé bourguignon. Sa chronique fut continuée par Mathieu d'Escouchy, écrivain consciencieux qui s'efforça de tenir la balance égale entre les partis ; il y avait moins de mérite, car, après le traité d'Arras, les passions commençaient à s'apaiser. Il s'attacha surtout à la description de la vie chevaleresque, des prouesses, des fêtes, des tournois, s'étendant avec complaisance sur le Pas de la Belle Pèlerine ou les cérémonies du Vœu du Faisan. La cour de Bourgogne offrait, au demeurant, toutes les séductions capables de plaire à l'aristocratie féodale, chez qui la réalité, autant que le roman, entretenait l'esprit d'aventure. Autour de Philippe le Bon se pressait une noble jeunesse avide de gloire et de plaisir, dont Jacques de Lalaing fut un des plus fameux représentants. L'art et la littérature contribuaient encore à rehausser l'éclat d'une cour qui ne connaissait point de rivale. Le duc Philippe, et son fils, Charles le Téméraire, suivra son exemple, entretient non seulement des enlumineurs, des sculpteurs, des peintres et des poètes, mais aussi des historiographes. L'histoire officielle est cultivée chez lui par des historiens supérieurs à ceux que Charles VII eut à sa disposition. Voici d'abord Jean le Fèvre, seigneur de Saint-Rémy, roi d'armes de la Toison d'Or ; il nous a laissé une chronique intéressante, moins par le style que par la masse des documents qu'il cite et des souvenirs qu'il rapporte. Ambassadeur du duc, il connaît souvent les ressorts des événements et n'hésite pas à révéler quelques secrets diplomatiques. Cette sûreté d'information valut à son œuvre d'être utilisée par d'autres chroniqueurs et notamment par le plus célèbre d'entre eux, Georges Chastellain, « indiciaire » officiel de la cour de Bourgogne en 1455, chevalier de la Toison d'Or, en 1473. Fort érudit, versé dans les lettres antiques, également grand voyageur, observateur attentif et curieux, il nous a donné dans ses six livres de *chroniques*, dont n'ont survécu que d'assez longs fragments, un tableau exact et vivant de la cour bourguignonne sous Philippe le Bon et Charles le Téméraire. Bien informé, il juge les gens et les faits sans complaisance, mais avec finesse et discernement, sans que jamais son loyalisme bourguignon étouffe ses sentiments français. Quand il parvient à s'affranchir des souvenirs livresques, sa langue colorée, son style expressif et vigoureux permettent de le classer parmi les plus habiles prosateurs de son temps.

On ne saurait mettre sur le même plan Olivier de la Marche, serviteur passionné des ducs de Bourgogne, laborieux sans doute et véridique autant que possible et le verbeux rhétoriqueur, Jean Molinet, qui s'avisa de donner une suite à la chronique de Chastellain, de 1474 à 1506. C'est le type achevé du chroniqueur à gages, d'esprit borné, voyant toujours les choses par le petit côté, mais capable d'écrire avec abondance, dans un style obscur et maniéré. Son hostilité à l'égard de la France s'explique en partie par la politique de Louis XI et par le prestige qu'exerce sur lui le faste inouï des Habsbourg. Annaliste méticuleux, il nous peint dans le détail la vie quotidienne de la Flandre archiducale et, s'il a manqué de vigueur pour saisir l'ensemble des faits et en dégager les grandes lignes, il nous a du moins laissé l'image fidèle d'une époque et d'un milieu.

Philippe   Ce qui manque à la plupart de ces chroniqueurs,
de Commynes. c'est l'intelligence de l'Histoire. Ils ne s'occupent guère que de rapporter ce qu'ils ont vu ou entendu dire, uniquement séduits par le côté superficiel ou pittoresque des événements, incapables le plus souvent d'en comprendre la portée ou d'en démêler les causes. Leur jugement, quand ils osent juger, ne dépasse pas les lieux communs de la morale conventionnelle et leur philosophie demeure élémentaire. C'est Commynes qui, le premier, a su voir non seulement que les événements s'enchaînaient, mais qu'une volonté sage et prudente pouvait, dans la limite que Dieu laisse aux mortels, les provoquer et les diriger.

Philippe de Commynes, chambellan et conseiller de Charles le Téméraire qu'il abandonna pour entrer au service de Louis XI, son ennemi le plus acharné, n'était ni un écrivain de profession, ni même un lettré, puisqu'il ignorait le latin ; on n'a conservé de lui que quelques lettres et ses *Mémoires*. Sa famille était de vieille noblesse. Son père, Colart, grand bailli de Flandre, avait joué un certain rôle sous le règne de Philippe le Bon. Quand il mourut, en 1453, le jeune Philippe n'avait que six ans ; il lui laissait une succession terriblement compromise par les procès qu'il avait soutenus de son vivant et l'héritage, tout compte fait, se réduisait à peu de chose. Sous l'autorité d'un tuteur, le jeune homme s'initia au métier des armes et ce fut sans doute la seule instruction qu'il reçut. La culture qu'il acquit par la suite fut celle d' « un amateur doublé d'un autodidacte ». Mais il était intelligent et la vie lui procura maintes occasions d'exercer son « sens naturel, lequel precede toutes

sciences que on sçauroit apprendre en ce monde ». Successivement conseiller d'un duc et de deux rois, il passe tour à tour de
l'extrême faveur à la disgrâce, de son beau château de Talmont,
présent royal, aux sinistres cages de fer de la prison de Loches, d'où
il finira par sortir. Employé à toutes sortes d'intrigues, il a conduit
des négociations difficiles avec l'Angleterre, avec les Sforza, les
Médicis, les Vénitiens ; et ces maîtres de la diplomatie, s'ils l'ont
trompé quelquefois, ont toujours trouvé en lui un adversaire à
leur mesure. C'est une heureuse fortune pour l'Histoire qu'il ait
écrit ce qu'il avait fait ; c'en est une aussi pour la littérature.

Son dessein ne fut pas d'écrire une chronique, mais des mémoires,
avec le simple désir de renseigner l'archevêque de Vienne, Angelo
Cato, qui se proposait de rédiger en latin une vie de Louis XI.
Mais peut-être, en écrivant, a-t-il pris goût à la besogne, car ses
mémoires, dépassant largement le règne de Louis XI, ne s'arrêtent
qu'à la mort de Charles VIII, en 1498. Il avait également des préoccupations didactiques. Politique expérimenté, il pense que les
autres peuvent profiter de son expérience; il donne aux princes, aux
chefs d'Etat, des avis qui doivent leur servir. Aussi néglige-t-il de
parer son œuvre de ces descriptions brillantes auxquelles ses prédécesseurs se complaisaient. Il explique, il commente, il conseille;
l'aspect pittoresque des faits ne le retient pas, et pourtant ses personnages vivent, parce qu'il nous dépeint soigneusement leur caractère, reconnaissant leurs qualités, sans négliger leurs défauts. Des
plus grands même il n'hésite pas à signaler les faiblesses, et c'est
peut-être par là que sa subtilité apparaît le mieux. On chercherait
en vain, dans Joinville et dans Froissart même, une expression si
nuancée d'un sens psychologique que ne possèdent ni Christine de
Pisan, ni les chroniqueurs bourguignons, transportés par l'enthousiasme aux excès du panégyrique. Commynes réfléchit, compare et
décide. Les bienfaits de Louis XI, l'admiration qu'il a pour lui ne
lui cachent pas ses erreurs, et les louanges qu'il lui accorde n'ex-
cluent pas toute critique; le portrait qu'il a tracé de ce prince énigmatique, dont on a pu dire à la fois tant de bien et tant de mal,
est peut-être, après tout, le plus impartial et le plus fidèle.

Observateur des faits qu'il apprécie et dont il s'applique à tirer
des enseignements profitables, Commynes se détache entièrement
des historiens du moyen âge. Il est moins près d'eux que de Machia-
vel. Pourtant, bien que sa morale soit assez lâche et que, pour lui, le
succès justifie tous les moyens, il n'en a pas le cynisme et réserve
les droits de la Providence. C'est la crainte de Dieu et des peines
infernales qui retiendra les princes disposés à mal agir; et si, malgré
ces entraves, on les voit abuser de leur pouvoir, c'est à leur tiédeur
religieuse, sinon à leur impiété, qu'il faut en imputer la cause.

Quant au style de Commynes, il faut se garder d'en faire un éloge
systématique. Ce guerrier diplomate n'est pas un écrivain et lui-

Mémoires de Commynes

Commynes dicte ses *Mémoires* à son secrétaire en présence de Louis XI
(Manuscrit de Commynes. Musée Dobrée à Nantes)

même le déplore. A cet égard, Froissart et bien d'autres chroniqueurs le dépassent sans conteste. Sa phrase est longue, parfois embarrassée, malaisée, obscure, mais relevée heureusement par un choix d'expressions originales et fortes. Tout compte fait, ce n'est pas le style, ce sont les qualités profondes de l'ouvrage qui lui ont valu sa réputation. Quand Commynes mourut, en 1511, on goûtait déjà ses *Mémoires*. Dès 1524 l'imprimerie les répandit. Au xviie siècle Mme de Sevigné les lisait avec plaisir et les admirait comme, au siècle précédent, Montaigne et Ronsard avaient su le faire.

Conclusion. Avec Commynes on peut clore cette époque où la production historique se trouva favorisée par le hasard des circonstances. Les œuvres sont nombreuses et d'inégale valeur. Au xive siècle, deux noms se distinguent, Jean le Bel et Froissart; au xve siècle, dans la foule des historiens, Commynes mis à part, il est difficile d'en trouver qui se placent d'eux-mêmes au premier rang. Leurs œuvres ne sont pas sans intérêt, mais aucune ne se signale par des mérites éminents. En réalité, nous arrivons avec Commynes au terme d'une évolution. Comme l'observait Ch.-V. Langlois, les historiens racontèrent d'abord ce qu'ils avaient lu, et ce fut le cas des compilateurs d'histoire universelle; avec Villehardouin et Joinville, ils notèrent ce qu'ils avaient vu, avec Froissart et les chroniqueurs subséquents, ce qu'ils avaient entendu dire. Mais à de rares exceptions près, les uns et les autres se sont contentés d'enregistrer les faits sans discussion ni critique, dans le seul dessein de plaire ou de conserver le souvenir des événements qui les avaient frappés. Commynes, le premier, ne voit dans les faits qu'un moyen; ce qu'il veut c'est les expliquer, les interpréter pour les mieux comprendre. Démêlant l'écheveau des effets et des causes, l'Histoire devient une discipline intellectuelle qui apporte avec elle des enseignements. Et cette conception nouvelle qui donne à l'esprit et à la critique un rôle ignoré jusque-là, annonce déjà la Renaissance, bien plutôt que les citations d'auteurs anciens dont Chastellain et Molinet avaient lourdement émaillé leurs œuvres.

CHAPITRE VI

LE THÉÂTRE RELIGIEUX

Miracles et Mystères. La Passion.

Évolution du théâtre religieux   Pendant la sombre période où se joue l'avenir de la France, alors que les autres genres périclitent ou disparaissent, le théâtre religieux se développe d'une façon régulière, en dépit, sinon à la faveur des événements. On ne saurait plus souscrire aujourd'hui · au jugement formulé par Gaston Paris, en 1885 : « L'histoire du drame religieux au moyen âge offre une singulière lacune et, comme on dit en parlant de certains fleuves, une perte qui nous la dérobe pendant près de deux siècles. » C'est que, depuis cette date lointaine, de nouveaux textes ont été découverts, nous révélant dans sa continuité l'évolution de notre ancien théâtre.

Quand nous l'avons quitté, vers la fin du XIIIe siècle, le drame issu de la liturgie avait déserté la nef pour s'installer sur le parvis, débordant même à l'occasion sur la place avoisinante. De liturgique, il était devenu semi-liturgique, en ce sens qu'il demeurait lié à l'office par un lien de plus en plus lâche. Il semblait en effet qu'une force irrésistible l'éloignât du lieu de sa naissance et qu'à changer ainsi de cadre, il perdît une partie de sa signification. Au lieu de servir, comme par le passé, à l'enseignement chrétien, de collaborer à l'édification des âmes pieuses, en concrétisant les abstractions du dogme, il tend de plus en plus à devenir un spectacle où, sans méconnaître l'intention religieuse, la foule se pressera surtout pour le plaisir des yeux. Le drame religieux va désormais se présenter comme une pièce de grande étendue, formée de morceaux disparates, avec un semblant d'unité. A quelques exceptions près, le style en est pauvre et l'art hésitant, car, le goût du public subordonnant à la mise en scène la qualité littéraire, le poète s'efface trop souvent

devant le machiniste. Aussi faut-il, pour organiser un spectacle, moins
de talent que de livres tournois. L'initiative individuelle est désarmée
dans ce domaine. N'écrira pour le théâtre que celui qui sait pouvoir
être joué, soit qu'il obéisse au désir d'un prince ou d'une collect-
ivité, soit qu'il ait pour lui le patronage d'une de ces confréries
mi-religieuses, mi-littéraires, qui portent le nom de *Puys*.

Les « Miracles   Les quarante *Miracles de Notre-Dame* que nous
de   a conservés un splendide manuscrit de la Biblio-
Notre-Dame ».   thèque nationale, n'étaient sans doute pas autre
chose que le répertoire d'une confrérie parisienne vouée spécialement
au culte de la Vierge. Ces pièces, relativement courtes, s'achèvent
toutes par son intervention miraculeuse. Pourtant elles ne constituent
pas seulement, comme on pourrait le croire, l'illustration des contes
pieux qui forment la matière des recueils hagiographiques : l'épopée, le
roman courtois, la légende populaire et le folklore, toutes les sources
de la littérature narrative y sont couramment représentés. On y voit
défiler Robert le Diable, Amis et Amile, la fille du roi de Hongrie,
l'empereur Julien, Berthe aux grands pieds, Clovis, pour ne citer
que quelques titres. Ces personnages réels ou de fantaisie sont liés
à des événements dont la succession et le dénouement offrent d'excellents sujets dramatiques. Mais, si bien choisie que soit la matière,
encore faut-il que l'auteur ait du talent, ce qui est rarement le cas.
De médiocres rimeurs essayent, tant bien que mal, de donner la vie
à leurs personnages, mais ne parviennent, ce qui est leur principal
objet, qu'à justifier la dévotion à Notre-Dame, mère de miséricorde
et protectrice des affligés. L'importance de son action se trouve
accusée par la nature exceptionnelle des circonstances où elle intervient, ce qui exige une situation dramatique et, pour le héros de
l'aventure, des souffrances morales et physiques, des tortures, des
mutilations. C'est Guibourc sauvée du bûcher où déjà les flammes
crépitent; c'est Robert le Diable, dont les crimes impardonnables
finiront par être absous; c'est la résurrection des enfants d'Amile;
c'est la fille du roi de Hongrie « qui se copa la main, pour ce que
son pere la vouloit espouser, et un esturgon la garda set ans en sa
mulete [*estomac*] ». Ecoutez un peu cette émouvante histoire :
Devenu veuf, le roi de Hongrie est pressé de se remarier, mais
il n'épousera qu'une femme en tout semblable à sa défunte. Des
messagers parcourent les pays lointains, à la recherche de cet oiseau
rare, mais leur retour se fait attendre, et les barons s'inquiètent :

> « Ce seroit a nous grant meschief [*malheur*],
> Se mouroit et fussions sans chief
> Et sanz hoir venu de son corps. »

La seule solution est qu'il épouse sa propre fille. La question est
soumise au pape qui n'y voit pas d'inconvénient. Les choses pour-

raient aller vite, si l'intéressée elle-même s'y pliait de bonne grâce.
Quand son père lui notifie ses intentions, elle refuse net et se coupe
la main :

> « Afin qu'il n'ait plus de moy cure. »

Voyant sa fille mutilée, le roi entre dans une colère terrible et
ordonne qu'elle soit « arse ». On envoie chercher le bourreau, tandis
que la malheureuse implore l'assistance divine. Mais le chevalier
chargé d'exécuter les volontés du roi hésite au dernier moment.
Il cachera la jeune fille et, pour donner le change, le bourreau
allumera un grand feu. En apprenant la mort de sa fille, le roi se
désespère et reproche à Satan de l'avoir mal conseillé. Nous voici
brusquement transportés en Ecosse. Le prévôt annonce au roi qu'il
a vu venir dans une nacelle

> Sanz gouvernement par mer nul,
> Sanz trait de cheval ne de mul,
> Sanz mast, sanz aviron, sanz voille,

une jeune fille admirablement belle. Reçue par le roi, elle dit son
nom, Berthequine, et refuse de rien ajouter. Mais le roi, déjà, s'est
épris d'elle. Comme il se retire pour faire la sieste, il la confie à
sa mère qui lui tient ce langage désobligeant :

> « Damoiselle, je vous vueil dire
> Que vous estes une musarde
> Et une avolee coquarde. »

L'ayant traitée d' « esmoignonnée » et de « sauvage », elle veut
la chasser. Le roi entre et voit la jeune fille en larmes; il apprend
la cause de son chagrin et déclare qu'il l'épousera dans les huit
jours. La mère, indignée, s'en retourne chez elle, et le mariage a
lieu. A quelque temps de là, un héraut annonce qu'un tournoi se
prépare près de Senlis. Le roi d'Ecosse y assistera, malgré les prières
de sa jeune femme, qui est « prête d'enfanter ». Peu après les
douleurs la prennent, ce qui donne lieu à une scène d'un réalisme
aigu qu'un auditoire moderne supporterait difficilement :

> « Que ferai-je ? Diex, les rains ! Diex !
> Confortez moy, dame des cielx !
> .. ..
>
> Diex, le ventre ! Diex, les costez ! »

Au milieu des souffrances fidèlement enregistrées, l'enfant naît
et les « demoiselles » le présentent à sa mère :

> « Dame, faites nous bonne chiere,
> Que vous avez un tres biau filz,
> Soit en voz cuers certains et fis :
>   Regardez cy. »

Un certain Lambert en transmet la nouvelle aux barons. Il est
chargé d'en aviser le roi. Mais l'imprudent messager, croyant bien
faire, s'arrête au château de la mère jalouse, qui le grise et substitue
à la lettre authentique un billet mensonger où le nouveau-né est
dépeint comme un monstre. Quand le roi en prend connaissance, il
s'afflige plus qu'il ne s'irrite et, pour se donner le temps de la
réflexion, signifie à son prévôt de garder la mère et l'enfant jusqu'à
son retour. Le messager rend une seconde visite à la vieille reine,
ce qui permet une nouvelle substitution de lettres. On exige cette
fois la mort immédiate des innocents. Mais le chevalier, qui avait
soustrait Berthequine à la vengeance paternelle, l'arrache à celle de
sa belle-mère. Avec son enfant et une dévouée servante, elle s'em-
barque sur un esquif sans avirons ni gouvernail :

> Ainsi par my la mer s'en voit [va]
> Au Dieu plaisir, qui la convoit
> Ou li plaira.

Quand elle est en pleine mer, elle implore Notre-Dame qui s'entend avec Dieu pour mener à bon port la barque fragile. Elle aborde
à Rome; un sénateur accueille les fugitifs et les conduit à son hôtel
où ils seront en sûreté. Cependant le roi est revenu en Ecosse. Son
entrevue avec ses chevaliers dégénère en quiproquo. Lambert, interrogé, donne la clef du mystère. Le roi, sans perdre un instant, part à
la recherche de sa femme et commence par faire un pèlerinage à
Rome. Après divers incidents, il la découvre chez le sénateur, la
reconnaît à son anneau et les époux, enfin réunis, vont rendre grâce
à saint Pierre. C'est le Jeudi saint; mêlé à la foule des pèlerins se
trouve le roi de Hongrie que le remords tourmente, depuis qu'il
a condamné sa fille. Il l'aperçoit enfin et sa joie est sans bornes.
Quant au roi d'Ecosse, il apprend avec satisfaction la noble origine
de son épouse. Mais ce n'est pas tout : un clerc, chargé par le pape
d'aller puiser l'eau des fonts dans la rivière, a repêché une main
en parfait état de conservation. C'est celle de « l'esmoignonnée »,
mise à l'abri par la Vierge dans l'estomac d'un esturgeon. Le pape
l'ajuste au membre mutilé et, par miracle, elle y demeure fixée.

Cette aventure n'est en réalité qu'une version du conte de « la
fille sans mains », qui se retrouve sous diverses formes dans la littérature européenne, depuis le XIIe siècle, et notamment dans la
Manekine de Philippe de Beaumanoir et dans le *Roman du comte
d'Anjou*, de Jehan Maillart. Une intrigue compliquée d'épisodes
accessoires promène l'héroïne en divers lieux et la conduit au dénouement par quelques chemins de traverse. L'emploi de la mise en
scène simultanée permet ce vagabondage; plusieurs décors juxtaposés figurant la cour du roi de Hongrie, celle du roi d'Ecosse,
celle de la reine mère, Senlis, la haute mer, le rivage d'Italie, le

palais du pape, la maison du sénateur, l'église Saint-Pierre et le
paradis accueillent tour à tour les acteurs. Matériellement situés au
lieu de leur action, les personnages ne sont ni des pantins, ni des
entités métaphysiques. Ils vivent et comme dans le théâtre espagnol
et shakespearien, cette succession de scènes courtes et vivantes tend
à donner au spectateur l'illusion du réel. Le style est maladroit
sans doute, mais le langage est adapté à la condition des protagonistes et les rois n'y parlent pas sur le même ton que leurs serviteurs. La monotonie des répliques en octosyllabes, terminées par
un petit vers rimant avec le premier vers de la tirade suivante,
est parfois rompue par l'emploi d'autres mètres, gracieux motets
chantés par les anges dont le chœur entoure la Vierge et son Fils.
Le tragique et le grotesque y font excellent ménage et la scène
inquiétante, où la vieille reine prépare au moyen d'un faux la perte
de sa bru, s'égaye des propos d'ivrogne que tient l'infortuné Lambert. Comme l'a fort justement noté G. Paris, le miracle constitue
une formule dramatique pleine de promesses, mais qui perdit trop
tôt la faveur du public pour les réaliser. Aussi bien n'avons-nous
conservé, en dehors des quarante *Miracles* de la Vierge, que celui
de *Griseldis*, d'inspiration moins pieuse, mais de semblable facture.

Le « Grand   C'est qu'à tout prendre, il est difficile d'échap-
Mystère de   per à la tradition. Le théâtre du moyen âge évolue
la Passion ».   en fonction de ses origines liturgiques. Si l'Eglise,
faute de place, a cessé de lui donner asile, elle n'en a pas abandonné
la direction. Or, l'inspiration du miracle paraît ne favoriser qu'une
dévotion accessoire; il devra céder le pas au grand drame philosophique sur lequel repose toute la religion. La pierre angulaire du
christianisme, c'est l'*Incarnation;* les *Evangiles* sont la source du
dogme, et les *Evangiles* sont la vie de Jésus. Le théâtre religieux
était né de l'office de *Pâques* et de celui de la *Nativité;* au terme
de son développement, il devait embrasser toute l'histoire du Christ,
de sa naissance à sa résurrection, formant ainsi le *Grand Mystère
de la Passion*, thème unique et prestigieux sur lequel devaient s'exercer des générations de poètes. Depuis longtemps, sans doute, les
jongleurs avaient accoutumé de réciter sur les places publiques une
Passion destinée à commenter les tableaux aux couleurs vives qu'ils
présentaient aux badauds. Ce poème narratif, formé d'éléments évangéliques et d'emprunts apocryphes et légendaires, servit à composer
des *Passions* dramatiques comme celles de Semur et d'Autun et surtout cette *Passion palatine* qui vit le jour au début du XIVe siècle.
Dans le manuscrit qui nous l'a conservée, et dont manquent les premiers feuillets, elle s'étend de l'entrée à Jérusalem à la visite des
trois Maries au Sépulcre.

C'est l'œuvre d'un jongleur audacieux et maladroit qui s'efforce,
avec de pauvres moyens, d'élargir le spectacle et de l'améliorer.

Les Confréries de la « Passion ». Dès cette époque, la représentation des mystères n'était pas le privilège des cités flamandes ou picardes. Le Midi, moins éprouvé par la guerre, savait organiser des spectacles, et nous possédons une *Passion provençale* composée au plus tôt vers 1345, plus grave et plus pieuse que la *Palatine*, et qui ne saurait, jusqu'à preuve du contraire, se rattacher à aucun modèle français. Mais à la fin du XIVᵉ siècle, le genre est assez répandu pour que s'instituent, dans la France du Nord, des confréries de la Passion et c'est en 1402, en pleine crise politique, que Charles VI autorise l'association parisienne. Le goût du théâtre paraît alors avoir gagné toutes les classes de la société et son influence s'étend à toutes les manifestations de la vie nationale. L'art des imagiers et des enlumineurs s'en inspire directement. Les entrées des rois et des princes dans leurs bonnes villes, les banquets, les tournois, les fêtes et cérémonies officielles sont le prétexte, surtout en Bourgogne, de luxueux divertissements. Tout y est réglé comme par un « meneur de jeux » et chaque exécutant y tient son rôle comme un acteur. Cet état d'esprit collectif est évidemment favorable à la composition des *Mystères;* mais le sens du terme ne se précise qu'au milieu du XVᵉ siècle, où on commence à le réserver aux pièces sérieuses. Les soixante mystères que nous possédons, tous du XVᵉ siècle ou du XVIᵉ, nous donnent, en dépit de ce qui nous manque, une idée de ce que fut cette éclatante floraison.

Les Mystères D'après la nature des sujets traités, on les répartit habituellement en trois cycles : cycle de l'Ancien Testament, cycle du Nouveau Testament et des Apôtres, cycle des Saints. Mais à quelque cycle qu'ils appartiennent, les *Mystères* offrent dans leur structure et dans leur inspiration un certain nombre de traits communs. Ce ne sont pas des œuvres d'imagination : la tradition y fait la loi et les sources en seraient strictement limitées si le défaut de sens critique n'interdisait aux auteurs d'établir la distinction entre les textes canoniques et les apocryphes, entre l'histoire ecclésiastique et la légende hagiographique. Ce ne sont pas de purs divertissements et l'on y sent, toujours présente, l'intention apologétique; la religion s'y trouve glorifiée, sa propagande renforcée et l'action du clergé facilitée sur les consciences rebelles et les cœurs hésitants. Pour atteindre ce résultat, les moyens d'exposition qui paraissent les plus efficaces sont, depuis le *Roman de la Rose,* le symbole et l'allégorie. Il s'ensuit que les personnages des *Mystères* sont à la fois des réalités historiques et des abstractions, puisqu'en eux s'incarnent les grandes idées dogmatiques, comme le salut, la grâce et la rédemption. Mais pour la masse des spectateurs qui ne sauraient s'élever sans doute à de telles interprétations, les personnages de la *Passion* sont des êtres véritables; ce qu'ils voient et qu'on leur fait voir, c'est le fils de Dieu fait homme, dans toute l'étendue

Mystère des Saints Crépin et Crépinien
Peinture de Despigoux, 1594 (Cathédrale de Clermont-Ferrand)

de son sacrifice, vivant, souffrant, mourant en homme, après avoir, pour la sauver, pris sur lui toutes les tares de l'humanité coupable.

La « Passion » d'Eustache Marcadé. L'Ancien Testament n'a pas inspiré les poètes au même degré que le Nouveau. Plus lointain, il n'évoque pas directement le christianisme, et sa connaissance est moins répandue. On tailla pourtant dans cette riche matière un certain nombre de mystères qui furent fondus, vers le milieu du xve siècle, en une vaste compilation de cinquante mille vers. La Passion du Christ eut une meilleure fortune. Des hommes de talent s'en emparèrent et, la travaillant, surent lui donner une forme à peu près définitive. L'un d'eux fut, dans le premier tiers du siècle, un Picard, Eustache Marcadé, official de Corbie et lauréat des Puys d'Amour. Alors que la Passion du xive siècle était formée de morceaux épars plus ou moins solidement cousus, son grand mérite fut de rétablir l'unité de composition. Par une initiative qui lui est sans doute personnelle, le mystère proprement dit s'encadrera désormais dans le Procès de Paradis, cher aux théologiens. Tandis que Miséricorde trouve des excuses au péché de l'homme et s'oppose à sa damnation, Justice croit nécessaire de maintenir le châtiment. Le débat porté devant Dieu le Père, celui-ci déclare que c'est à l'homme à racheter la faute de l'homme; mais il faut que Dieu lui-même, ayant pris le vêtement de chair, descende sur la terre pour accomplir l'œuvre de rédemption. Après ce grave préambule, la naissance de Jésus s'explique et se justifie. Il ne reste plus qu'à laisser se dérouler les événements dans l'ordre traditionnel, depuis la crèche de Bethléem jusqu'à la Résurrection. L'auteur s'y emploie en plus de vingt-cinq mille vers, ce qui est énorme et nouveau. Il s'en faut d'ailleurs qu'ils soient tous parfaits et que la Passion d'Arras puisse passer pour un chef-d'œuvre. La rime en est pauvre et le style grossier. Quant à la pensée, elle ne s'élève guère au-dessus du niveau commun des écrits catéchétiques. Le public, groupé à distance, n'en devait entendre que des lambeaux. Mais à voir s'animer dans un décor factice, sous de somptueux oripeaux, les héros évangéliques tout frais issus des paraboles, il comprenait mieux l'action du Rédempteur et sa foi s'en trouvait accrue.

La « Passion » d'Arnoul Gréban. La médiocrité littéraire du poème dramatique d'Eustache Marcadé a pu nuire à sa diffusion. Il en va tout autrement de la Passion d'Arnoul Gréban qui fut chanoine de Saint-Julien du Mans, après avoir dirigé, avec une rare compétence, la maîtrise de Notre-Dame de Paris. Savant comme un clerc devait l'être, pourvu de titres universitaires, organiste et compositeur, c'était au surplus un délicat poète qui s'entendait à manier les rythmes, à animer un dialogue, à renforcer l'intérêt dramatique par le choix heureux des détails. Pour les grandes lignes, il n'avait qu'à suivre, et il ne s'en est pas privé, le texte d'Eustache Marcadé, mais il avait par ailleurs une solide connaissance de la *Vulgate* et savait assez de théologie pour l'interpréter et en dégager la portée morale. C'est donc par des commentaires, des réflexions et des traits pittoresques qu'il fera sentir son intervention. Bien des épisodes seraient à noter, pour faire apprécier la valeur de cette œuvre sans égale. Voici tout d'abord, dans un pré fleuri, des bergers paissant leurs agneaux et goûtant la douceur de vivre. Ce sont les mêmes qui, après la naissance de l'Enfant Jésus, se concerteront pour lui offrir en présent un flageolet, deux deniers et un hochet

> Qui dira clic clic à l'oreille.

Assistons maintenant à l'embarquement des rois mages, scène réaliste au dialogue coloré de termes techniques; mais regrettons que Jésus, pour discuter avec les Docteurs de la Loi, étale mal à propos la science orgueilleuse d'un bachelier, en théologie. Arrêtons-nous sur la résurrection de Lazare suivie d'une scène bouffonne, revanche obligée du réalisme sur les tirades sentimentales. Admirons l'art presque classique avec lequel le poète nous décrit les hésitations de Marie-Madeleine, devant la porte de Simon, le Pharisien. Ira-t-elle trouver Jésus dans la demeure de son hôte ou renoncera-t-elle à s'humilier ?

> « Povre fame, que dois tu faire ?
> Seras tu hardie d'entrer
> Et ta maladie monstrer
> A cil qui en est le vray mire [*médecin*] ?
> Entrer ! Comment l'as ozé dire ?
> Pecheresse desordonnee,
> A tout mal faire habandonnee,
> Se doit elle trouver en place
> Devant tant digne et sainte face
> Comme le benoit filz de Dieu ? »

Et pourtant si elle veut échapper aux conséquences de sa vie passée et mettre fin à ses remords, il lui faut pousser la porte et pénétrer dans la maison, sinon sa perte est assurée :

> « Mourras tu de seuf asservye
> Devant la fontaine de vie ? »

Tiraillée entre des sentiments contraires, elle finit par se résoudre à un moyen terme : elle entrera doucement dans la salle où Jésus est attablé et se jettera à ses pieds :

> « J'entreray dedens voirement,
> Mes ce sera secretement,
> Et ne seray pas au dessus,
> Mais aux piés du tresdoulx Jhesus
> M'iray geter tout en pleurant. »

Ecoutons maintenant les plaintes de Notre-Dame qui cherche à
protéger son fils contre le péril imminent; écoutons Jésus prophé-
tiser sa mort et, gravissant le mont des Oliviers, adresser au Seigneur une ultime prière. Et maintenant voici la Passion proprement
dite, les poignantes étapes du Calvaire, le miracle de la Sainte-Face,
parmi les pleurs des femmes désolées. Mais quand Jésus a prononcé
ses dernières paroles, quand son corps détaché de la croix repose enfin
dans le tombeau, pourquoi la Vierge exprime-t-elle sa douleur en
vers si maniérés et si artificiels ?

Il faut croire que les spectateurs appréciaient assez cette rhétorique pour que les échevins d'Abbeville aient cru devoir payer dix
écus d'or le droit de représenter la *Passion* d'Arnoul Gréban. Les
grâces du style, la variété des rythmes, l'émotion des scènes dramatiques, la cordiale gaîté des intermèdes comiques donnaient au
thème inépuisable une jeunesse inattendue. Et si le public suivait
sans se lasser le déroulement d'une intrigue dont le dénouement lui
était connu, c'est qu'il avait, à chaque scène, la surprise d'un détail
inédit et qu'à une série de tableaux décousus l'auteur substituait
une œuvre harmonieuse, un long drame d'amour, amour divin de
Jésus pour l'humanité souffrante, amour humain de Marie, vierge
et mère, pour son fils prédestiné.

L'auteur de ce prestigieux monument se faisait la plus haute idée
de sa tâche. Il voulait offrir à tous les fidèles, aux plus raffinés
comme aux plus humbles, un vivant tableau des origines chrétiennes, animer, pour le rendre plus sensible, l'enseignement muet
et figé, gravé sur les pierres ou peint sur les vitraux de la cathédrale.
Nulle fantaisie dans son œuvre, mais la traduction la plus ortho-
doxe des récits de l'Ecriture; nul autre commentaire que celui qui
se faisait en chaire, mais placé dans la bouche des héros bibliques.
On a noté qu'Arnoul Gréban s'était inspiré de plusieurs sermons
sur la Passion; c'est qu'il pensait, sur un autre plan que les prédicateurs, collaborer à l'édification du peuple, en touchant plus profondément, grâce aux procédés du drame, les fibres de son cœur,
ranimer la foi chez les plus incrédules, provoquer, au milieu du
relâchement des mœurs, le réveil de la vertu. On ne saurait nier
qu'il n'y ait réussi dans une large mesure, et que la *Passion* de
Gréban, si fréquemment recopiée, remaniée, représentée, n'ait contribué à retarder, dans la France de Charles VII, les progrès du
scepticisme. Mais cette grandiose entreprise exigeait chez les auteurs,
avec une piété sincère, un talent qui leur manqua le plus souvent,
chez le public, un goût du mystérieux et du surnaturel qu'aucun
divertissement ne vînt contrecarrer. Or il se trouva que le souci
de réalisme et notamment le mélange du sérieux et du grotesque,
qui est l'essence même du drame médiéval, détourna bientôt les
mystères de leur signification primitive. Et pour avoir voulu flatter

les tendances de son public, le plus fameux des successeurs d'Arnoul Gréban défigura son œuvre et trahit sa pensée.

Remaniement de Jean Michel. Cette œuvre, qui pouvait passer à l'époque pour atteindre la perfection, fut en effet remaniée, trente-six ans plus tard, par un docte médecin d'Angers, Jean Michel, qui prétendit accentuer les effets comiques et conquérir l'auditoire par la recherche du pittoresque et du plaisant. Retranchant tout le début, il limita la pièce à la période comprise entre le baptême de Jésus et sa mise au tombeau, mais il se complut, en revanche, à décrire les amours incestueuses de Judas, la vie mondaine de Lazare et celle de la Madeleine, avant que la parole du Christ l'ait ramenée dans le droit chemin.

Il s'en faut pourtant que le travail de Jean Michel soit dépourvu de mérite littéraire. Dans plus d'un passage, il égale ou même surpasse son modèle, et sait trouver parfois des accents qui correspondent à la grandeur des sentiments. Si nous gardons encore aujourd'hui quelque souvenir du mystère de la *Passion*, c'est parce qu'il écrivit la scène fameuse où Jésus repousse, avec un doux entêtement, les tendres requêtes de sa mère. Il refuse de sauver le genre humain autrement que par sa mort, de faire mourir Notre-Dame avant lui, de lui procurer, pendant qu'il souffrira, une extase bienfaisante. Et quand elle insiste :

> « Au moins vueillez, de votre grace,
> Mourir de mort brieve et legere ! »

impassible, il répond :

> « Je mourray de mort tresamere. »

Et le dialogue se poursuit, coupé de brèves répliques :

> « Non pas fort villaine et honteuse.
> — Mais tres fort ignominieuse.
> — Doncques bien loing, s'il est permis !
> — Au milieu de tous mes amis.
> — Soit doncques de nuit, je vous pry !
> — Mais en pleine heure de midy.
> — Mourez donc comme les barons !
> — Je mourray entre deux larrons. »

pour aboutir au trait final qui s'adresse à tout l'auditoire :

> Accomplir fault les Escriptures !

Les « Actes des Apôtres ». L'activité d'Arnoul Gréban ne s'était pas limitée à la Passion : avec son frère Simon, il avait dramatisé les *Actes des Apôtres*, qui se jouaient encore à Bourges en 1536 et à Paris, en 1541. Quant aux mystères tirés de l'hagiographie, nous en avons une quarantaine dont les héros s'échelonnent depuis les témps apostoliques jusqu'à la fin du XIIIᵉ siècle. Demander à la vie des Saints le sujet d'une œuvre dramatique, c'était s'assurer d'avance une réputation locale, dans les villes dont le patron se trouvait ainsi glorifié. C'est parce qu'Andry de la Vigne fit représenter à Seurre, en 1496, un *Mystère de saint Martin* que sa gloire a survécu; nous lisons encore l'histoire émouvante de *Saint Bernard de Menthon* qui délivra de toute menace les passagers du Mont-Joux, et celle de *Saint Louis* qui dirigea sur les infidèles le tir bruyant de ses canons. L'ignorance du public permettant les anachronismes, c'est avec les mêmes procédés et suivant les mêmes méthodes qu'on développe une action contemporaine dans le *Mystère du siège d'Orléans*, ou qu'on dramatise,. dans la *Destruction de Troie*, l'antiquité païenne.

L'organisation des spectacles. L'essentiel est que le drame serve de prétexte à un prodigieux déploiement de luxe, car, depuis le temps du drame liturgique, la mise en scène et la machinerie ont fait d'étonnants progrès. On conçoit d'ailleurs que de longs poèmes, divisés comme celui de Gréban en quatre journées, exigeaient de nombreux décors et une imposante figuration. Quand les gens de Mons firent représenter en 1501 la *Passion* de Jean Michel combinée, pour le début, avec celle de son prédécesseur, le spectacle, qui dura huit jours, entraîna de folles dépenses. La scène, montée sur tréteaux, occupait une grande partie du Marché. Sur quarante mètres de long se succédaient, figurées par des toiles peintes montées sur un cadre de bois, les « mansions » comprises entre le Paradis et l'Enfer. Ces deux pôles extrêmes de la destinée humaine retiennent l'attention des décorateurs : outre les acteurs de chair, ils sont meublés de personnages en bois, finement sculptés, d'un côté Dieu le Père, parmi les chœurs des anges, de l'autre la gueule d'enfer toute rouge de l'éclat des flammes, où les démons se trémoussent. Mais comme le mystère exige, en sa totalité, soixante-dix « mansions », il est de toute évidence qu'on ne peut les établir toutes sur l'échafaud, si long soit-il; d'où la nécessité d'avoir recours à des écriteaux visibles de loin et spécifiant au public les affectations successives d'un même lieu., Autour de cèt édifice, dessus, dessous, sur les côtés, la plus savante machinerie se dissimule : apparitions, disparitions, enchantements, effets d'ombre et de lumière, tout est prévu et parfaitement conduit par les « députés aux secrets ».

Tous les corps de métier apportaient leur contribution à l'œuvre collective et leur rôle importait autant que celui des acteurs. Ceux-ci, nobles, bourgeois et artisans, clercs et laïcs, étaient de simples amateurs, car on ne signale pas d'acteurs professionnels avant 1545. Les rôles de femmes étaient tenus le plus souvent par des hommes, ce qui n'allait pas sans inconvénient. C'est pourtant une jeune fille qui, en 1468, figurait à Metz sainte Catherine de Sienne, et son succès lui valut d'épouser un gentilhomme. Mais il règne dans les coulisses une si franche promiscuité qu'on n'imagine guère, au XVe siècle, une femme de mœurs honnêtes égarée dans ce milieu. Pour vêtir ces personnages des habits de leur emploi, pour leur procurer les accessoires de leur rôle, il faut engager d'autres frais qui s'ajoutent à ceux de la décoration. Ainsi l'éclat du spectacle variera avec les sommes dont disposent les organisateurs. Dans tous les cas, avec les progrès de la technique, c'est peu à peu la mise en scène qui l'emporte sur le fond. L'art du machiniste, étalant ses prouesses, vient masquer peu à peu la haute portée du drame où se débat la destinée humaine. Bientôt c'est l'utilité religieuse du mystère qui s'efface au dernier plan. Ce n'est plus un auxiliaire du catéchisme et du sermon; c'est une distraction mondaine, attrayante et périlleuse. Ceux qui, dans l'Eglise même, avaient encouragé, pour des fins édifiantes, le développement du théâtre chrétien, s'épouvantent du résultat. Il est temps d'interrompre ces exhibitions d'où la piété s'évade et qui ne donnent des traditions évangéliques qu'une image déformée. Les bonnes volontés s'y emploient de toutes parts et, dès 1548, en plein éclat, en plein succès, les jeux de la *Passion* sont interdits par un arrêt du Parlement. Cette condamnation est irrémédiable. Désormais le théâtre français va s'engager sur d'autres voies et, dédaignant le beau rêve avorté d'Arnoul Gréban, Jodelle, cinq ans plus tard, fera représenter la première tragédie classique.

CHAPITRE VII

LE THÉATRE PROFANE

Moralités, Soties et Farces

Eléments comiques dans le théâtre religieux. Il est possible aujourd'hui d'embrasser d'un seul regard l'histoire du théâtre religieux. Les vieux drames de *Noël* et de la *Résurrection* y poursuivent leur destinée, gagnant chaque jour des fidèles, quittant d'abord le sanctuaire pour envahir le parvis, puis débordant dans le temps et dans l'espace sur les places de la cité, jusqu'au milieu du XVIe siècle, où les mystères périront par excès de prospérité. L'Eglise qui a couvé le théâtre liturgique et surveillé sa croissance n'a pas craint d'encourager les initiatives les plus audacieuses, parce qu'elle y voyait le moyen d'aller au peuple et d'accroître, par cet enseignement concret, la portée de son influence. Qu'elle ait dû, par la suite, en présence des abus commis et de la perversion du genre, souhaiter et obtenir l'interdiction de mettre en scène la vie de Jésus, il n'en reste pas moins qu'à patronner pendant des siècles l'activité théâtrale, elle a plus gagné que perdu. Grâce à ce merveilleux instrument d'éducation par la vue autant que par l'oreille, elle a inculqué sa morale aux âmes les plus rebelles et par son action sur la foule contribué au progrès social; et c'est par là que s'explique en partie, malgré l'âpreté des controverses, les déchirements du schisme, les scandales du clergé et le désarroi causé par la guerre, la solidité de la foi populaire à la fin du moyen âge. Mais cette foi qui n'a rien d'abstrait et qu'une présence assidue aux *mystères* n'a pu que matérialiser encore, s'alimente des moindres détails et prend pour argent comptant le réalisme des tréteaux. Et comme la représentation, si parfait que soit l'acteur, si génial que soit le poète, ne peut donner de la personne divine qu'une image forcément diminuée, on conçoit qu'à mesure que se perfectionnent les conditions du spectacle, le symbo-

lisme touchant des premiers drames cède la place aux empiètements
d'un grossier matérialisme.

Les spectateurs, jusque-là réduits à quelques fidèles, s'étaient
satisfaits d'épisodes comiques qui n'atteignaient point la verdeur
d'un modeste fabliau. Une station à la taverne, d'inoffensives plaisanteries de buveurs en gaîté, c'en était assez pour plaire à ceux
que ne touchait pas l'austère majesté du drame. Mais avec le développement des *mystères*, ce minimum ne suffit plus. Le public, toujours plus nombreux, de bourgeois et d'artisans, veut entendre
jurer les bourreaux et les tyrans, les pastoureaux s'exprimer en
langage rustique, les ouvriers, les geôliers, les hôteliers et leur insatiable clientèle, s'interpeller, s'injurier, se bafouer. Ce qu'il réclame
par-dessus tout, ce sont de belles diableries tumultueuses et gaillardes,
où les suppôts de Satan raillent et malmènent les damnés, sans
jamais hésiter devant le mot propre ou le geste évocateur. Intimement mêlé au drame, le genre comique n'était pas tenu pour indépendant, et ce n'est qu'au XVe siècle que nous le voyons réellement
éclore, conquérir sa place et, finalement, la garder.

« *Me Trubert et*   Les chemins frayés par Adam de la Hale, et
Antrongnart. »   qu'avaient sans doute suivis d'autres poètes du
groupe artésien, se sont refermés derrière eux. Les conditions réali-
sées parmi la bourgeoisie d'Arras ne paraissent point s'être main-
tenues; il n'est pas à croire non plus qu'elles se soient reproduites
ailleurs. Le *Jeu de la Feuillée*, celui de *Robin et Marion* doivent
donc être considérés comme de brillantes exceptions. Après eux,
c'est le silence. En vain s'efforce-t-on de prouver l'existence au
XIVe siècle d'un théâtre comique intermédiaire. C'est interpréter
largement les textes que de prendre la farce de Me *Trubert et Antrongnart*, du poète Eustache Deschamps, pour une œuvre dramatique. L'importance des parties narratives, qui encadrent le dialogue
et introduisent les personnages, donne à supposer le contraire et que
ce *dit* ne fut jamais représenté; mais dans la mésaventure de l'avocat
Trubert, trahi par son propre client, avec l'aide de Barat, Hasart,
Faintise et Happetout, on voit surgir, avec le goût des abstractions
hérité du *Roman de la Rose*, le sens du trait juste, de la repartie vive
et plaisante qui fera le succès de certaines farces ultérieures. Rien
n'est plus significatif que ce court échange de propos entre les deux
compères. Antrongnart vient de payer à l'avocat une provision de
quatre francs :

> « Vez ci IIII francs. — Doulz amis,
> Sont ilz de pois ? — Je les ay mis
> Par IIII foys sur le buquet [*trébuchet*].
> — Oïl, par Dieu ! — Et au dringuet [*jeu*]
> Les ay gaingniez. — Et sont ilz d'or ?
> — Pour moy n'avez rien fait encor
> Et s'espeluchez si l'argent ? »

Abusion en costume de fol, dans le *Chevalier délibéré,*
d'Olivier de la Marche.

(Bibliothèque de l'Arsenal. Ms. 5.117)

Il faut également refuser tout caractère dramatique au débat du même auteur entre les *Quatre offices de l'ostel du roy,* qui sont, comme chacun sait, Panneterie, Eschançonnerie, Cuisine et Sausserie et l'on peut assurer que, s'il mit en vers français le *Geta* de Vital de Blois, il ne s'avisa point de le porter sur la scène. Bref, c'est à peine si l'on peut invoquer, pour toute la durée du XIVe siècle, un intermède comique qui nous rappelle la scène du *Garçon et de l'Aveugle,* et se trouve incorporé à une « Vie des Saints ».

Les confréries dramatiques : La Basoche. Mais brusquement, vers le milieu du XVe siècle, s'épanouit une éclatante floraison, dont toutes les espèces, d'ailleurs, n'exhalent pas le même parfum. Les conditions mêmes dans lesquelles ces œuvres s'élaborent, le milieu où elles sont conçues, la qualité des exécutants en expliquent le ton familier, parfois grossier jusqu'à l'ordure. Ici encore, l'initiative individuelle est le cas le moins fréquent. Les groupes professionnels, agissant collectivement, impriment au théâtre comique leurs sentiments et leurs goûts. Dans chaque ville où siège une juridiction et spécialement à Paris où se pressent toutes sortes de cours et de tribunaux, les jeunes commis des gens de justice forment une aimable société où règnent l'impertinence, l'insouciance et la gaîté. Depuis l'an 1303, le royaume de la *Basoche* réunit les clercs du Parlement de Paris. Autour d'eux gravite tout le petit monde actif et turbulent du Palais, depuis l'employé du libraire jusqu'au clerc du magistrat. Parmi les divertissements auxquels se livraient les Basochiens, le théâtre eut, dès l'origine, une place privilégiée. Et comme les Mystères étaient l'apanage des Confrères de la Passion, ils durent, à partir de 1402, se consacrer au succès d'une autre formule et cultiver de préférence les genres profanes. A côté d'eux et dans le même esprit, la jeunesse universitaire organisait des spectacles à l'occasion de certaines fêtes. Les rares spécimens qui nous sont parvenus, notamment pour le Collège de Navarre, témoignent que les œuvres représentées devant un public restreint et sous la surveillance des maîtres ont une forme plus didactique et gardent plus de retenue dans l'expression.

Les Moralités. Ce mot désignait, à la vérité, un genre aux contours indécis, car si les auteurs semblent tous animés du désir d'instruire et d'édifier, il s'en faut qu'ils aient tous suivi la même voie pour atteindre ce but commun. Tantôt voisines des *Mystères* par la nature des sujets traités et la pieuse gravité de l'inspiration, tantôt côtoyant la farce par le comique des situations et la bouffonnerie du dialogue, les *Moralités* procèdent également d'une intention édifiante, et les personnages qu'elles mettent en scène sont communément des allégories. Voici *Bien Avisé et Mal Avisé* luttant l'un contre l'autre au milieu de comparses qui s'appellent Confession, Chasteté, Abstinence, Obédience, et finissant par aboutir à leur juste fin, Mal Avisé, chez Satan, et Bien Avisé, au ciel où l'ont transporté les anges. La *Condamnation de Banquet,* de Nicolas de la Chesnaye, renferme surtout des conseils d'hygiène et l'illustration de cette vérité banale qu'il faut manger pour vivre et non point vivre pour manger. La preuve nous en est fournie par les propos de Bonne Compagnie, Gourmandise et Friandise et de ce cordial Je-bois-à-vous, à qui fait raison Je-pleige-d'autant. Les maladies leur succèdent, qui viennent, l'une après l'autre, débiter leur petit couplet. Il arrive aussi, et fort heureusement, qu'un poète moins inspiré, cessant de jouer au prêcheur, abandonne les abstractions.

C'est ainsi qu'Andry de la Vigne fit suivre son *Mystère de saint Martin* d'une moralité devenue célèbre, *De l'aveugle et du boiteux.* C'est un épisode comique fondé sur l'actualité. Deux mendiants, l'aveugle et le paralytique, se réjouissent chacun d'une infirmité qui le nourrit à ne rien faire. Mais n'annonce-t-on pas que le corps du saint produit des miracles ? Ce serait une mauvaise affaire que de risquer ainsi la guérison. Comme on le transporte en grande pompe à l'église, il est urgent de s'éloigner. Nos éclopés, l'un portant l'autre, vont s'efforcer d'éviter la rencontre. Mais il est trop tard; la procession défile et l'événement s'accomplit. Le boiteux prend très mal la chose; l'aveugle s'en accommode mieux, car ses yeux de clairvoyant découvrent à tout instant des merveilles insoupçonnées. Bien malin qui dira la morale de l'histoire; l'auteur a cru faire assez en peignant par personnages une situation comique, sans autre dessein préconçu.

D'autres, s'inspirant des *Miracles de Notre-Dame*, composent de véritables drames historiques. S'ils y avaient persévéré, c'eût été l'acheminement vers un théâtre neuf, pittoresque et vivant, aux actions variées et pleines de surprises. Mais l'esprit des Basochiens, à mesure que s'étendent leurs libertés, se tourne vers la satire, comme il convient à des jeunes gens dont la critique s'exerce au milieu des plaideurs et des procédures, qui savent tout des faits politiques et se croient assez d'importance pour donner leur avis sur la conduite des affaires et l'application des lois. Les moralités satiriques, où résonne encore l'écho des passions oubliées, piquent plus que les autres notre curiosité. Il est à croire que le public les applaudit quand elles parurent, mais qu'elles attirèrent parfois de fâcheuses représailles sur la tête de leurs auteurs. N'est-ce point pour avoir fait jouer, en 1486, une moralité dirigée contre ceux qui entravaient le cours de la justice, que maître Henri Baude, élu des finances, fut jeté dans les geôles du Châtelet ? Mais sous cette forme redoutable, la moralité tendait à se confondre avec la *Sotie,* où excellaient aussi les clercs de la Basoche.

Les Soties.   C'est là encore une invention du xvᵉ siècle, mais qui se rattache par ses origines lointaines aux réjouissances du carnaval et, sans doute, aux Saturnales antiques où la liberté de parole était donnée même aux esclaves. Aux premiers temps du moyen âge, des jongleurs, contrefaisant le « sot », débitaient sous le masque d'une folie conventionnelle des discours incohérents. Ces propos saugrenus, ces alignements de mots disparates prirent le nom de *fatrasie*, et de la *fatrasie* naquit la *Sotie*. Comme celle-ci, pour durer, ne pouvait se limiter aux éléments primitifs, elle empiéta bientôt sur la moralité et se prit à son tour à critiquer les mœurs et à parodier les institutions. Tandis que les spécialistes du théâtre aux carrefours font de la *Sotie* une parade foraine agrémentée de pantomimes et d'acrobaties, les Basochiens pratiquent la *Sotie* satirique qui passerait pour une *Moralité*, si les personnages, bizarrement accoutrés et coiffés d'un chaperon à longues oreilles, n'y portaient les noms de Sots, de Mère Sotte ou de Prince des Sots. Des confréries, comme les *Enfants sans souci* à Paris, la *Mère Folle* à Dijon, les *Cornards* à Rouen se consacrèrent à la représentation des *Soties*. Se recrutant un peu partout, mais empruntant leur direction à la jeunesse des écoles et du palais, elles se firent, au xvᵉ siècle, les interprètes des griefs populaires, osant dire leur fait aux puissants du jour, à moins que, soutenues par le roi, elles ne se soient contentées d'exprimer sa pensée et de gagner le public aux hardiesses de sa politique. Telle sotie attaquera les *Gens nouveaux* qui du temps passé n'ont que faire, les seigneurs empressés qui promettent monts et merveilles à l'avènement d'un nouveau roi; telle autre traitera *du Monde et des Abus*, mettant en scène le Juge et le Marchand qui tirent de si beaux profits de la bêtise populaire. Mais quand Pierre Gringore mettra sa verve au service de Louis XII, pour associer l'opinion à ses entreprises contre le pape Jules II, son *Jeu du Prince des Sots* prendra le caractère d'une satire officielle, ce qui explique suffisamment la virulence de ses attaques.

Composition des programmes.   Même quand elle atteint son plein développement, la *Sotie* ne saurait à elle seule constituer un spectacle. Celle de Gringore, malgré son importance, n'était qu'un lever de rideau complété par la moralité de *Mundus, Caro et Daemonia*, à laquelle succédait la farce des *Deux Savetiers*. La représentation du *Mystère de saint Martin* à Seurre, en 1496, ayant été différée pour des raisons de circonstances, l'auteur offrit au public, pour le faire patienter, la *Farce du Meunier*; puis vint le mystère et, pour conclure, la *Moralité de l'Aveugle et du Boiteux*. Ce programme coupé était de nature à combler les vœux d'un public très divers et le succès qu'il obtint conduisit à son adoption définitive. Peu à peu la succession des éléments du spectacle s'établit dans un ordre à peu près constant.

On amorce le public avec une *sotie*, simple parade de bateleurs;
on lui offre ensuite un *mystère* ou une copieuse *moralité* et, pour le
laisser sur une bonne impression, le tout s'achève par une *farce*. Il
arrive aussi qu'on insère, entre la *sotie* et la pièce de résistance, un
monologue dramatique ou *sermon joyeux*.

Un sermon   Ce genre, dont la fortune devait être si grande
joyeux :   au XVe siècle, naquit spontanément à la fête des
« Le   Fous où quelque jongleur, entraîné par sa verve,
Franc-Archer   se mit à parodier en chaire le sermon du prédi-
de Bagnolet ».   cateur. L'Eglise en prit ombrage et chassa ce
bouffon. La rue d'abord, puis le théâtre, le recueillirent.

Comme tous les éléments comiques du spectacle, le *sermon joyeux*
n'a pas de règles fixes; le sujet en est libre, comme la composition.
L'imitation parodique de l'éloquence religieuse fait toujours recette
avec les panégyriques de saint Hareng, saint Jambon et sainte
Andouille, mais l'actualité fournit aux auteurs de monologues des
thèmes plus originaux. La création des francs-archers par Charles VII,
assez mal accueillie par l'opinion, suggère à un poète heureusement
doué le *Franc-Archer de Bagnolet* qu'on peut tenir pour le chef-
d'œuvre du genre; c'est une véritable comédie alertement menée
par un seul personnage, sorte de *Miles Gloriosus*, orgueilleux de
faux exploits qui n'attestent que sa couardise. Il suffit d'un épouvantail brusquement secoué par le vent pour que ce pleutre fan-
faron nous laisse voir son caractère. La trouvaille est de lui avoir
donné ce muet interlocuteur dont l'impassibilité le terrifie et le
courbe à terre. Comme ce mannequin porte une souquenille à
croix blanche par-devant, noire par derrière, il le prend d'abord
pour un ami, puis, quand il voit l'autre face, pour un Breton, ce
qui le décide à changer de camp :

    « Dea ! Je suis Breton, si vous l'estes. »

Mais voici qu'une rafale a renversé l'épouvantail; le poltron reprend
avantage :
    « Et ce n'est. j'advoue sainct Pierre !
    Qu'espouentail de cheneviere,
    Que le vent a cy abattu !...
    La mort bieu ! vous serez battu.
    Tout au travers, de ceste espee. »

La Farce.   On comprend comment le sermon joyeux, venant
    après la parade où cabriolaient les fous, mettait le
public en humeur d'écouter avec patience le *mystère* ou la *moralité*.
Mais quand il avait subi cette avalanche d'octosyllabes. il fallait le
remettre en joie et provoquer l'éclat de rire final. C'était le rôle

de la *Farce*, le plus vrai de tous les essais dramatiques du moyen âge et le seul qui ait survécu. Elle se réduit le plus souvent à peu de chose, développant en quelques centaines de vers une scène de la vie courante, où se retrouve l'esprit des moralistes et des conteurs tous plus ou moins héritiers des fabliaux. Les personnages sont de milieu modeste, petits bourgeois étriqués, marchands stupides ou retors, épouses revêches ou infidèles, galants cyniques, fripons de tout grade et de toute envergure, évoluant dans leur cadre familier.

Voici, dans le *Cuvier*, la femme de Jacquot dictant à celui-ci les articles de son « rollet » et lui imposant sa volonté tyrannique jusqu'au moment où, tombée dans la cuve, elle renonce à ses exigences et supplie humblement l'époux timide et pacifique; voici encore, dans le *Cousturier et Esopet*, farce scolaire, l'écolier mystifiant le maître, avec l'aide d'un singulier gentilhomme qui fait tailler une belle robe à sa chambrière; voici enfin le *Pauvre Jouan* berné par son épouse et le bellâtre qui l'a séduite, et professant, sur le mariage, la même opinion que l'auteur des *Quinze Joyes*. Il serait vain d'énumérer les textes innombrables dont la plupart nous ont été transmis par des imprimés très postérieurs, d'une fâcheuse incorrection. Ils ne sont pas tous d'égale valeur et les poètes, clercs ou laïcs, n'ont pas tous le même talent ni la même expérience. On trouve du meilleur et du pire dans cette production abondante et diverse qui, à peu d'exceptions près, n'aurait pour nous qu'un intérêt historique, s'il ne s'y rencontrait une œuvre exceptionnelle.

« *Maître Pierre Pathelin* ». Nul n'ignore le sujet de la *Farce de Pathelin*, cent fois publiée, commentée, adaptée même aux exigences de la scène moderne et toujours jeune et triomphante, après plus de quatre siècles, puisqu'elle fut composée, selon toute vraisemblance, entre 1461 et 1469. C'est, en plus copieux, le thème de *Trubert et Antrongnart*, c'est-à-dire la mésaventure d'un avocat trop malicieux qui, avec l'aide de sa femme, la docile Guillemette, trompe et mystifie le drapier Joceaulme, avare et balourd, mais finit par trouver plus malin que lui en la personne de son client, le naïf berger Thibaut l'Aignelet. Il n'y a rien à reprendre dans ce petit chef-d'œuvre, dont l'action se déroule avec une régularité parfaite, suivant un plan qui rappelle, à bien des égards, celui des comédies antiques. Mais ce qui en fait le mérite inégalable, c'est sa grande vertu comique, l'imprévu des situations, le naturel des propos qui reflètent la vérité, sans tomber dans la vulgarité, pour satisfaire à bon marché les bas éléments de l'auditoire.

Observons par quelles manœuvres tortueuses l'avocat parvient à endormir la défiance du marchand. Il lui parle de son père en termes si flatteurs pour le défunt et pour lui-même, que le drapier laisse tomber son drap, comme le corbeau son fromage :

> Ha, qu'estoit un homme sçavant !
> Je requier Dieu qu'il en ait l'ame,
> De vostre pere ! Doulce dame !
> Il m'est advis tout clerement
> Que c'est il de vous proprement.
> Qu'estoit ce ung bon marchant, et saige !

Et, plus loin, en lui présentant un miroir :

> Vez vous la : veëz vostre pere ;
> Vous luy resemblez mieulx que goute
> D'eaue, je n'en fais nulle doubte.
> Quel vaillant bachelier c'estoit !
> Le bon preudomme, et si prestoit
> Ses denrees qui les vouloit,
> Dieu lui pardoint ! Il me soulloit
> Tousjours de si tresbon cueur rire.
> Pleust a Jhesucrist que le pire
> De ce monde luy resemblast !

La pièce n'est qu'une succession d'épisodes bien choisis pour mettre en valeur l'hypocrisie des personnages qui se dupent les uns les autres. C'est une scène d'intérieur où Pathelin, couché dans l'alcôve, jargonne en divers langages et en différents dialectes, pour mieux feindre le délire, tandis qu'avec une naïve impudence, son épouse abasourdit le drapier de son bavardage; c'est le réjouissant procès, tout en quiproquos, où le drap dérobé et les moutons « cabassés » s'enchevêtrent à tel point que le juge rend son arrêt sans y avoir rien compris. Pour finir, c'est Pathelin, trompeur trompé, qui tire lui-même la conclusion de l'aventure.

> Or cuidoye estre sur tous maistre,
> Des trompeurs d'icy et d'ailleurs,
> Des fort coureux [coureurs] et des bailleurs
> De paroles en payement,
> A rendre au jour du jugement,
> Et ung bergier des champs me passe !

Dans cette galerie de fripons qui n'ont rien à s'envier les uns les autres, le plus malmené est le marchand qui perd son drap et ses brebis sans la moindre compensation. Pathelin triomphe au début, mais s'effondre à la fin du compte, tandis que le berger matois, profitant des leçons du maître, s'en tire par un acquittement. Cette pièce à double intrigue, où jamais l'auteur ne s'embrouille, où le spectateur se meut sans effort, n'a de la farce que le nom et le style, mais elle comporte une action plus complexe et plus nuancée qui l'apparente à la comédie. On a signalé à bon droit le contraste entre l'immoralité du sujet, tout à fait dans la tradition des Enfants sans souci, et l'expérience littéraire du poète. Il est à croire que ce problème serait aisément résolu si nous possédions la clef de Pathelin. C'est pour l'avoir compris qu'en 1735, un érudit suggéra l'attribution de la farce à Pierre Blanchet. D'autres lui donnèrent comme auteurs ceux du *Roman de la Rose* et, avec plus de vraisemblance, Antoine de la Sale et Villon. De récentes recherches, entreprises avec une préparation plus soigneuse et une méthode à la fois plus stricte et plus hardie, ont fait surgir au premier plan Guillaume Alecis, prêtre normand, dont les œuvres poétiques, et notamment les *Feintes du Monde,* doivent beaucoup à *Pathelin.* Mais il ne semble pas que cette hypothèse soit plus recevable que les précédentes. Rien n'est moins assuré que l'origine normande de cette farce et que la verve de l'auteur se soit exercée aux dépens des drapiers de Rouen et des avocats de l'Echiquier. Malgré tant d'ingénieuses recherches, *Pathelin* garde son secret et il nous faut le prendre tel qu'il est. Il porte en lui le résultat des efforts de plusieurs siècles et les promesses de l'avenir. Ce qui permit sa création, c'est que la connaissance de l'antiquité s'était répandue dans l'élite, à telles enseignes qu'on traduisait Térence à peu près dans le même temps; c'est que la pratique de l'observation réaliste avait enfin substitué la vérité objective aux symboles et aux allégories, et que les auteurs ne dédaignaient plus de paraître dans leurs œuvres. Il est par suite assez aisé de découvrir à *Pathelin* des sources, depuis les *Nuits attiques* d'Aulu-Gelle jusqu'à l'*Advocacie Nostre Dame,* en passant par Eustache Deschamps. Ce qui vaut mieux d'être noté, c'est que le xviie siècle, qui, à peu d'exceptions près, n'a rien compris au moyen âge, s'est souvenu de *Pierre Pathelin* et que, par l'effet d'une métempsychose qui n'a rien d'inattendu, ce Tartuffe renaîtra sous la plume de Molière.

CHAPITRE VIII

LA LITTÉRATURE DIDACTIQUE

Œuvres morales - Ecrits scientifiques

La morale liée aux événements. Dans une période aussi troublée que celle de la guerre de Cent Ans, il va de soi que le désarroi politique se réfléchit sur les consciences. Les moralistes ont alors beau jeu pour analyser les causes du malheur présent, dénoncer la corruption des mœurs, la défaillance des institutions ou les divisions de l'Eglise, offrir aux esprits désemparés des remèdes illusoires dans. l'immédiat ou les perspectives plus attrayantes de la vie future. Dans un siècle de critique où la raison prétend s'arroger tous les droits, l'enseignement de la morale n'est plus le privilège des théologiens qui s'appuyaient sur le dogme pour en dégager les lois. Le premier venu moralise à tout propos, sans limiter sa clientèle. De longues années de souffrance publique et privée ont révélé à toutes les classes la solidarité qui les unit devant le malheur et, comme le succès du *Roman de la Rose* a conduit les profanes à s'intéresser à toutes les formes du savoir, que, grâce à la traduction, se sont écroulées les barrières qui interdisaient l'accès du domaine réservé aux clercs, on peut désormais faire appel à la sagesse antique, autant qu'aux compilations plus récentes, pour provoquer dans une large partie du public des réflexions consolantes ou désabusées. Quand la docte Christine de Pisan, victime d'un sort douloureux, tire de sa propre expérience une règle de conduite pour elle et pour autrui, elle utilise les matériaux variés qu'elle a recueillis sur le « Chemin de long Estude ». D'autres, moins énergiques, s'appliquent, comme Eustache Deschamps, à critiquer plus qu'à construire et, remâchant leurs déceptions et leurs rancunes, en font grief à leurs contemporains et nous offrent, comme une mise en garde, un tableau poussé au noir de la société. D'autres

enfin, comme Pierre de Nesson, se référant à l'Ecriture, traduisent,
en allusions plus ou moins claires, leurs appréhensions et leurs regrets
et posent dans toute son horreur le problème de la destinée humaine.
Les poètes du XIV° et du XV° siècles, précisément parce qu'ils se
peignent eux-mêmes, dans leur cadre habituel, nous apparaissent en
quelque mesure comme des moralistes. Mais à côté d'eux, des écrivains animés d'un esprit plus didactique, s'inspirant de traités antérieurs et de leurs propres souvenirs, ont composé des ouvrages en
vers et en prose, en vue d'instruire plutôt que d'amuser, soit qu'ils
s'en tiennent aux lieux communs de la morale utilitaire, soit qu'ils
exercent leur critique sur les hommes et sur les faits, soit qu'enfin,
s'élevant au-dessus des contingences, ils guident les âmes égarées
vers la seule voie salutaire, celle qui conduit à Dieu.

Morale   Les vieux recueils de sentences, éprouvés par
pratique.   l'usage, fournissent encore aux moins exigeants
les principes éternels de la morale courante. Jean le Fèvre, procureur
au Parlement, traduit une fois de plus les *Distiques de Caton* en
quatrains d'octosyllabes. La *Formula honestae vitae*, de Martin de
Braga, est de nouveau mise en français, en 1372, par Jean Trous-
seau, et en 1403, par Jean Courtecuisse, chancelier de l'Université.
On rassemble également des *Proverbes en rimes* et des *Proverbes
moraux*.

L'enseignement d'Ovide n'est pas négligé, bien que le *Roman de
la Rose* semble en avoir épuisé la substance. Au début du XIVe siècle,
un anonyme traduit en prose l'*Art d'Aimer*, en y joignant un commentaire souvent erroné et farci d'allusions grivoises. Quant aux
Métamorphoses, tandis que Pierre Bersuire les glose savamment dans
son *Reductorium morale*, un religieux franciscain en tire un long
poème en français de soixante-dix mille vers, avec une triple paraphrase historique, morale et métaphysique. Le jeu des échecs lui-
même inspire des compositions de caractère moral comme les *Eschez
amoureux*, œuvre originale, mais médiocre et languissante, qui
contient un important chapitre sur l'éducation et le savoir-vivre;
comme le *Jeu des Echecs moralisés* de Guillaume de Saint-André,
adaptation très abrégée du traité latin de Jacques de Cessoles, traduit intégralement en prose, à deux reprises, par Jean de Vignai,
entre 1332 et 1350 et par le frère prêcheur Jean Fréron, en 1347.

L'Education   Si l'on se préoccupe encore d'instruire de leurs
des princes.   devoirs les hommes et les femmes, on le fait d'une
façon plus systématique et plus savante. De nombreux traités latins,
de la fin du XIIIe siècle, s'offrent à l'activité des traducteurs. C'est
le cas, notamment, du *De regimine principum*, composé entre 1278
et 1280 par Gilles de Rome, archevêque de Bourges, à la requête du
futur Philippe le Bel. L'ouvrage soigneusement écrit et méthodi-

quement composé traite en trois livres du gouvernement de soi-
même, de celui de la famille et de celui du royaume. Sa diffusion
nous est attestée par de nombreuses traductions, celle d'Henri de
Gauchi, en 1282; celle d'un certain Guillaume, exécutée en 1330,
à la demande d'un habitant d'Orléans; la traduction anonyme de
1372, commandée par Charles V; enfin trois traductions du
XVᵉ siècle, dont celle de Jean Wauquelin, dédiée à Philippe le Bon,
en 1450.

Le traité de Gilles de Rome a été partois confondu avec des
ouvrages similaires, notamment le *De eruditione puerorum regalium*
de Vincent de Beauvais et le *Liber de informatione principum*
anonyme, traduit par Jean Golein, en 1379, sur l'ordre de Charles V.
Les compositions didactiques d'Antoine de la Sale offrent à cet
égard un plus vif intérêt.

L'Education   Sous le titre de *Miroir des dames et des demoi-*
des femmes.   *selles*, de *Miroir aux dames*, nous sont parvenus
des poèmes moraux dont l'existence seule est à retenir, mais il
convient de s'attarder plus longuement sur deux œuvres originales
en prose consacrées à l'éducation des femmes.

C'est tout d'abord le *Livre du chevalier de La Tour Landry* que
son auteur composa, entre 1371 et 1372, pour l'instruction de ses
filles issues d'un premier mariage. Cet aimable moraliste, non dépourvu
de talent ni d'esprit, s'entend à dissimuler la gravité des leçons
qu'il leur donne, derrière un rideau d'historiettes sérieuses ou plaisantes. Par ses commentaires et ses digressions, il nous introduit
dans les châteaux de la noblesse provinciale à laquelle il appartient.
Sa science, à la vérité, serait bien courte et bien chétive, s'il n'avait,
en son logis, quelques bons clercs capables d'extraire de la Bible,
des « Gestes des Roys et cronicques de France et de Grèce et d'Angleterre et de maintes autres estranges terres », de belles histoires
appropriées à son objet, mais dont quelques-unes nous semblent assez
risquées. On imagine que cet excellent père ne pratiquait pas une
morale très austère, ou qu'il lui arrive, chemin faisant, de perdre
de vue son intention première. Ce n'est pas qu'en ces courts chapitres
il ne pense quelquefois à ses filles, les invitant à dire soigneusement
leurs « heures et oroysons », à ne jamais manquer la messe, à jeuner
à l'exemple de la « folle femme » de Rome qui fut sauvée du péril
pour avoir fait abstinence « le vendredy, en l'onneur de la passion
du doulx Jhesus Crist et, le samedi, en l'onneur de la virginité de
Nostre Dame », à garder un maintien modeste, « car l'on se bourde
de celles qui se legièrement brandellent et virent le visaige çà et là »,
à se montrer économes sans excès, coquettes sans extravagance. Le
chevalier, mûri par l'âge et l'expérience, déplore que la jeunesse
traite avec mépris les conseils des « anciens » et après avoir con é
une aventure dont son père fut autrefois le héros, il conclut :

« Et por ce a cy bon exemple comment l'en doit croire et avoir
honte et vergoingne de l'enseignement des saiges et des plus anciens de
lui. Car ce que ilz dient et enseignent, ilz ne le font que pour bien et
honneur; mais noz juennes hommes et noz juennes femmes de aujour-
d'hui n'y prennent mie garde. ainçois tiennent a grant despit de ce que
l'en les reprent de leurs folies, et cuident aujourd'uy estre plus saiges
que les anciens et de ceulx qui ont plus veu que eulx. »

Mais il est clair que son plus grand plaisir est d'enfiler des historiettes soit empruntées, soit personnelles et ce n'est pas le moindre
agrément de son livre que d'y voir figurer en pied le sire de Beaumanoir, le comte de Clermont ou l'illustre Boucicaut.

A la morale très indulgente de Geoffroi de La Tour Landry,
gentilhomme campagnard, s'opposent la tendre gravité, le bon sens
équilibré, l'expérience domestique de l'honnête bourgeois qui rédigea, en 1393, le *Ménagier de Paris*, pour l'instruction de sa jeune
épouse, au cas où, devenue veuve, elle se lierait par un nouveau
mariage. Il s'agit en fait d'une compilation, où figurent, à titre
d'exemples, des ouvrages bien connus comme le *Chemin de Pauvreté
et de Richesse*, de Jacques Bruyant, l'*Histoire de Griseldis*, dans
la traduction de Philippe de Mézières, le roman de *Mélibée et
Prudence*, d'Albertano de Brescia, mis en français par frère Renaud
de Louhans. Mais à côté de ces emprunts que de détails pittoresques
sur les fêtes et réceptions que l'auteur fut sans doute chargé d'organiser, quelle richesse d'observation et de termes techniques dans
les traités de cuisine et de fauconnerie qui forment la seconde partie
du livre !

La satire   On comprend aisément qu'à l'époque où nous
morale.   sommes, l'esprit critique et satirique se donne
libre cours plus que jamais. Cette tendance s'affirmait déjà chez
les épigones du *Roman de Renart* et plus spécialement dans *Renart
le Contrefait*. Elle apparaît plus nettement encore dans le poème
que Gervais du Bus, notaire royal, échafauda de 1310 à 1314 sur
l'allégorie de *Fauvel*, personnification de la ruse hypocrite; c'est un
ouvrage en deux parties où la plus sévère critique des états du
monde est suivie de réflexions sur la Fortune et ses hasards. Composé
dans le cercle restreint du Parlement et de la Chancellerie, le roman
de *Fauvel* est la pure expression des sentiments qu'inspiraient aux
milieux demeurés fidèles à la tradition de saint Louis les premiers
actes de Philippe le Bel. Ce Fauvel, type courant d'imagerie populaire, s'offre à tous les yeux sur le crépi des murailles et sur le
parchemin des livres illustrés. C'est un cheval que tous, grands
seigneurs, bourgeois et vilains, « torchent » à l'envi. Il faut donc
passer en revue ces torcheurs impudents, en commençant par le
pape, pour en venir au roi Philippe qui s'entend fort bien à l'affaire :

Fauvel est beste appropriee
Par similitude ordenee
A senefier chose vaine,
Barat [tromperie] et fausseté mondaine.

C'est de cette bête que les hommes ont fait leur idole, troublant ainsi l'ordre divin des choses, bouleversant Sainte Eglise sans que saint Pierre la défende, si bien que le temporel a beau jeu pour étouffer le spirituel. Les exactions dont vivent les grands dignitaires, le luxe dont ils s'entourent, le mépris qu'ils inspirent en sont la cause apparente. Par un singulier renversement des rôles, le pape Clément V est aux genoux du roi, et les prélats, à son exemple, font des courbettes aux puissants, et exigent le respect de leurs inférieurs,

A genoiz et toutes guises,
Enclineis, chaperons osteis.

Les chanoines se gardent bien de pratiquer les vertus chrétiennes et le clergé des paroisses n'a pour lui que son ignorance. Les réguliers font preuve d'une égale soumission, occupés qu'ils sont de gratter Fauvel, sans que l'exemple des Templiers leur serve de leçon. Le monde laïque ne vaut pas mieux : chevaliers, bourgeois et vilains se font, pour réussir, les esclaves des grands, disent amen à tous leurs actes et les aident à ruiner l'Eglise. Et pourtant,

Noblece, si com dit li sage,
Vient tant seulement de courage
Qui est de boens mours aornei ;

mais ils ne s'en soucient guère et ce qu'ils tiennent pour noblesse suffit à les gonfler d'orgueil. Bref tout va mal et périclite : la justice elle-même est vendue à Fauvel et ce sont partout les moins désignés qui gouvernent et tiennent les places.

Cependant, en son palais, entouré de ses courtisans, Charnalité, Convoitise, Avarice et l'insatiable Angoisseuse,

Qui de labourer n'est oyseuse,

Fauvel mûrit de grands projets. Il veut, en l'épousant, fixer la Fortune; mais elle s'y refuse, car elle

...N'est autre chose
Que la Providence divine.

Fauvel se contente d'épouser Vaine Gloire, afin de jeter par le monde toute une lignée de *Fauveaux* que déjà nous voyons à l'œuvre, gâchant tout, corrompant tout, flétrissant les plus belles fleurs, paix, justice, foi, franchise, dans le jardin de « douce France ». Il est temps de les arrêter et de supplier la Vierge pour qu'elle sauve les fleurs de lis.

Gilles   Ce fut aussi un moraliste que Gilles li Muisis,
li Muisis.   abbé de Saint-Martin de Tournai, auteur de
nombreux écrits, dont une importante chronique latine et un
recueil de poésies françaises. Constamment mêlé au siècle, le ver-
tueux abbé en a observé les travers et les vices et se montre
particulièrement affecté par le relâchement des pratiques religieuses.
Il passe en revue les divers degrés de l'échelle sociale, des rois jusqu'aux plus humbles laboureurs. Sa critique, parfois sévère, sait
pourtant garder la mesure et il n'abandonne jamais le ton familier.
Les moines, auxquels il reproche leur avidité et leur gourmandise,
ne trouvent pas grâce auprès de lui, à l'exclusion des ordres mendiants qui mènent une vie exemplaire, ouvrent des écoles et luttent
contre la décadence des mœurs. Le clergé séculier, trop préoccupé
de ses intérêts, ne mérite aucune indulgence et que dire de la société
laïque où règne la pire confusion ! Renonçant à l'humilité, les gens
du peuple veulent singer les grands seigneurs; les ouvriers trouvent
toujours un prétexte pour ne rien faire :

> Chil ouvrier par journees ne font fors longarder ;
> Par froit font pau d'ouvrage, par caut vont cuffarder.

Mais ce sont surtout les femmes qu'il accable de ses sarcasmes.
Elles passent toute la matinée à leur toilette et ressemblent à des
cerfs, avec leurs cornes de cheveux postiches. Pour imiter les reines,
elles se découvrent la nuque et la poitrine :

> Mieuls leur vauroit assés couvrir leur nudités.

Par surcroît leur conduite n'est pas sans reproche, et toutes, y
compris les nonnes et les béguines, trahissent les devoirs de leur
sexe. Ce n'est pas qu'on ne puisse, en cherchant bien, en trouver
de sages et d'honnêtes, mais c'est des mauvaises qu'on parle le
plus, car elles se donnent volontiers en spectacle.

Octogénaire, au moment où il dicte son « registre », Gilles ne
s'embarrasse ni de plan ni de méthode, mais aligne ses pensées
comme elles viennent, trouvant parfois le mot heureux et la formule
vigoureuse malheureusement noyés dans le fatras des répétitions et
des radotages.

L'anti-   Les attaques contre les femmes alimentent pour
féminisme.   une bonne part les poésies de Gilles le Muisis et,
parmi les contemporains, il n'est pas le seul à le faire. L'ouvrage
répandu de Théophraste, le *De nuptiis*, la seconde partie du *Roman
de la Rose* sont des modèles auxquels on ne cesse de recourir. Si
l'on ne peut tout retenir de cette abondante littérature, il faut au
moins citer les *Lamentations* de Matheolus que Jean Lefèvre rima
vers 1370. Ce procureur savant et curieux de poésie, au bout de

vingt ans de vie conjugale regrettait d'avoir pris femme; aussi
éprouva-t-il un secret plaisir à lire les *Lamenta* d'un certain Mahieu
qui, en dépit des interdictions canoniques, avait épousé une veuve
et s'en était fort mal trouvé, perdant à la fois ses privilèges de clerc
et sa tranquillité. Jean Lefèvre s'empressa de traduire en français
les vers latins du « bigame », assurant ainsi la diffusion du poème.
Attiré par les doux regards de Perrette, Mahieu a tout abandonné
pour elle, sans songer que sa beauté n'était qu'un avantage éphémère. Avec les années ses cheveux ont blanchi, sa peau s'est ridée,
sa taille s'est courbée; elle est devenue acariâtre et contrariante et
le ménage est un enfer :

> Nous sommes comme chien et leu [*loup*]
> Qui s'entrerechignent es bois;
> Et se je vueil avoir des pois,
> Elle fera de la poree.

Tel est le sort, hélas ! de tous les maris. Les femmes s'entendent
à duper les hommes et toute la science d'Aristote ne l'empêcha pas
d'être chevauché par une gourgandine. Elles sont querelleuses,
bavardes, curieuses, jalouses de leurs voisines, avides d'argent, luxu-
rieuses. Elles ne sont pas pieuses, mais superstitieuses, s'adonnent aux
arts magiques et pratiquent la sorcellerie. Bien fou qui se marie
pour perpétuer son nom, car les enfants sont des ingrats; plus fou
encore qui se marie par amour, car beauté de femme passe comme
une fleur et il en est tant qui dissimulent sous leurs atours leurs
imperfections physiques. Et la diatribe se poursuit implacable, pour
aboutir à cette conclusion que le mariage est un enfer et que le
sage doit s'en abstenir.

Il n'est pas surprenant qu'Eustache Deschamps, ce grognon pessimiste, ait dressé vers la fin de sa vie, dans le *Miroir de Mariage*, le
bilan de sa vie conjugale. Dans la première partie de son poème,
hanté par le souvenir du *Roman de la Rose*, il met en scène l'homme
libre, Franc-Vouloir, assailli par quatre faux amis, Désir, Folie, Ser-
vitude et Feintise, qui se sont mis en tête de le marier. L'intérêt
s'accroît quand l'auteur, renonçant aux allégories, se décide à peindre
d'après nature les divers tempéraments féminins. Les thèmes utilisés
par Eustache Deschamps, renouvelés par lui grâce au rappel de ses
propres déconvenues, ne sont pas épuisés pour autant et nous savons
comment l'auteur des *Quinze Joyes de mariage* en a tiré la matière
de ses récits vécus.

Dans la seconde moitié du XVe siècle, un moine normand, Guillaume
Alecis, maintient non sans talent la tradition satirique. Le plus
ancien de ses poèmes, l'*ABC des doubles*, est dirigé surtout contre les
gens de justice, tandis que, dans le *Débat de l'homme mondain et
d'un sien compagnon qui se veult rendre religieux*, il regrette les
erreurs de sa vie passée et égratigne, chemin faisant, les membres

du clergé régulier. Son œuvre la plus célèbre, le *Blason des faulses amours*, est un sermon jovial et farci d'humour auquel La Fontaine a emprunté l'idée d'un de ses contes, celui de *Janot et Catin*. Les *Feintes du Monde*, suivant le mode traditionnel, s'en prennent à toutes les classes de la société. Partout on ne rencontre qu'hypocrisie, mensonge et « faintise »,

> Grans et petis, c'en est la somme.
> Plus les congnois et moins les prise,
> Autant la femme comme l'omme.

Enfin, dans le *Débat de l'omme et de la femme*, il passe en revue les arguments qu'ont coutume d'échanger les partisans et les détracteurs du beau sexe et, tout bien pesé, les renvoie dos à dos.

Le thème de la mort. L'idée de la mort menaçante qui choisit son heure et frappe sans pitié, hante inévitablement les esprits. En ces temps d'inquiétude morale et de troubles politiques, où nul ne se sent assuré du lendemain, où les émeutiers, dans les villes, les bandes armées, dans les campagnes, pillent et massacrent à l'envi, la présence de la mort force l'attention des vivants. Abandonnant tout optimisme, la littérature sonde avec angoisse le gouffre obscur de l'Au-delà et nombreux sont les moralistes qui édifient leur doctrine sur la suprême égalité du tombeau. Poètes et prédicateurs s'inspirent tour à tour de la *Danse Macabré*; tour à tour et suivant leur tempérament, ils rappellent aux insouciants l'inéluctable échéance, tantôt avec pitié, tantôt avec cynisme, tantôt avec la gravité du philosophe qui se résigne, tantôt avec l'impertinence du libertin qui s'en rit.

Morale religieuse. La pensée s'élargit et le ton s'élève, quand le moraliste, cessant de sourire ou de récriminer, emprunte au dogme chrétien les éléments de sa démonstration. C'est le cas, par exemple, des trois *Pèlerinages* que Guillaume de Digulleville, prieur de Chaalis, écrivit entre 1330 et 1358. Pour s'être imprégné, lui aussi, du *Roman de la Rose*, il a repris la fiction du Songe. Sa science, essentiellement théologique, s'étendait de la Bible aux docteurs cisterciens; quant aux philosophes, qu'il cite le plus souvent de seconde main, il en avait pris connaissance dans les livres de son couvent et l'on peut assurer que le poème de Jean de Meun avait largement contribué à sa culture profane. Ce clerc éloquent, sans être un grand esprit, était sans doute un esprit fin, que l'existence conventuelle avait condamné à vivre replié sur lui-même. La vision manque souvent de recul et d'étendue; elle n'est cependant pas dénuée de justesse. Curieusement rimé, en comptant pour la mesure la finale atone des rimes féminines, composé sur le modèle des romans allégoriques et personnifiant Nature, Raison et Grâce de Dieu, le *Pèlerinage de Vie humaine* est, dans sa forme originale, si voisin du dialogue, qu'on put en extraire, à diverses reprises, de véritables morceaux dramatiques.

Notre bon moine se met à rêver qu'il est en route pour Jérusalem, ville immense et vénérée, dont le prince, s'étant fait homme, mourut d'une blessure au flanc. Grâce de Dieu lui promet de l'équiper en pèlerin, l'introduit dans une maison où il est reçu par Moïse. Nature survient, qui reproche à Grâce ses interventions miraculeuses, comme le changement du pain en chair et du vin en sang, et la conversation s'engage entre ces deux entités. Il est clair que Nature doit obéissance à Grâce, et qu'en formulant sa plainte elle se révolte contre Dieu. Voici venir Pénitence armée d'un balai pour nettoyer les consciences, et Charité qui possède le « testament de paix ». Les mystères de la religion, œuvres de Charité et de Sapience, ont le don d'irriter Nature qui demande l'avis d'Aristote. « Sapience », dit-il, « viole dans ses actes les principes élémentaires de la physique. » — « Soit », répond-elle, « mais d'où tient-il lui-même ses connaissances, sinon de Science, fille de Sapience, qui lui révéla les secrets de Nature ? » Mais la Science est infinie et le philosophe n'en détient qu'une parcelle et, pour le prouver, Sapience argumente, en multipliant les exemples et les subtilités. Là-dessus le pèlerin reçoit en viatique un fragment de pain eucharistique avec l'écharpe pour le mettre et le bourdon pourvu d'un viseur, l'Espérance, et d'une escarboucle, la Vierge Marie. Puis Grâce lui ajuste le gambeson de Patience, le hauberjon de Force, le heaume de Tempérance, la gorgière de Sobriété, le gantelet de Continence, l'épée de Justice et le bouclier de Prudence. Mais ainsi accoutré, le pèlerin ne peut plus faire un geste. Il se dépouille de son « arroi » avec l'agrément de Grâce qui charge Mémoire de le lui porter. Et le voilà parti. La rencontre d'un méchant vilain, Rude Entendement, interrompt bientôt le voyage. En vain Raison, venue à la rescousse, essaiera-t-elle de se faire comprendre : le rustre se défie d'elle et rien ne l'empêchera d'ôter au voyageur son écharpe et son bourdon. Raison, pourtant, finit par triompher et l'on reprend la marche. Chemin faisant, elle enseigne au pèlerin à distinguer l'âme du corps, car ils se livrent en chaque homme un furieux combat. Ils arrivent à un carrefour; d'un côté se tient Labour, à l'entrée du chemin d'Innocence qui conduit à Jérusalem; de l'autre une belle jeune fille, Huiseuse, propose un chemin « tout battu ». Le pèlerin s'engage dans cette voie, suivi de « Paresce la gouteuse » qui bientôt le traîne au bout d'une corde jusqu'à la rencontre de deux autres vieilles, l'une chevauchant l'autre, c'est-à-dire Orgueil monté sur Flatterie. Sur la périlleuse route qu'il a eu la faiblesse d'emprunter, le pèlerin, guetté par d'horribles monstres, leur échappe à grand-peine. Au débouché du chemin, s'étend une mer en furie où flottent des hommes et des femmes; ce sont les victimes d'Avarice, qui,

chargées d'un sac trop lourd, plongent en dépit de leurs efforts.
Le pèlerin lui-même est précipité dans la mer par Tribulation et
ne doit son salut qu'à Grâce de Dieu. Elle lui propose un raccourci
pour atteindre son but; c'est la nef de religion sur laquelle la
sécurité serait parfaite, si l'équipage en prenait soin. Dans les châteaux qui le surmontent, celui de Cluni, celui de Cîteaux, toutes les
vertus monacales déploient leur activité : c'est le portier Paour de
Dieu qui chasse les pécheurs à coups de massue, ce sont Obédience
qui tient les moines en laisse, Discipline armée d'une lime, pour
tout remettre en état, Chasteté qui prépare les lits aux draps blancs,
Leçon et Estude qui donnent la pitance, c'est-à-dire la Sainte Ecriture; voici enfin dame Abstinence, la surveillante du réfectoire.

Obédience interpelle le pèlerin, lui lie les membres et la langue
sans qu'il proteste. Surviennent alors deux messagères, laides et
vieilles, chaussées de plomb; ce sont Vieillesse et Infirmité :

> « Je suis celle »,

dit Vieillesse,

> « Qué ja veoir ne cuidoies.
> Quant avec Jeunece estoies. »

Et c'est d'une voix terrible qu'elle lance cet avertissement :

> « Appareille-toi : la Mort vient. »

Mais négligeant les avis de Maladie et de Vieillesse, les hommes
insouciants n'y sont point préparés, et le passage d'une vie à l'autre,
pour beaucoup d'entre eux, tourne à la catastrophe. Enfin le voyage
s'achève; Guillaume se réveille en entendant sonner matines, encore
tout ému du songe qu'il vient d'avoir.

A peine Guillaume s'est-il rendormi qu'une vision nouvelle lui
apparaît. Cette fois le pèlerin est mort et c'est le *Pèlerinage de
l'âme* auquel son rêve le fait assister. Guidée par son Ange gardien
qui la protège contre les entreprises de Satan, l'âme libérée du corps
est mise en jugement. Saint Michel plaide éloquemment sa cause,
mais si l'intervention de Miséricorde et la caution de saint Benoît
lui épargnent l'enfer, elle n'échappe pas au purgatoire où le pèlerin
expiera ses fautes. Alors commence un long voyage à travers les
espaces. Guillaume revoit sur la terre les lieux où il a péché, le
cimetière où pourrit son corps; il assiste au débat classique entre
l'âme et le corps et parvient en enfer où les damnés subissent les
plus affreux tourments. C'est là qu'un roi voit supplicier ses mauvais conseillers, qui s'attribuaient l'argent destiné à la défense du
royaume. L'auteur, à diverses reprises, fait allusion aux événements
contemporains; il porte un jugement sévère sur les fonctionnaires
royaux, soutient qu'une armée nationale formée de bourgeois, de

soudoyers unis aux nobles est plus disposée que des mercenaires à combattre pour le roi; la véritable assise du royaume, ce sont les ouvriers manuels, artisans et laboureurs, parmi lesquels, en temps de guerre, se recrutent les gens de pied. Prieur d'une abbaye royale, le poète traduit dans ses vers une notion qui déjà se généralise, la nécessité d'un accord du trône et de la bourgeoisie. C'est dans une intention semblable que, dans le *Roman de la fleur de lis*, il exposera les origines et expliquera le symbolisme des armes de France afin d'apporter de nouveaux arguments en faveur de la dynastie et contre les prétentions d'Edouard III. Quant au *Pèlerinage de Jésus Christ*, ce n'est, à la vérité, qu'une vie de Jésus parmi tant d'autres.

Les sermons.
La morale religieuse se répand plus que jamais par le sermon. Les prédicateurs ne dédaignent plus d'instruire le peuple dans sa langue et sans renoncer au latin, quand ils s'adressent aux membres du clergé, c'est en français qu'ils s'expriment devant le roi et les seigneurs, comme devant les simples fidèles. Chancelier de l'université de Paris, en 1398, Jean Gerson, qui prit place à côté de Christine de Pisan parmi les adversaires du *Roman de la Rose*, proclame dans ses traités théologiques la souveraineté de la raison qu'il oppose au stérile mysticisme et aux aberrations de certains visionnaires plus propres à troubler les âmes qu'à les orienter sur la voie du salut. Si, déçu par le nominalisme d'Occam qui s'enseignait alors à l'Université, il se tourne vers la contemplation, c'est toujours avec prudence et en évitant les excès. Sa pensée se fait plus ardente et son influence plus directe dans les sermons qu'il prononce en public et qui portent tous la marque d'une profonde sincérité. Contrastant avec ses prédécesseurs, ses contemporains et ses successeurs, comme Robert Ciboule et Olivier Maillard, Gerson sait frapper l'auditoire sans le flatter ni s'abaisser lui-même. Il ignore les effets faciles, obtenus par l'invective et la violence triviale; on sent passer dans ses discours l'ardeur communicative d'un cœur qui s'échauffe à mesure qu'il s'épanche, sans cesser pourtant de se dominer, et briller l'éclat d'une intelligence attentive aux événements, qui sait juger les fautes commises et en prévoir la correction. La noblesse, entraînée par son fol orgueil dans un tourbillon de luttes effrénées où s'épuise sa force et pâlit son prestige, le peuple ruiné dont il est temps de prendre la défense, en prêchant la paix dans le royaume et dans l'Eglise, éprouvent l'une son indignation et l'autre sa miséricorde. S'il recommande à ses paroissiens de Saint-Jean-en-Grève la pratique des vertus chrétiennes, il adjure les rois et les grands, les seigneurs laïques et les princes de l'Eglise de cesser leurs querelles et d'entendre la parole de Dieu.

On peut reprocher à ce détracteur de Jean de Meun de s'être laissé corrompre par lui et d'accueillir dans sa prose les allégories et les abstractions; on peut lui faire grief d'une érudition qui prend plaisir à s'étaler, mais on lui sait gré d'avoir eu le courage, en ces temps difficiles, de poser les problèmes et d'en chercher la solution, d'avoir osé dire à voix haute ce que beaucoup pensaient tout bas, d'avoir fait connaître aux responsables de la crise religieuse les moyens pratiques d'y mettre fin.

La littérature scientifique. La diffusion de la littérature savante, grâce à l'effort des traducteurs, ouvre des horizons nouveaux à ceux qui se préoccupent d'assurer l'avenir en s'appuyant sur la connaissance du passé. Insigne traducteur d'Aristote, à la fois physicien, moraliste et philosophe, le savant Nicole Oresme s'applique à tirer de son modèle des règles de politique et les principes à appliquer dans l'exercice du pouvoir. Ses gloses de la *Politique* et de la *Morale à Nicomaque* sont souvent des dissertations relatives à la conduite des individus et des peuples et le traducteur est original dans la mesure où il adapte les théories du philosophe grec aux besoins de son époque. Dans son traité *De la première invention des monnaies*, qui contient beaucoup plus que ne promet le titre, il proclame que le roi, serviteur de l'Etat, doit lui subordonner sa propre cause. Souverain par la grâce de Dieu, il doit, comme un loyal vicaire, se vouer au bien de son peuple et sa puissance a pour limite celle de l'intérêt général. L'institution des monnaies n'est qu'un moyen de faciliter les échanges et d'accroître la prospérité collective; qui les altère, pour enfler son trésor, ne saurait échapper à la condamnation.

Le « Songe du Verger ». Si, tout compte fait, Nicole Oresme se place de préférence sur le terrain des idées et s'exprime en théoricien, les juristes rompus à la pratique des coutumes et des codes s'attachent à la solution de problèmes concrets. Comme le personnel administratif ne sait pas toujours le latin, on rédige en français des traités juridiques ou des compilations comme le *Grand Coutumier de France,* de Jacques d'Ableiges ou la *Somme Rurale* de Jean Boutillier. Guidé par d'excellents conseillers et suivant sa propre nature, Charles V se préoccupe de justifier en droit ses initiatives en matière politique. Tandis que la noblesse, négligeant sa mission, se montre plus un obstacle qu'une aide, le souverain, qui doit faire face à la guerre étrangère et à ses conséquences, songe à préserver son domaine de toute influence extérieure. L'instinct national des classes roturières dont il comprend les aspirations l'engage à secouer la tutelle de Rome et, profitant du Grand Schisme, à favoriser l'établissement d'une Eglise indépendante, plus docile à sa volonté. Les prétentions gallicanes sont éloquemment formulées dans un vaste et curieux traité, le *Songe du Verger,* qu'on a attribué successivement à Raoul de Presles, Nicole Oresme, Guillaume de Dormans et Philippe de Mézières, auteur du *Songe du Vieil Pèlerin,* et qui pourrait bien n'être, au moins dans sa forme latine, le *Somnium Viridarii*, que le produit d'un travail collectif exécuté dans l'entourage immédiat de Charles V.

Quoi qu'il en soit, nous savons que l'ouvrage fut composé d'abord en latin, puis traduit en français, avec de sérieuses retouches, à la requête du roi. L'auteur feint d'avoir entendu en songe un dialogue entre un clerc et un chevalier. Tandis que le clerc défend le pouvoir temporel des papes, le chevalier conteste avec énergie le bien-fondé du principe de la juridiction et de la puissance spirituelle. C'est un vieux débat qui, sans cesse renouvelé depuis Philippe le Bel, ne recevra de solution qu'au concile de Constance. L'auteur, d'une extrême impartialité, met ses deux interlocuteurs en égale posture, soucieux qu'il est de n'omettre aucun argument pour ou contre, du moment que le problème posé ne menace d'aucune manière les intérêts de la foi. Tout au plus laisse-t-il deviner ses préférences, quand il déclare : « Il semble que le pape de Rome par raison doit plus eslire demeure en France que a Rome, pour la plus grande convenance et ressemblance que France a a tout le monde. » La question du pouvoir temporel n'est d'ailleurs qu'une entrée en matière. Le *Songe* contient une série d'enseignements relatifs à la politique et au gouvernement; ce sont des problèmes d'actualité concernant le retour à la France des provinces méridionales, la saisie du duché de Bretagne, la délimitation des droits de la noblesse, le régime à assigner à la propriété rurale et féodale, le droit de la guerre, les inconvénients et les avantages du célibat ecclésiastique et, brochant sur le tout, le couplet familier aux obligés de Charles V sur ses goûts, sa profonde culture, avec quelques réserves à l'égard de sa passion pour les sciences occultes et l'astrologie. Écrit avec un vif accent de sincérité, le *Songe du Verger*, traduit, semble-t-il, sous ses principaux aspects, la pensée politique du roi.

« *L'Arbre des Batailles* ». La situation politique, provisoirement redressée grâce aux sages mesures ordonnées par Charles V, s'assombrit de nouveau dès l'avènement de son successeur. La menace étrangère se fait plus pressante et les discordes civiles réduisent à coup sûr les chances d'y résister. En relations avec les papes de Rome et d'Avignon, avec les princes, avec le roi lui-même, Honoré Bonet, prieur de Salon, dédie à Charles VI l'*Arbre des Batailles*, ample compilation en quatre parties, dont la dernière surtout, longuement étirée, renferme, en assez grand nombre, des éléments originaux. Calqué sur le modèle des écrits didactiques, où l'auteur, avant de formuler son opinion expose et compare les avis différents des « autorités », l'ouvrage est un véritable traité de droit des gens fondé à la fois sur les théories juridiques et l'expérience de l'Histoire. Tous les problèmes soulevés par la guerre, la situation des particu-

liers comme les rapports entre les belligérants, y font l'objet de
discussions souvent fort longues, où le rappel de faits concrets soutient les démarches d'une pensée toujours prudente et qui s'exprime,
en dépit de quelques maladresses, dans un style simple, clair et vivant. Disciple attardé du *Roman de la Rose*, dont il a célébré l'auteur dans l'*Apparition de Jean de Meun*, Honoré Bonet, tout comme
l'auteur du *Songe du Verger*, professe des opinions gallicanes. Il
assure que le roi ne tient son royaume « fors de Dieu tant seulement » et doit rester, en matière temporelle, indépendant du Saint-
Siège. Il s'applique à distinguer les guerres d'après leurs causes,
admet et même approuve celles qui sont entreprises pour la défense
du droit, et recommande les meilleurs moyens de gagner la victoire :

> « Pour ce nous fault veoir et entendre se bataille est chose reprouvée
> de celui droit divin, car bien le penseroient aucuns hommes simples;
> et la raison si et pour ce qu'en guerre et en bataille se font plusieurs
> maulx... Je vous dy que cestui argument ne vault rien, car il est verité
> que bataille n'est qu'une male chose, ainçois est bonne et vertueuse; car
> bataille ne regarde autre chose, selon sa droite nature, que retourner
> tort a droit et faire retourner dissension a paix selon le contenu de
> l'Escripture. »

A la fin du siècle, Pierre Choisnet, « médecin et astrologien du
roi », écrit sans doute à la requête de Louis XI, à l'intention du
futur Charles VIII, le *Rosier des guerres*, manuel d'instruction politique et militaire. Cette œuvre, enrichie d'allusions historiques et
complétée par une chronique, mérite au moins d'être citée.

Livres   Quand les loisirs de la paix retiennent le sei-
de chasse.   gneur dans son château, il peut s'entraîner lui-
même et tenir ses gens en haleine par la pratique de la chasse; c'est
à la fois une nécessité et un divertissement. Plus qu'à toute autre
époque, l'art de capturer les bêtes s'enseigne dans ses moindres détails. Un anonyme traduit, au début du XIVe siècle, le traité de fauconnerie de l'empereur Frédéric II. Un chapelain de Philippe VI et
de ses successeurs, Gace de la Buigne, compose, de 1359 à 1370, un
vaste poème, le *Roman des Deduiz*, œuvre confuse et disparate où,
dans un long débat sur les mérites respectifs des chiens et des
oiseaux, arbitré par le comte Jean de Tancarville, s'insèrent un
combat entre les vices et les vertus et l'exposé des moyens propres
à chasser toute espèce de gibier. A peu près dans le même temps,
soit entre 1354 et 1377, un écrivain d'origine normande, qu'on propose d'identifier avec Henri de Ferrières, seigneur de Gisors, traite
le même sujet dans un ouvrage au titre singulier, *Les Livres du roy
Modus et de la royne Ratio*, formés de deux parties distinctes, *Le
livre des Deduiz* et *Le Songe de Pestilence*; le premier est un long
traité didactique où l'auteur décrit, à grand renfort de termes
techniques, les mœurs des animaux et les procédés en usage pour les

poursuivre et pour les prendre; le second, d'un moindre intérêt, n'est qu'un poème allégorique mêlé de prose, sur le thème traditionnel de la *Psychomachie*.

Les enseignements de ses devanciers furent mis à profit par Gaston Phoebus, comte de Foix, à qui nous devons le plus achevé et le plus attrayant de tous les traités cynégétiques du moyen âge. Ce prince qui, au dire de Froissart, « les chiens sur toutes bestes amoit et aux champs, esté et yver aux chasses voulentiers estoit », entreprit en 1387 la rédaction d'un *Livre de Chasse* qui, s'il s'inspire de traités antérieurs, traduit surtout les résultats d'une expérience personnelle et la passion de l'auteur pour un exercice qui partageait son temps avec les armes et l'amour. Après avoir décrit les bêtes sauvages dans leur aspect extérieur et leur comportement, il aborde le dressage des chiens, énumère les soins qu'ils exigent et enseigne enfin au futur veneur les règles de cet art difficile. En exposant ces notions pratiques l'auteur ne s'efface jamais; c'est lui que nous voyons suivant les pas de son limier, débûchant le cerf ou le sanglier, le forçant enfin et organisant la curée, au son joyeux des trompes. Il ne s'agit plus ici d'un manuel technique, en quelque sorte impersonnel; c'est une œuvre littéraire enthousiaste et vivante et, si l'on peut dire, les mémoires d'un chasseur. Indépendamment des profits qu'on en tire, la chasse est à recommander, parce· qu'elle fortifie le corps et assure l'équilibre moral :

« Ore te prouveray »

dit Gaston Phoebus à son lecteur,

« comme veneurs vivent en cest monde plus joyeusement que autre gent; quar, quant le veneur se lieve au matin, il voit la tres douce et belle matinee et le temps cler et serain et le chant de ses oiseletz qui chantent doulcement, melodieusement et amoureusement chascun en son langage, du mieulx qu'il puent, selon ce que nature leur aprent. Et quant le soleil sera levé, il verra celle doulce rosee sur les raincelles et herbetes et le soleil par sa vertu les fera reluysir. C'est grande plaisance et joye au cuer du veneur. »

A côté de cette œuvre remarquable que nous ont conservée de nombreux manuscrits, semblent dépourvus de relief le *Livre du Tresor de Venerie*, par Hardouin de Fontaine-Guérin, l'*Art de Fauconnerie* de Guillaume Tardif et le *Livre de la Chasse* de Jacques de Brézé, grand sénéchal de Normandie.

La littérature scientifique, à la fin du moyen âge, offre les mêmes caractères que les autres genres et suit, toutes proportions gardées, le même processus d'évolution. D'abord tributaires du *Roman de la Rose*, dont l'influence ne cesse de s'exercer, les œuvres morales conservent l'usage des symboles et des allégorics. Mais dès le début du xive siècle, les auteurs ont de plus en plus recours à leur expérience et la critique des mœurs et des institutions repose sur des allusions précises. La morale religieuse elle-même s'intéresse aux événements et l'actualité grossit le commentaire des thèmes empruntés à l'Ecriture Sainte. Quant aux écrits scientifiques, ils s'orientent progressivement vers l'utilité pratique, qu'il s'agisse d'appliquer les règles juridiques à la gestion des affaires, de formuler les lois de la guerre ou d'analyser la technique des arts.

CONCLUSION

La route est longue qui va des temps carolingiens aux expéditions d'Italie. Ce n'est, au départ, qu'un étroit sentier où cheminent paisiblement les jongleurs rudes et naïfs qui, chantant en vers malhabiles la Passion du Christ et la vie des saints, contribuent, pour leur modeste part, à l'édification des foules. Mais bientôt elle s'élargit pour livrer passage aux troupes bigarrées qui, de tous les points du royaume, gagnent les sanctuaires vénérés où reposent les corps des héros chrétiens. Sur le versant français des Pyrénées, les barons méridionaux, à l'appel des rois catholiques, se préparent à tirer l'épée contre les Musulmans qui depuis trois siècles occupent la péninsule, et, leur faisant écho, les poètes évoquent le glorieux souvenir de Charlemagne, vainqueur des Sarrasins d'Espagne. D'obscures traditions s'amalgament et se mêlent à l'actualité et voici qu'utilisant les formes littéraires de la poésie hagiographique, les trouvères épiques font revivre dans les chansons de geste le combat séculaire de la Chrétienté contre l'Islam.

Cependant dans les monastères qui étendent un réseau d'institutions pieuses sur le sol de France, où s'épanouit, comme un acte de foi, « la robe blanche » des églises, les moines associent les guerriers et les saints dans une même reconnaissance. Gardiens prédestinés de la culture antique dont ils ont préservé d'une ruine certaine l'héritage morcelé, ils ont lu, copié, médité, commenté, compilé l'œuvre immense où s'inscrit pour l'éternité la sagesse universelle. De cette science jalousement accumulée, il convient maintenant de livrer une part aux laïcs qui n'entendent pas le latin. Ils leur content d'abord des récits merveilleux qui feront bientôt concurrence aux thèmes exploités par la poésie nationale. L'histoire des luttes fratricides autour de Thèbes, l'épopée homérique, les aventures du pieux Enée vont renaître en de longs poèmes soigneusement rimés, pour la grande satisfaction des seigneurs et de leurs dames, à qui une princesse, venue d'Aquitaine, enseignera le code de l'amour et le goût des galants propos.

21

Des sombres forêts de Cornouailles et des landes désertiques qui bordent la mer d'Irlande, surgissent, encore voilés de brume et parés de mystère, les prestigieux chevaliers d'Arthur, toujours en quête d'aventures, dont la destinée finit par s'accomplir sur le plan divin. Sur l'avenue toujours plus large et maintenant bordée de haies bien taillées, on chante, à la façon des troubadours méridionaux, cet amour irréel dont ils ont fait leur dieu. Dans la cathédrale accueillante aux fidèles qui l'envahissent, des acteurs improvisés miment et jouent les grands mystères et le théâtre religieux, chassé par sa croissance même des hautes nefs qui l'abritaient, offre bientôt aux spectateurs assemblés sur les places une distraction doublée d'un enseignement. Avec une générosité prudente, l'Eglise élève peu à peu le niveau des esprits. Elle met à la portée des laïcs l'histoire du passé, où le vrai se mêle à la fable, enregistre les faits actuels, ouvre la voie aux chroniqueurs.

Dès la fin du XIIᵉ siècle, l'essor imprévu de la bourgeoisie introduit les classes moyennes dans le champ de l'activité littéraire. C'est à leur intention qu'on rime un grand nombre de fabliaux et les plus anciennes branches du *Roman de Renart*. Toutefois, à mesure que s'accroissent, avec sa puissance, ses responsabilités, la bourgeoisie cherche à s'instruire et fournit aux vulgarisateurs une insatiable clientèle. Si elle conserve le goût des contes grivois, des narrations plaisantes et satiriques, elle ne dédaigne point les œuvres morales, dont beaucoup traduisent ses aspirations, ni ces vastes compilations scientifiques où tient, plus ou moins habilement condensée, toute la connaissance du monde. A de telles lectures, des curiosités s'éveillent, des inquiétudes se manifestent. Et l'Eglise qui n'a point cessé de guider la vie spirituelle, s'efforce de calmer les impatiences et d'astreindre les âmes au respect de l'orthodoxie; elle y parvient suffisamment pour que Jean de Meun puisse écrire le *Roman de la Rose*, proclamer les droits de la science et de la raison naturelle, sans ébranler les fondements du dogme ni porter atteinte à la foi.

La pensée médiévale qu'inspirent à la fois la philosophie néo-platonicienne et l'augustinisme, la morale d'Aristote et celle des Evangiles, s'offre à la fin du XIIIᵉ siècle dans son plein développement. Mais la synthèse laborieusement obtenue de toutes ces tendances n'a qu'un caractère provisoire. Saint Thomas d'Aquin lui-même, en dépit de son prestige, trouve des contradicteurs. Dans l'édifice politique et social, des craquements se font entendre. La bourgeoisie, qui sent la faiblesse de ses adversaires, pousse impunément ses avantages et la noblesse, qui s'en inquiète, n'a ni la force de lui résister, ni la sagesse de collaborer avec elle. Dans le désarroi des esprits, la littérature périclite. Le succès des principaux genres s'est épuisé, et c'est en vain qu'on cherchera à prolonger leur existence : ni la chanson de geste, ni le roman courtois, ni la poésie lyrique d'inspiration provençale ne sauraient émouvoir les âmes en butte aux plus poignantes réalités. Au milieu des troubles causés par les guerres et les rivalités intestines, des transformations politiques et sociales s'élaborent, un monde nouveau se prépare où l'individu voit grandir son rôle. Dans l'histoire, comme dans le roman et la poésie, la personnalité des auteurs s'affirme de plus en plus, et quand, à la fin de la crise, libérée de toute contrainte, la pensée reprend ses droits, c'est pour produire, en face des imitations impuissantes, ces œuvres caractéristiques, les *Mémoires* de Commynes, le *Petit Jehan de Saintré*, la *Farce de Pathelin*, le *Testament* de François Villon.

A tour de rôle, pendant ces grands siècles d'histoire, les diverses provinces de France dont les ressources variées et les qualités maîtresses venaient se fondre heureusement dans l'unité nationale, apportaient à l'œuvre intellectuelle une collaboration d'inégale importance. La Normandie et la Champagne, au temps d'Aliénor d'Aquitaine, renouvelaient les mœurs et le goût; bientôt la Picardie et les provinces du Nord, libres et prospères, transmettront aux régions voisines l'optimisme concret des communes bourgeoises; et quand l'héritier du trône, considéré comme un bâtard, devra poursuivre à tâtons la recouvrance de son royaume, c'est la Bourgogne qui maintiendra, dans le déchaînement des forces brutales, les privilèges de l'esprit.

Faite à l'image de la France dont elle reflète les vicissitudes, les craintes et les enthousiasmes, dont elle évoque aussi l'infinie variété d'aspects, notre littérature médiévale ne limite pas son influence au sol compris dans nos frontières. L'Angleterre, l'Allemagne, l'Italie, l'Espagne, les Pays-Bas, la Scandinavie même et l'Orient, proche ou lointain, s'éclairent à ce flambeau et, partout traduits, nos clercs et nos jongleurs sont accueillis partout. Cette force de rayonnement tient non seulement au prestige politique du pays et à la qualité des œuvres qui y naissent, mais à ce fait aussi qu'on voit passer en elles, filtrés et clarifiés, les grands courants intellectuels où s'abreuve l'humanité. La source première de notre littérature, c'est l'antiquité classique, jalousement conservée dans les cloîtres, et qui pénètre dans la société laïque soit directement, soit avec l'appui de la littérature chrétienne. Celle-ci trouve dans les livres saints, dans les écrits des Pères de l'Eglise, dans les commentaires et les méditations de toute nature une matière qui se concilie avec les souvenirs du paganisme. Les relations établies, dès le XIe siècle, entre la Normandie et la Bretagne insulaire, introduisent sur le continent les légendes celtiques qui sont à l'origine des romans arthuriens, et inspirent une partie de la littérature dont la diffusion à l'extérieur fut des plus considérables. Enfin le contact avec l'Orient, favorisé par les Croisades, fait passer en Occident, par des intermédiaires syriens, arabes, hébraïques ou persans, ces fables indiennes qui sont du patrimoine commun des races européennes. C'est ainsi que les auteurs du moyen âge, prenant leur bien où ils le trouvent, nous semblent parfois manquer d'originalité. Leurs contemporains n'en exigeaient pas tant, et il leur suffisait de trouver dans les livres de quoi flatter leurs goûts et satisfaire leur curiosité. Insensiblement, ils s'initiaient à la culture humaine et les étrangers eux-mêmes s'émerveillaient de trouver, en ces œuvres venues de France, des vérités morales et des thèmes littéraires qui avaient pris naissance au berceau de leur race. Travestis à la mode française, les Sept sages de Rome s'apparentaient à ceux de la Grèce et devaient certains traits aux prudents conseillers qui, réunis autour de Sindibâd, prodiguaient leurs avis aux princes d'Orient. Une fusion d'éléments divers, dont le dogme chrétien assure l'unité, telle est, strictement définie, la littérature française du moyen âge. Sa destinée eût sans doute été différente, si la guerre de Cent Ans n'était venue briser l'effort des humanistes du xive siècle, qui renouvelaient, avec plus d'expérience, la tentative des clercs savants du xiie siècle. Il aurait suffi, pour achever l'édifice, que l'intelligence artistique donnât la vie à l'érudition pure, et qu'enfin l'esprit sortît de la lettre. Ce sera le miracle du xvie siècle, si toutefois le mot n'est pas excessif, puisque, aussi bien, la Renaissance française nous apparaît comme l'aboutissement nécessaire d'une lente et lointaine évolution.

BIBLIOGRAPHIE

NOTES BIBLIOGRAPHIQUES

GÉNÉRALITÉS. — Quelques répertoires bibliographiques embrassant toute la littérature française du moyen âge permettent de retrouver facilement l'indication des ouvrages essentiels, éditions et travaux critiques. On utilise encore le *Grundriss der romanischen Philologie* de Gustave GRÖBER, t. I, Strasbourg 1888, 2ᵉ éd. 1906; t. II, 1893-1902. Le tome II, pages 433-1250 contient une histoire détaillée de la littérature en langue française, avec bibliographie des manuscrits et des imprimés, à jour jusqu'à la date de la publication. Cet ouvrage a été remanié pour la période des xivᵉ et xvᵉ siècles, par Stefan HOFER. *Grundriss der romanischen Philologie*. Neue Folge, 2ᵉ éd. 1933-1937. On peut consulter également avec fruit: Carl VORETZSCH, *Altfranzösische Literatur*, 3ᵉ éd. Halle, 1925 et les livres anciens mais toujours précieux de Gaston PARIS, *La Littérature française au moyen âge* (xiᵉ-xivᵉ siècle), 5ᵉ éd., Paris, 1913 et *Esquisse historique de la littérature française au moyen âge*, Paris, 1907 (Des origines à la fin du xvᵉ siècle).

Nous disposons aujourd'hui de deux bibliographies qui fournissent un relevé aussi complet que possible de la matière imprimée : U. T. HOLMES, *A critical Bibliography of French Literature*. D. C. Cabeen general editor. Volume I, *The medioeval Period*, Syracuse (U.S.A.), 1947; 2ᵉ édition augmentée, 1952; R. BOSSUAT, *Manuel bibliographique de la littérature française du moyen âge*, Melun, Librairie d'Argences, 1951. *Supplément*, 1955. Nous y renvoyons pour chaque chapitre, sous le sigle *M.B.*

Iʳᵉ PARTIE

CHAPITRE PREMIER. (*M.B.*, nᵒˢ 1-65, 6017-6033). — Les premiers monuments de la littérature française ont fait l'objet de nombreux travaux. *Les Serments de Strasbourg* se lisent dans les *Histoires* de Nithard, éd. Ph. LAUER, 1926 (*Classiques de l'Histoire de France*), p. 104-109. Ils ont été reproduits, traduits et commentés à maintes reprises.

Les premiers monuments ont été groupés par W. FOERSTER et E. KOSCHWITZ, *Alfranzösisches Uebungsbuch*. Erster Theil : *Die ältesten Sprachdenkmäler, mit einem Facsimile*. 7ᵉ éd. Leipzig, 1932 (revu par A. Hilka). Il faut utiliser de préférence certaines éditions récentes : J. LINSKILL, *La Vie de saint Léger, étude sur la langue du manuscrit de Clermont-Ferrand, suivie d'une éd. critique du texte, avec commentaires et glossaire*, Strasbourg, 1937. La dernière éd. de *Saint Alexis* est celle de C. STOREY, *La Vie de saint Alexis*, Oxford, 1946 (*Blackwell's French Texts*).

Chapitre II (*M.B.* n°ˢ 66-909, 6034-6191). — Toute la littérature épique est dominée par le problème des origines exposé et discuté dans un grand nombre de travaux. On en trouvera l'énumération, l'analyse et la critique dans l'ouvrage pénétrant de M. Italo Siciliano, *Les origines des chansons de geste,* trad. de l'italien par P. Antonetti, Paris, 1951. Pour les théories anciennes, il est toujours utile de consulter Léon Gautier, *Les Epopées françaises,* 1888-1894, dont les quatre volumes contiennent d'excellentes analyses; G. Paris, *Histoire poétique de Charlemagne,* Paris, 1865, 2ᵉ éd., 1905, qui soutient avec mesure la théorie des cantilènes; P. Rajna, *Le origini dell' epopea francese,* Florence, 1884, où l'auteur se réfère à de prétendues épopées mérovingiennes, du vɪɪᵉ siècle. Les sagaces et lumineuses recherches de Joseph Bédier ont fourni la matière de quatre volumes : *Les Légendes épiques,* Paris, 1908-12 (rééd. 1914-1921). Même si certains points en ont été discutés, elles gardent dans leurs grandes lignes, comme dans le détail, une incontestable valeur. Les arguments de F. Lot ont été répandus dans une série d'articles relatifs à diverses chansons (*Romania,* t. LII, 1926, p. 75-133; t. LIII, 1927, p. 325-42; 449-73; t. LIV, 1928, p. 357-80). La *Bibliographie des chansons de geste,* de Léon Gautier (1897), fournit jusqu'à cette date des renseignements complets. On aura recours, pour la suite, aux répertoires généraux cités plus haut.

La *Chanson de Roland* a fait l'objet de plusieurs bibliographies spéciales (J. Bauquier, Heilbronn, 1877; E. Seelmann, *ibid,* 1888; J. Geddes, New York, 1906. M. E. Faral, *La Chanson de Roland,* Paris, 1933, a donné une élégante mise au point de toutes les questions soulevées par le poème, suivie d'une bibliographie détaillée des manuscrits, éditions, traductions et adaptations. Les éditions du texte se sont multipliées depuis celle de Léon Gautier (Tours, 1872); on utilise plus volontiers la remarquable édition de J. Bédier, d'après le ms. d'Oxford, accompagnée d'une traduction (165ᵉ éd., 1947) et d'un volume de commentaires (1927). J. Boissonnade, *Du nouveau sur la Chanson de Roland,* Paris, 1923; R. Fawtier, *La Chanson de Roland, étude historique,* Paris, 1933, apportent quelques points de vue originaux. A signaler enfin pour sa commodité, l'édition par R. Mortier, *Les textes de la Chanson de Roland,* neuf fasc., Paris, 1940-1949, de tous les documents littéraires relatifs à la *Chanson.* Le livre récent de M. J. Horrent, *La Chanson de Roland dans les littératuɪes française et espagnole du moyen âge,* Paris, 1951 (*Bibl. fac. de Phil. et Lettres de l'Univ. de Liége* (XX), étudie le développement du thème jusqu'à la fin du moyen âge.

Toutes les chansons de geste conservées ont fait l'objet d'éditions plus ou moins récentes. Elles sont énumérées dans les répertoires généraux et il suffit de mentionner ici les dernières parues :

Cycle du roi : *La Chanson d'Aspremont,* publ. par Louis Brandin, 2 vol. 1919-1922 (*Classiques français du moyen âge); Berte aus grans piés,* par Adenet le Roi, publ. par U. T. Holmes, Chapel Hill, 1946; *Buevon de Conmarchis,* publ. par A. Henry (*Les œuvres d'Adenet le Roi,* t. II), Bruges, 1953; *Floovant,* publ. par Sven Andolf, Upsal, 1941; *Girart de Vienne,* de Bertrand de Bar-sur-Aube, publ. par F. G. Yeandle, New York, 1930.

Cycle de Garin de Monglane : *Le Charroi de Nîmes,* publié par J. L. Perrier, Paris, 1931 (*Class. fr. du m. â.,* 66); autre éd. par E. Lange-Kowal, Berlin, 1934; *Enfances Guillaume,* publ. par P. Henry, Paris, 1935 (*Soc. des anciens textes français): Chanson de Guillaume,* éd. E. Stearns Tyler, New York, 1919; autre éd. par D. Mc Millan, 2 vol. Paris, 1949-50 (*Soc. Anc. Textes franç.); Les Narbonnais,* publ. par H. Suchier, 2 vol., Paris, 1898 (*Soc. anc. Textes franç.); La Prise d'Orange,* publ. par B. Katz, New York, 1947; *Le Siège de Barbastre,* publ. par J. L. Perrier, Paris, 1926.

CYCLE DE DOON DE MAYENCE : *Gormont et Isembart*, fragment de chanson de geste du XII⁰ s., publ. par A. BAYOT, 3⁰ éd., Paris, 1931 (*Class. franç. du m. â.*, 14): *Anseïs de Metz*, publ. par H. J. GREEN, Paris, 1939; *Girbert de Metz*, publ. par Pauline TAYLOR, Namur, 1952; *Le Moniage Guillaume*, publ. par W CLOETTA, 2 vol., Paris, 1906-1913 (*Soc. des Anc. Textes franç.*); *Yon de Metz*, publ. par R. MITCHNECK, New York, 1935; *Girart de Roussillon*, publ. par miss HACKETT pour la *Soc. des anciens Textes*, 2 vol. Paris, 1953. Le tome III reste à paraître. Voir aussi la traduction de P. MEYER, Paris, 1884, précédée d'une savante introduction.

CYCLE DE LA CROISADE. Consulter A. HATEM, *Les poèmes épiques des croisades. Genèse, historicité, localisation. Essai sur l'activité littéraire dans les colonies franques de Syrie au moyen âge*, Paris, 1932, qui donne de bonnes analyses des poèmes dont nous n'avons que des éditions anciennes.

Sur les jongleurs, outre les travaux de FREYMOND, *Jongleurs und Menestrels*, Halle, 1883 et de W. HERTZ, *Spielmannsbuch*, Stuttgart, 1886, on aura recours à l'étude bien documentée de M. E. FARAL, *Les jongleurs en France au moyen âge*, Paris, 1910 (*Bibl. de l'Ecole des Hautes Etudes*, fasc. 187).

CHAPITRE III (*M.B.*, nᵉˢ 910-1094, 6192-6256). — Les origines du roman courtois ont été éclaircies par M. Ed. FARAL, *Recherches sur les sources latines des contes et romans courtois*, Paris, 1913, qui fournit d'utiles renseignements sur la littérature cléricale et la connaissance de l'antiquité classique au XIIᵉ siècle. Sur la technique littéraire, on consultera, du même auteur : *Les arts poétiques du XIIᵉ et du XIIIᵉ siècles*, Paris, 1924.

Les textes relatifs à l'histoire d'Alexandre ont été soigneusement examinés par P. MEYER, *Alexandre le Grand dans la littérature française du moyen âge*, 2 vol., Paris, 1886. Une monumentale édition des états successifs du *Roman d'Alexandre* a .été publiée aux Etats-Unis par une équipe de savants, sous la direction d'Ed. C. ARMSTRONG, *The medieval French « Roman d'Alexandre »*, 5 vol., Princeton-Paris, 1937-1942 (*Elliot Monographs*, 36-40). Voir en outre : *Gui de Cambrai, Le Vengement Alixandre*, éd. par B. EDWARDS, Princeton, 1928 (*Ell. Mon.*, 23); *Jehan le Nevelon, La Vengeance Alixandre*, éd. par E. W. HAM, Princeton. 1931 (*Ell. Mon.*, 27); *La Prise de Defur and le Voyage d'Alexandre au Paradis terrestre*, éd. par L.P.G. PECKHAM et M.S. LA DU, Princeton, 1935 (*Ell. Mon.*, 35).

Le *Roman de Thèbes* a été publié par L. CONSTANS, 2 vol., Paris, 1890 (*Soc. anc. Textes franç.*). Voir aussi, du même auteur : *La légende d'Œdipe étudiée dans l'antiquité, au moyen âge et dans les temps modernes, en particulier dans le Roman de Thèbes*, Paris, 1881. Etude d'ensemble aujourd'hui dépassée sur certains points. Le *Roman d'Eneas* a été publié par J.-J. SALVERDA DE GRAVE (*Bibl. normannica* IV. Halle, 1891). Une nouvelle édition sérieusement remaniée a paru dans les *Class. franç. du moyen âge*, 44 et 62, 2 vol., Paris, 1925-1929.

Le *Roman de Troie* se lit toujours dans l'édition de L. CONSTANS, 6 vol., Paris, 1904-1912 (*Soc. des anc. Textes*). Outre le livre vieilli de A. JOLY, *Benoît de Sainte-More et le Roman de Troie, ou les Métamorphoses d'Homère et de l'épopée gréco-latine au moyen âge*, Paris, 1870-71, voir Maria KLIPPEL, *Die Darstellung der Troyanersage in Geschichtsschreibung und Dichtung vom Mittelalter bis zur Renaissance in Frankreich*, Marburg, 1936. Un savant néerlandais, M. C. de BOER, a publié successivement *Philomena, conte raconté d'après Ovide par Chrétien de Troyes*, publ. d'après tous les manuscrits de l'*Ovide mora-*

lisé, Paris, 1909, et *Pyrame et Thisbé* dans les *Class. franç. du moyen âge.* n° 26, Paris 1921.

CHAPITRE IV. — Sur la « matière de Bretagne », (*M.B.*, n°ˢ 1422-2133, 6257-6422). Une bibliographie très détaillée est publiée annuellement dans le *Bulletin bibliographique de la Société internationale arthurienne*, depuis 1949 Sur les romans arthuriens on consultera encore les études de G. PARIS, *Etudes sur les romans de la Table Ronde*, dans *Romania*, t. X, 1881, p. 465-96 et XII, 1883, p. 459-534; *Romans en vers du cycle de la Table Ronde*, dans *Hist. littéraire de la France*, t. XXX, 1888, p. 1-270 et 600. Mais il existe aujourd'hui un important ouvrage d'ensemble où sont abordés les problèmes essentiels : J. D. BRUCE, *The Evolution of Arthurian Romance from the Beginnings down to the year 1300*, 2 vol, 2ᵉ éd. Göttingen, 1928.

M. Ed. Faral a consacré aux sources latines des romans arthuriens un important ouvrage. *La légende arthurienne. Etudes et documents*, 3 vol., Paris, 1929 (*Bibl. de l'Ec. des Hautes Etudes*, fasc. 255-57). Une nouvelle édition de l'*Historia Britonum* a été donnée par F. LOT, Paris, 1934 (*Bibl. de l'Ec. des Hautes Etudes*, fasc. 263). Une version particulière de Geoffroy de Monmouth. *Historia Regum Britanniae*, a été publiée par M. J. HAMMER, Cambridge (Mass.), 1951.

Les *Lais* de Marie de France ont fait l'objet de trois éditions récentes également recommandables : E. HOEPFFNER, *Marie de France, Les Lais*, Strasbourg, 1921 (*Bibliotheca romanica*, n°ˢ 274 et 277): A. EWERT. *Marie de France, Lais*, Oxford, 1944; *I Lai di Maria di Francia, a cura di F. Neri*, Turin, 1948. On lira avec profit l'agréable exposé de J. BÉDIER, *Les lais de M. de F.*, dans *Rev. des Deux Mondes*, t CVII, 1891. p. 835-63 et celui de M. E. HOEPFFNER, dans *Rev. des Cours et Conférences*, Paris, 1935. Indépendamment des travaux portant sur l'ensemble, la plupart des *Lais* ont suscité des études particulières.

La légende de *Tristan et Iseut* a été surtout répandue de nos jours grâce à l'adaptation de J. BÉDIER, *Le Roman de Tristan et Iseut renouvelé*, 417ᵉ éd., Paris, Piazza, 1946. Les textes ont été correctement édités : celui de Thomas. par J. BÉDIER, 2 vol., Paris, 1902-1905 (*Soc des anc. Textes*) et plus récemment par miss B. H. WIND. Leiden. 1950: celui de Beroul, par E. MURET. Paris, 1903 (*Soc. des Anc. Textes*), rééd. revue dans les *Class. franç. du moyen âge*, 12, Paris, 1913, 4ᵉ éd. 1947 et par A EWERT Oxford, 1939. Les deux *Folies de Tristan* de Berne et d'Oxford publiées par J. BÉDIER, Paris, 1907 (*Soc. des anc. Textes*) l'ont été de nouveau par M. E. HOEPFFNER dans les *Publications de la Fac. des lettres de Strasbourg*, celle de Berne, en 1934, 2ᵉ éd. revue, en 1949; celle d'Oxford, en 1938, 2ᵉ éd. revue, en 1943. En ce qui concerne le *Tristan en prose*, il faut toujours se référer à l'étude de B. I ÖSETH, *Le Roman en prose de Tristan. le roman de Palamède et la compilation de Rusticien de Pise*, Paris, 1891 (*Bibl. de l'Ecole des Hautes Etudes*, fasc. 82), et à l'ouvrage plus récent de E. VINAVER, *Etudes sur le Tristan en prose. Les sources, les manuscrits, bibliographie critique*. Paris, 1925.

L'œuvre de Chrétien de Troyes a fait l'objet d'innombrables travaux. depuis l'étude aujourd'hui dépassée de L. HOLLAND, *Crestien von Troies*, Tübingen, 1854. On lira avec profit les articles de G. PARIS, dans l'*Histoire littéraire*, t. XXX, 1888, p. 22-29, le *Journal des Savants*, 1902, réédité dans les *Mélanges de littérature française*, 1912, t. I, p. 229-327. Le livre de M. Gustave COHEN, *Un grand romancier d'amour et d'aventure au XIIᵉ s., Chrétien de Troyes et son œuvre*. Paris, 1931, 2ᵉ éd. 1948, est un bon essai de synthèse avec de nombreuses citations. On trouvera des vues plus nouvelles dans R. R. BEZZOLA, *Le sens de l'aventure et de l'amour (Chrétien de Troyes)*, Paris, 1947, et R. S. LOOMIS.

Arthurian Tradition and Chrétien de Troyes, New York, 1949. Les œuvres ont été publiées par W. FOERSTER, *Christian von Troyes Sämmtliche erhaltene Werke,* 4 vol., Halle, 1884-1899. Un 5ᵉ vol. dû à A. HILKA, Halle, 1932, contient *Perceval (Li contes del Graal).* Une édition plus réduite de quelques romans, *Cligès* (1888), *Ivain* (1891), *Erec* (1896) a paru dans la *Roman. Bibliothek,* suivie d'un glossaire général, 2ᵉ éd., 1933. Une nouvelle publication a été entreprise par M. ROQUES, *Les romans de Chrétien de Troyes édités d'après la copie de Guiot (Bibl. Nat., fr. 794.)* 1. *Erec et Enide,* Paris, 1952 *(Cl. fr. du Moyen Age,* 80).

Les continuations de *Perceval* ont été groupées naguère à la suite du roman de Chrétien par Ch. Potvin, *Perceval le Gallois ou le Conte du Graal,* Mons, 1866-71. M. William ROACH a entrepris la publication d'un texte critique, *The Continuations of the old French « Perceval » of Chrétien de Troyes.* 3 vol. parus de 1949 à 1952, Univ. of Pennsylvania, Philadelphia, contiennent les trois rédactions de la première continuation. Le poème de Gerbert de Montreuil est publié par Mary WILLIAMS *(Class. franç. du m.- â.,* nᵒˢ 28 et 50), 2 vol., Paris, 1922-1925. V. en outre W. A. NITZE, *Le Roman de l'Estoire dou Graal,* Paris, 1927 *(Class. franç du m. â.,* nᵒ 57); W. ROACH, *The Didot Perceval according to the Manuscripts of Modena and Paris,* Philadelphia, 1941; W. A. NITZE, *Le Haut Livre du Graal : Perlesvaus,* 2 vol., Chicago, 1932-1937.

Sur la légende du *Graal,* on consultera entre autres : Miss. Jessie L. WESTON, *The Legend of Sir Perceval; Studies upon the origin, development and position in the Arthurian cycle,* 2 vol., Londres, 1906-1909 et Jean MARX, *La Légende arthurienne et le Graal,* Paris, 1952 *(Bibl. Ec. des Hautes Etudes, Sc. religieuses,* fasc. 64).

Sur le *Lancelot en prose,* l'ouvrage capital est toujours F. LOT, *Etude sur le Lancelot en prose,* Paris, 1918 *(Bibl. Ec. des Hautes Etudes,* fasc. 226). Une opinion contraire sur la composition de l'ouvrage a été formulée par J. D. BRUCE, *Romanic Review,* t. IX, 1918, p. 241-68, 353-95; t. X, 1919, p. 43-66, 97-122, qui n'admet pas l'unité de l'ouvrage. L'ensemble du *Corpus* a été publié par O. SOMMER, *The vulgate version of the Arthurian romances edited from manuscripts of the Brit. Mus.,* Washington, 7 vol., 1909-1913. En outre quelques parties de la compilation ont fait l'objet d'éditions et d'études spéciales.

L'Estoire del Graal, de Robert de Boron a été publiée par E. HUCHER, *Le Saint Graal ou le Joseph d'Arimathie, première branche des romans de la Table Ronde,* 3 vol., Le Mans-Paris, 1875-1878.

Une version particulière du *Merlin en prose* d'après le manuscrit Huth, a été publiée par G. PARIS et J. ULRICH, 2 vol., Paris, 1886 *(Soc. anc. Textes),* à la suite du *Merlin* de Robert de Boron.

La *Queste del Saint Graal,* éditée en 1864, par Fréd. J. FURNIVALL, l'a été de nouveau, plus conformément aux règles de la critique moderne par A. PAUPHILET, Paris, 1923 *(Class. franç. du m. â.,* nᵒ 33). Consulter sur ce texte A. PAUPHILET, *Etudes sur la Queste del Saint Graal,* Paris, 1921, où se trouve démontré le caractère mystique du roman et les articles de M. E. GILSON, dans *Romania,* t. LI, 1925, p. 321-47 et *Les Idées et les Lettres,* Paris, 1932, p. 59-91, sur l'application dans la *Queste* des idées de saint Bernard.

A l'édition de la *Mort Artu* par J. D. Bruce, Halle, 1910, se substitue avantageusement celle de M. Jean FRAPPIER, *La Mort le Roi Artu, roman du XIIIᵉ siècle,* Paris, 1936; rééd. Droz, Lille-Genève, 1954. Des vues originales sur la composition de la *Mort Artu,* ses sources, son esprit, sa forme et sa place dans le *Lancelot,* sont exposées par le même auteur dans son *Etude sur la Mort le Roi Artu,* Paris, 1936.

En ce qui concerne les romans d'aventures, il faut retenir quelques éditions et travaux récents : *Renaut de Beaujeu, Le Bel inconnu,* éd. par G. P. WILLIAMS, Paris, 1929 (*Class. franç. m. â.,* n° 38); *L'Atre périlleux,* éd. par B. WOLEDGE, Paris, 1936 (*Class. franç. du m. â.,* n° 76); *La Châtelaine de Vergi, poème du XIIIᵉ s.,* éd. par G. RAYNAUD, 3ᵉ éd. revue par L. FOULET, Paris, 1921 (*Class. franç. du m. â.,* n° 1) et, avec traduction française par J. BÉDIER, Paris, 1927; *Aucassin et Nicolette,* publ. par H. SUCHIER, 10ᵉ éd. revue par W. SUCHIER, Paderborn, 1932, l'a été de nouveau, avec un grand souci d'exactitude, par M. Mario ROQUES, 2ᵉ éd., Paris, 1936 (*Class. franç. du m. â.,* n° 41). Les romans de Gautier d'Arras ont été publiés : *Ille et Galeron,* par W. FOERSTER (Roman. Bibl., VII), Halle, 1891; *Ille et Galeron* et *Eracle,* par E. LÖSETH, Paris, 1890. Les œuvres de Jean Renart ont été étudiées dans leur ensemble par Mme Rita LEJEUNE, *L'œuvre de Jean Renart, contribution à l'étude du genre romanesque au moyen âge,* Paris-Liège, 1935 (*Bibl. Fac. de Phil. et Lettres de l'Univ. de Liége,* fasc. LXI). *Le Lai de l'Ombre,* publié par J. BÉDIER à Fribourg en 1890, puis réédité à Paris, en 1913 (*Soc. des anc. Textes*), avec une préface célèbre sur l'édition des anciens textes, l'a été une troisième fois par J. ORR, *Edimbourg,* 1948. L'édition de *Guillaume de Dole* par Mme R. LEJEUNE, Paris, 1936, ne dispense pas de recourir à celle de G. SERVOIS, Paris, 1893 (*Soc. des anciens Textes*). Pour l'*Escoufle,* une seule édition, celle de H. MICHELANT et P. MEYER, Paris, 1894 (*Soc. des anciens Textes*).

Les principaux romans d'aventures, si précieux pour la connaissance des mœurs au moyen âge, ont été analysés, avec de savants commentaires, par Ch.-V. LANGLOIS, *La Vie en France au moyen âge, de la fin du XIIᵉ au milieu du XIVᵉ siècle, d'après les romans mondains du temps,* Paris, 1924, nouv. éd. 1926.

CHAPITRE V. (*M.B.,* nᵒˢ 2134-2409, 6423-6491). — Les travaux critiques publiés depuis la fin du siècle dernier sur la poésie lyrique française au moyen âge sont tous plus ou moins tributaires du livre magistral de M. Alfred JEANROY, *Les origines de la poésie lyrique en France, au moyen âge,* Paris, 1889 (3ᵉ éd. 1925). Depuis la 2ᵉ édition (1904), les renseignements bibliographiques ont été groupés à la fin du volume. Cet ouvrage trouve son complément nécessaire dans le compte rendu de G. PARIS, *Journal des Savants,* 1891, p. 674-88, 729-42; 1892, p. 155-67 et 407-30, réédité dans les *Mélanges de littérature française,* 2ᵉ partie, 1912, p. 539 et suiv.

Sur la poésie provençale et son influence sur la poésie du Nord on lira toujours avec profit l'article de P. Meyer, *De l'influence des troubadours sur la poésie des peuples romans, dans Romania,* t. V, p. 257-68 (cf. *Ibid.,* t. XII, p. 521 et XIX, p. 7) et la thèse latine de A. JEANROY, *De nostratibus medii aevi poetis qui primum lyrica Aquitaniae carmina imitati sunt,* Paris, 1889. Sur la poésie en Angleterre, voir *Romania,* t. IV, 375, XV, 246. Sur l'influence de la lyrique française sur le *Minnesang* allemand : A. MORET, *Les débuts du lyrisme en Allemagne, des origines à 1350,* Lille, 1951; I. FRANK, *Trouvères et Minnesänger. Recueil de textes pour servir à l'étude des rapports entre la poésie lyrique romane et le Minnesang au XIIᵉ siècle,* Saarbrücken, 1952. Sur l'influence de la poésie provençale en Italie, A. THOMAS, *Francesco da Barberino,* 1883. Nous disposons enfin d'un ouvrage capital sur la poésie méridionale : A. JEANROY, *La poésie lyrique des troubadours,* 2 vol., Toulouse-Paris, 1934.

On sait que les œuvres lyriques ont été réunies dès le moyen âge dans des manuscrits appelés chansonniers. L'étude des chansons doit prendre pour base le dépouillement de ces recueils collectifs. Ce travail long et délicat a été entrepris et mené à bien par Gaston RAYNAUD, *Bibliographie des chansonniers français des XIIIᵉ et XIVᵉ siècles,* 2 vol.,

Paris, 1884. On y joindra : A. JEANROY, *Bibliographie sommaire des chansonniers français du moyen âge*, Paris, 1918 (*Class. franç. du m. â.*, n° 18), et *Bibliographie sommaire des chansonniers provençaux*, Paris, 1916 (*Ibid.*, n° 16). Quelques chansonniers ont été publiés, soit en reproduction phototypique, comme le *Chansonnier d'Arras*, par JEANROY, avec une introduction (*Soc. des anc. Textes*, 1925), ou celui de *Saint-Germain-des-Prés*, par P. MEYER et G. RAYNAUD (*Ibid.* 1892). Le *manuscrit Cangé* (Bibl. Nat. f. 846) a été publié en fac-similé, transcrit et commenté par J. B. BECK, 2 vol., Paris et Philadelphie, 1927. De la même manière a été publié par J. B. et Louise BECK, *Le Chansonnier du Roi* (Bibl. nat. f. 844), 2 vol., Philadelphie, 1938.

Les divers genres lyriques ont fait l'objet d'études de détail qu'il serait trop long d'énumérer. Il faut citer pourtant J. BÉDIER et P. AUBRY, *Les chansons de croisade*, Paris, 1900, avec transcription moderne des mélodies; A. JEANROY et A. LANGFORS, *Chansons satiriques et bacchiques du XIII° siècle*, Paris, 1921 (*Class. franç, du m. â.*, n° 23). A. LANFORS avec le concours de A. JEANROY et L. BRANDIN, *Recueil général des jeux-partis*, Paris, 1926 (*Soc. anc. Textes*); E. FARAL, *La Pastourelle*, dans *Rom.*, t. XLIX, 1923, p. 204-59 et M. DELBOUILLE, *Les origines de la Pastourelle*, dans *Mém. Acad. roy. de Belgique*, t. XX, fasc. 2, Bruxelles, 1926; E. FARAL, *Les chansons de toile ou chansons d'histoire*, dans *Romania,* t. LXIX, 1946-47, p. 433-61.

La connaissance des trouvères lyriques est grandement facilitée par deux ouvrages remarquables dus au savant finlandais Holger Petersen DYGGVE, *Personnages historiques figurant dans la poésie lyrique française des XII° et XIII° siècles*, dans *Neuphilologische Mitteilungen*, t. XXXVI-L, 1935-1949; *Onomastique des trouvères*, Helsinki, 1934 (*Annales Academiae Scientiarum Fennicae*, B. XXX, 1). Les éditions particulières à chaque trouvère se sont multipliées depuis la publication de la Bibliographie de Jeanroy. Signalons parmi les plus récentes : *Les chansons de Colin Muset*, éd. par J. BÉDIER, avec la transcription des mélodies par Jean BECK, Paris, 1912, 2° éd. corrigée et complétée, 1938 (*Class. franç. m. â.*, n° 7); H. Petersen DYGGVE, *Gace Brulé, trouvère champenois. Edition des chansons et étude historique*, Helsinki, 1951 (*Mém. de la Société néophilologique de Helsinki*, XVI); Elisabeth NISSEN, *Les chansons attribuées à Guiot de Dijon et Jocelin*, Paris, 1928 (*Class. franç. m. â.*, n° 59); A. HENRY, *L'œuvre lyrique d'Henri III, duc de Brabant* (*Publ. de l'Univ. de Gand*, 103), Bruges, 1948; H. Petersen DYGGVE, *Moniot d'Arras et Moniot de Paris, trouvères du XIII° siècle. Editions des chansons et étude historique*, Helsinki, 1938 (*Mém. Soc. néophil.*, XII); *Les chansons de Thibaut de Champagne, roi de Navarre*, publ. par A. WALLENSKÖLD, Paris, 1925 (*Soc. anc. Textes*). Des pièces de divers poètes ont été insérées par M. A. LANGFORS dans ses *Mélanges de poésie lyrique française*, *Romania*, t. LII-LXIII, 1926-1937.

L'intelligence de la poésie lyrique médiévale exige la possession de notions précises sur la musique des chansons. Outre le manuel très complet de T. GÉROLD, *La Musique au moyen âge*, Paris, 1932 (*Class. franç. m. â.*, n° 73), on trouvera des vues générales agréablement présentées par J. CHAILLEY, *Histoire musicale du moyen âge*, Paris, 1950.

CHAPITRE VI. (*M.B.*, n°° 2410-2645, 6492-6528). L'activité du groupe littéraire d'Arras est longuement décrite dans l'ouvrage classique de Henri GUY, *Essai sur la vie et les œuvres littéraires du trouvère Adam de la Hale*, Paris, 1898, et dans les articles de A. GUESNON sur les trouvères artésiens (*Moyen âge, t.* XII, XIII, XV, XXII, 1899-1909). Une édition complète des œuvres d'Adam. aujourd'hui vieillie, a été publiée par E. de COUSSEMAKER, Paris, 1872.

Les *Congés* de Jean Bodel ont été publiés et commentés par G. RAY-

NAUD, dans *Romania*, t. IX, 1880, p. 216-47. L'œuvre du poète est étudiée dans son ensemble par Ö. ROHNSTRÖM, *Etude sur Jean Bodel*, Upsala, 1900. La thèse récente de M. Ch. Foulon n'est pas encore imprimée.

Sur Colin MUSET, voir Bibliographie du chapitre précédent. Les poésies de Rutebeuf ont fait l'objet d'une édition déjà ancienne : A KRESSNER, *Rustebuef's Gedichte*, Wolfenbüttel, 1885. On y joindra l'édition par Julia BASTIN et Ed. FARAL, *de Onze poèmes concernant la croisade*, Paris, 1946, où les textes, excellemment publiés, sont accompagnés d'un remarquable commentaire historique et littéraire. La fine analyse de Léon CLÉDAT, *Rutebeuf*, Paris, 1891, 2ᵉ éd. 1909 (*Les Grands Ecrivains français*), se lit toujours avec profit.

La théorie de l'origine orientale des *Fabliaux* est exposée par G. PARIS, *Les contes orientaux dans la littérature française du moyen âge*, Paris, 1877. Réimpr. dans *La Poésie au moyen âge*, IIᵉ série, Paris, 1895, p. 75-108. Mais l'ouvrage essentiel est la thèse de J. BÉDIER, *Les Fabliaux, études de littérature populaire et d'histoire littéraire du moyen âge*, Paris, 1893, 5ᵉ éd. 1928. Les anciens éditeurs de fabliaux, BARBAZAN et MÉON ont publié pêle-mêle des pièces de divers genres. Le départ entre les fabliaux et les poèmes qui parfois se donnent pour tels a été fait par A. DE MONTAIGLON et G. RAYNAUD, *Recueil général et complet des fabliaux des XIIIᵉ et XIVᵉ siècles*, Paris, 1872-1890, 6 vol. in-8°. En outre divers fabliaux ont fait l'objet d'éditions séparées, le plus souvent accompagnées d'études critiques : G. GOUGENHEIM, *Les Trois Aveugles de Compiègne, fabliau du XIIIᵉ siècle*, Paris, 1932 (*Class. franç. du m. â.* n° 72); J. ORR, *Le Boucher d'Abbeville. Introduction et traduction*, Manchester, 1947; M. DELBOUILLE, *La Lai d'Aristote de Henri d'Andeli, publ. d'après tous les manuscrits*, Paris, 1951 (*Bibl. Univ. de Liége*, fasc. CXXIII); Ch. H. LIVINGSTON, *Le Jongleur Gautier Le Leu*, Cambridge (Mass.), 1951; Ch. ROSTAING, *Constant du Hamel. Edition critique avec commentaire et glossaire*, Gap. 1953.

Sur le développement de la fable latine au moyen âge, voir Léopold HERVIEUX, *Les Fabulistes latins depuis le siècle d'Auguste jusqu'à la fin du moyen âge*, 5 vol., 2ᵉ éd., Paris, 1893-1899. Les *Isopets*, réunis jadis par C. ROBERT, *Fables inédites des XIIᵉ, XIIIᵉ et XIV siècles*, 2 vol., Paris, 1825, ont été de nouveau publiés avec les modèles latins dont ils dérivent, par J. BASTIN, *Recueil général des Isopets*, 2 vol., Paris, 1929-1930 (*Soc. Anciens Textes*). L'ouvrage sera complété par un troisième volume.

Les deux thèses en présence quant à l'origine du *Roman de Renart* se trouvent exposées dans L. SUDRE, *Les sources du Roman de Renart*, Paris, 1893 (Cf. G. PARIS, *Journal des Savants*, 1894-1895) et dans Lucien FOULET, *Le Roman de Renart*, Paris, 1914 (*Bibl. Ec. des Htes Etudes*, fasc. 211), dont le point de vue est généralement adopté. La totalité des branches du roman a été publiée par Ernest MARTIN, *Le Roman de Renart*, 3 vol., Strasbourg, 1882-1887. Sans être critique, cette édition dispense de recourir au texte vieilli de MÉON, 4 vol., Paris, 1826. Mais il faut, pour la Iʳᵉ branche, faire état de l'édition de M. ROQUES, *Le Roman de Renart, Première branche : Jugement de Renart, Siège de Maupertuis, Renart teinturier*, éd. *d'après le manuscrit de Cangé*, Paris, 1948 (*Class. franç. m. â.*, n° 78). *Branches II-IV*, 1951 (*Ibid.*, n° 79).

CHAPITRE VII. (*M.B.* nᵒˢ 3007-3487, 6589-6662). — Les textes latins qui sont souvent à la source des contes dévots ont été réunis dans diverses collections qu'il n'est pas question d'énumérer ici. Il faut citer pourtant *The exempla or illustrative stories from the sermones vulgares of Jacques de Vitry, ed. by* Th.-F. CRANE, London, 1890, ainsi que les contes extraits des *Sermones feriales et communes* du même auteur, publ. par J. GREVEN (*Sammlung mittellateinischer Texten*, IX, 1914); les *Anecdotes historiques... du recueil d'Etienne de Bourbon*, publ. par LECOY DE LA MARCHE (*Soc. dè l'Hist. de France*); les *Gesta Romanorum*, publ. par H. OESTERLEY, Berlin, 1872. Sur toute cette littérature on lira avec profit l'étude de l'abbé J.-Th. WELTER, *L'Exemplum dans la littérature religieuse et didactique du moyen âge*, Paris-Toulouse, 1927. De nombreux textes français ont été réunis sans discernement, mêlés à des fabliaux dans les anciens recueils de BARBAZAN, MÉON et JUBINAL, au début du XIX° siècle. Quelques-uns ont fait l'objet d'études et d'éditions particulières, entre autres: BATES (R.C.), *Le Conte dou Barril, poème du XIII° s., par Jean de la Chapelle de Blois*, New Haven, 1932 (*Yale romanic Stud.*, IV); *Li Dit dou vrai aniel. Die Parabel von dem ächten Ringe*, hgg. von Ad. TOBLER, 3° éd., 1912; E. LOMMATZSCH, *Del Tumbeor Nostre Dame*, Berlin, 1920. On trouvera dans Ch.-V. LANGLOIS, *La Vie en France au moyen âge, de la fin du XII° au milieu du XIV° siècle*, d'après quelques moralistes du temps, nouv. éd., Paris, 1926, des analyses détaillées précédées de savantes notices.

Sur le culte de la Vierge au moyen âge, les études ne manquent pas. On trouvera une bonne mise au point dans H.-P. AHSMANN, *Le culte de la Sainte Vierge et la littérature française du moyen âge*, Utrecht-Paris, 1930. L'abondante littérature mariale a été classée et étudiée par A. MUSSAFIA, *Studien zu den Mittelalterlichen Marien legenden* (*Sitzungsberichte des K.K. Acad. der Wissenschaften, phil. hist. Classe*, t. CXIII, CXV, CXIX, CXXIII, CXXXIX, Vienne, 1887-1898). Les recherches sont grandement facilitées par le catalogue établi par le P. A. PONCELET, *Index Miraculorum B. V. Mariae*, dans les *Analecta Bollandiana*, t. XXII, 1902.

Sur les rédactions en vers français des *Miracles de la Vierge*, voir C. NEUHAUS, *Adgar's Marien Legenden...*, Heilbronn, 1886 (*Altfranz. Bibl.* IX); H. KJELLMANN, *La deuxième collection anglo-normande des Miracles de la Sainte Vierge*, Paris, 1922 et surtout les publications relatives aux miracles de Gautier de Coinci, dominées par les travaux de M. A. Långfors et de ses élèves. Sur l'ensemble des miracles, voir l'étude excellente de Mme A. DUCROT-GRANDERYE, *Etude sur les miracles Nostre Dame de Gautier de Coinci*, Helsinki, 1932 (*Ann. Acad. Sc. Fennicae*, B. XXV), qui fournit une description précise et un classement judicieux des manuscrits, ainsi que l'édition de deux miracles. Il n'existe encore qu'une seule édition complète procurée par l'abbé A. POQUET, Paris, 1857, sans rigueur scientifique, mais les publications dirigées par M. A. LANGFORS qui a procuré lui-même de larges extraits du manuscrit de Leningrad (*Ann. Acad. Scient. Fenn.*, B XXXIV, Helsinki, 1937), fournissent pour quelques miracles des textes soigneusement établis : *Du clerc qui femme espousa et puis la laissa*, éd. par E. VON KRAEMER (*Ibid.*, LXVI, 2), Helsinki, 1950; E. VILAMO-PENTTI, *De sainte Leocade* (*Ibid.*, B. LXVII, 2), Helsinki, 1950; V. VAANANEN, *D'une fame de Laon qui estoit jugie a ardoir* (*Ibid.*, B LXVIII, 2), Helsinki, 1951. Divers miracles anonymes ont été publiés par J. MORAWSKI, *Mélanges de littérature pieuse*, dans *Romania*, t. LIX, 1935, p. 145-209, 316-50; t. LXIV, 1938, p. 454-76; t. LXV, 1939, p. 327-58; t. LXVI, 1940-41, p. 505-25. Quelques études apportent des précisions sur l'évolution des légendes mariales, par exemple : R. GUIETTE, *La légende de la Sacristie, Etude de littérature comparée*, Paris, 1927; A. WYREMBECK et J. MORAWSKI, *Les légendes du Fiancé de la Vierge dans la littérature médiévale*, Posen, 1934.

Sur les vies de saints, en général, on peut consulter encore l'utile synthèse du P. H. DELAHAYE, *Les légendes hagiographiques*, Bruxelles, 1905. Un grand nombre de vies en vers français ou en prose ont fait l'objet d'éditions savantes qui se sont multipliées dans ces dernières années. On citera comme un modèle : *La Vie de saint Thomas le Martyr par Guernes de Pont-Sainte-Maxence, Poème historique du XII° siè-*

cle (1172-1174) publ. par E. WALBERG, dans les *Actes de la Société des Lettres de Lund*, 1922; nouvelle éd. plus accessible, dans les *Class. franç. du m. â.*, n° 77, Paris, 1936. Pour connaître les manuscrits qui nous ont conservé des vies de saints, on se référera au précieux répertoire établi par P. MEYER, *Légendes hagiographiques en français*, dans *Hist. litt. de la France*, t. XXXIII, 1906, pp. 328-458, et *Versions en vers et en prose des Vies des Pères*, *Ibid.* p. 254-327. Pour les publications récentes, voir *M.B.*, n°ˢ 3193-3455.

Pour ce qui concerne la *Bible* et les récits bibliques, l'ouvrage capital est toujours Samuel BERGER, *La Bible française au moyen âge*, Paris, 1884 (v. quelques rectifications dans *Rom.*, t. XVII, 1888, p. 135-36) pour les textes en prose. L'inventaire et l'étude des adaptations versifiées ont été faites par Jean BONNARD, *Les Traductions de la Bible en vers français du moyen âge*, Paris, 1884.

CHAPITRE VIII. (*M.B.*, n°ˢ 3607-3815, 6663-6718). — L'étude la plus complète sur l'évolution de l'historiographie au moyen âge est celle qu'Auguste MOLINIER a jointe à son *Manuel des sources de l'histoire de France* (6 vol., Paris, 1902-1906), t. V. Ce répertoire très complet n'est à jour que jusqu'à la date de sa publication.

Longtemps dédaignées, les chroniques en langue française ont commencé à être recherchées, étudiées et publiées, dès la fin du XVI° siècle, avec les autres sources narratives de notre histoire. En 1636, André DU-CHESNE commençait la publication du recueil des *Historiae Francorum Scriptores*, jusqu'au XIV° siècle. En 1737, sous l'impulsion du chancelier d'Aguesseau, la congrégation de Saint-Maur entreprenait le *Recueil des historiens des Gaules et de la France*, 24 vol. in-fol. 1738-1904, qui contient, surtout à partir du t. XX, de nombreux textes français. L'Académie des Inscriptions et Belles-Lettres, qui s'est chargée, après la Révolution, de continuer l'œuvre des Bénédictins, a poursuivi parallèlement le *Recueil des histoires des croisades* qui se prolonge aujourd'hui par une nouvelle série de format plus réduit. Au XIX° siècle, en plein mouvement romantique, sont nées de nouvelles collections : BUCHON, *Collection des chroniques nationales françaises, écrites en langue vulgaire, du XIII° au XVI° siècle*, Paris, 1824-29, 47 vol. in-8°, et *Choix de chroniques et mémoires sur l'histoire de France*, 17 vol., Paris, 1836-38, édition reprise dans le *Panthéon littéraire*. Ces publications exécutées rapidement et sans critique ne valent aujourd'hui que pour les textes non réédités depuis, mais, d'une façon générale, elles sont avantageusement remplacées par celles de la *Société de l'histoire de France*, fondée en 1834. Enfin sous la direction de Louis HALPHEN, paraît, depuis 1923, une nouvelle collection plus accessible, *Les classiques de l'histoire de France*.

Sur les chansons de geste, v. Bibl. du chap. II.

L'*Estorie des Engleis* de Geoffroi GAIMAR a été publiée par E. DUFFUS-HARDY et Trice MARTIN, 2 vol., London, 1888-1889 (*Rolls Séries*, 91).

Le *Roman de Brut*, de WACE, publié en 1836-1838, par LE ROUX DE LINCY, a fait l'objet d'une édition critique, d'après tous les manuscrits par Ivor ARNOLD, 2 vol., 1938-1940 (*Soc. des anciens Textes*). Le *Roman de Rou* se lit dans l'édition de H. ANDRESEN, *Maistre Wace's, Roman de Rou. et des ducs de Normandie*, 2 vol., Heilbronn, 1877-79. Quant à la *Chronique des Ducs de Normandie*, éditée en 3 vol., Paris, 1836-1844 par Fr. MICHEL, elle l'est de nouveau, avec plus de rigueur scientifique par Carin FAHLIN, *Chronique des Ducs de Normandie, par Benoit*, 2 vol., Uppsala, 1951-1954.

Sur le *Pseudo-Turpin* et ses traductions françaises, il existe beaucoup d'articles qui complètent la thèse latine de G. PARIS, *De Pseudo Turpino*, Paris, 1865. Il existe de l'original deux éditions récentes : C.-M. JONES, *Historia Karoli Magni et Rotholandi ou Chronique du Pseudo-Turpin*.

Textes revus et corrigés d'après 49 mss., Paris, 1936 et H.-M. SMYSER, *The Pseudo-Turpin edited from Bibl. Nat. fonds latin, ms. 17.656*, Cambridge (Mass.), 1937.

A l'édition de Villehardouin publiée par Natalis de WAILLY, avec traduction, Paris, nouv. éd., 1882, on préfère l'édition infiniment plus exacte et la traduction plus rigoureuse de E. FARAL, *Villehardouin, La Conquête de Constantinople éditée et traduite*, 2 vol., Paris, 1938-1939 (*Class. de l'hist. de France*, 18-19). Sur la valeur historique de l'ouvrage et la sincérité de son auteur, voir, du même : *Geoffroi de Villehardouin : la question de sa sincérité*, dans *Rev. historique*, t. CLXXVII, 1936, p. 530-82. La biographie du chroniqueur a été reprise à l'aide de documents nouveaux par J. LONGNON, *Recherches sur la vie de Geoffroy de Villehardouin*, suivies du *Catalogue des actes de Villehardouin*, Paris, 1939 (*Bibl. de l'Ec. des Htes Etudes*, fasc. 276). La continuation d'Henri de Valenciennes a été publiée par J. LONGNON, Paris, 1948 (*Documents relatifs à l'histoire des Croisades*, 11).

La conquête de Constantinople, de Robert de Clari, se lit dans l'éd. Ph. LAUER, Paris, 1924 (*Class. franç. du m. â.*, n° 40). Sur les chroniqueurs de la 4e croisade, voir A. PAUPHILET, *Villehardouin, Robert de Clari et la Conquête de Constantinople*, dans *Le Legs du moyen âge*, Melun, libr. d'Argences, 1950, pp. 219-38.

On doit à P. MEYER une édition de l'*Histoire de Guillaume le Maréchal, comte de Striguil et de Pembroke, régent d'Angleterre, de 1216 à 1219*, 3 vol., Paris, 1891-1901 (*Soc. de l'hist. de France*), et une édition avec traduction d'un poème historique en langue provençale : *La chanson de la croisade contre les Albigeois commencée par Guillaume de Tudèle et continuée par un anonyme*, 2 vol., Paris, 1875-1879 (*Soc. de l'hist. de France*). Une édition nouvelle, très soignée, avec traduction également, est en cours de publication par les soins de M. E. MARTIN-CHABOT : tome Ier. *La chanson de Guillaume de Tudèle*, Paris, 1931 (*Class. de l'hist. de France*, n° 13).

Pour les historiens des croisades autres que la 4e : G. PARIS,. *Ambroise, l'Estoire de la guerre sainte*, Paris, 1897, (*Documents inédits*) ; M.-J. HuBERT et J.-L. LA MONTE,· *Ambroise, The Crusade of Richard Lion-Heart*, New York, 1941. Ch. KOHLER, *Les Mémoires de Philippe de Novare (1218-1243)*, Paris, 1913 (*Class. franç. m. â.*, n° 10) et surtout les ouvrages relatifs à Joinville, le plus populaire des chroniqueurs français. Il n'existe pas d'édition plus récente que celle de N. DE WAILLY, Paris, 1868 (*Soc. de l'hist. de France*). Une édition réduite et dépourvue de tout appareil critique, à l'usage des classes, est parue en 1883 ; 20e éd., 1931. C'est au même érudit qu'est due la publication des *Récits d'un ménestrel de Reims*, Paris, 1876 (*Soc. de l'hist. de France*). Cette société a entrepris en 1920, par les soins de J. VIARD, l'édition des *Grandes Chroniques de France*, 10 vol., 1920-1953.

L'histoire de l'antiquité n'a pas été négligée au XIIIe siècle. Cf. P. MEYER, *Les premières compilations françaises d'histoire ancienne*, dans *Romania*, t. XIV, 1885, pp. 1-76. Sur les *Faits des Romains*, voir L.-F. FLUTRE et K. SNEYDERS DE VOGEL, *Li Fet des Romains compilé ensemble de Saluste et de Suetone et de Lucan, texte du XIIIe s. publié pour la première fois d'après les meilleurs manuscrits*, 2 vol.. Paris, 1938, et L.-F. FLUTRE, *Li Fait des Romains dans les littératures française et italienne du XIIIe siècle*, Paris, 1932.

CHAPITRE IX. (*M.B.*, nos 3816-4001, 6719-6764). — Sur le théâtre religieux, deux ouvrages déjà anciens qui gardent toute leur valeur sont à consulter avant tout : L. PETIT DE JULLEVILLE. *Les Mystères*, Paris, Hachette, 1880, 2 vol. in-8° ; et Marius SEPET, *Les origines catholiques du théâtre moderne*, Paris, 1901. Etudiant les procédés techniques dans l'organisation des spectacles, M. G. COHEN a été amené à refaire sur des bases nouvelles l'histoire de l'évolution du théâtre religieux au moyen âge. Son *Histoire de la mise en scène dans le théâtre religieux français du moyen âge* dépasse singulièrement les promesses du titre. Les 56 premières pages de la 2ᵉ édition (Paris, Champion, 1926, in-8ᵘ) font connaître les publications les plus récentes. Il faut citer, à l'étranger, deux ouvrages d'ensemble : CHAMBERS (E.-K.), *The mediœval Stage*, Oxford, Clarendon, Press, 1903, 2 vol. et W. KREIZENACH, *Geschichte des neueren Dramas*, t. I, Halle, 3ᵉ édit., 1920, in-8°. Une mise au point plus sommaire nous est fournie par d'excellents ouvrages de vulgarisation : L. CLÉDAT, *Le théâtre en France au moyen âge*, Paris, 1896, in-8°; A. JEANROY, *Le théâtre religieux en France du XIᵉ au XIIIᵉ siècle*, Paris, 1923, in-12; G. COHEN, *Le théâtre en France au moyen âge*, I, *Le théâtre religieux*, Paris, Rieder, 1928, in-12; Grace FRANK, *The medieval French Drama*, Oxford, 1954.

Sur le théâtre liturgique, le livre essentiel est Karl YOUNG, *The drama of medieval Church*, 2 vol., Oxford, 1933, qui fournit une excellente vue d'ensemble des origines du théâtre chrétien. Le texte original de la *Regularis Concordia* est dans E.-K. CHAMBERS, *ouvr. cit.*, II, p. 308-309. MM. G. COHEN et K. YOUNG ont publié le drame de Noël dans *Romania*, t. XLIV, 1915-17, p. 357-72. Sur l'*Epoux* on trouvera tous les détails utiles dans l'édition de L.-P. THOMAS, *Le « Sponsus », mystère des vierges sages et des vierges folles*, Paris, 1951 (*Univ. libre de Bruxelles*).

Le fragment français de la *Résurrection* a été savamment publié par FOERSTER et KOSCHWITZ, *Altfranzosisches Uebungsbuch*, 7ᵉ éd., 1932 et dans la *Bibl. romanica* de Strasbourg, par F. Ed. SCHNEEGANS, 1925. Il a été traduit par JEANROY, *ouv. cit.* Il existe trois éditions modernes du *Jeu d'Adam*, celles de K. GRASS, 3ᵉ éd., 1928, de P. STUDER, 1918 et de H. CHAMARD, 1925, celle-ci avec traduction. Les *Nativités liégeoises*, dont la date est peut-être moins ancienne qu'on ne l'a cru, ont été publiées et commentées par G. COHEN, *Mystères et Moralités du Ms. 617 de Chantilly*, Paris, 1920. La dernière édition du *Jeu de saint Nicolas* a été procurée par A. JEANROY (*Class. franc.*, n° 48, 1925) et celle du *Miracle de Théophile* par Mme Grace FRANCK (*Ibid.*, n° 49, 1925).

Sur les origines du théâtre comique, voir l'essai bibliographique de Joachim ROLLAND, *Les origines latines du théâtre comique en France*, Paris, 1927, et les textes publiés sous la direction de G. COHEN, *La Comédie latine en France au XIIᵉ siècle*, 2 vol., Paris, 1931.

La bibliographie du théâtre profane est fournie par L. PETIT DE JULLEVILLE, *Répertoire du théâtre comique au moyen âge*, Paris, 1887, ouvrage qui, malgré sa date ancienne, est toujours à consulter. On y joindra J. ROLLAND, *Essai paléographique et bibliographique sur le théâtre profane en France, avant le XVᵉ siècle*, Paris, 1945. Voir aussi G. COHEN, *Le théâtre en France au moyen âge*. II. *Le théâtre profane*, Paris, 1931.

Le *Dit de l'Herberie*, le *Privilège aux Bretons*, la *Paix aux Anglais* sont dans E. FARAL, *Mimes français*, Paris, 1910. Voir aussi, du même, *Les Jongleurs*, Paris, 1910.

Sur *Le Garçon et l'Aveugle*, publ. par P. MEYER, *Jahrbuch für romanische und englische Literatur*, t. VI, 1865, p. 163, voir aussi G. COHEN, *La scène de l'aveugle et de son valet*, dans *Romania*, t. XLI, 1912, p. 346-72, et surtout l'éd. de M. ROQUES, *Le Garçon et l'Aveugle, Jeu du XIIIᵉ siècle*, 2ᵉ éd., 1921 (*Class. franç. m. â.*, n° 5).

Sur *Courtois d'Arras*, voir Ed. FARAL, *Courtois d'Arras, jeu du XIIIᵉ siècle*, 2ᵉ éd., 1922 (*Class. franç. m. â.*, n° 3).

Le théâtre d'Adam de la Hale a été étudié par H. GUY, *ouvr. cit.*; J. BÉDIER, *Rev. des Deux Mondes*, t. XCIX, 1890, p. 869; M. WILMOTTE, *Études sur la tradition littéraire en France*, Paris, 1909. Pour les textes, on utilisera les éditions d'E. LANGLOIS, *Le Jeu de la Feuillée*, 2ᵉ éd., 1923

(*Class. franç. m. â.*, n° 6), *Le Jeu de Robin et de Marion, suivi du Jeu du Pèlerin*, 1924 (*Ibid.*, n° 36).

CHAPITRE X. (*M.B.*, n°ˢ 2646-2805, 6529-6550). — La littérature morale s'inspire en grande partie d'œuvres latines, dont l'inventaire a été dressé par M. MANITIUS, *Geschichte der lateinischen Literatur des Mittelalters*, 3 vol., München, 1911-1931. Les principaux textes français ont été longuement analysés, avec des extraits et de savantes notices, par Ch.-V. LANGLOIS, *La Vie en France au moyen âge, d'après quelques moralistes du temps*, nouv. éd. Paris, 1926. Les écrits relatifs aux femmes sont examinés par Alice-A. HENTSCH, *La littérature didactique du moyen âge s'adressant spécialement aux femmes*, Halle, 1903. Sur certains écrits en langue d'oc, voir J. BATHE, *Die moralischen Ensenhamens im Altprovenzalischen*, 1906.

Sur les traductions du *Pseudo-Caton*, voir J. ULRICH, dans *Romanische Forschungen*, t. XV, 1903, p. 41-149; E. STENGEL, *Everard de Kirkham et Elie de Winchester*, Marburg, 1886. Sur les traductions de Martin de Braga, voir G. PARIS, *Saint Alexis*, Paris, 1872 (*Bibl. Ec. des Hautes Etudes*, fasc. 7), p. 213-16. Le texte latin du *Moralium Dogma* et sa trad. en prose française ont été publiés par J. HOLMBERG, Upsal, 1929.

Les *Arts d'Amour* ont été passés en revue par G. PARIS, dans *Hist. litt.*, t. XXIX, p. 455-525. La plupart des textes ont été publiés, notamment la *Clef d'Amors*, par A. DOUTREPONT, Halle, 1890 (*Bibl. normannica*, t. V); *Maître Elie*, par KÜHNE et STENGEL, Marburg, 1886; *Jacques d'Amiens*, par G. KÖRTING, Leipzig, 1868. Le *Tractatus De Amore*, d'André le Chapelain, a été publié par E. TROJEL, Copenhague, 1893. Cette édition devenue très rare, a été reproduite par A. PAGÈS, Castellon de la Plana, 1930.

Sur le *Livre des Manières*, voir l'éd. de J. KREMER, *Estienne de Fougières. Livre des Manières*, Marburg, 1887. Le *Livre des quatre Ages a* été publié par M. de FRÉVILLE, Paris, 1888 (*Soc. anc. Textes*); *Les Enseignements Trebor*, par M. V. YOUNG, Paris, 1901. L'ouvrage de J. ULRICH, *Robert von Blois, Sämmtliche Werke*, 3 vol., Berlin, 1889-95, offre encore, bien qu'insuffisante, la seule édition complète des œuvres du poète. Le *Roman des Eles*, de Raoul de Houdenc, est dans A. SCHELER, *Trouvères Belges*, Bruxelles, 1876, t. II, p. 248-84.

Sur les proverbes, voir LE ROUX DE LINCY, *Le Livre des proverbes français*, 2 vol., Paris, 1842, 2ᵉ éd., 1859, qui publie quelques fragments de recueils manuscrits et surtout J. MORAWSKI, *Proverbes français antérieurs au XVᵉ siècle*, Paris, 1925 (*Class. franç. m. â.*, n° 47), *corpus* général des proverbes du moyen âge, d'après vingt-neuf collections.

La *Bible de Guyot de Provins* a été rééditée par J. ORR, *Les œuvres de Guiot de Provins, poète lyrique et satirique*, Manchester, 1915; et celle de *Hugues de Berzé*, par W. Ph. WARD. *La Bible de Hugues de Berzé*, éd. critique, Paris, 1938, et surtout par F. LECOY, *La Bible au seigneur de Berzé, éd. critique d'après tous les manuscrits*, Paris, 1939.

CHAPITRE XI. (*M.B.*, n°ˢ 2852-3006, 3488-3606, 6649-6662). — La littérature didactique d'inspiration religieuse a fait l'objet d'une soigneuse enquête de Ch.-V. LANGLOIS, dans *La Vie en France au moyen âge. La Vie spirituelle, enseignements, méditations et controverses, d'après des écrits français à l'usage des laïcs*, Paris, 1928.

Sur la prédication en général, voir les ouvrages encore utiles, bien que vieillis de BOURGAIN, *La chaire française au XIIᵉ s.*, Paris, 1879 et A. LECOY DE LA MARCHE, *La chaire française au moyen âge, spécialement au XIIIᵉ siècle*, 2ᵉ éd., Paris, 1886. Les *Sermons* de saint Bernard ont été publiés à plusieurs reprises d'après diverses collections. Ceux de Maurice de Sully ont été commentés et correctement transcrits par C. A. ROBSON, *Maurice of Sully and the Vernacular Homily*, Oxford, 1952. Le *Sermon de Guichard de Beaujeu*, publ. par A. GABRIELSON, Upsal, 1909; *Grant mal fist Adam*, publ. par H. SUCHIER, Halle, 1879 (*Bibl. normann.* t. 1); *Li Ver del Juise*, publ. par H. von FEILITZEN, Upsal, 1883; Fr. WULFF et E. WALBERG, *Les vers de la Mort, par Hélinant, moine de Froidmont*, Paris, 1905 (*Soc. anc. Textes*), ont parfaitement édité ce célèbre poème d'après tous les manuscrits connus. Le *Poème Moral*, découvert par P. MEYER dans un manuscrit d'Oxford et publié partiellement par lui dans *Archives des Missions*, 2ᵉ série, t. III-IV, 1871, p. 184-99, l'a été depuis par W. CLOETTA, Erlangen, 1886 et plus récemment par A. BAYOT, *Le Poème Moral traité de vie chrétienne écrit dans la région wallonne vers l'an 1200*, Bruxelles, 1929, (*Acad. roy. de langue et litt. franç. de Belgique. Textes anciens*, t. 1). Les deux poèmes du Reclus de Molliens ont été publiés d'une façon définitive, par A. G. VAN HAMEL, Paris, 1885 (*Bibl. Ec. des Hautes Études*, fasc. 61 et 62). Sur le *Dialogue du Père et du fils*, voir P. MEYER, dans *Romania*, t. XVII, 1889, p. 254 et Ch.-V. LANGLOIS, *ouvr. cit.*, p. 47. La *Lumière as Lais* est encore inédite. On peut consulter à son sujet M. D. LEGGE, *Pierre de Peckham and his Lumiere as Lais*, dans *Mod. Lang. Review*, t. XXIV, 1929, p. 37-47 et 153-71 et la notice de Ch.-V. LANGLOIS, *ouvr. cit.*, p. 66-119. Pour tout ce qui concerne le *Manuel des Péchés*, voir l'éd. de E. J. ARNOULD, *Le Manuel des Péchés. Etude de littérature anglo-normande, XIIIᵉ s.*, Paris, 1940. Sur la *Somme le Roi*, voir R. E. FOWLER, *Une source française des poèmes de Gower*, Mâcon, 1905; P. MANDONNET, *Laurent d'Orléans, auteur de la Somme le Roi*, dans *Rev. des langues romanes*, t. LVI, 1913, p. 20 et suiv., qui a identifié l'auteur; la notice de Ch.-V. LANGLOIS, *ouvr. cit.*, p. 123-198 et Edith BRAYER, dans *Positions des thèses de l'Ecole des chartes*, 1940, p. 27-35.

On trouvera l'information la plus complète sur les traductions françaises de Boèce dans l'article d'A. THOMAS, *Traductions françaises de la Consolatio philosophiae de Boèce*, dans *Hist. litt.*, t. XXVII, 1938, p. 419-70, complété par M. Roques, *Ibid.*, p. 470-88.

Sur la littérature scientifique un guide pratique nous est fourni par Ch.-V. LANGLOIS, *La Vie en France au moyen age*, III, *La Connaissance de la nature et du monde*, Paris, 1927.

Le *Bestiaire* de Philippe de Thaon a été publié par E. WALBERG, Lund. et Paris, 1900; *Le Bestiaire d'amour* de Richard de Fournival, par C. HIPPEAU, Paris, 1860. Un *Bestiaire d'amour rimé*, du XIIIᵉ siècle, a été publié par A. THORDSTEIN, Lund-Copenhague, 1941.

Sur les *Lapidaires*, outre l'ouvrage important de Léopold PANNIER, *Les Lapidaires français du moyen âge*, Paris, 1882, il faut consulter surtout l'ouvrage capital de P. STUDER et Joan EVANS, *Anglo-norman Lapidairies*, Paris, 1924, où se trouvent, joints à une étude d'ensemble, les textes d'origine anglo-normande. Sur Honorius, il existe outre l'étude de J. A. ANDRES, *Honorius Augustodunensis*, Kempten et Münich, 1906, une thèse récente de M. Y. Lefèvre, Paris, 1955. Nous n'avons du poème français intitulé l'*Image du Monde*, que des éditions fragmentaires. La version en prose a été publiée par O. H. PRIOR, Lausanne-Paris, 1913. La *Petite Philosophie*, composée vers 1230, d'après les traités d'Honorius, a été publiée par W. H. TRETHEWEY, Oxford, 1939.

Sidrach et *Placides et Timeo* sont toujours inédits. Cf. Ch.-V. LANGLOIS, *ouvr. cit.*, p. 180-327. Le *Trésor* de Brunet latin n'a été longtemps accessible que dans l'édition de P. CHABAILLE, Paris, 1863. Nous disposons aujourd'hui d'une édition infiniment plus exacte due à F. J. CARMODY, *Li Livres dou Tresor de Brunetto Latini*, Berkeley-Los Angeles, 1948 (*Univ. of California. Public. in mod. Phil.*, XXII).

Le *Régime du corps de maistre Alebrant de Florence* a été correctement publié par les docteurs LANDOUZY et PÉPIN, avec une instructive préface de M. A. THOMAS, Paris, 1910, cf. *Romania*, XXXV, 454; la *Chi-*

rurgie de maître Henri de Mondeville par le docteur A. Bos, Paris, 1897-98, 2 vol. (*S. A. T. F.*). Ulysse Robert a publié simultanément l'*Art de chevalerie* de Jean de Meun et *Li abrejance de l'ordre de chevalerie* de Jean Priorat, Paris, 1897. Sur les textes juridiques, voir *Hist. Litt.*, XXXIII, 111. Sur la *Rhétorique* de Jean d'Antioche, voir L. Delisle, *Notice sur la Rhétorique de Cicéron* (*Notices et Extraits*, XXXVI), qui en publie de larges extraits; cf. *Hist. Litt.*, XXXIII.

Chapitre XII (*M.B.*, nᵒˢ 2806-2851, 6551-6559). — La première édition moderne du *Roman de la Rose*, établie sur une comparaison des manuscrits, est celle de Méon. *Le Roman de la Rose par Guillaume de Lorris et Jehan de Meung*, Paris, 1814, 4 vol. in-8°. Sa méthode critique manque de certitude, et ses notes reproduisent pour la plupart celles d'une édition de 1798. Les deux éditions de Francisque Michel (Paris, 1864, 2 vol., in-12) et de P. Marteau (Orléans, 1878-1880, 5 vol. in-16), cette dernière avec traduction en vers, n'améliorent en rien le texte de Méon. C'est tout récemment que le *Roman* a fait l'objet d'une publication définitive. Ce monument d'érudition, dû à la patience d'Ernest Langlois, a paru par les soins de la *Soc. des anc. Textes* de 1914 à 1925 (5 vol. in-8°).

Le nom d'E. Langlois revient d'ailleurs continuellement dans une bibliographie du *Roman de la Rose*. C'est lui qui, dès ses débuts, sut découvrir les sources de ce double poème et montrer le processus de sa composition dans : *Origines et sources du Roman de la Rose*, Paris, 1891, in-8°. On trouvera dans ce livre toutes les indications nécessaires sur les textes latins utilisés par G. de Lorris, *Concile de Remiremont, Altercatio Phyllidis et Florae* (voir aussi Ch. Oulmont, *Les débats du clerc et du chevalier*, 1911; cf. *Romania*, t. XLII, 1913, p. 452), sur le *Fablel du Dieu d'Amour, Vénus, la déesse d'Amor*, etc. (voir aussi *Pamphile et Galatée* par Jehan Bras de Fer, édit. J. de Morawski, 1917).

Sur les ouvrages didactiques utilisés surtout dans la seconde partie du *Roman*, voir la bibliographie du chapitre précédent.

Pour préluder à sa magistrale édition, E. Langlois avait catalogué 215 manuscrits et classé 116 d'entre eux dans *Les manuscrits du Roman de la Rose. Description et classement*, Lille, 1910 (*Travaux et Mémoires de l'Université de Lille*, nouv. série, I, 7).

Les travaux d'E. Langlois dispensent de recourir aux études anciennes de J.-J. Ampère dans la *Revue des Deux Mondes* (15 août 1843), de P. Paris dans l'*Hist. Litt.*, XXIII, 1856, p. 1-61, et XXVIII, 1881, p. 391-439. Mais pour bien comprendre la place occupée par le *Roman* dans la littérature du moyen âge, et saisir l'influence de Jean de Meun sur la pensée de ses contemporains, il faut lire l'étude pénétrante d'Ed. Faral, *Le Roman de la Rose et la poésie française au XIIIᵉ siècle* (*Revue des Deux Mondes*, 15 septembre 1926). Quelques travaux de vulgarisation facilités par l'édition d'E. Langlois ont paru dans ces derniers temps. Citons l'intéressante monographie de Louis Thuasne, *Le Roman de la Rose* (*Les grands événements littéraires*), Paris, 1929, et la traduction partielle de Mme B.-A. Jeanroy, avec une introduction de M. A. Jeanroy (*Poèmes et récits de la vieille France*), Paris, 1928.

Sur les traductions et imitations en langue étrangère, on trouvera l'essentiel au tome I de l'édition Langlois, p. 38-41.

D'autres œuvres de Jean de Meun ont fait l'objet d'études ou de publications. *Le Testament* et le *Codicille* dont l'attribution n'est pas certaine, sont publiés par Méon à la suite du *Roman*. La traduction de Boèce, dont les manuscrits sont assez nombreux, est restée jusqu'ici inédite. Elle a fait l'objet d'une étude approfondie d'E. Langlois, dans *Romania*, t. XLII, 1913, p. 331-369; voir aussi Ch.-V. Langlois, *La vie en France au moyen âge*, IV, p. 269-326. Quant à la traduction de Végèce, elle a été publiée par U. Robert (voir bibl. du chapitre précédent)

DEUXIÈME PARTIE

CHAPITRE PREMIER. (M.B., n°ˢ 4002-4014, 5942-6016, 7102-7109). — Pour avoir une idée d'ensemble du mouvement intellectuel au XIVᵉ siècle, il convient toujours d'en lire la description dans l'article de J.-V. LE CLERC, *Discours sur l'état des lettres en France au XIVᵉ siècle*, complété par celui de RENAN, *Discours sur l'état des beaux-arts*, dans l'*Histoire litt.*, t. XXIV, 1862. Un exposé sommaire, mais très exact, est fourni par G. PARIS, *Esquisse historique de la littérature française*, Paris, 1907, p. 207 et suiv. L'histoire de la civilisation intellectuelle à la fin du moyen âge est plus largement traitée par I. HUIZINGA, *Le Déclin du moyen âge*, traduit du néerlandais par Julia BASTIN, Paris, 1932. Voir également l'ouvrage très original de G. DE LAGARDE, *Naissance de l'Esprit laïque au déclin du moyen âge*, 6 vol., Paris, 1934-1946.

Sur le mouvement littéraire inspiré par Charles V., voir L. DELISLE, *Recherches sur la librairie de Charles V*, 2 vol., Paris, 1905. Ne pas négliger, parmi les témoignages contemporains, celui de Christine de Pisan, *Le Livre des faits et bonnes mœurs du sage roy Charles V*, publ. par S. SOLENTE, 2 vol., Paris, 1936-1941 (*Soc. hist. de France*).

Sur les humanistes d'Avignon, voir A. COVILLE, *Gontier et Pierre Col et l'humanisme en France au temps de Charles VI*, Paris, 1934, qui contient d'importantes études sur les frères Col, Jean de Montreuil et Nicolas de Clamanges. Du même auteur : *Recherches sur quelques écrivains du XIVᵉ et du XVᵉ siècle*, Paris, 1935.

Pour connaître la littérature inspirée par les ducs de Bourgogne, il faut toujours consulter le guide précieux de G. DOUTREPONT, *La Littérature française à la cour des ducs de Bourgogne*, qui fournit sur les écrivains appointés par les ducs d'innombrables renseignements.

CHAPITRE II. (M.B., n°ˢ 4015-4324. 6765-6815). — Sur les transformations de la matière épique, voir, outre les histoires générales de la littérature, Léon GAUTIER, *Les Epopées françaises*, t. II, p. 407-600 et Ph.-A. BECKER, *Grundriss der Altfranzösischen Literatur, I, Nationale Heldendichtung*, p. 110-139.

Le poème de *Galien* a été publié par E. STENGEL, Marburg, 1890; la version allemande de *Lohier et Maillart*, par K. SIMROCK, Stuttgart, 1868. *Baudouin de Sebourc* n'est accessible que dans l'édition rare et vieillie de L. N. BOCA, 2 vol., Valenciennes, 1841. Le poème a été longuement étudié par Ed.-René LABANDF, *Etude sur Baudouin de Sebourc. chanson de geste. Légende poétique de Baudouin II du Bourg. roi de Jérusalem*, Paris. 1940. *Hugues Capet* n'existe que dans l'éd. du marquis de LA GRANGE, Paris, 1864. La version de *Girart de Roussillon*, en alexandrins, du XIVᵉ siècle. a été publiée par E. B. HAM. New Haven. 1940 (*Yale rom. Studies*, XVI). Les *Conquêtes de Charlemagne* de David Aubert ont été publiées par R. GUIETTE, 3 vol., Bruxelles. 1940-51. *Charles le Chauve. Florent et Othevien* sont inédits. *Cipéris de Vigneaux* a été publié par W. S. WOOD, Chapel Hill, 1949. *Valentin et Orson* a fait l'objet d'une excellente étude de A. DICKSON, *Valentine and Orson, a study in late Medieval Romance*, New York, 1929, qui fait nettement ressortir le processus de formation de ces récits interminables. Sur *Florence de Rome*. voir A. WALLENSKÖLD, *Florence de Rome. chanson d'aventures du premier quart du XIIIᵉ siècle*, 2 vol., Paris, 1907-1909 (*Soc. anc. Textes*) qui publie également le remaniement du XIVᵉ siècle.

Les mises en prose ont été recensées et étudiées en détail par G. DOUTREPONT. *Les mises en prose des épopées et des romans chevaleresques du XIVᵉ au XVIᵉ siècle*, Bruxelles. 1939.

Sur les romans arthuriens du XIVᵉ et du XVᵉ siècle, il faut se référer à

LÖSETH, *Le roman en prose de Tristan*, p. 432. Sur *Isaïe le Triste*, voir J. ZEIDLER, *Der Prosaroman Ysaye le Triste*, dans *Zeitschrift für roman. Philologie*, t. XXV, 1901, p. 175-214, 472-89, 641-68. *Méliador*, de Froissart a été publié par A. LONGNON, 2 vol., Paris, 1895-1899 (*Soc. anc. Textes*). Quant à *Perceforest*, longtemps négligé, il vient de faire l'objet d'une remarquable étude de Mlle J. LODS, *Le Roman de Perceforest. Origines, composition, caractère, valeur et influence*, Paris, 1952.

Sur les nouvellistes, l'ouvrage capital est celui de W. SÖDERHJELM, *La nouvelle française au XVᵉ siècle*, Paris, 1910, qui analyse et commente les principaux textes. La vie et l'œuvre d'Antoine de la Sale ont suscité de nombreux travaux critiques qu'il serait trop long d'énumérer. Du moins faut-il citer l'étude d'ensemble de F. DESONAY, *Antoine de la Sale, aventureux et pédagogue*, Liège 1940 (*Bibl. Univ. de Liège*, LXXXIX), et, du même, les éditions du *Paradis de la reine Sibylle*, Paris, 1930; des *Œuvres complètes* I, *La Salade*, Liège, 1935; II, *La Sale*, Liège, 1941; du *Petit Jehan de Saintré*, en collaboration avec Pierre Champion, 2 vol., Paris, 1926-1927. Le petit livre d'A. Coville, *Le Petit Jehan de Saintré, recherches complémentaires*, Paris, 1937, apporte des aperçus originaux sur le sens et la portée du roman, sur sa date et sa composition. Les *Quinze joyes de mariage* se lisent toujours dans l'édition de P. JANNET, Paris, 1857. On peut utiliser aussi R. MORTIER, *Les quinze joies du mariage, éd. en vieux français et version en français moderne*, Paris, 1937. Une édition moderne des *Cent nouvelles nouvelles* a été procurée par P. Champion, 3 vol., Paris, 1928. Les *Arrêts d'amour* de Martial d'Auvergne ont été publiés intégralement, avec des détails inédits sur la biographie de l'auteur, par Jean RYCHNER, Paris, 1951 (*Soc. anc. Textes*); les *Nouvelles Sénonaises*, par Ernest LANGLOIS, Paris, 1908. Mme E. WICKERSHEIMER, auteur d'une solide étude sur *Le Roman de Jehan de Paris, Sources historiques et littéraires. Etude de la langue*, Paris, 1925, a publié ce texte pour la *Société des anciens Textes*, Paris, 1923.

Sur *Jacques de Lalaing*, les travaux ne sont pas très nombreux. Le *Livre des faits* a été publié par KERVYN DE LETTENHOVE, *Œuvres de Georges Chastellain*, t. VIII, p. 1-252. Sur l'attribution à Antoine de la Sale, qui n'est pas admise, voir G. RAYNAUD, dans *Romania*, t. XXXI, 1902, p. 527-46.

Le *Jouvencel*, de Jean de Bueil, suivi du commentaire de Guillaume Tringant, a été publié par Léon LECESTRE, Paris, 1887-1889 (*Soc. de l'hist. de France*). Le texte est précédé d'une longue et instructive notice biographique et littéraire due à Camille FAVRE.

CHAPITRE III. (*M.B.*, nᵒˢ 4325-4605, 6816-6864, 6908-6926). — La nouvelle poétique dont se réclament les poètes du XIVᵉ et XVᵉ siècles est formulée, à diverses reprises, dans les *Arts de seconde rhétorique* qui se multiplient à partir de 1392, date de l'*Art de dictier* d'Eustache Deschamps. L'étude de ces traités théoriques a été faite et poursuivie jusqu'au XVIᵉ siècle par Ernest LANGLOIS, *De artibus rhetoricae rythmicae*, Paris, 1890, à qui nous devons également l'édition des textes essentiels : *Recueils d'arts de seconde rhétorique*, Paris, 1902 (*Documents inédits*). Sur la technique de la versification, on consultera également le beau livre de H. CHATELAIN, *Recherches sur le vers français au XVᵉ siècle*, Paris, 1925. *Le Jardin de Plaisance et Fleur de Rhétorique*, publié vers 1501 par Antoine Vérard, a été reproduit en fac-similé, avec une savante introduction et des notes, par Mlle E. DROZ et A. PIAGET, Paris, 1910-1914 (*Soc. anc. Textes*).

Les œuvres de Guillaume de Machaut ont été publiées fragmentairement à plusieurs reprises. L'édition procurée par E. HOEPFFNER pour la *Soc. des anc. Textes*, 3 vol., Paris, 1908-1921, ne comprend que les *Dits*. Les pièces lyriques ont été publiées successivement par V. CHICHMÁREF,

2 vol., Paris, 1909, et F. Ludwig, *Guillaume de Machaut, Musikalische Werke*, 3 vol., Leipzig, 1926-1930, qui s'attache particulièrement à l'étude des mélodies, et fait ressortir la technique musicale du poète. Le *Voir-Dit*, se lit toujours dans l'édition de P Paris, Paris, 1875.

Nous possédons une édition complète des œuvres d'Eustache Deschamps, grâce à l'effort combiné du marquis de Queux de Saint-Hilaire et de G. Raynaud, 11 vol., Paris, 1878-1903 (*Soc. des anc. Textes*). La vie et les œuvres du poète ont fait l'objet d'excellentes études qui épuisent la matière et rendent désormais inutile l'*Eustache Deschamps* de Sarradin, 1878. L'une est due à E. Hoepffner, *E. Deschamps, Leben und Werke*, Strasbourg, 1904; l'autre, à G. Raynaud; elle forme le tome XI (1903) de l'édition.

Le *Livre des Cent Ballades* a été publié par G. Raynaud, Paris, 1905 (*Soc. des anc. Textes*).

Sur Christine de Pisan, deux ouvrages d'ensemble, de date récente, fournissent les informations essentielles : M.-J. Pinet, *Christine de Pisan, étude biographique et littéraire*, Paris, 1927; W. L. Boldingh-Goemans, *Christine de Pizan (1364-1430). Haar tijd, haar leven, haar werken*, Rotterdam, 1948. L'édition des œuvres poétiques entreprise par Maurice Roy, 3 vol., Paris, 1886-1896 (*Soc. des anc. Textes*) demeure inachevée. D'autres ouvrages ont été publiés isolément : *Le Chemin de Long Estude*, par R. Puchell, nouv. éd., 1887; *Le Dittié sur Jeanne d'Arc*, par Quicherat, *Procès de Jeanne d'Arc*, t. V, p. 1 et suiv.; parmi les œuvres en prose : les *Epistres sur le Roman de la Rose*, par C. F. Ward, Chicago, 1911; l'*Avision Christine* par sister Mary L. Towner, Washington, 1932; l'*Epistre de Prison de Vie humaine*, découverte par Mlle. S. Solente et publiée par elle, *Bibl. Ec. des chartes*, t. LXXXV, 1924, p. 263-301. Diverses études critiques ont été consacrées à certains ouvrages de Christine, notamment Mathilde Laigle, *Le Livre des Trois Vertus et son milieu historique et littéraire*, Paris, 1913; M. Campbell, *L'Epître d'Othea à Hector*, Paris, 1924.

Les poésies de Froissart, publ. par A. Scheler, Bruxelles, 1869-1872, occupent les tomes XXVI-XXVIII de l'édition des *Œuvres complètes* par Kervyn de Lettenhove.

Les poètes du xv° siècle, si abondants et si divers, nous sont aujourd'hui plus familiers grâce aux travaux de P. Champion et de A. Piaget. Du premier, il faut citer une fois pour toutes sa belle *Histoire poétique du XV° siècle*, Paris, 1923, 2 vol., qui comprend d'instructives notices sur Alain Chartier, Pierre de Nesson, Jean Régnier, Michault Taillevent, Pierre Chastellain, Charles d'Orléans, Villon, Arnoul Gréban, Jean Meschinot, Henri Baude et Jean Molinet.

On y trouvera tous les renseignements nécessaires sur M° Alain Chartier, secrétaire du roi, dont la plus récente édition est celle d'André Du Chesne, Paris, 1617. Depuis le médiocre travail de D. Delaunay, *Etude sur Alain Chartier*, Rennes, 1876, la biographie du poète a été entièrement renouvelée par les ingénieuses recherches d'Antoine Thomas, et la critique de ses œuvres, par les études d'A. Piaget, parues les unes et les autres dans la *Romania*. Le *Curial* a été publié par F. Heuckenkamp, Halle, 1899. Les conclusions de cet érudit, quant à l'origine du texte, sont entièrement à rejeter. Le *Quadrilogue invectif* a été publié par Mlle E. Droz, Paris, 1923 (*Classiques fr. du moyen âge*, 32); *La Belle Dame sans merci*, par A. Piaget, Paris, 1945.

Sur Martin Le Franc, consulter A. Piaget, *Martin Le Franc, prévôt de Lausanne*, Lausanne, 1888.

Plusieurs poèmes de Michault Taillevent ont été publiés, *Le Passe-Temps*, par T. Malmberg, Upsal, 1877; *La Prise de Luxembourg*, par E. Lefort, Luxembourg, 1938. V. aussi H. Guy, *L'Ecole des Rhétoriqueurs*, Paris, 1910. Les poésies de Georges Chastellain occupent les tomes VI-

VIII de l'édition des *Œuvres complètes* par KERVYN DE LETTENHOVE, 8 vol., Bruxelles, 1863-66. *Le Chevalier délibéré*, d'Olivier de la Marche, a été publié par Fr. LIPPMANN, 1898; d'autres poésies par H. STEIN, *Olivier de la Marche, historien, poète et diplomate bourguignon*, Paris, 1888. Les *Faictz et Dictz,* de Jean Molinet, par Noël DUPIRE, 3 vol. Paris, 1936-39 (*Soc. des anc. Textes*), avec des notes abondantes et un copieux glossaire.

Sur Jean Régnier, voir la notice de P. CHAMPION citée plus haut, et l'édition des *Fortunes et Adversités* par Mlle E. DROZ, Paris, 1923 (*Soc. des anc. Textes*).

Sur Charles d'Orléans, les publications sont nombreuses, et les plus récentes sont liées à l'activité littéraire de Pierre CHAMPION. C'est à lui qu'est due l'étude du *Manuscrit autographe des poésies de Charles d'Orléans*, Paris, 1907 (*Bibl. du XVᵉ siècle*, t. III); c'est lui qui a déchiffré le secret des écritures qu'on y observe, dans la *Librairie de Charles d'Orléans, avec un album de fac-similés*, Paris, 1910 (*Bibl. du XVᵉ siècle*, t. XI). Evoquant la vie intime et les occupations du poète, il décrit *Charles d'Orléans, joueur d'échecs*, Paris (*Bibl. du XVᵉ siècle*, t. V), et groupant les résultats de ses recherches antérieures, il publie ce livre magistral, *La Vie de Charles d'Orléans*, Paris, 1911 (*Bibl. du XVᵉ siècle*, t. XIII). Editées pour la première fois en 1803, par Vincent CHALVET, les *Poésies* de Charles d'Orléans ont été publiées sous une forme nouvelle, et méthodiquement classées par P. CHAMPION, Paris, 1924, 2 vol. (*Cl. fr. du moyen âge*, 34).

CHAPITRE IV. (*M.B.*, nᵒˢ 4606-4766, 6865-6907). — La plus ancienne édition de François Villon fut imprimée par Pierre LEVET en 1489. Elle comprend les deux *Testaments*, le *Codicille*, les *ballades*, et les pièces en *jargon*. A cette édition plusieurs fois reproduite, s'ajoutent, en 1532, le monologue du *Franc-archer de Bagnolet* et le dialogue des *Seigneurs de Mallepaye et de Baillevent* qui ne sont pas de lui; l'éditeur GALIOT DU PRÉ publie, l'année suivante, un texte revu par Clément MAROT où nombre d'erreurs sont corrigées et d'où se trouvent écartées les pièces étrangères a Villon. L'édition préparée par MAROT servira de modèle à toutes celles qui se succéderont pendant le XVIᵉ siècle, jusqu'en 1542. Le XVIIᵉ siècle s'en désintéresse et c'est seulement en 1723, qu'Eusèbe DE LAURIÈRE reprend l'étude du texte de Villon (édit. 1723, 1742). En 1832, l'abbé PROMPSAULT publie pour la première fois *Le Dit de la naissance de Marie de Bourgogne*. Viennent ensuite (1854, 1866, 1877) les éditions successives de Paul LACROIX (Bibliophile Jacob) et, en 1867, celle de P. JANNET, préparée par LA MONNOYE.

Il apparaît dès lors que l'intelligence du texte de Villon et, par suite, l'édition scientifique de ses œuvres, ne sont possibles qu'après l'identification des personnages historiques auxquels il fait allusion. A cet égard, les études relatives à Villon ont été complètement renouvelées par Auguste LONGNON, *Etude biographique sur Fr. Villon, d'après des documents inédits conservés aux Archives Nationales*, Paris, 1877; et Marcel SCHWOB, *François Villon, rédactions et notes*, Paris, 1912 (publ. par P. CHAMPION); *Fr. Villon* (*Revue des Deux Mondes*, 15 juillet 1892; *Le Jargon des Coquillards en 1455*, *Mémoires de la Société de linguistique de Paris*, t. VII, 1890). Héritier spirituel de Marcel SCHWOB, P. CHAMPION a attaché son nom à une œuvre capitale, *Fr. Villon, sa vie et son temps*, 2 vol., Paris, 1913, qui nous offre une peinture exacte et saisissante du milieu parisien où le poète a vécu, souffert et écrit. On y trouvera, avec une riche documentation iconographique, la bibliographie complète du sujet. On lit encore avec intérêt l'étude pénétrante de G. PARIS, 1901.

Cette orientation nouvelle des recherches sur Villon a permis à

Auguste Longnon de publier une édition savante de ses *Poésies*, Paris, 1892. Les travaux les plus récents et notamment l'étude du manuscrit de Stockholm (cf. *Le petit et le grand Testament de Fr. Villon, reprod. en fac-similé du ms. de Stockholm, avec une introd. de* M. Schwob, publ. par P. Champion), ont rendu nécessaire une révision du texte de Longnon. Celle-ci, due à M. L. Foulet, a paru dans les *Cl. fr. du moyen âge*, n° 2, 4e édit., 1930. Il faut citer également l'édition critique de L. Thuasne dont le troisième volume est consacré aux notes, Paris, 1923, et celle de L. Dimier, Paris, 1927.

Les travaux critiques suscités par les poésies de Villon sont innombrables. On les trouvera énumérés dans le *Manuel Bibliographique* jusqu'à la date la plus récente. Il faut toutefois mentionner ici Italo Siciliano, *François Villon et les thèmes poétiques du moyen âge*, Paris, 1934, ouvrage essentiel qui analyse, avec une grande richesse d'information, les courants intellectuels dont Villon a subi l'influence.

Chapitre V. (*M.B.*, n°ˢ 5003-5290, 6952-6989). — Au *Manuel* de Molinier on joindra comme complément indispensable l'ouvrage déjà cité de G. Doutrepont, *La Littérature française à la cour des ducs de Bourgogne*, qui contient d'utiles renseignements non seulement sur les chroniqueurs bourguignons des XIVᵉ et XVᵉ siècles, mais encore sur les compilations et traductions d'œuvres historiques exécutées à la demande des ducs.

Grâce à J. Viard et E. Déprez, nous possédons un texte excellent de la *Chronique* de Jean le Bel, 2 vol., Paris, 1904-1905 (*Soc. de l'hist. de France*), avec une copieuse introduction. Le dernier état des problèmes posés par Jean le Bel est fourni par A. Coville. *Jean le Bel, chroniqueur* dans *Hist. littéraire*, t. XXXVIII, 1941, p. 234-58.

Les travaux sur Froissart sont innombrables. De bonnes études facilement accessibles accompagnent les anthologies de G. Paris et A. Jeanroy, *Extraits des chroniqueurs français*, Paris, 1892, de A. Pauphilet, *Historiens et chroniqueurs du moyen âge*, Paris, 1938, nouv. éd. revue par E. Pognon, Paris, 1952 (*Bibl. de la Pléiade*); Julia Bastin, *Jean Froissart chroniqueur, romancier et poète*, Bruxelles, 1941 (*Coll. nationale*). Le petit livre de Mary Darmesteter, *Froissart* Paris, 1899 (*Les grands écrivains français*), offre une élégante synthèse, dont l'intérêt n'a pas diminué. Consulter aussi l'étude claire et méthodique de F. S. Shears, *Froissart chronicler and poet*, London, 1930.

Depuis l'édition Vérard, de 1495, les œuvres de Froissart ont été maintes fois publiées. L'édition entreprise par Siméon Luce, continuée par G. Raynaud, puis Léon Mirot, pour la *Société de l'histoire de France*, 12 vol., Paris, 1869-1931, ne dépasse pas la fin du livre III. En attendant, on aura recours à l'édition de Kervyn de Lettenhove, *Œuvres complètes de Froissart*, 28 vol., Bruxelles, 1867-1877, d'une disposition assez fâcheuse et non dépourvue d'erreurs.

On trouvera dans Molinier la biographie des chroniqueurs secondaires du XIVᵉ et du XVᵉ siècles. L'existence de ce précieux répertoire nous dispense de les énumérer ici. Certaines chroniques n'ont encore été l'objet que d'éditions imparfaites ou fautives. Celle du *Héraut Berri* n'existe que dans l'*Histoire de Charles VII* de Godefroy. Le *Livre des Faits du maréchal de Boucicaut* doit se contenter de l'édition du *Panthéon littéraire*, tandis que *Jean Cuvelier* a l'honneur excessif d'occuper un volume des *Documents inédits*. La *Chronique d'Enguerrand de Monstrelet* se lit toujours dans l'édition désormais insuffisante de Douet d'Arcq (*Société de l'hist. de France*), Paris, 1857-62, 6 vol.

Il faut citer encore, parmi les chroniques les plus importantes, celle de *Mathieu d'Escouchy*, publ. par Du Fresne de Beaucourt (*Soc. de l'hist. de Fr.*), Paris 1863-64, 3 vol. celle de *Jean le Fèvre seigneur de Saint-Rémy* par F. Morand (*Ibid.*), 1876-81, 2 vol.; les *Mémoires d'Oli-*

vier de La Marche, par H. BEAUNE et J. D'ARBAUMONT (*Ibid.*), Paris, 1883-88, 4 vol. Le *Journal d'un bourgeois de Paris*, édité déjà au XVIIIᵉ siècle, l'a été plus récemment par A. TUETEY (*Soc. de l'hist. de Paris et de l'Ile-de-France*), Paris, 1881, avec une abondante annotation. Les *Œuvres de Georges Chastellain* ont été publiées intégralement par KERVYN DE LETTENHOVE, 5 vol., Bruxelles, 1863-1866.

La bibliographie de Philippe de Commynes est précédée dans MOLINIER nº 4663, d'une notice biographique et littéraire qui fournit sur l'auteur et sur son œuvre tous les éclaircissements. L'indication des éditions et des traductions y est donnée dans le plus grand détail; on y trouve également une liste complète des travaux à consulter. Depuis l'édition procurée par Mlle DUPONT (*Soc. de l'hist. de Fr.*), Paris, 1874, 3 vol., a paru celle de B. DE MANDROT, 1901-03, qui marque sur la précédente un progrès certain dans l'établissement du texte, grâce à la collation de tous les manuscrits. Enfin, tout récemment, la collection HALPHEN s'est enrichie d'une excellente édition due à M. Joseph CALMETTE, 1924-25, 3 vol. (en collaboration avec le chanoine G. DURVILLE). Une introduction sobre, mais précise et complète, met le lecteur au courant des derniers résultats de la science et lui procure une bibliographie à laquelle on ne saurait rien ajouter pour l'instant. Sur l'auteur et son œuvre on lira avec profit la très fine étude critique accompagnée d'une bibliographie complète de G. CHARLIER, *Commynes*, Bruxelles, 1945 (*Coll. Notre Passé*) et l'introduction de l'Anthologie publiée par J. BASTIN, *Philippe de Commynes*, Bruxelles, 1945 (*Coll. nationale*).

CHAPITRE VI. (*M.B.*, nᵒˢ 5651-5838, 7076-7088). — Il va sans dire que les ouvrages généraux de PETIT DE JULLEVILLE, Marius SÉPET, G. COHEN, G. FRANK, etc., signalés pour la période antérieure, valent également pour la fin du moyen âge. Mais pour le XVᵉ siècle surtout les travaux particuliers sont si nombreux qu'il convient de s'en tenir à des indications sommaires.

C'est à une époque relativement récente que l'érudition a comblé la lacune qui s'étendait entre le théâtre religieux des XIIᵉ et XIIIᵉ siècles et celui du XVᵉ. A. THOMAS, *Notes d'histoire littéraire. Le théâtre à Paris au XIVᵉ siècle*, dans *Romania*, t. XXI, 1893, p. 606-11 et G. COHEN, *Le théâtre à Paris et aux environs au XIVᵉ siècle*, *Ibid*, t. XXXVIII, 1909, p. 587-95 ont révélé l'existence de représentations dans la région parisienne. G. PARIS et Ulysse ROBERT publient les *Miracles de Notre Dame par personnages du ms. Cangé*, 7 vol., Paris, 1876-83 (*Soc. des anc. Textes*). L. CLÉDAT, *Le théâtre en France au moyen âge*, Paris, 1896, en donne quelques analyses. L'origine et les sources en sont étudiées par Emile ROY, *Etudes sur le théâtre français du XIVᵉ et du XVᵉ siècles. La Comédie sans titre... et les Miracles de Notre-Dame par personnages*, Paris, 1902.

Le Mystère de Griseldis, joué en 1395, devant Charles VI, par les clercs de la Basoche, a été publié par H. GROENEVELD, *Die älteste Bearbeitung der Griseldissage in Frankreich*, Marburg, 1888 et Marie-Anne GLOMEAU, Paris, 1923. Nouv. édition par B. CRAIG, Lawrence, 1954.

Le répertoire de PETIT DE JULLEVILLE, *Les Mystères*, 2 vol. Paris, 1880, donne l'analyse de tous les textes connus à la date de sa publication. L'ouvrage d'E. ROY, *Le Mystère de la Passion en France du XIVᵉ au XVIᵉ siècle*, 2 vol. Paris, 1903, contient, avec une étude générale, les textes inédits des *Passions* d'Autun, de Semur, de Clermont, etc. Mme Grace FRANK a publié successivement la *Passion du Palatinus*, Paris, 1922 (*Class. franc. m. â.*, nᵒ 30) et la *Passion d'Autun*, Paris, 1934 (*Soc. des anc. Textes*).

La Passion provençale du ms. Didot a été publiée par W. P. SHEPARD, Paris, 1928 (*Soc. des anc. Textes*); la *Passion d'Arras* par J.-M. RICHARD,

Paris, 1893. Sur l'auteur, Eustache Marcadé, voir A. Thomas, *Notice biographique sur Eustache Marcadé*, dans *Romania*, t. XXXV, 1906, p. 583-90 et A. Jeanroy, *Le Mystère de la Passion*, dans *Journal des Savants*, sept. 1906.

La *Passion* d'Arnoul Gréban a été publiée par G. Paris et G. Raynaud, Paris, 1878. Cf. P. Champion, *Histoire poétique*, t. II, p. 133-188. Le *Mistère du Viel Testament*, par le baron James de Rothschild, 6 vol. Paris, 1878-1891 (*Soc. des anc. Textes*). Sur les *Actes des Apôtres*, voir R. Lebègue, *Le Mystère des Actes des Apôtres. Contribution à l'étude de l'humanisme et du protestantisme français au XVIe siècle*, Paris, 1929. La *Passion* de Jean Michel n'existe qu'en incunable. Sur Andry de la Vigne, voir E. L. de Kerdaniel, *Un rhétoriqueur, André de la Vigne*, Paris, 1919. Le *Mystère de saint-Bernard de Menthon* a été publié par A. Lecoy de La Marche, Paris, 1888 (*Soc. des anc. Textes*); celui de *saint Louis* par Fr. Michel, Westminster, 1871.

Sur la mise en scène et la réalisation matérielle des spectacles on trouvera d'abondants détails dans G. Cohen, *Histoire de la mise en scène*, déjà cité, p. 262-69, nouv. éd. 1926. La découverte par ce savant du Livre de scène du grand mystère de la Passion a confirmé les résultats précédemment acquis. Voir : *Le Livre de Conduite du Régisseur et le Compte des dépenses pour le Mystère de la Passion joué à Mons, en 1501*, Strasbourg-Paris, 1925.

Chapitre VII. (*M.B.*, nos 5839-5941, 7089-7101). — L'inventaire du théâtre comique a été dressé par Petit de Julleville, *Répertoire du théâtre comique en France, au moyen âge*, Paris, 1886. L'organisation des spectacles et leur esprit ont été étudiés par le même auteur dans *Les Comédiens en France au moyen âge*, Paris, 1885 et *La Comédie et les mœurs en France au moyen âge*, Paris, 1886. Voir également sur le rôle exercé par les Basochiens: H.-G. Harvey, *The theatre of the Basoche. The contribution of the law societies to French mediaeval Comedy*, Cambridge, 1941 (*Harvard Studies*, XVII).

Diverses collections de pièces profanes ont fait connaître la majeure partie de cette production : Le Roux de Lincy et Fr. Michel, *Recueil de farces, moralités et sermons joyeux*, 4 vol., Paris, 1857; P.-L. Jacob, *Recueil de farces, soties et moralités*, Paris, 1859; Ed. Fournier, *Le théâtre français avant la Renaissance*, Paris, 1872; Viollet-le-Duc, *Ancien théâtre français*, Paris, 1854, t. I-III. Beaucoup de textes se retrouvent dans les publications plus récentes de E. Picot et Ch. Nyrop, *Recueil de farces françaises des XVe et XVIe siècles*, Paris, 1880; E. Picot, *Recueil général des Soties*, 3 vol., 1902 (*Soc. des anc. Textes*); E. Droz, *Le Recueil Trepperel*, Tome I, *Les Soties*, Paris, 1935; G. Cohen, *Recueil de Farces inédites du XVe siècle*, 2 vol., Cambridge (Mass.), 1949 (*Harvard Stud.*)

Sur Henri Baude, voir P. Champion, *Hist. poétique*, t. II, p. 239-307.

Sur Pierre Gringore, voir Ch. Oulmont, *La poésie morale, politique et dramatique à la veille de la Renaissance*, Paris, 1911.

Sur le *Sermon joyeux*, voir E. Picot, *Le Monologue dramatique dans l'ancien théâtre français*, dans *Romania*, t. XV, 1886, p. 358-422; t. XVI, 1887, p. 438-542; t. XVII, 1888, p. 207-75 et Ed. Faral, *Mimes français du XIIIe siècle*, Paris, 1910. *Le Franc Archer de Bagnolet* a été souvent joint aux œuvres de Villon, depuis l'édition de 1532. On le trouve dans Picot et Nyrop, ouvr. cité.

Sur *Pathelin* on trouvera les indications essentielles dans l'édition de R.-T. Holbrook, *Maître Pierre Pathelin, farce du XVe siècle*, 2e éd. Paris, 1937 (*Class. franç. m. â.*, n° 35) et dans l'étude du même auteur, *Étude sur Pathelin. Essai de bibliographie et d'interprétation*, Paris-Princeton, 1917 (*Elliot Monographs*, 5), d'après laquelle la date de 1464 paraît assurée. Le *Cuvier*, le *Cousturier et Esopet* et *Maistre Mimin* ont été soigneusement publiés, avec un riche commentaire par E. Philipot, *Recherches sur l'ancien théâtre français. Trois farces du recueil de Londres*, Rennes, 1931.

Chapitre VIII. (*M.B.*, 4904-5002, 5291-5650. 6990-7075). — Sur les traductions de *Caton*, au xv⁰ s., voir J. Ulrich, dans *Rom. Forsch.*, t. XV, 1903, p. 41-149. Sur les traductions de Martin de Braga : A. Coville, *Recherches sur Jean Courtecuisse*, dans *Bibl. Ec. des chartes*, t. LXV, 1904, p. 469-529. L'*Ovide moralisé* a été publié par C. de Boer, 5 vol., Amsterdam, 1915-1936. Sur Pierre Bersuire, voir F. Ghisalberti, *L'Ovidius moralizatus di P. Bersuire*, Rome 1933. Le *Livre du Chevalier de la Tour-Landry* a été publié par A. de Montaiglon, Paris, 1854 (*Bibl. elzévirienne*): le *Ménagier de Paris* par le baron J. Pichon, Paris, 1847.

Sur *Fauvel*, voir l'éd. de A. Langfors, Paris, 1914-1919 (*Soc. anc. Textes*). Les *poésies de Gilles le Muisis* ont été publiées par Kervyn de Lettenhove, 2 vol., Louvain, 1882. Cf. A. Coville, *Gilles li Muisis, abbé de Saint-Martin de Tournay, chroniqueur et moraliste*, dans *Hist. litt.*, t. XXXVII, 1938, p. 250-324.

Les *Lamenta* de Matheolus et leur traduction par Jean Lefèvre ont fait l'objet d'une édition définitive de A.-G. Van Hamel, *Les Lamentations de Matheolus et le Livre de Leesce, de Jehan Le Fèvre de Ressons (Poèmes français du XIV⁰ siècle)*. Edition critique accompagnée de l'original latin des *Lamentations*, d'après l'unique manuscrit d'Utrecht, 2 vol., Paris, 1905 (*Bibl. Ec. des Htes Etudes*, fasc. 95-96). Sur Guillaume Alecis, ou Alexis, voir l'édition de A. Piaget et E. Picot, 3 vol., Paris, 1890-1908 (*Soc. anc. Textes*).

Le thème de la mort a fait l'objet d'études nombreuses. Voir, entre autres, A. Piaget et E. Droz, *Pierre de Nesson et ses œuvres*, Paris, 1925, qui contient la reproduction en fac-similé du plus ancien imprimé des *Vigiles des morts*; P. Champion, *La Danse Macabre, reproduction en fac-similé de l'éd. de Guy Marchant (Paris 1486), avec une notice*, Paris, 1925; I. Siciliano, *F. Villon et les thèmes poétiques du moyen âge*, Paris, 1934, p. 233 et suiv.

Une grande partie du IV⁰ volume de la *La Vie en France au moyen âge*, p. 199-268, a été consacrée par Ch.-V. Langlois aux *Pèlerinages* de Guillaume de Digulleville. On y trouvera une bibliographie très développée. L'édition des trois *Pèlerinages* par J.-J. Stürzinger, 3 vol., Londres, 1893-1897, n'a pas été terminée. Un t. IV qui devait contenir la 2⁰ rédaction du *Pèlerinage de Vie humaine*, est resté en suspens, après la mort de l'éditeur. Pour l'ensemble des œuvres de Guillaume, voir la savante notice de M. Ed. Faral, *Guillaume de Digulleville, moine de Châalis*, dans *Hist. Litt.*, t. XXXIX 1952, pp. 1-132.

Sur la prédication aux XIV⁰ et XV⁰ siècles, on trouvera les informations les plus récentes dans ces deux ouvrages de Louis Mourin, *Six sermons français inédits de Gerson. Etude doctrinale et littéraire, suivie de l'édition critique*, Paris, 1946 (*Etudes de théologie et d'histoire de la spiritualité*, VIII); *Jean Gerson, prédicateur français*, Bruges, 1952.

Quelques traductions de Nicole Oresme ont été éditées récemment : *Le Livre du Ciel et du Monde*, par A.-D. Menut et A.-J. Denomy, New York, 1940; *Le livre de Ethique d'Aristote*, par A.-D. Menut, New York, 1940; *Le Traictié de la première invention des monnoies*, par M. L. Wolowski, Paris, 1864. V. sur la vie et les ouvrages de Nicole Oresme, l'étude déjà ancienne de F. Meunier, Paris, 1867.

Le *Songe du Verger* n'a pas été réédité depuis la médiocre publication de J.-L. Brunet, *Traité des droits et libertez de l'Eglise Gallicane*, t. II, Paris, 1731. Le texte du *Sommium Viridarii* se trouve dans M. Goldast, *Monarchia sancti Romani imperii*, t. I, Hanovre, 1602, p. 59-229.

Voir également N. Jorga, *Philippe de Mézières (1327-1405) et la croisade au XIV* siècle*, Paris, 1896 (*Bibl. Ec. des Htes Etudes*, fasc. 110). *L'Arbre des Batailles* a été publié par Ernst Nys, Bruxelles et Leipzig, 1883. Ct. A. Coville, *La Vie intellectuelle dans les domaines d'Anjou-Provence*, Paris, 1941, p. 245-87.

Sur les traités juridiques, voir Laboulaye et Dareste, *Jacques d'Ableiges, le grand Coutumier de France*, Paris, 1868.

Sur les traités de vénerie, consulter l'article de Werth dans le *Zeitschrift für rom. Phil.*, t. XII, pp. 146-199, 381-415; t. XIII, p. 1 et suiv., et son complément par Ch. Biedermann, *Ibid.*, t. XXI, pp. 529-540; J. Thiébaud, *Bibliographie des ouvrages français sur la chasse*, Paris, 1934. Le *Roman des Déduis, de Gace de la Buigne*, a été publié par Ake Blomquist, Paris, 1951; *Les Livres du Roy Modus et de la Royne Ratio*, par G. Tilander, 2 vol:, Paris, 1932 (*Soc. anc. Textes*); l'édition du *Livre de Chasse* de Gaston Phoebus, par Joseph Lavallee, Paris, 1854, est dépourvue de valeur scientifique.

INDEX ALPHABÉTIQUE

Les chiffres en caractères italiques renvoient aux passages spécialement consacrés aux auteurs désignés.

23

TABLE DES MATIÈRES

DEUXIÈME PARTIE

DU ROMAN DE LA ROSE A VILLON

TABLE DES PLANCHES

ACHEVÉ D'IMPRIMER SUR LES PRESSES DE
L'IMPRIMERIE STEB, VIA EMILIO ZAGO 2,
BOLOGNA, ITALIE EN DECEMBRE 1967

DÉPÔT LÉGAL: 2ᵉ TRIMESTRE 1962
Nº D'ÉDITION: 76